ブラジルの社会思想

人間性と共生の知を求めて

PENSAMENTO SOCIAL BRASILEIRO

はしがき

われわれの社会は混沌のなかにある。未来を見通すことが容易でない。その結果人々の心を漠然とした不安が捕らえている。経済発展と所得の上昇によっても飢餓感を消しさることができない。二つの大戦を経て人々は平和や民主主義の重要性を認識し、国連など多くの制度と対話のための場が与えられているにもかかわらず、民族や国家の間で対立や憎悪が強まり、暴力、紛争、難民を生み出している。競争が社会を進歩させるとの幻想が、社会に深い分断を生み出している。公正な社会にはまず自己責任が重要であり、制度的な介入は二の次との考えが、格差を構造的なものとさせている。温暖化が進み多くの自然災害に直面しても、人々は消費主義を改めようとしない。人間が自然を思いのままに操れるという思い上がりがなお横行している。グリーンエコノミーやSDGsは、環境問題の本質から人々の目を逸らし、豊かさを追求する経済の存続を許す危険を内包している。これらの閉そく感の背景にあるのは、いまある社会をその根源から見つめるための思考力や将来を見通す想像力の欠如や不足であり、そして人々が問題を議論し解決策を探るための公共空間の衰弱である。

不確実性が高まる世界にあって、思考力や想像力は、政治や行政、企業、社会のあらゆる分野で求められている。教育の場もまた然りである。しかし、例えば高等教育や研究の場である大学では、思考力や想像力を涵養する哲学や歴史学は、ここ数十年の間、著しく軽視されてきた。哲学や歴史学に関連する科目は大学教育のカリキュラムからほとんどが消えてしまった。社会科学であれ自然科学であれ、究極には人間に関わる学問であるが、それらから思惟や歴史学的方法が失われてしまった。他方で、実践的で実利的な教育や研究がもてはやされてきた。そして一歩社会に出ると人々は、熾烈な経済競争もあって、ビジネス書やノウハウ本の世界のなかに入ることになる。それらは目先の問題の解決になるかもしれないが、将来の社会を見通し、あるべき社会を考える素材を与えるものではない。加えて進行する社会の分断は人々が集まり学ぶ場を失わせている。

本書はブラジルの社会思想を紹介することを目的としている。なぜ社会思想でブラジルなのか。社会思想については、われわれの社会が直面する多くの問題や困難の理解やその克服において、先達たちの社会思想や理論が多くの示唆を与えると考えるからであり、にもかかわらず大学や社会からそれらを学ぶ機会が失われているからである。なぜブラジルか、それは、ブラジルに関わる教育や研究活動に携わる者として、ブラジルに存在する豊饒な社会思想や理論が、混迷する世界について思考し、将来を構想し、目標に向かって行動する人びとにとって指針になると信じているからである。副題を「人間性と共生の知を求めて」としたのは、ブラジルの思想家たちが共通して、人間性を尊重し、人と人や、人と自然が共生する社会、そのための知の体系を追求してきたと考えるからである。人間性と共生は現代の世界で著しく軽視され、危機に瀕している。

ブラジルは日本ではしばしば後進性をもって語られることが多いが、それはまったく事実ではない。ブラジルには人権、ジェンダー平等、市民の政治参加、民衆運動、環境保全、多元的外交、文化創造など、多方面で先進的な試みが多数存在する。そして被抑圧者の教育学、従属理論、解放の神学、多文化主義、世界社会フォーラムなど、人間性と共生の価値観に基づく、先駆的で創造性に富む思想や運動を生み出し発展させた場でもある。

読者の方々には、ブラジル社会思想に触れ、知ることをつうじて、日本あるいは広く世界が直面する問題について思索し、お互いに考えを持ち寄り議論し、そしてより良い社会に向けて行動することを期待したい。なお、本書が取り上げた思想や思想家は限られている。また内容についても不足や疑問などがあると思われる。読者の方々の忌憚のないご意見やご批判を期待したい。

最後に、本書の趣旨をご理解いただき、コロナ禍で現地調査はもちろん図書館の利用もままならないなかで、ご執筆をお引き受けいただき、また編者の何度もの加筆や改稿依頼に対して、忍耐強く対応してくださった執筆者の方々にお礼を申し上げたい。本の作成は執筆者だけでできたわけではない。本書を読者の手に渡すことができたのは、出版をお引き受けいただいた現代企画室と、編集、校正、デザイン、印刷などの一連の作業を担当されたスタッフの皆様のおかげである。とりわけ小倉裕介さんには、面倒な編集作業をご担当くださり、また数々の有益な助言をいただいた。心から謝意を表したい。

二〇二二年一二月

編者

目次

コラム

【凡例】

一 ポルトガル語の表記について

・固有名詞は、原則的に日本で一般的に使われているカタカナ表記とした。
・語頭のR、語中のrrは原則としてラ行の表記とした。例 リオデジャネイロ（Rio de Janeiro）
・V、vは［b］ではなく［va］とした。例 ヴァルガス（Vargas）
・ãoはアン、chはシャ、deはデ、diはジ、xは［sh］を原則とした。
・語末のeは原則として［i］ではなく［e］とした。例 ノルデステ（Nordeste）
・地名における単語間の中黒は省略した。例 リオグランデドスル（Rio Grande do Sul）
・音引、撥音便は用いない。ただし日本語で一般化している単語は例外とする。例 シングー（Xingu）

二 名前の表記について

・人名は、原則としてフルネームではなく簡略形を使用した。日本で広く知られている人物以外については、日本語名の後に現地語名（一部生年と没年を含む）を入れた。例 Gilberto Freyre 1900-87
・同一人物でも、専門分野によって異なる日本語表記がなされている場合、それぞれの表記を尊重した（結果、章によって日本語表記が異なる場合がある）。
・地名は、日本で広く知られている地名以外については、日本語名の後に現地語名を入れた。地名については原則として表記を統一した。
・政府機関など組織名は日本名の後に現地語名と略号を入れた。日本で広く知られた組織名については略号のみを記した。

三 引用と文献表記について

・書籍や論文を引用する場合、当該書あるいは論文が章末の読書案内（後述）にあるものについては、本文中に著者姓、刊行年、（必要があれば）引用ページを挙げた。例（Freyre［1933］65）（西島［二〇〇二］三五頁）
・引用文献が読書案内にないものについては、脚注に文献の情報を記した。書籍の場合は著者の姓名［刊行年］書名、出版地・出版社。雑誌の場合は著者の姓名［刊行年］論文名、雑誌名、巻号、刊行月、該当ページである。
・書籍の出版年の表記は、本文中および章末の読書案内ともに、原則として初版の発行年を示すが、他の版を参考（引用）した場合には、当該版の発行年に続いて括弧内に初版の発行年を記した。例 Furtado［1970（1952）］

四 読書案内

・各章末尾に、理解を助け深めるのに有用な文献を挙げた。
・読書案内の文献表記は、基本的に前記の脚注の文献表記と同じである。
・同一年に複数の著書や論文がある場合は、a、b、cなどで区別した。

五 その他

・国名は簡略形を使用した。例 ブラジル、ベネズエラなど
・原則としてラテンアメリカ（カリブ諸国を含む）、南アメリカ、中央アメリカとするが、中南米、南米、中米も使用する。アメリカ合衆国は米国とした。
・ブラジルの地域区分は北部、北東部あるいはノルデステ、南東部、南部、中西部とした。

序章　ブラジル社会思想への誘い

本書は、ブラジルの近現代の代表的な社会思想を紹介するものである。ここで言う近現代とは、十九世紀末以降すなわちブラジルが共和制に移行し、近代的な政治、法制度が整備され、都市を中心に自立し自由で理性を備えた市民が徐々に形成された時代を意味する。社会思想とは、人間の生き方や人間が構成する社会のあり方についての考え方であり、人間や社会の状況や変化を論理的に把握し、それらのあるべき姿を語り理想に向けての変革を目指すものである。こうした意味で社会思想は哲学、科学、現実参加が一体になったものである。

社会思想論の課題と方法

社会思想論は何よりも思想家たちの人間観や社会観を明らかにすることを目的とする。彼らの人間観や社会観は時代の影響を受けている。あるいは制約を受けており、政治・経済・社会状況から自由ではない。そして時々の社会状況は歴史の帰結であり未来への過程でもある。社会思想は、歴史的な背景を踏まえて時代状況を体系的に説明し、また未来への展望を示すものである。社会思想はまたそれに先立つ思想とりわけ優勢あるいは支配的な思想や理論の影響を受け、それへの対抗によって誕生するものである。坂本はそうした社会思想史の方法を時代の文脈と思想の文脈として理解することと捉えている。すなわち思想家は、特定の時代を生きながら、その社会固有の諸問題に取り組むなかで、先行する諸時代から受け継がれた理念、概念、体系を用いつつ、自らの思想を作り上げてきたのである（坂本［二〇一四］九〜一三頁）。

ブラジルの思想家たちも例外ではない。彼らもまた置かれた時代状況と思想環境の中で社会思想を創造していった。異なる点は、彼らが社会思想の「中心」である西欧から遠く離れ、また社会が後進性を色濃く残したブラジルに生きたことである。これまで優勢な社会思想は、先進世界とりわけ近代以降はヨーロッパの社会をモデルに構築されたものであり、後発の社会、あるいはヨーロッパとは異なる原理をもつ社会を十全に解釈するものではなかった。ブラジルは十九世紀末以降近代社会への道を歩み出したが、植民地支配と奴隷制の歴史から、その社会はなお伝統的な制度や価値観を根底に持つものであった。こうした思想や社会の後発性ゆえに、思想家たちは、西欧の思想や理論を積極的に吸収するとともに、ブラジル社会を解釈し変革するために独自の思想や理論を創造していった。

西欧近代への憧憬と超克というジレンマは、ブラジルにおける独自の社会思想の創造の動力源となった。西欧近代への憧れはヨーロッパなどからの思想や理論の積極的な移入を促したが、それらが描く現実社会や未来社会はブラジルのそれとは多少とも異なるものであった。そのことを受け止め既存の思想や理論の解釈を修正することが必要であり、そうした作業が新たな思想と理論の創造を可能にする。ブラジル社会に見られる、多様な人種と文化の混淆、伝統と近代の交錯、開発と低開発の並存は、新たな社会思想の源泉となった。

ブラジル社会は先進世界の思想を一方的に受け入れたのでない。ブラジルは同時に世界の思想の揺籃となり、世界の思想や理論を豊饒なものとしてきた。たとえば、青年期にサンパウロ大学に招聘されてブラジルに滞在したレヴィ＝ストロースやブローデル[*1]は、ブラジルでの

＊1 レヴィ＝ストロース（C. Levi-Strausse 1908-2009 社会学）、ブローデル（Fernand Braudel 1902-85 歴史学）についてはコラム4参照。

経験を踏まえて独自の人類学や歴史学を創造した。ブラジルで生まれ、あるいは発展した人種民主主義、被抑圧者の教育学、解放の神学、従属論、世界社会フォーラムなどの思想や実践は、広く世界の思想や運動に影響を与えてきた。ブラジルの文学、映画、音楽などの文化活動は国際社会で広く受け入れられ、新たな文化の創造に貢献してきた。

社会思想論は単に歴史を辿り思想を紹介するだけのものではない。現代社会を説明し現代を生きる人々に何らかの示唆を与えるものでもある。現在の世界は、紛争や難民、貧困や格差、気候変動など数多くの問題に直面しているが、そうしたなかで社会のあらゆる領域に見られる分断や対立が、問題を深刻化させ解決を困難にしている。ブラジルの社会思想家たちは、ときに先進世界の思想や理論に異を唱え、異なる思想や理論を創造してきた。彼らはまたブラジルだけでなく広く世界について語り、世界についてメッセージを発信してきた。本書が取り上げた思想や運動は、われわれが現在対峙する問題の淵源を明らかにし、その緩和や克服に至る途を示し、混沌とした世界の未来を照らす知見を与えうる。

社会を解剖する

ブラジル人とは誰か、ブラジル社会とは何か、他国の人々や社会と何が異なるかという問いは、ブラジルの社会思想家が取り組んだテーマの一つであった。こうした設問は、ブラジルが多様な人種、民族、それらの間の混淆、混血によって誕生した国だからである。さらに追い求めたテーマは、ブラジル社会の後発性の原因がどこにあるかという問いである。つまり、十九世紀末以降ブラジルで優勢となった近代化をどう捉えるかという問いが重要性をもって考察された。

近代化は歴史的な意味で中世封建社会から近代資本主義社会への移行過程を意味するが、その内容は産業化だけでなく、市民社会と自覚的個人の確立、民衆文化の発展など多様な側面をもつ。しかも経済、政治、社会、文化の近代化は必ずしも同時的ではない。国や地域によりあるものが先行し、別のものが遅行する。つまり近代化の具体的な内容と過程は個別的であるが、西欧が経済的に世界を席巻するようになると、西欧近代化が普遍的な過程として扱われるようになる。あらゆる社会が、市場経済、文明社会、民主主義への道を歩むとされる。[*2]

近代化論は十九世紀末以降ブラジルを覆うことになる。ブラジルは長くポルトガルの植民地支配を受け、一八二二年のポルトガルからの独立後も、十九世紀末まで帝政が続いた。帝政では、経済面も社会面も、奴隷制の伝統が多く引き継がれた。八八年の奴隷制の廃止や八九年の共和制への移行に伴い、近代的な法制度が整備され、またヨーロッパからさまざまな社会思想が流れ込んだ。コーヒー経済の興隆による商工業の発展によって、都市ではブルジョアジーや労働者など新たな階級が誕生し、徐々に市民社会が形成された。奴隷に代わる労働力として導入されたヨーロッパ移民は、近代的な生活様式、価値観、思想を持ち込んだ。かれらはまた経営者や労働者として商工業の担い手となった。こうした背景のもとで、近代化はブラジルで積極的な意味をもって受け入れられた。社会や個人の西欧化が追求される一方で、ブラジル社会の過去や、その基底にある伝統的な社会制度や価値観は、唾棄すべきものとして扱われた。

しかし、ブラジルでは同時に、単線的で普遍主義的な近代化論を批判する思潮が現れた。一つは文化的多元主義である。近代化論からすれば、それ以前の社会、それを構成するあらゆる制度、価値観、文化は後発性を象徴するものであった。これに対して文化的多元主義は多様な

＊2　近代化論の究極がロストウ（Walt Whitman Rostow　1916-2003）の経済発展段階説である。経済発展が、資本主義、社会主義を問わず、伝統的社会→先行条件期→離陸期→成熟への前進期→高度大衆消費時代を辿るとし、単線的で普遍主義的な発展論を唱えた。

社会の可能性やそれが持つ優れた点を強調する。一九二二年の「近代芸術週間」はその象徴であった。ブラジルでは二九年の大恐慌を契機にコーヒー経済が破綻すると、ヴァルガス政権のもとで工業化が国家目標とされナショナリズムが強まった。文化的多元主義はこうした政治変化を反映していた。

もう一つの近代化批判は一九五〇年代以降構造学派や従属学派によってなされた。なかでも従属学派は、中枢である西欧の近代化が他の世界を植民地化し富を収奪することによって実現され、他方で周辺では低開発状態を生んだと批判し、低開発からの脱却が中枢との関係の遮断によって実現できるとした。つまり近代化論は支配者である西欧の思想であり、周辺国はそれとは異なる社会を目指すべきだとした。こうして十九世紀末以降のブラジルの社会思想は近代化への憧憬と懐疑の交錯のなかで誕生した。

多くの思想家は、近代ヨーロッパの思想体系を参考にしながら、ブラジル社会の独自性の分析を試みた。その過程で重要視されたのは、ブラジルの宗主国がポルトガルという国であったこと、そしてブラジルにもたらされた宗教がカトリックであった点である。「ブラジル人とは何か」という問いへの答えとして、一九三六年に『ブラジルのルーツ』を著したセルジオ・ブアルケ・デ・オランダ（Sérgio Buarque de Holanda）は、マックス・ヴェーバーに拠りながらブラジルの人と社会を論じた。オランダは、ブラジル人のエートス（人間の性向）を宗主国ポルトガルから引き継がれたものと捉えた。カトリシズム、個人主義、肉体労働の軽視、優雅な振舞い、寛容などの真心、さらに大航海時代の旗手としての冒険心が、ブラジル人の特徴であるとした。未知なる広大な熱帯地域ブラジルの開拓、サトウキビ農園の経営、多様な人種との融和は、この真心と冒険心によって可能となったと説いた。オランダは、こうした特性にブラジル社会の後発性の原因を見つつも、寛容さや調和の追求は優れた特性であり、近代化においても維持すべきだとした。

熱帯ブラジルにおけるポルトガルの植民地形成が、世界にも類を見ない人種関係を構築したと分析したのがジルベルト・フレイレ（Gilberto de Mello Freyre）である。フレイレは米国で人類学を学び、自身の経験をもとに、文化相対主義の立場からブラジル社会の構造を明らかにし、「人種民主主義」を唱えた。熱帯ブラジル植民地の砂糖キビ生産の大農場では、家父長制と奴隷制による社会構造が見られ、米国の過酷な人種差別に対し、多種多様な人種の混血が新しい人種と温情主義的な人間関係を生み出し、それはしばしば言われるようなブラジル人の劣性を意味するものではなく、むしろ美徳であるとした。

ブラジルにおける社会学の形成は、一九二〇〜三〇年代における欧米の思想と理論の移入から始まった。サンパウロを中心に発展し、植民地化、奴隷制の廃止、先住民や黒人を主要なテーマとする社会学の研究が蓄積をみた。工業化に伴う労使関係も重要な課題となった。六四年以降の軍政下では政治や経済に多くの関心が注がれたが、それらの多くはブラジル社会の格差と貧困の問題への解を希求するものであった。

そうした状況のなか、ブラジルの社会学は欧米の思想と理論を踏襲しつつも、社会的現実に対峙する姿勢を崩さない理論として発展した。一九四一年にサンパウロ大学に入学し、「サンパウロ社会学派」の代表者となるフロレスタン・フェルナンデス（Florestan Fernandes）は、社会学の理論や方法論を精緻に分析し、同時に社会的現実の検証をつうじて過去における分析を批判あるいは発展させることに集中し、社会学の新たな地平を開いた。[*3] デュルケム、ヴェーバー、マルクスといった古典的社会学を基礎としながら、ブラジル社会の形成と発展、そして

＊3 Ianni, Octávio [1996] "A sociologia de Florestan Fernandes," *Estudos Avançados*, 10 (26).

民衆の闘争と展望を解明するため、批判社会学の祖として、社会の変貌の条件と可能性のための調査研究に尽力した。彼の知的生産活動は、既存の理論が社会的な現実を説明しうるものかどうかに向けられた。社会現象の間のダイナミックな関係を実証的に論じ、ブラジルには人種間の不平等性が確実に存在するとしてジルベルト・フレイレの人種民主主義を批判する理論を打ち立てた。

一方、人類学の視点から「ブラジル人の探求」を目指し、ブラジル社会の多様性の原点を探る立場を貫いた思想の流れも存在した。多くの先住民を調査した人類学者であり、ブラジルにおける公教育の礎を築いた教育者でもあるダルシー・リベイロ（Darcy Ribeiro）は、ネオ進化論の視点からブラジル社会の文明化とブラジル人の形成を論じた。ネオ進化論は、ダーウィンの『種の起源』の影響を受け、競争のなかで適者が保存されることによって社会が進歩するとした決定論的な社会進化論を批判し、偶然性や人間の意志が進化に関わるとし、多様な発展経路の可能性を示した。リベイロは、ブラジルが豊かな生態系や多様な人種とその混淆から独自の社会と文化をもつに至ったとした。同時に自然や人種、歴史的過程の違いから、社会や文化は地域により異なるとし、類型化を試みた。

社会が根底にもつ不平等性の原因とその現状を克服する方法論の探求は、教育学の分野でも優れた思想を生み出した。『被抑圧者の教育学』の著者である教育思想家パウロ・フレイレ（Paulo Freire）は、北東部の貧困層が置かれている抑圧的社会構造を解剖し、従来の理念、方法とは異なる教育によって人間の解放を目指した。抑圧者によって言葉や権利が奪われているだけでなく、被抑圧者自身がそれを受容している状況を、フレイレは「沈黙の文化」と名付け、知識の詰め込みが優先される西洋型の教育を、被抑圧的状況を維持する「銀行型教育」として批判した。学習者が自ら内面化された抑圧を克服する教育は、識字教育をつうじて「文字」を獲得し、世界を読み解く力を手にすることで可能となると説き、そのためには、学習者が集団学習や対話などをつうじて、自己と地域社会を客観的に「意識化」することが重要であるとした。フレイレの教育論は人間の解放を希求する社会運動の特徴を持つ民衆教育として受け継がれ、アジア、アフリカなど多くの地で住民が主体的に社会問題を解決するエンパワーメントの手法として発展した。

ブラジル社会の不平等性の克服と人々の貧困状況の解決を求める信念は、カトリシズムに新たな社会思想を創造した。植民地時代から、家族やコミュニティの価値観形成の基盤となったカトリックは、共和制のもと政教分離が実現し宗教の自由が認められてからも、人々の生活を律する社会規範であった。しかしながら、体制維持のためのカトリック教会は二十世紀後半、ラテンアメリカを舞台に「宗教改革」を経験する。解放の神学がそれである。解放の神学は、神学の最大の課題が貧者と被抑圧者の解放にあるとし、キリスト教がその原点に戻ることを主張した。レオナルド・ボフ（Leonardo Boff）は、一九八〇年代以降保守派体制が色濃く表れたバチカンからの幾度にわたる沈黙の強制に信念をもって抗い続け、「解放の神学」から「神学の解放」に向かう必要を主張した。

このようにブラジルの社会思想家は、欧米からの思想や理論の移入だけでなく、ブラジルの現実を直視することで浮かび上がる着眼点をもって社会を解剖し、独創的な思想や理論を創造した。多様な人種や民族から成る多文化社会の可能性を示し、多くの人々が貧困状態に苦しみ社会的に排除される現状を変える社会変革を目指す思想は、先住民、黒人をはじめとする、ブラジル社会で生きるすべての人々に寄り添う立場から編み出されたともいえる。そして社会の単線的な発展論を批判し、多様な人種・民族と文化が存在する社会の豊かさと、近代化によって社会の周縁に取り残される人々が抱える社会的課題の明示に寄与したのである。

低開発と闘う

アイデンティティの追求とともに、低開発の原因究明と低開発からの脱却はブラジルの思想家たちが取り組んだ課題である。先達は経済史研究者のカイオ・プラド・ジュニオール（Caio Prado Junior）である。ロシア革命の影響を受けブラジルでも一九二〇〜三〇年代には共産主義思想が浸透したが、それらはイデオロギーや革命論に偏っていた。これに対してプラドはマルクスの唯物史観[*4]に基づき、また詳細なデータを用いてブラジル経済の発展過程を分析し、停滞の主要因を、植民地遺制としての大土地所有制とそれに結びついた一次産品輸出経済構造および外資による利潤の海外流出から説明した。

セルソ・フルタード（Celso Furtado）も低開発の主原因を一次産品輸出に求めた。「中心ー周辺理論」や一次産品価格の交易条件悪化説で知られるアルゼンチン人経済学者で初代国連貿易開発会議（ＵＮＣＴＡＤ）事務局長ラウル・プレビッシュ[*5]とともにフルタードは一九五〇年代から六〇年代に開発論を支配した構造学派の一人である。砂糖やコーヒーなどの一次産品輸出経済とその基底にある大土地所有制にブラジル経済の低開発性の起源があると分析した。欧米諸国への輸出が生み出した富は結果的に大土地所有者に集中し、生産的な投資に結び付くことはなかった。つまりブラジルでは循環的で自律的な経済システムが生まれず低開発からの脱却が困難となっていたのである。こうしたなかで、二九年の世界恐慌はブラジルの一次産品輸出経済に大きな打撃を与え、フルタードは国家主導で工業化を行う輸入代替戦略の

＊4　歴史を動かす原動力が物質的な生産力や生産関係の変化にあり、社会や文化のあり方はそれらの経済力や関係によって規定されるとする考え。

＊5　Raul Prebisch（1901-86）交易条件悪化説は、同様な議論をしたハンス・シンガー（Hans Singer 1910-2006）とともに、「プレビッシュ＝シンガー命題」と言われる。

必要性を主張した。
フルタードたちが提唱した輸入代替工業化戦略は重工業段階に移るに従い失速し、そのなかで脚光を浴びたのが従属論である。経済発展には先進国との関係断絶と社会主義への移行が不可欠だと主張するマルクス主義的従属論に対して、国家の主導のもと外国企業との連携が経済発展を可能とする連携従属的発展（associated dependent development）を論じたのが、フェルナンド・エンリケ・カルドーゾ（Fernando Henrique Cardoso）である。ブラジルでは一九六四年から八五年まで二一年間軍事政権が続いた。開発における国家の役割を重視するフルタードやカルドーゾは社会主義を嫌う軍部によって政治的に排除され、国外への亡命を余儀なくされた。軍事政権は経済自由化をすすめ外資を積極的に導入したが、開発の大きな枠組みを設計し実行したのは国家そして官僚たちであり、結果的にその開発体制はカルドーゾたちの連携従属的発展論に類似したものであった。
軍事政権のもと国家が主導する経済開発戦略は一九八〇年代初頭に破綻した。経済発展に正統性をおいた軍事政権もまたピリオドを打った。経済再建が喫緊の課題であった民主政権は国際通貨基金（ＩＭＦ）などの指導のもと経済自由化路線に舵を切った。国家は開発の担い手から退き、九〇年代以降、グローバル化が進むなか、ブラジルもまた本格的に経済自由化の道を歩み始めた。九五年に大統領に就任したカルドーゾの政策は市場メカニズムを重視する一方、国家は基礎教育の普及や社会保障の普遍化など社会政策において役割をもつというものであった。こうしたカルドーゾの開発モデルは英国ブレア政権の第三の道、そのブレーンであるギデンス[*6]の社会投資国家あるいはシュンペータリアン労働国家に近いものであった。[*7]
しかしながら現実には市場は十全に機能せず、低い経済成長、失業の高止まりなどカルドーゾ

＊6 Anthony Giddens（1938-） イギリスの社会学者。ロンドン・スクール・オブ・エコノミクス名誉教授。資本主義でも社会主義でもない「第三の道」を提唱。
＊7 経済活動における市場の役割を尊重するとともに、教育など社会投資における国家の役割を認める折衷的な経済モデル。雇用や福祉は、国家がそれを保障するのではなく、イノベーションによる生産性向上を通じて実現すべきものとされた。

時代の八年間は問題を積み残し終了した。

　カルドーゾの後を受け政権に就いたルーラ（Luiz Inácio Lula da Silva）もまた市場が基本的な開発のための枠組である点ではカルドーゾと共通していた。四度目の挑戦で二〇〇三年に大統領の座を獲得したルーラの思想や行動には、北東部の極貧層出身という生い立ちや、大統領になる以前、労働組合委員長として生きた道のりが強く反映している。何よりも大事なことは人間の尊厳であり、それを守るために極貧や飢餓をブラジルからなくし、すべての人を社会に包摂するという思いである。尊厳という言葉はブラジルの世界における立ち位置にも通じる。ブラジルは貧しく遅れた国ではない。ブラジルは国土の広さや人口などに見合った大陸サイズの国であり、世界に意見を発信できる国である。ルーラ政権の八年間、一人で外相を務めたキャリア外交官セルソ・アモリン（Celso Amorim）は、「積極的かつ誇りをもって」外交を行うことを目指し、ルーラとともにブラジルをグローバル・プレーヤーの道へと誘った。

　カルドーゾとルーラ両政権はともに経済格差の是正にも関心をもって取り組んだ。カルドーゾは教育による機会の平等、ルーラは貧困家庭への現金給付などを通してそれぞれ社会の平等を実現しようとしたが、ブラジルの格差の根源である土地制度や税制改革などには踏み込めず、二十一世紀に入っても大土地所有制という植民地時代の負の遺産を抱えたままのブラジルが今も存在している。

　国家と市場以外の開発の担い手あるいは制度として、ルーラ率いる労働者党（ＰＴ）が注目したのが連帯経済の役割であった。連帯経済を国家と市場と並ぶあるいはそれに代わるものと位置づけ理論化したのがパウル・シンジェル（Paul Singer）である。シンジェルは国家を絶対視する社会主義と市場を絶対視する新自由主義を左右の全体主義と批判し、生産者や消費者の自主管理による経済活動、すなわち協同組合、アソシエーションなどの連帯経済が広がる経済を追求した。シンジェルはそれを自主管理社会主義と名付けた。国家や市場を否定するのではなく、それらを含む多元的な経済である。

低開発の究明や開発の模索に取り組むことでブラジルの思想家たちは国家として進む道を社会に示してきた。カルドーゾは社会民主主義的な国家を、そしてルーラはすべての人が尊厳をもち包摂される国家である。しかし、現実の社会をみると思想家たちが理想とした世界が実現できているとはいえない。貧困はなお広範に存在し、経済格差も依然として縮まる傾向にはない。暴力や治安の悪化も増えている。カルドーゾ、ルーラ、そしてルセフ（Dilma Vana Rousseff）までの中道左派政治は二〇一六年でピリオドを打った。[*8] 続くテメル（Michel Temer）政権以降ブラジル政治は右旋回をはじめ、十九年に発足したボルソナロ（Jair Bolsonaro）政権で右傾化は決定的となった。同大統領の扇動的な行動や思想、二〇年以降続くコロナ禍、そして二二年二月二四日のロシアによるウクライナ侵攻に伴う世界経済の混乱は、ブラジル社会の分断をさらに悪化させている。低開発との闘いはいまだ進行中である。

社会運動を率いる

ブラジルの社会思想は、その多くが歴史的に構築された社会の不平等性の原因と解決方法を探求することを目的としていた。したがって、どの時代もそれらの思想は「社会を変えるための実践」と密接にかかわっている。特筆すべきは、社会的現実を問いただす人々の多様な実践が、「公正な社会を求める社会運動の原点となる思想として息づいていることである。社会運動の指針を築いてきた運動家たちの思想は、学術的な理論的形態をとらずとも、ブラジル社

＊8　中道左派政治に終焉をもたらしたのは、直接的には予算会計の不正を理由とするルセフの弾劾と解任であるが、背景には経済の低迷や労働者党政権下での数多くの汚職発覚があった。

会の構造的搾取の姿を白日の下にさらし、その解決を目指す実践の蓄積により、社会を変える原動力となっている。

社会運動の多くは、社会的排除や差別により権利を奪われてきた当事者を中心として展開されてきた。それぞれの運動の背景には、生態学的にも社会文化的にも多様な構成を持つブラジルのさまざまな場所で、植民地時代に続く西欧近代化の過程のなかで「声なき者」として扱われ、不可視化され続けてきた人々の存在がある。

国家経済に裨益する開発が優先され、搾取の対象となり続けているアマゾン地域では、先住民族による政府政策への抗議の闘いが行われている。先住民族が守ろうとしているのは、自民族の暮らしだけではない。彼らの生活の基盤であるアマゾン地域を地球本来の姿の一部と捉え、自然と共生する生態系としての森を守ることが人類全体の責務であることを、現代社会に訴え続けている。その主張と実現のために必要な、ブラジルの先住民族運動の連帯をいち早く提唱した人物が、カヤポ族の長老ラオニ・メトゥティィレ（Raoni Metuktire）である。彼が世界に訴える環境保護と先住民族の人権擁護は、つねに地球の声を代弁するものとして重要な役割を果たしている。

奴隷制を基盤として発展したブラジルにおいて、黒人社会も長い間不可視化されてきた存在であることは疑いない。奴隷制廃止の後も、黒人社会への差別と排除が継続され、前述の人種民主主義により、ブラジルにおける格差は人種ではなく階層にあるとされ、社会的上昇の責任は黒人個人に求められ、白人支配者層は揺るぎない特権を手にし続けてきた。そうした状況のなか、奴隷制時代のキロンボ共同体[*9]の創設に始まり、みずからのいのちと権利、文化的アイデンティティを守るため、さまざまな黒人運動が展開した。なかでも、人種民主主義の本質

＊9　奴隷制時代、奴隷主による搾取と暴力から身を守るため、農園から逃亡した黒人奴隷が密林のなかで形成した共同体。詳細は第14章参照。

を見抜き、黒人を周縁化するシステムを解明し、黒人が真の権利を取り戻す社会構築を目指したアブディアス・ナシメント（Abdias Nascimento）の行動は、二十世紀以降展開された黒人運動を代表するものである。ブラジルに存在する白人エリート優先の社会構造の矛盾を説き、これまであらゆる機会を奪われてきた黒人が社会を構築する主体となる権利を手にすることが、彼の一貫した主張にある。その根底にある思想は、社会を構成する人々が、みずからの思想、文化の尊重のもとに結束する、黒人のみならずすべての人々の真の解放を目指すものとして位置づけることができる。

先住民、アフロ系ブラジル人という明確なアイデンティティをもつ運動以外にも、社会を変える民衆運動は数多ある。十九世紀後半のゴムブームの時代、労働者としてアマゾンに移動したゴム採取者は、世界システムのなかでモノカルチャーが展開する経済サイクルにおける労働者として搾取されていた。二十世紀後半以降アマゾンで牧場や資源開発のため大規模に森が伐採される状況に対し、ゴム採取労働者が主体となる労働組合運動が出現した。ブラジルの環境運動家として世界に知られるシコ・メンデス（Chico Mendes）は、採取人自身が団結し、非暴力的抵抗運動に参加することでこの構造的搾取に正面から抵抗する社会運動を牽引した人物である。メンデスは、国外の環境保護組織と連携し、ブラジル政府に対し「森林資源の持続可能な利用」を盾に国際的な圧力をかける方法で市井の人々のいのちとブラジルの大地を守る運動を構築した。メンデスの意思を継ぐマリナ・シルヴァ（Marina Silva）は、森林での非暴力的抵抗運動に携わりながら、不平等性が維持される社会構造を解体し、民衆の意見が反映される政治の実現を目指した。上院議員から環境大臣になったシルヴァの行動は、真の民主主義社会に求められる社会正義を体現する諸政策が実現可能であることを証明するものであった。

　このように、社会の底辺に置かれた人々の手による多様な抵抗の行動は、目的を一にする人々と結びつき、ブラジルの社会システムを少しずつ民主的な姿に変容させる役割を果たしている。すべての人々の権利が守られる公正な社会の実現に必要とされるのは、当事者が主体となる運動の存在と、その目的を政治に反映させることを可能とする市民の連帯の力である。一九八八年憲法により社会システムにおいて民主主義的国家の構築が目指される一方で、経済グローバル化の影響を受け、市場経済システムが政治的倫理を歪ませ、市民の権利を形骸化し、格差が拡大しつづける状況に対し、世界の社会運動を結集させ、オルタナティブな社会構築を模索する動きが生まれた。二〇〇一年、ダボスの世界経済フォーラムに対抗する形で「もう一つの世界は可能だ！」を合い言葉に創設された世界社会フォーラムの創始者のひとりであるシコ・ウィッタケル（Francisco Whitaker Ferreira）は、社会的公正の実現を目的に行動する民衆組織が世界規模で連帯し、新自由主義的資本主義の価値観を超えた社会を創造するために、さまざまな組織が水平的関係性をもって参加できる「開かれた空間」での議論が重要であるとする。多様な民衆組織が相互に尊重される場での議論は、組織間のヒエラルキーを抑制する。民主主義の原則ともいえるこうした議論の場が、民衆の創り出すオルタナティブに根拠を与え、それらは国境を超えたネットワークを構築する。市民の連帯の力が政治を動かし、新たな法や制度を創造し、一人一人が尊重される社会正義を実現する力となりうることを、ブラジルの社会運動から生まれた実践をともなう思想は実証している。

多文化を編む

文学や芸術など狭義の文化も社会思想の表現形式である。ブラジルは長い歴史のなかで文学、映画、音楽などで、独自の豊かな文化を創造してきた。

植民地時代に宗主国ポルトガルの影響のなかにあった文学は、独立以降ヨーロッパとくにフランスの影響を受けて、また多人種社会を基盤に独自な発展を遂げる。先住民や奴隷制を主なテーマにしたロマン主義の時代を経て、十九世紀以降ブラジル文学はヨーロッパでの潮流を受けて写実主義や自然主義が支配的になった。リアリズム文学の最高峰マシャード・ジ・アシス（Machado de Assis）は鋭い心理分析による冷徹な人間観察によってブラジルの人と社会を描いた。しかしその文学様式は、人や社会を客観的な描写であるがままに捉えるものではなく、人間の奥底に棲むアイロニーや矛盾を描くものであった。さらに当時流行した実証主義、進化主義など西欧由来の決定主義的な社会観に懐疑の眼差しを向けた。その意味でアシスは近代主義（モデルニズモ）を先取りする作家であった。

二十世紀に入り都市人口が増加し、新しい生活様式の普及とともに、文化においても近代主義が主流になっていった。一九二二年の「近代芸術週間」はその先駆となった。「近代芸術週間」は、ブラジルの文芸における伝統主義やヨーロッパへの追随を批判し、ブラジル固有の社会を基盤に近代化を追求した。その中心人物であったマリオ・デ・アンドラーデ[*10]は多様な人種の混淆にブラジル固有の文化を見出した。こうした知識層の運動とともに民衆の文化も花開いた。とくに北東部から多くの黒人や混血者が流入した首都（当時）リオデジャネイロでは、社会が階層化し、異なる文化が併存する現象が見られた。

一九五〇年代後半から六〇年代にかけてブラジルでは新しい映画運動、シネマ・ノーヴォ

*10 Mario Raul de Morais Andrade（1893-1945）ブラジル近代を代表する詩人、作家であり音楽学者、歴史家でもある。『マクナイーマ（*Macunaíma*）』などの著作がある。

(新しい映画)が興隆した。シネマ・ノーヴォは演劇、ポピュラー・ミュージック、文学などを含む文化運動の一つであった。リオのファヴェーラの日常を描いた「リオ四〇度」、北東部の旱魃と過酷な生活を描いた小説を映画化した「乾いた生活」はいずれも映画監督ネルソン・ペレイラ・ドス・サントス(Nelson Pereira dos Santos)によるものである。軍事政権下でシネマ・ノーヴォ運動は衰退するが、社会と生活の実相を描く手法は「セントラル・ステーション」や「シティ・オブ・ゴッド」など現在まで引き継がれている。

近代化や都市化は音楽でも新たな創作活動を生み出した。リオにある無数のファヴェーラ(スラム)はサンバ創作の場となった。一九五〇年代になるとサンバを基礎に、ジャズの影響も受け、都市の日常生活を題材にしたボサノヴァが流行した。軍事政権下になり音楽家たちは抵抗運動を起こし、一部は亡命を余儀なくされた。こうしたなかで、これまでの音楽を継承し、さらにロックなどを吸収したムジカ・ポプラール・ブラジレイラ(MPB、ブラジル・ポピュラー・ミュージック)が生まれた。シコ・ブアルキ(Chico Buarque)やカエターノ・ヴェローゾ(Caetano Veloso)はその代表であった。

ブラジルは周知の通り移民の国である。宗主国であるポルトガル、奴隷の送り出し地域であるアフリカ、そして十九世紀半ば以降は奴隷に代わる労働力としてヨーロッパやアジアを中心に多くの移住労働者がブラジルに入植した。二つの世界大戦を通して政治や宗教、イデオロギー上の迫害から逃れるためにブラジルに移住してきた人びともいる。そうした様々なルーツをもつ移住者によって構成されているのが現在のブラジルである。日本人初の移民は一九〇八年であった。すでに一一〇年余が過ぎ、現在ブラジルには一九〇万人の日系人社会があり、世界最大である。アニメやマンガ、コスプレなど日本の文化は今ではブラジルの多くの若者を魅了しているが、一七文字で風景や心情を表現する俳句もまた日系人たちを通じて俳諧（haicai）という新しい文化として定着している。俳諧を通して、人間と自然との関係、人間の生活や人間の在り方を描くことで、自然や風物、そして習慣などが異なる日本とブラジルの間の普遍性を探ろうとしたのである。増田恆河（ごうが）はそうした俳諧文化のリーダーであった。

ブラジルの文化は時代を超えて多様な文化の交流と混淆の中で生まれた。それは、異なる文化が対立し敵対する現代にあって、共生と平和の思想とも言えるものである。

本書の構成と論点

本書が取り上げた思想家は、既存の理論や運動を取り入れながらも、それぞれの時代や問題を踏まえて、新たな解釈を加え新たな思想を創造してきた。思想家の多くは実践家でもある。歴史上重要な思想家は優れた理論家であり優れた変革者であった。社会の変革を求めるのは理論の必然的な帰結であった。実践はまた理論や解釈を強固なものとする。理論と実践は相乗して思想を豊饒なものとする。本書では研究者だけでなく運動家もとりあげている。彼ら実践者は、いわゆる学術的な成果を残していなくとも、問題の本質を突いた言説は哲学的で、圧倒的な存在感をもっている。

本書は四部から構成されるが、部の構成は、便宜的なもので、それぞれの思想はそれらの分類をはるかに超えて普遍的なものである。章によって重点を置くところは異なるが、各章は、第一に、生い立ち、時代と社会状況のなか、他の思想家との交流をつうじて、どのように思想を形成したか、第二に、思想はどのような内容をもっているか、すなわち社会の何を対象とし、対象についてどのような体系的な認識をもち論理的に説明しているか、既存の認識や理論に対する独自性は何か、社会に対しどのようなメッセージを発し影響を与えてきたか、そして第三に、その思想は、現代ブラジルおよび世界の社会状況のなかで、どのような意義、重要性をもっているか、どのような課題や問題点があるのか、について叙述している。

本書が紹介するブラジルの社会思想や思想家はほんの一部に過ぎない。ほかにも優れた思想や思想家は多数存在する。[*11] 加えて、あらゆる思想がそうであるように、ここでとりあげた思想も、理論的な瑕疵をもち、思想家が生きた時代状況を十分に明らかにしたわけではなく、また彼らが描く未来社会は、時代の制約から、現在からみれば誤りをもっている。しかし、そのことは彼らの思想の価値を低めるものでは決してない。われわれが社会を考察するための多くの知識を与えている。現在の社会についてのより正確な考察と未来の選択は、いまを生きる私たちに委ねられているのであり、私たちの責任なのである。

【読書案内】

ブラジルでは社会思想を集成した本が編まれている。Botelho e Schwarcz (orgs.) [2009] は二九人の思想家を紹介している。Ianni [2000] はブラジルの社会思想を簡潔にまとめている。歴史哲学者によるReis [1999] [2006] [2017] は、十九世紀から二十世紀のブラジルの表象、保守と革新、多元性をテーマとする三巻本で主要な思想を解説している。今井編 [二〇〇四] はラテンアメリカの開発思想を紹介したもので、本書にとって優れた先行研究である。伊藤・岸和田編 [二〇二二]、田村ほか編 [二〇一七]、ブラジル日本商工会議所編 [二〇〇五]、堀坂ほか [二〇一九] は、社会思想の背景となったブラジル社会や歴史を理解するうえで有用である。畑・浦部編 [二〇二一] は、ラテンアメリ

＊11 編集段階で名前が挙げられ本書に含みえなかった人たちとして、オクタビオ・イアンニ（社会学）、フランシスコ・デ・オリベイラ（社会学）、ブレッセル＝ペレイラ（開発経済学）、ミシェル・レヴィ（哲学、エコ社会主義論）、ジョズエ・デ・カストロ（栄養学、飢餓撲滅運動）、アニジオ・テイシェイラ（教育学）、アントニオ・カンジド（文芸評論家）、マリオ・デ・アンドラーデ（小説家）、ジョルジ・アマード（小説家）、オスカー・ニーマイヤー（建築家）、シキーニャ・ゴンザガ（作曲家）、タルシラ・ド・アマラル（画家、モダニズム）、ニジア・フロレスタ（作家、女性運動家）、ベルタ・ルッツ（動物学、女性運動家）などである。このうちの一部の人物については、本書が取り上げた思想家の叙述のなかで短く叙述されている。

カが直面する課題やその解決のための実践が、地球規模の課題やそれへの取り組みでもあるとの認識から編まれたものであり、本書と問題意識を共有している。坂本［二〇一四］は、ブラジルの社会思想に多大な影響を与えた、ヨーロッパなどの社会思想を理解するのに格好のテキストである。

Botelho, André e Lilia Moritz Schwarcz (orgs.) [2009] *Um enigma chamado Brasil: 29 intérpretes e um país*, São Paulo: Companhia das Letras.

Ianni, Octavio [2000] "Tendências do pensamento brasileiro," *Tempo Social: Revista de Sociologia da USP*, 12(2) novembro, pp. 55-74.

Reis, José Carlos [1999] *As identidades do Brasil- De Varnhagen a FHC*, Rio de Janeiro: FGV Editora.

——— [2006] *As identidades do Brasil 2- De Calmon a Bomfim: a favor do Brasil: direita ou esquerda?*, Rio de Janeiro: FGV Editora.

——— [2017] *As identidades do Brasil 3- De Carvalho a Ribeiro: história plural do Brasil*, Rio de Janeiro: FGV Editora.

伊藤秋仁、岸和田仁編［二〇二二］『ブラジルの歴史を知るための50章』明石書店。

今井圭子編著［二〇〇四］『ラテンアメリカ——開発の思想』日本経済評論社。

坂本達哉［二〇一四］『社会思想の歴史——マキャベリからロールズまで』名古屋大学出版会。

田村梨花、三田千代子、拝野寿美子、渡会環編［二〇一七］『ブラジルの人と社会』上智大学出版。

畑惠子、浦部浩之編［二〇二一］『ラテンアメリカ——地球規模課題の実践』新評論。

ブラジル日本商工会議所編［二〇〇五］『現代ブラジル事典』新評論。

堀坂浩太郎、子安昭子、竹下幸治郎［二〇一九］『現代ブラジル論——危機の実相と対応力』上智大学出版。

（小池洋一　子安昭子　田村梨花）

第Ⅰ部

社会を解剖する

第1章　ブラジルの起源を探る――セルジオ・ブアルケ・デ・オランダ

大航海時代をリードしたポルトガルの民の冒険心とイベリア半島のカトリック教徒の真心の精神にセルジオ・ブアルケ・デ・オランダ（Sérgio Buarque de Holanda　以下オランダと記す）は注目した。二十世紀のドイツの思想家マックス・ヴェーバー（Max Weber）が資本主義の解明にプロテスタンティズムを取りあげたように、オランダは同じキリスト教のカトリシズムの倫理にブラジル精神の根源を見出した。また十九世紀の八〇年代以降、サンパウロを中心に大量に導入された外国移民にはまったく触れず、ブラジルの民のルーツを植民地時代に求めた姿勢がオランダの方法論の柱である。外国移民を軽視したからではなく、ポルトガル的背景にブラジルの根源を見たからである。キリスト教世界のポルトガルの民が十五・十六世紀の大航海時代に想像を絶する冒険心をもって大西洋を越えて新世界に達し、その地の人や熱帯の自然の豊かさを直接受け入れ、一八八八年の黒人奴隷解放の時代まで包摂の社会を継続させたと主張する。地球を二分する一四九四年のトルデシーリャス条約境界線によりアフリカの地の征服を許可されたポルトガルは大航海時代以降、厖大な数の黒人を奴隷として新世界に運び、ブラジル北東部の砂糖生産に利用した。奴隷解放期の十九世紀には南東部パライバ川流域のコーヒー生産地帯が黒人奴隷制の社会となった。これらの多様な民族の受容に際して、その人には寛容な真心で、自然には適応という種をまく農夫の精神で対応したと強調する。その

セルジオ・ブアルケ・デ・オランダ（一九五七年撮影）
Sérgio Buarque de Holanda (1957)　Imagem do Fundo Correio da Manhã. Public domain / Arquivo Nacional Collection

社会の構成員は、先住民、黒人、ポルトガル人である。

真心の精神の根幹は、新世界で神の「楽園」[*1]を作ることを望んだカトリックの宣教師の人道主義であり、その果実が、熱帯自然である新世界ブラジル生まれの民の異種族混淆の社会であると説く。筆者を含めた日本人には、十六世紀に死の危険を恐れずキリスト教の布教のために日本にやってきたポルトガル人宣教師たちの行動にブラジルのルーツである真心を連想することができるであろう。オランダは、ブラジルの二十世紀以降の近・現代における「革命」[*2]などの政治・経済思想の展開を説明する場合、カトリシズムの真心を取りあげた。一九六四年軍事クーデター前の五九年に、博士論文で『楽園観――ブラジルの発見と植民におけるエデン的モチーフ（*Visão do Paraíso: Os motivos edênicos no descobrimento e colonização do Brasil*）』をオランダは発表し、軍政ただ中の六八年に大幅な改定を為した第二版を出版している。要するに彼は、現実の二十世紀の政治を直接批判するのではなく、植民地時代のルーツを古文書に従って描くことからブラジルの民の寛容な知の力を提示したといえる。

＊1　キリスト教『旧約聖書』「創世記」の第二章と第三章のエデンの園を意味する。

＊2　ブラジルでは階級交代を伴う社会変革以外のクーデターなどの政治的変革にも「革命（revolução）」の語が広く用いられる。本章でもこの慣例をそのまま受け入れた。

個人史

オランダは、典型的なブラジルの知的エリート階層出身の歴史家である。ヨーロッパ移民を多数受け入れ近代化を進めた南米の大都会サンパウロ市に生まれ、晩年もサンパウロを拠点とする労働者党（ＰＴ）創設者の一人として活動した。しかし彼のルーツは外国移民ではない。ペルナンブコ州のリオフォルモゾ市出身の父とリオデジャネイロ（以下リオと記す）州ニテロイ市生まれの母親とのあいだの子として、北東部のペルナンブコや南東部のリオに文化的アイデンティティを持っていた。生涯を通じて多くを過ごした生活の場は、サンパウロ市やリオ市、またヨーロッパのベルリン市など、都市的環境であった。

オランダ生誕一〇〇周年を記念する記録映画「ブラジルのルーツ——セルジオ・ブアルケ・デ・オランダの映像履歴書（*Raízes do Brasil: uma cinebiografia de Sérgio Buarque de Holanda*）」を二〇〇四年にネルソン・ペレイラ・ドス・サントス監督[*3]が公開している。映画には一〇年に一〇〇歳で没したオランダの妻マリア・アメリア・セザリオ・アルヴィン（Maria Amélia Cesário Alvim: Maria Amélia Buarque de Hollanda 1910–2010）やミュージシャンのシコ・ブアルキ（1944– 第19章参照）、ミウーシャ（Miúcha 1937–2018）、クリスチーナ・ブアルキ（Cristina Buarque 1950–）、アナ・ジ・オランダ（Ana de Hollanda 1948–）など七人の子ども、そして孫たちも登場している。オランダ家では、ブラジル文学アカデミーの辞書編纂者アウレーリオ・ブアルケ・デ・オランダ（Aurélio Buarquede Holanda 1910–89）も親戚である。

　ネルソン監督の記録映画を参考に歴史家オランダの人生を振りかえる。冒頭で見たように、北東部出身の父クリストヴァン・ブアルケ・デ・オランダ（Cristóvão Buarque de Hollanda 1864–1944 この父は姓をHollandaと記すが、オランダらはHolandaとなる）と、リオ州生まれの母エロイーザ・ゴンサルヴェス・モレイラ（Heloísa Gonçalves Moreira 1868–1957）の長男として、オランダは一九〇二年にサンパウロ市で生まれた。父は若くしてペルナンブコ州から首都リオに移り、医学を学ぶ。しかし修了せず、薬剤師としてサンパウロに移り住み、公衆衛生局で働いた。サンパウロ市の薬科歯科学校の創設者の一人となり、植物学を教えた父は二二年に退職する。オランダはこの父の子としてサンパウロでエリート教育を受けた。彼には弟のジャイメ（Jaime 1904–99）と妹のセシリア（Cecília 1908– 没年不詳）がいた。サンパウロ市のプログレッソ・ブラジレイロ幼稚園に入り、男女共学のアメリカンスクールで学ぶ。共和国広場に

＊3 映画作品「リオ40度」によってブラジルのシネマ・ノーヴォの到来を告げ、フルミネンセ連邦大学に映画コースを創設した。二〇〇〇年と一〇年に来日し、いずれも日本語字幕による監督作品の記念上映会を行っている。詳細は第18章参照。

位置したカエターノ・デ・カンポス小学校に入学し、九歳のときには人生最初の音楽作品「オオオニバスのワルツ」を雑誌『ティコ、ティコ（Tico-Tico）』に発表した。その後、歴史家アフォンソ・タウネイ（Afonso Taunay 1876–1958 ブラジル文学アカデミー初代会員、フランス人画家タウネイ男爵の家系）が校長のサン・ベント中等学校に進み、優しい神父たちに囲まれ、ラテン語やドイツ語を学んだ。サンパウロ市の瀟洒な中心街に住み、街の映画館で映画を楽しみ、社交ダンスも好んだ。校友たちとも幅広く交流し、休日にはサントスに出かけた。

家族が一九二一年にサンパウロからリオに移ったため、オランダの生活の場もリオとなる。ブラジル独立一〇〇周年の都市化を進める首都リオは、ブラジルのアイデンティティを強調する文化的独立を進めていたが、若いオランダはこのリオで二二年の近代芸術週間（コラム1参照）の運動にかかわったマリオ・デ・アンドラーデ（Mário de Andrade 1893–1945）やオズワルド・デ・アンドラーデ（Oswald de Andrade 1890–1954）らと親交を深め、雑誌の編集にも参加する。二五年にブラジル大学（後のリオ連邦大学）法学部を卒業し、日刊紙『ジョルナル・ド・ブラジル』の記者となり、二九年から三〇年までナチス台頭のドイツのベルリンなどで働く。妻マリアの説明によると、このときからオランダは『ブラジルのルーツ（*Raízes do Brasil*）』（『真心と冒険――ラテン的世界』）の原稿を書き始めていた。ドイツの大衆文化をはじめ、マックス・ヴェーバーの社会思想の影響を受けた。三〇年にブラジルのリオに戻るが、そこは新しい指導者ジェトゥリオ・ヴァルガス（Getúlio Vargas）の「革命」が勃発したばかりの首都であった。一九三〇年革命と呼ばれるこの政変は、地方エリートである少数支配勢力、とくにサンパウロとミナスジェライス両州地主層の政治や経済の支配に対する武力による反発であった。*4 運動の中心はリオグランデドスル州の指導者ヴァルガスを押し立てる軍の青年将校*5や都市の労

*4 コーヒー生産州サンパウロと牧畜の盛んな州ミナスジェライスの政治家による寡頭支配であったので、カフェ・コン・レイテ、つまりミルク入りコーヒー体制と呼ばれた。

*5 ブラジル陸軍の中間的な将校階級一般のことで、革命の参加者に少佐や大尉が多かった。第一次大戦（一九一四～一八年）後、ブラジルでは都市中産層の存在感が増していた。工業化はサンパウロ州を中心に進行した。

*6 護憲とは、連邦制をうたった一八九一年第一次共和国憲法を擁護する立場のこと。サンパウロは国家統一を主張するヴァルガスに、地方自治擁護の立場から反対した。

働者階級、工業資本家などの新興勢力であった。ヴァルガス革命を否定するサンパウロ州政府が旧共和制期の体制を守って戦った三二年の護憲革命[*6]のときオランダはリオで生活を続け、ヴァルガスが独裁的な新国家体制（Estado Novo）[*7]を樹立する一年前の三六年に同市のジョゼ・オリンピオ社から『ブラジルのルーツ』を出版した。[*8] この年にミナスジェライスにルーツをもつリオ出身のマリア・アメリア・セザリオ・アルヴィンと結婚、同年に連邦区大学（後のリオ州立大学）哲学部助教の職を得た。四一年に米国の複数の大学で客員研究員を務める。第二次世界大戦後の四六年にサンパウロに戻り、アフォンソ・タウネイの後任としてイピランガのパウリスタ博物館館長を五六年まで引き継ぐ。その間、四八年に経済学者のロベルト・シモンセン（Roberto Simonsen 1889–1948）の後任としてサンパウロ社会学政治学部財団[*9]（現在）の教授職に就く。

一九五三年から五五年にイタリアのローマ大学のブラジル学の教授を務め、帰国後、五八年にサンパウロ大学[*10]の今日の哲学文学人文科学部でブラジル文明史の教授に就任した。翌五九年にアメリカ大陸征服時のヨーロッパ人のイメージを分析した『楽園観――ブラジルの発見と植民地化のエデン的モチーフ』を既述のとおりサンパウロ大学への博士論文として発表し、六八年には第二版を出した。二〇二〇年にも第四増刷版が出版されている。一九六〇年以降サンパウロ大学に創設されたブラジル研究所所長に就任した。六三年から六七年までチリで客員教授を務め、米国ではコスタリカとペルーの教育、科学、文化支援のための国連の文化機構の文化使節団に参加する。六九年、当時の軍事政権[*11]によるサンパウロ大学の人事問題介入に抗議して、教育職を終えることを決めたが、こうしたなかで七二年に『ブラジル文明一般史第Ⅱ集　第五巻　帝政ブラジル――帝政から共和制へ』（*História geral da civilização brasileira, Tomo II:*

＊7　反ヴァルガス派が一九三七年一一月九日に陸軍首脳部あての政府弾劾文を連邦議会に提出し、これが公開された翌一〇日に陸相が指揮するクーデターの勃発となった。ヴァルガスは同夜、ラジオ放送「国民への声明」で新しい政治体制の樹立を宣言し、新憲法が公布された。新国家体制は四五年まで続く。

＊8　この初版本の第三章の「農村的な過去」を、四七年の第二版では、第三章「農村的な遺産」と第四章「種とタイル」に変更するなど、語句の変更を行った。和訳本の底本は六九年の第五版である。

＊9　Fundação Escola de Sociologia e Política de São Paulo: FESPSP　一九三三年創立の私立の教育機関。

＊10　一九三四年創立のサンパウロ州にある州立大学。

＊11　一九六四年三月三一日から四月一日にかけて連邦軍が反乱を起こし、民主体制が崩壊した。このクーデターにより権威主義的軍事政権が成立し、八五年一月一五日に野党の文民候補が大統領に選出されるまでの二一年間、軍政が続いた。

O Brasil monárquico, vol. V: Do império à república）の全四三六頁の年表とインデックスを除く本文を同大学哲学文学人文科学部教授名でオランダは執筆している。また同じく軍政下の七一年と七二年に彼が監修するブラジルの中学生用教科書『ブラジル史』（*História do Brasil*）全二巻図説版が出版され、高い評価を得て民政移管後の八六年にも版を重ねた。さらに七六年にはパライバ川沿いのコーヒー農園主宅の廃墟を描いた画家トム・マイア（Tom Maia 1929–）の複数のペン画についてオランダが解説をした『パライバ川流域——古き農園（*Vale do Paraíba: Velhas Fazendas*）』が出版され、十九世紀末のコーヒー農園社会の一般の読者の理解を助けた。このようにオランダは、教育者としてブラジル史を丁寧に解説することに尽力した。

　軍政下の一九八〇年に、マリオ・ペドロザ（Mário Pedrosa 1900–81）とアントニオ・カンジド（Antônio Candido 1918–2017）に続いて労働者党（PT）の創設に参加した（写真参照）。これによって、九六年設立のPT支援財団（Fundação Perseu Abramo）は、セルジオ・ブアルケ・デ・オランダセンターと命名されることになった。八二年にサンパウロで没した。

左端がペドロザ、右端がオランダ（一九八〇年撮影）
Reprinted from *Perseu: história, memória e política*, Vol.1, n.1 (2007), São Paulo: Centro Sérgio Buarque de Holanda da Fundação Perseu Abramo.

冒険型の民ポルトガル人

　以下、代表作『ブラジルのルーツ』を中心にオランダの思想を説明する。[12]『ブラジルのルーツ』の第一章と第二章でポルトガル人[13]の特徴が他のヨーロッパ人と違うことをオランダは指摘する。ポルトガル人は、怠惰（ociosidade）を選択して肉体労働（trabalho）を否定し、堅実ではなく冒険（aventura）を重視したと言う。冒険を求め労働を嫌悪するポルトガル人をルーツとするブラジル人の性格が、一八八八年の黒人奴隷制廃止[14]まで続いたのである。十六・十七世紀の砂糖生産、[15]十八世紀の金の生産、[16]十九世紀のコーヒーの生産[17]はすべて黒人奴隷に依存していた。

＊12　引用は、訳書の書名の簡略表記『真心』と引用頁で示す。

＊13　イベリア半島の最西端で十二世紀に建国を果たし、十五世紀には当時の最先端技術を駆使した帆船や羅針盤、世界地図によって大航海時代をリードすることになるポルトガル人

そして奴隷制廃止を境界として、ブラジル史上ブラジル人が経験した唯一の革命が起こったと力説する。つまり奴隷制廃止以降の新しい時代は都市を基盤とする外国移民の労働が重要となり、黒人奴隷に頼った農村が土地所有者とともに衰退したのである。『ブラジルのルーツ』では移民のことには触れていないものの、奴隷制廃止と帝政崩壊[*18]・共和制樹立という革命によって、冒険を好み、真心あるポルトガル人をルーツとするブラジル人の社会が新しくなったと説く。

ブラジル人の怠惰の結果はすべてヨーロッパとは異なった気候と風土に特有な発展形態をたどっているように思われる、とオランダは語る。イベリア諸国の国民性を分析するにあたって、労働を神聖視する考え方に基づくあらゆるモラルに対して、イベリア諸国の民は抑えきれない反発を感じると言う。純粋なポルトガル人やスペイン人には、日々のパンのための不健全な戦いよりも名誉ある怠惰（digna ociosidade）の方が常に優れたものであり、品位を高めるものとさえ思われたとオランダは述べる。両者がともに理想として尊ぶのはいかなる努力、いかなる心配もない立派な紳士の生活であったのである。つまり、ドイツなどプロテスタント諸国民は肉体労働を賞賛するが、イベリア半島の人々、特にポルトガル人は中世以前の人々と同じ観点の上に腰を据えていたため、その支配的な考え方は、安逸（ócio）の方が仕事（negócio）より大切であり、生産活動は、それ自体、瞑想や愛ほど価値を持たないというものであった（『真心』一三〜一四頁）。

冒険については、文明のために熱帯を征服するという企てに最初に着手したポルトガル人は歴史上最大の使命をまっとうしたと評価する。ポルトガル人が大航海時代と熱帯ブラジルを開発したという業績にたいして、たとえ非難が浴びせられても、ポルトガル人がこの役割を

は、ケルト人、イベリア人、ローマ人、アラブ人などが歴史的に混淆した民であった。

＊14 ペドロ二世から正式に後継者に指名されていた皇女イザベル（1846–1921）が一八八八年五月一三日、帝国議会が提出した黄金法と呼ばれる廃止令に署名し、植民地時代から続いた奴隷制が終わった。

＊15 ブラジル北東部海岸地帯の肥沃な土壌マサペー（massapê）にアジア原産の砂糖キビを栽培し、黒人奴隷を用いて大量の砂糖を生産し、この商品をヨーロッパに輸出、販売した。

＊16 十七世紀末、砂金と金脈がミナスジェライスで発見され、十八世紀半ばまで金のブームを迎えた。

＊17 十八世紀にブラジルの北部に導入されたコーヒーの苗は十九世紀に南東部のパライバ川流域に達し、コーヒー生産は急速に拡大した。

＊18 ブラジル帝国の中核をなした皇帝ペドロ二世が病気に倒れ、サンパウロにおいてリオデジャネイロとは異なる新興のコーヒー・ブルジョアジーが台頭し、帝国は政治の支えを失った。

立派に演じただけではなく、それに相応しい人々であったことは認めないわけにはゆかないと続ける。赤道に近く、十六世紀の常識では人間はたちどころに退化してしまうとされていた地域を、整然としかも精力的に開拓するという事業に大胆に取り組む力を備えた国民として、ポルトガル人の右に出るものは旧世界には存在しなかったと言う（『真心』一七頁）。

ポルトガル人の植民活動を規定した心理を根拠に、ポルトガル人は冒険型であり、堅実型ではなかったと考え、ブラジル人の社会生活の在り方の中に、互いに対立しそれぞれ異なる行動様式を生み出す二つの原則があると見る。その二つの原理は冒険型（tipo do aventureiro）と堅実型（tipo do trabalhador）の人となって現れ、すでに原始社会[*19]でもこの二つの型はどちらが優勢かによって狩猟または採集民族と農耕民族というふうに根本的にわかれると指摘し、以下のように続ける。冒険型の人にあっては、究極の目的、全努力の目標、到達点こそが最も重要であるため、そこへ至る過程はすべて二義的なもの、余計なものとして問題にされない。この型の人の理想は木を植えないで果実を手に入れることに譬えられる。そして、冒険の倫理があるように、堅実の倫理もあって、堅実型の人が積極的な道徳的価値を認めるのは実行する意欲の湧く行為だけである。この堅実型の彼らは、冒険型の人に特有な資質――大胆、先の見通しのなさ、無責任、気紛れ、放浪性――つまり冒険型の人の特質である、世界を広さで認識しようとする姿勢に関連するものはすべて不道徳で軽蔑すべきものと考えている、と（『真心』一八～一九頁）。

この冒険型的なポルトガル人が利用したのが、北東部の砂糖キビ栽培のために容易に手に入る大農場と、先住民の労働力を利用する最初の試みが失敗した後の、アフリカからの黒人の導入であった。オランダは、ブラジルでは黒人との混血が進むが、その理由に、ポルトガル

一八八九年一一月一五日、陸軍の急進派で実証主義を信奉するB・コンスタンがD・ダ・フォンセカ将軍をかつぎだし、帝政打倒のクーデターを敢行した。これに対して、一般大衆からも帝政支援者からも大きな抗議の声はあがらなかった。

*19 『真心』の原文では、怠惰のルーツには伝統（tradição）、冒険の始まりには原始的（rudimentar）を使用している。ヨーロッパの原始社会における冒険型と堅実型の対比では、日本の縄文と弥生の狩猟・採取の民と稲作農耕の民の比較を連想できる。

人は一五〇〇年（ブラジル「発見」の年）を迎える前に本国で混血が広く行われていたことをあげる。そして、ポルトガル人には、オランダ人などに比べて人種的な誇りがなく、熱帯という環境に定着するための重要な要因の混血がありふれた現象となったと述べる。しかし、「怠惰（ociocidade）」や「先の見通しのなさ（imprevidência）」、「放縦（intemperança）」の性質をもつ先住民よりも肉体労働を強いられた黒人が差別されていたことに注目している。黒人奴隷に課せられる卑しい労働（trabalhos vis）に伝統的につきまとい、その労働に携わる者だけでなくその血をひく者にも不名誉となる烙印が偏見を生んだと説明する。ポルトガル人の場合、生まれから生じる資格の問題が特別な重要性を持つに至ったのは、ある程度までその仕事の烙印が理由となったのである（『真心』三七頁）。

ポルトガル人は種をまく人、スペイン人はタイル職人

『ブラジルのルーツ』の第四章の「種とタイル」で、スペインとポルトガルの植民の違いを述べる。まずギリシャやローマ帝国にとって、都市建設が地方権力組織の育成に特異な役割を果たしたという内容のマックス・ヴェーバーの『経済と社会Ⅱ（*Wirtschaft und Gesellschaft*）』の説明を取り上げ、オランダはこれと同じ特徴がスペイン人の植民にも見られるものの、ポルトガル人の植民には見られなかったと言う。

スペイン人は、安定した、しかも組織のよく整った大規模な植民地を作ることによって、被征服地に対して本国の軍事的、経済的、政治的優位を保持しようとしたとオランダは説明する。アメリカ大陸に細心の注意と慎重さをもって熱心に都市を建設したのである。最初のころは、多くの新たなる栄光と新しい土地をスペイン王室にもたらすために、個人的活動には広

範な自由が認められていたが、やがて国家がかかわり、ラテンアメリカ諸国の住民に対して、その新旧を問わず、一定の規律を押しつけたと言う。そして住民の間に存在した対立や不和を鎮め、植民者たちの粗暴なエネルギーを本国の利益のために巧みに誘導したのである。植民が完了し、建物の建築が終わる「前ではなく（não antes）」終わってから、長官や植民者はその先住民すべてが平和裡に聖なる教会の内部を訪れるよう、またそこの為政者に服するよう最大の誠意と努力を払わなければならなかった。スペイン系アメリカの都市にはその外観から、一目見ただけで、大自然の気紛れを正し、これにうち勝とうとする努力がうかがえると言う。それは断固とした人間の意志のなせるわざのようであり、スペイン系アメリカの都市の場合には、人間が恣意的に、しかも首尾よく事象に介入することができ、また歴史は単に「起こる（acontece）」のではなく、方向づけたり、作ることさえできるという考え方が現われていたと指摘する。このような考え方が最も顕著に現われたのは布教区におけるイエズス会の組織である。イエズス会士たちはグアラニ族[20]の布教に際して、このような考え方をその物質的文化の中に適用し、木材は豊富だが、石材の乏しい地域に、煉瓦や飾りのついた石を用いて幾何学的な都市を「作った（fabricando）」だけでなく、制度にまでそのような考え方をスペイン人は適用したと言う（『真心』九一〜九四頁）。スペイン人は言わばタイル職人（ladrilhador）であった。

他方、タイル職人であるスペイン人に対して、種をまく人（semeador）であるポルトガル人の植民の方法は異なっていたと言う。ポルトガル系アメリカでは、イエズス会士の実に稀に見る見事な業績は例外的なものであった。そこに結実した真に驚異的な彼らの意志と知性、さらにスペイン人が植民で目指したものと並べてみると、ポルトガル人が企てたものは弱々しく、勝利をおさめるには準備が不十分であったように思われると続ける。植民に関してスペ

＊20　ブラジル南部から北東パラグアイに住む先住民の一民族。

イン人とポルトガル人を比較すると、後者の活動には商業的な性格が強いという特徴が見られ、従ってそれは古代、とりわけフェニキア人やギリシャ人の植民の例と同じである。これと反対に、スペイン人は開拓した国を自国と有機的に繋がったものとしようとした。スペイン人が新世界に建設した大都市は、熱帯地域であっても、高度が高いためにヨーロッパから来た人でも本国の気候と似た気候の中で生活できるような場所にある。まず熱帯の海岸地域を植民したポルトガル人とは逆に、スペイン人は植民の場所として海岸地帯を避けて内陸や高原地帯を選んだようであるとオランダは述べる。発見と植民のための法令にもこのようなことを勧告している部分が見られ、ポルトガル人は、内陸へ入るために海岸地帯の人口が減少するのを懸念して、それを防ぐためにいろいろ難しい条件をつけたと言う。ブラジルの初代総督[*21]のトメ・デ・ソウザ(Tomé de Sousa)の植民規定では、内陸へ入るには長官か王国財務管理長の特別の許可がない限りどんな人も許されなかった。さらにその許可が与えられる人の条件は「無事に行って帰って来られ、その上そのために何の問題も起こさないことである。しかも当該の長官か管理長の許可がなければ、平和時であっても一つのカピタニアから他のカピタニアへ行ってはならない。これはそのために生ずる不都合を避けるためである。これに違反した場合、平民は笞で打たれ、地位の高い者は捕われた先住民と彼を告発した者とにそれぞれ二〇クルザード払わなければならない」と定められてもいたと述べる(『真心』九四~九八頁)。

ポルトガル人の植民と海岸地帯の関係については、ポルトガル人たちが好んで海岸地帯を植民したことの影響は現代まで残っていると言う。今日でも「奥地(interior)」という言葉を聞くと、十六世紀と同じように、人口が少なく都市文化がやっと及んでいる地域のことが頭に浮かぶとオランダは説明する。サンパウロの奥地探検隊(バンディラ)の活動を理解するには、ポ

*21 一五〇〇年にポルトガル王国によってブラジルの発見が宣言され、三四年、ブラジルは世襲制のカピタニアに分割された。三九年、北東部ペルナンブコのカピタニアを付与された統治者ドナタリオが、輸出向け砂糖の生産を増加させるため黒人奴隷の入手の許可をポルトガルの国王に求めた。ポルトガル王国はカピタニアで進める開発を掌握するためバイアのカピタニアの町に総督を置くことにした。四九年、アフリカ、インドに従軍したのち、トメ・デ・ソウザが初代総督になった。

ルトガル本国との繋がりを全く認めないというのではないが、ポルトガル人の植民活動とは少し切り離し、あらゆる法律に挑戦し、あらゆる危険を冒しながら、地理的空間を今日のブラジルにした試みとして考えないと、この探検隊を完全に理解することはできないと語る。ブラジルの歴史の新しいページが真に始まるのはピラチニンガ高原[*22]であり、ここで初めてそれまでばらばらになっていた植民者が一つにまとまった形をなし、声を発したと言う。サンパウロのパイオニアたちの活動は大西洋の向こう側（ポルトガル）から生まれたものではなく、それはポルトガル本国の意図や目前の利益と対立することもしばしばだったと続ける。しかし先住民狩りをするこれらの勇敢な奥地探検隊の男たちや富を追い求め獲得せんとする人たちはなによりも純粋な冒険者（puros aventureiros）であったと言う。彼らが植民者になるのは外的な事情から止むを得ない場合に限られていた。ふだん探検の遠征が無事に終わった時に、自分の村や田舎の農園に戻ったのである。このようなわけで、金鉱が発見されるまでは植民は散発的にしか行われなかったと説明する（『真心』一〇〇～一〇一頁）。

真心とブラジル人の仕事

『ブラジルのルーツ』第五章の真心のある人（homem cordial）という言葉が、他の二つの冒険型（tipo do aventureiro）と種をまく人（semeador）と並んで、ブラジル人を理解するためのオランダの基礎的用語となっている。彼は真心が単に、行儀正しさ（boa maneira）を意味しているのではないと説明する。この美徳は、非常に豊かで溢れるばかりの感情を掛け値なしに表現したものだと言う。社会生活においてブラジル人は形式主義を嫌う。その例として、ブラジル人が目上の人に対して常に頭を下げることが苦手だという事実を紹介する。また、ポルトガル

＊22　サンパウロ市発祥のピラチニンガで一五五四年にイエズス会士マヌエル・ダ・ノブレガ（Manuel da Nóbrega）やジョゼ・デ・アンシエッタ（José de Anchieta）がミサを行い、先住民布教のコレジオが創設された。ピラチニンガはやがてイエズス会士によるブラジル奥地の布教と奥地探検隊バンデイラの内陸部移動の拠点となる。

語の表現でみると、縮小辞を使用しようとする傾向がブラジル人にあるのは、平等な仲間であるとの態度の表れだと指摘する。語の末尾におかれる inho を使えば、一層、人や物に親しみを感じる。さらに、人と言葉を交わす場合、家族名を省略し、個人名や洗礼名の方が用いられると付け加えている（『真心』一五八～一七四頁）。

オランダは第五章の真心のある人の最後を以下の説明でまとめている。特に儀式的なものを嫌うブラジル人の傾向は、最初にブラジルへ来て彼らを観察したヨーロッパ人の言う「怠惰で少し気だるい土地」によってある程度説明がつく。なぜなら、根本的に儀式的なものが不要なブラジル人が周囲の環境に対して反応する場合、防御の姿勢をとらないのが普通である。ブラジル人の個人生活には統一性が乏しく、規律に従うという傾向もないので、全人格を捧げて、意識的に社会と統合させようとはしない。だからこそ、ブラジル人は自由なのであり、自らが出会った物の考え方や行動、形式はどんなものであってもそれに身をゆだね、しばしばあまり苦労することもなく自分のものとしてしまうのである（『真心』一七四頁）。

続く『ブラジルのルーツ』の第六章の「新しい時代」では、ブラジル人が仕事に求めるものは自己満足だけである、と明示している。仕事の目的は自己であって仕事そのものではない。つまり働く者のためであって仕事のためなのではない。ブラジルでは、職業を意味する言葉そのものが殆ど宗教的な響きを持ちうる他の国々とは違って、職業は個々の人の生活の第二義的なものにすぎないのであると述べ、これに長い注記を付けている（『真心』一七七、二四三～二四四頁）。マックス・ヴェーバーの『プロテスタンディズムの倫理と資本主義の精神』への反論である。以下にその一部を紹介したい。

Beruf または calling[23] の概念は、マックス・ヴェーバーがプロテスタンティズムの倫理と資本主義の精神に対する有名な著書の中で鋭く分析している。あらゆる現象を分析するにあたって、純粋に道徳的知的な影響の意味を重視しすぎるあまり、おそらくそれ以上に決定的となるような他の要因を軽視する傾向――この偉大な社会学者もこの傾向から免れてはいない――は全面的に支持するわけにはゆかない。具体的には、彼は資本主義の精神の成立における「プロテスタンティズムの精神」の影響の意味を強調し、経済活動を軽視しているが、プロテスタンティズム、中でもカルヴィニズムの布教が成果をおさめた北欧諸国では、特に経済活動の影響が感じられる、ということになる。マックス・ヴェーバーが上記著書の中で提示した根本的な主張に対してブレンターノ[24]やトーネー[25]のような歴史家が異を唱えて条件をつけているが、そのうちのいくつかの条件は右のような意味で根拠のあるものに思われる。しかしこのような条件のために、プロテスタンティズムの諸国民の持つ労働観がカトリシズムが中心となっている諸国民の持つものと実に対照的なものになったという主張が価値を失うわけではない。ヴェーバーの指摘によれば、カトリシズムの国々にあっては職業を意味する言葉には、ゲルマン系の言語には例外なくみられるあの紛れもない宗教的な響きがないという。したがってプロテスタンティズムの聖書では calling または Beruf という語が用いられているが、ポルトガル語訳では倫理的な色合いのない obra[26] という語になっている。わずかに、例えばコリント人への第一の書簡の第七章第二〇節のように、永遠の救いへの召命という意味をはっきり示そうとする場合に限ってポルトガル語訳でも vocação という、本来の意味で Beruf または calling と同義の語になっている(『真心』第六章の注一)。

*23 Beruf はドイツ語、calling は英語。神に召されて新しい使命につくこと意味する「召命」と訳される。

*24 ルヨ・ブレンターノ(Lujo Brentano 1844-1931)ドイツの経済学者、新歴史学派の一人。

*25 リチャード・ヘンリー・トーニー(Richard Henry Tawney 1880-1962)イギリスの歴史家。

*26 仕事、労働、著作などの意。

ブラジルの「革命」について

オランダは一九三六年に、新しい指導者ヴァルガスが上からの革命とはいえ労働者階級の地位向上を目指していたとき、[*27]『ブラジルのルーツ』を出版している。したがって、新国家体制直前の権威主義政権であった[*28]ものの、働く民の目線から、オランダはヴァルガス革命に好意的であったと考えられる。黒人奴隷制廃止を境界として、ブラジル史上ブラジル人が経験した唯一の革命が起こったと主張して、コーヒー栽培のために黒人奴隷ではなく賃金労働体制を受け入れる素地が出来上がっていた地域は、奴隷制廃止によって甚大な影響を被るようなことはなかったと言う。これに対して、奴隷制廃止という致命的な打撃によって力を失った北東部やパライバ川流域の古い農場主らには、新しい体制の中に入ってゆく術がなかったと述べる。共和制の結果生まれた新しい社会では過去の貴族政治のエリートらは無視され、指導的地位にあった一群の人々は沈黙した。そして、間断なく徐々に進行する圧倒的な都市化現象と共和制の諸制度を外的な形態としている社会現象によって農村的な支柱は破壊され、ついに現在までそれに替わる新しい支柱を得ることができないでいると書いている（『真心』一九六～二〇四頁）。

十九世紀末の奴隷制廃止による革命後の国家としてのブラジルは、伝統的な体制を支えていた基礎が消えてしまっても、その外面的な一部の形式を尊重すべき遺物として保存しているとオランダが評価している点が興味深い。そしてブラジルの場合、国家は専制的である必要はないし、またそうあってはならないと強調する。専制政治はブラジル人の温和な性質（doçura）とは相容れないものであって、これではなくて国家に必要なのは力強さ（pujança）と威

＊27　一九三四年新憲法の公布から三七年一一月の「新国家（エスタード・ノヴォ）」体制樹立にかけて、強力な政治勢力であった共産主義を掲げる「民族解放同盟（ANL）」とファシズムを標榜する「ブラジル統一行動（AIB、アソン・インテグラリスタ）」党を排除して、ヴァルガスは独裁体制を固め、三七年一二月に政党解散令が発せられた。政治制度にイタリアのファシズムの国家コーポラティズムを採りいれたが、外交では米国への接近を強め、四四年六月には南米地域で唯一、連合国の立場でイタリアに宣戦布告した。

＊28　一九三二年に、ポルトガルの独裁者サラザールのもとで出現した同じ名前の体制を手本にしたといわれるヴァルガスの三七年の「新国家」体制は、明らかにそのころヨーロッパを中心に展開していたファシズムの流れを反映したものであった。「新国家体制」によってヴァルガスは立法、行政、司法の三権におよぶ独裁的な権力を獲得した。

厳（compostura）であり、偉大さ（grandeza）と熱意（solicitude）であると言う。さらにもし国家が、何らかの力と、そしてイベリアの視点からあらゆる美徳の中で最高のものと考えられる尊厳を得たいと願うならば、国家の機構の各部分が、ある種の調和（harmonia）と優美（garbo）さをもって機能しなければならないと続ける。ブラジルの帝政時代にはかなりそれが見られたし、現在でもなお、われわれ現代人が帝政時代のブラジルにある種の光輝を見るのは、当時この理想が幾分なりとも具現したという事実に殆ど唯一の原因があると語っている。すべてのブラジル人に共通な意識の中に、構想や願望の形で生きているブラジルに対するイメージは、今日までのところ帝政時代の精神となっていたものとあまり隔たってはいないとオランダは述べる（『真心』二〇四〜二〇五頁）。

ブラジル軍政下の一九七〇年代にオランダが執筆した『ブラジル文明一般史第Ⅱ集　第五巻帝政から共和制へ』とトム・マイアのペン画の解説書『パライバ川流域——古き農園』の二冊の書物には、二十世紀以降の新しいブラジルの民の過去の「真心と冒険」のルーツが革命的変化を遂げる時、つまり帝政から共和制への大転換期を丁寧に記録したいと言う歴史家オランダの強い姿勢が表れている。

オランダの思想の現代社会（ブラジルおよび世界）への意義

オランダの思想は一九三六年に出版された著書『ブラジルのルーツ』に凝縮されていると言える。それは、ヨーロッパのイベリア半島のポルトガルをルーツとするブラジルの青年たちが、過去の伝統的な自由主義ではなく、左派であれば社会主義や共産主義、右派であれば全体主義に向かおうとしていたヴァルガス革命下の三〇年代に、教育者の立場で解決策を提供したものである。彼は、過去のブラジルを分析してその特徴を描いた。その分析の方法論は、フランス諸学者の新しい社会史、ドイツ諸学者の文化社会学、さらに新しい社会人類学につながっている。特にドイツのマックス・ヴェーバーが第一次世界大戦後の混迷するドイツの青年たちに説いた講演『職業としての学問』をほうふつとさせる熱意を理解できる。そして歴史分析には確かな史料としての古文書を重視している。さらに先住民研究についても、十九世紀のロマン主義の見方ではなく、人類学的な調査による分析を重んじている。

理解を助けるために対立する概念を示している点も興味深い。まず、新世界の新しい文明とヨーロッパの古い文明の対比である。さらにヨーロッパについてオランダはイベリア半島とヨーロッパの他の諸国においては怠惰や労働、個人と団体において違いがあると説明する。次に、堅実型と冒険型を対比させ、ポルトガル人の特徴は冒険であると説いている。大土地所有制により熱帯の農産物の生産を、黒人を大量に導入して行うのは冒険型であるとオランダは言う。さらに冒険型は社会的柔軟性を典型的に示し、結果として混血により人種の偏見を弱めたと分析している。

さらに続けて、黒人奴隷解放の一八八八年前の家父長制的農村社会と八八年以後の時代の農村と都市の対比を行っている。二十世紀については黒人以外の労働力が都市を基盤として重要になると指摘する。『ブラジルのルーツ』では外国移民の説明はないが、これは明らかに都市化を進める工業都市における労働者の地位向上を意味している。オランダ説の特徴は、新しい自由労働者が活躍する新しい共和制社会においてもその基礎にあるのはブラジルが植民地時代、帝政時代に育んできた文化や民族の遺産であるという見方である。特に左右の思想が激しく対立する政治的な変化にあっても「真心」という概念がブラジルでは意味を持つと述べている。帝政の崩壊、ヴァルガスの「革命」、軍部のクーデターなどに接する中で、ブラジル人の美点である真心や寛大さに期待をもち続けている。さらに興味ある対比として、イベリア半島のスペイン人とポルトガル人の新世界の植民方法の比較である。これにはスペイン語の史料も利用しながら、植民地支配の違いを、種をまく人であるポルトガル人とタイル職人であるスペイン人として並べて論じている。

以上のようなわかりやすい比較の提示は、誤解されてきたブラジルの歴史を正しく理解させるための啓蒙的効果を期待できるであろう。オランダは、一九三六年に初版を出した『ブラジルのルーツ』の基本理念を改めることなく、四七年の第二版には大幅に手を加えたものの五五年の第三版以降、文章表現などのわずかな訂正をほどこして版を重ね、晩年にも孫たちに贈呈していた。文学作品を好んだオランダの柔らかな文も読者の理解を助けているのであろう。

【読書案内】

Fundação Perseu Abramo［2007］*Perseu: história, memória e política/Revista do Centro Sérgio Buarque de Holanda da Fundação Perseu Abramo*, vol. 1, n. 1, São Paulo: Editora Fundação Perseu Abramo.

Gomes, Laurentino［2013］*1889: como um imperador cansado, um marchal vaidoso e um professor injustiçado contribuíram para o fim da Monarquia e a Proclamação da República no Brasil*, São Paulo: Globo.

Holanda, Sérgio Buarque de［1969（1936）］*Raízes do Brasil*. 5.ª edição. São Paulo: Companhia das Letras

(『真心と冒険——ラテン的世界』池上岑夫訳、新世界社、一九七一年).
——— [1972] *O Brasil Monárquico*, 5.° Volume, *do Império a República*. (*História Geral da Civilização Brasileira*, Tomo II sob a direção de Sérgio Buarque de Holanda), São Paulo: Difusão Européia do Livro.
——— [2010] *Visão do Paraíso: os motivos edênicos no descobrimento e colonização do Brasil*, São Paulo: Companhia das Letras.
Holanda, Sérgio Buarque de e outros autores da Universidade de São Paulo [1971, 1972] *História do Brasil: estudos sociais*, vol. 1 e vol. 2, Ensino de 1° Grau, São Paulo: Companhia Editora Nacional.
Maia, Tom e Sérgio Buarque de Holanda [1976] *Vale do Paraíba: velhas fazendas*. Segunda edição, São Paulo: Companhia Editora Nacional.
アンドラーヂ、マリオ・ヂ［二〇一三］『マクナイーマ——つかみどころのない英雄』福嶋伸洋訳、松籟社。
ヴェーバー、マックス［二〇〇五］『プロテスタンティズムの倫理と資本主義の精神』大塚久雄訳、岩波書店。
髙橋都彦［二〇〇〇］「共和制時代（1945年まで）の文学」金七紀男、住田育法、髙橋都彦、富野幹雄『ブラジル研究入門』晃洋書房、一四四～一五三頁。
Oliveira, Manoel de, dir. [2000] *Palavra e Utopia*, [DVD] Lisboa: Lusomundo Audiovisuais, 2000.
Santos, Nelson Pereira dos, dir. [2003] *Raízes do Brasil: uma cinebiografia de Sérgio Buarque de Holanda*, [DVD] Rio de Janeiro: Regina Filmes, 2003.

オランダの代表作『ブラジルのルーツ（*Raízes do Brasil*）』は、一九七一年に池上岑夫訳で『真心と冒険——ラテン的世界』のタイトルで新世界社から出版された。その後同じ内容で、同出版社から、七四年に『ブラジル人とは何か——ブラジル国民性の研究』と題してマウリシオ・クレスポ訳で出版されている。オランダは記者として二九年から三〇年までドイツのベルリンなどで働くが、このときから『ブラジルのルーツ』の原稿を書き始め、三〇年にブラジルのリオに戻る。首都リオは新しい指導者ジェトゥリオ・ヴァルガスの革命が勃発したばかりであった。著者オランダはヴァルガスの政治を直接批判せず、ブラジルの植民地時代の記録に基づいてブラジルの根源を論じている。ブラジルを知るための古典としてブラジルでは再版が継続して出版されているが、内容は和訳版と同じであると考えて良い。

オランダは一九五九年に、博士論文として『楽園観――ブラジルの発見と植民におけるエデン的モチーフ（*Visão do Paraíso: Os motivos edênicos no descobrimento e colonização do Brasil*）』を発表し、六八年に大幅な改定を行って一般の読者を意識した第二版を出版している。カトリックのイエズス会士による十六・十七世紀の布教活動を厖大な記録文書に従って解説しているため、ブラジルの歴史書を確認しながら読まなくてはならない。二〇二〇年のポルトガル語の最新版には詳しい索引と注記があるので、読者の助けとなるであろう。十七世紀にブラジルで活躍したイエズス会士らを知るため、マヌエル・オリヴェイラ監督のポルトガル映画『言語とユートピア（*Palavra e Utopia*）』の鑑賞を勧める。DVD版には英語の字幕が付いている。

ヴェーバー［二〇〇五］は、オランダの『ブラジルのルーツ』を理解するために読むと良い。労働に対するドイツ人とブラジル人の根源的な違いを宗教に求めている点が興味深い。

アンドラーヂ［二〇一三］は、セルジオ・ブアルケ・デ・オランダが強調しようとしたブラジル人の性格の根源を理解するための参考になるであろう。

（住田育法）

コラム 近代芸術週間

ブラジル独立一〇〇周年の一九二二年に、サンパウロ市立劇場で開催された「近代芸術週間」(Semana de Arte Moderna) は、ブラジルの過去の文学や芸術に飽きたらず、新しい傾向の出現を求める新世代の演劇、絵画、音楽など多様な芸術分野の未来を見据えた強烈な声明であった。オランダの『ブラジルのルーツ』第二六版（九九年）の表紙を飾ったのは、画家タルシラ・ド・アマラル（Tarsila do Amaral 1886-1986）の二八年の作品「アバポル」(Abaporu) である。アバポルは、先住民トゥピの言語でアバ (aba) が人、ポラ (pora) が人、ウー (ú) が食べるを、全体で「人を食べる人」を意味する。作家オズワルド・デ・アンドラーデ (Oswald de Souza Andrade 1890-1954) も同じ年に詩編『食人宣言』を発表した。こうした食人習慣カニバリズムが描かれた時代背景として、西欧近代への憧憬と西欧近代の超克という矛盾した願望があった。つまり先住民の食人習慣カニバリズムは隠喩であり、熱帯の人が欧米文化を食べ、独自のブラジル文化を生むことを表現しているのである。「近代芸術週間」が目指したものもここにあった。

画家タルシラは、アニタ・マウファチ（Anita Malfatti 1889-1964）と共に、ブラジル芸術の近代運動をけん引した。「アバポル」は、絵画のアントロポファジー運動（movimento antropofágico）の幕を切るものであったが、この絵は二〇一六年のリオ・オリンピック開催を記念してリオ美術館（Museu de Arte do Rio：MAR）に特別展示されて多数の入場者を集めた。タルシラは一九二二年にはパリにいたため近代芸術週間のイベントには参加していないが、オズワルド・デ・アンドラーデの「アントロポファジー」思想に強い影響を与えた。

「近代芸術週間」が開催された一九二二年は、二つの出来事、つまり軍の青年将校らが政治改革を求めたテネンティズモが開始され、ブラジル共産党が結党された年であった。つまり政治と文学・芸術上のイベントが重なっていた。ブラジルでは第一次世界大戦後に、サンパウロなど主な都市で工業化と都市化が進み、社会は急激な変貌をとげた。それにともなって官吏や軍人からなる都市の中流階級や労働者階級が形成されていった。さまざまな文化や生活習慣を携えて外国からやってきた大量の移民が、都市生活に新しい様相を加えたのである。イタリアなどヨーロッパ出身の労働者は母国で階級闘争の経験があり、彼らの指導のもとでサンパウロはストライキを経験することになった。一七年以降はロシア革命に関する記事が新聞紙面を賑わした。このようにサンパウロは、さまざまな階級、人種の人々が集まり、古い芸術と決別し革新的芸術を表現するイベント開催には格好の舞台であった。

「近代芸術週間」には多くの前段があった。一九一二年にヨーロッパ旅行から戻ったオズワルド・デ・アンドラーデが、工業技術の発展や人々の意識変化に対応した新しい芸術の創造を目指したイタリア未来派をブラジルに紹介したが、これはヨーロッパ前衛運動とブラジルとの最初の出会いとなった。一九年にはイタリアから帰国した彫刻家ヴィトル・ブレシェレ（Victor Brecheret 1894–1955）がサンパウロで作品を展示し、二一年には、オズワルド・デ・アンドラーデがマリオ・デ・アンドラーデ（Mário de Andrade 1893–1945）の詩を紹介する記事を書いた。こうして二二年二月一三日の夜、サンパウロ市立劇場に多くの入場者を迎えて「近代芸術週間」が開幕した。ロビーには彫刻、造形美術、絵画が展示され、近代芸術や近代文学についての講演、近代詩の朗読、コンサートなどが開かれ、賛否両論に沸き返った。近代的なもの、独創性、論争的なものが追及されると同時に、あらゆる面でナショナリズムに訴える傾向が見られた。ブラジル史やブラジル文化が再考され、文学では十九世紀ロマン主義期の先住民とは異なる先住民を描いたアンドラーデの『マクナイーマ』が二八年に出版され高い評価を受けた。

（住田育法）

オランダの『ブラジルのルーツ』第26版（1999年）の表紙を飾る画家タルシラの作品《アバポル》

Abaporu, oil painting on canvas by Tarsila do Amaral, 1929 [detail]. Photo by Cesar Cardoso, licensed under CC BY 2.0

第2章　文化相対主義によるブラジル社会論——ジルベルト・フレイレ

十九世紀末から二十世紀初頭はブラジル社会が大きく変化する時代であった。政治的には帝政から共和制に移行し、経済的にはコーヒー経済が興隆した。社会的には欧州などからの新移民の到来もあって都市生活が普及し、文化的には西欧をモデルとする一九二〇年代に始まった西欧のモダニズム（近代主義）の影響を受けた。並行してブラジル社会の中心は北東部から南東部とりわけリオデジャネイロやサンパウロ州に移動した。エリートを中心に西欧への関心や憧れが高まった。西欧との接触はブラジルの低開発性を明瞭なものとし、劣等意識から伝統的な生活習慣や価値観への嫌悪を強めた。西欧への憧憬と伝統への嫌悪は同根の意識であった。続く三〇年代には、コーヒー経済の破綻のなかで、全体主義的な新国家体制（Estado Novo）が成立し、国家統合と近代化が目指された。

こうして二十世紀初頭にはモダニズムがブラジルの後発性を克服する思想となったが、他方でこの時代には一方的な西欧崇拝をのり越え、ブラジル独自の社会や文化を求める運動も現れた。一九二二年の「近代芸術週間」（コラム1参照）に代表されるサンパウロのモデルニズモ運動[*1]がそれを代表しているが、ブラジル北東部ではジルベルト・デ・メロ・フレイレ（Gilberto de Mello Freyre 1900–87）が、文化相対主義の立場からブラジル社会の本質を追求し、アイデンティティの在り処を示した。フレイレは、近代化論に代表される単線的な社会発展論

政治活動をした頃のジルベルト・フレイレ
Gilberto Freyre, 1956 Imagem do Fundo Correio da Manhã. Public domain / Arquivo Nacional Collection

＊1　モデルニズモ運動（Movimento de Modernismo）は西欧追随の近代化を批判し、ブラジルの独自の近代化を目指す運動で、「近代芸術週間」を契機にサンパウロを中心に興隆した文化活動。

や絶対的な価値観への追従に異を唱え、ブラジル社会に広く見られる後発性や劣等性の原因を、社会を構成する人種やその混血に求める議論を批判した。多様な人種や文化の混淆こそがブラジル社会と文化の本質であり、社会に多様性を与え文化に豊饒さをもたらしたと積極的に評価した。こうした議論を踏まえてフレイレは、混血が進むブラジルでは人種的な偏見や差別が少ないとし、「人種民主主義」論を唱えた。米国が政治的に民主主義の国であるとすれば、ブラジルは人種的に民主主義の国だとしたのである。これらの主張はブラジル人がもち続けた劣等感を払拭し溜飲を下げるものであった。

人種民主主義は国際的にも大きな反響をもたらした。二十世紀前半の世界では、人種間に根本的な優劣の差異があり、優等人種が劣等人種を支配するのは当然とする人種主義（racism）が強い影響力をもっていた。競争による淘汰と最適者生存を必然とする進化論は人種主義に影響を与えた。白人種を優等人種とする思想は、白人を上位とする社会構造を当然と考え、帝国主義や植民地支配を正当化し、また非白人の西欧文明化にもつながり、さらにナチズムなど人種や民族の迫害をもたらした。フレイレの議論は人種主義に対抗する思想ともなった。

しかし、現実のブラジル社会はフレイレが描くものとは大きく異なるものであった。人種民主主義という主張は、社会に現実に存在する偏見や差別を覆い隠するものだとの批判を浴びた。批判はフレイレが一九六四年の軍事クーデターを支持したことで強いものとなった。フレイレと人種民主主義は、八〇年代の民主化の胎動のなかで、黒人運動などの社会運動からも糾弾された。こうした問題点はあるが、文化相対主義の立場から、人種関係、端的には混血にブラジルの社会と文化の本質を見出し説明しようとした、フレイレの思想や研究はなお重要な意義をもっている。二十世紀末以降のグローバル化は、反動として排外主義や差別主義を生み出しているが、その深遠を明らかにし、それに対抗するうえでもフレイレの議論は有用である。真正な人種民主主義、文化相対主義を実現するには、フレイレを正しく理解し、それを超える必要がある。

ボアズとの出会い

フレイレは多様な顔をもつ。社会学者、文化人類学者、歴史家であり、ジャーナリスト、政治家でもあり、二十世紀のブラジルを代表する研究者の一人である。しかし、重要なのは社会学者、人類学研究者の顔であり、ブラジル社会を人種関係から描き、人種民主主義、地方主義などを主張した研究者であったことである。

フレイレの家系はノルデステ（北東部）ペルナンブコ州都でサトウキビ農園を営む伝統的な家族に属した。*2 ジルベルト・フレイレは一九〇〇年にアルフレド・フレイレ（Alfredo Freyre）とフランシスカ・デ・メロ・フレイレ（Francisca de Mello Freyre）を父母に誕生した。父親は判事であり法学の教授であった。自由主義的で進歩的な思考をもち、一八八九年の共和制移行に伴う政教分離のなかで、カトリック教会とは距離を置き、資本主義と民主主義を確立したアングロサクソン文化とプロテスタンティズムを高く評価していた。父のもとでエリート教育を受けたフレイレは、一九〇七年から一七年まで「南部バプテスト連盟」*3 が州都レシフェに設立したプロテスタント系のミッションスクールに通い、牧師になることを目指した。学校では母語のポルトガル語の前に英語を学んだ。次いで父の指導でラテン語を、さらにフランス語を学び、イギリス、フランス、スペイン、ポルトガル文学に親しんだ。卒業後バプテスト教会の信者となり、一八年に教会の奨学金を得て、神学を学びに米国テキサス州にある南部バプテ

*2 フレイレの系譜については三田［二〇〇四］、Freyre［1933］日本語版の訳者あとがきなどを参照。

*3 バプテスト派は米国プロテスタント最大教派であり政教分離を主張したが、南部テネシー州に本部を置く南部バプテスト派は政治的には保守的な傾向が強い。

スト連盟が設立したベイラー大学へ留学し、文学で学士号を得た。しかし、フレイレが米国南部で目にしたのは、黒人の劣悪な生活環境、彼らに対する差別や暴力であった。米国のプロテスタントに失望したフレイレは、牧師への道を諦めた。卒業論文は、テキサスにおけるマイノリティを社会学的に考察したものであったが、人種偏見が根強い南部社会のなかでほとんど注目されることはなかった。ベイラー大学在学中に、七〇年近くにわたって関係を結ぶことになる、ブラジルの地方紙『ジアリオ・デ・ペルナンブコ』[*4]への寄稿を始めた。

一九二〇年にベイラー大学を卒業したフレイレは、ニューヨークのコロンビア大学大学院に進学し政治学と社会学で修士号を得たが、彼が最も情熱を注いだのが生涯の学問となる文化人類学であった。それはフランツ・ボアズ[*5]との出会いによるものである。ボアズは、ダーウィンの進化論の影響を受けた進化主義的人類学[*6]を批判し、あらゆる社会が同じ発展過程を辿るとする決定論を排し、人類学は個別の事例を積み重ねて法則や類型を探す帰納的方法（多くの個別な事実から一般的な原理や法則を見出す研究方法）をとるべきだとし、そのためには歴史的過程を知ることが重要であると説いた。

ボアズは、文化相対主義という用語こそ使用しなかったが、多様な文化の存在を認め、人間集団の違いを人種的要因だけではなく文化的・環境的な要因と分けて考察する必要性を主張した。ボアズの方法論は弟子たちに受け継がれ、とくにルース・ベネディクト[*7]は、人種主義という概念によって、人種間の優劣とそれに基づく特定の人種による他の支配を批判し、文化相対主義を確立した。文化相対主義は、人間の諸文化はそれぞれ独自の価値体系をもつ対等の存在であり、外部の価値基準で評価することはできないとし、自身の文化を相対化することによって、対象となる文化をありのままにみる態度、研究方法をとる。あらゆる文化はそれぞれ

＊4 *Diário de Pernambuco.* 一八二五年に創刊されたラテンアメリカ最古の日刊紙。ペルナンブコ州レシフェを拠点とする。フレイレは一九一八年一一月三日から「もう一つのアメリカから」というシリーズで米国での生活で感じたことを綴った。https://www.diariodepernambuco.com.br/noticia/viver/2020/03/com-69-anos-de-colaboracao-gilberto-freyre-fez-do-diario-a-sua-casa-i.html

＊5 Franz Boas（1858–1942）ドイツ生まれの米国の人類学者。『北米インディアンの神話文化』などの著書がある。文化相対主義の創始者とされる。

＊6 ダーウィンの『種の起原』に代表される生物進化論を応用し、あらゆる民族文化が低次から高次へ系統的な進化を遂げるとする文化進化論を展開した。タイラー（Edward Burnett Tylor 1832–1917）、モーガン（Lewis Henry Morgan 1818–81）が代表的な論者である。彼らは欧米の文化が最も進化した段階とみなし、他方で未開民族の文化を人類史の初期段階で落ちこぼれた存在とみ

体系性をもっており、それを理解するには固有の論理や価値観を知る必要がある。他の社会では劣位に置かれ、時には悪とも称される慣習や制度も、当該社会の論理や価値観に立つことで、はじめてその意味や目的や役割を理解しうるとした。[*8]

フレイレは、ボアズとの出会いによって、黒人や混血者が社会の後発性の根源であるというブラジルで流布している考えを改め、また米国に比べ人種への偏見や差別が少ないことがブラジル社会の優れた特質であると考えるようになった。一九二二年に、十九世紀におけるブラジルの奴隷とイギリスの労働者の生活を比較した修士論文「十九世紀中期のブラジルにおける社会生活」を提出し、修士号を得た。

地方主義宣言から政治活動へ

コロンビア大学での修士課程修了後、オックスフォード大学留学の機会もあったがそれを辞して、ヨーロッパ各国を旅した。パリ、ベルリン、ミュンヘン、ニュルンベルク、ロンドン、オックスフォード、リスボンを訪ね、一九二三年にブラジルに戻った。翌年、ヨーロッパの旅の経験から地域の豊かな文化を保存することが、自国のアイデンティティを維持するうえで不可欠であるとの認識から、レシフェにノルデステ地方センター（Centro Regional do Nordeste : CRN）を設立した。次いで二六年にはブラジル地方主義会議（Congresso Brasileiro de Regionalista）を開催した。[*9] そこで発表された「地方主義宣言」（Manifesto regionalista）は、直接的にはサンパウロで開催された「近代芸術週間」で提案されたモデルニズモに対抗するものであり、国家体制を構成する単位である地方の政治的な自律性を維持することと、ブラジル各地にある伝統的な文化や価値を保護することを主張している。

なした。

＊7 Ruth Benedict（1887–1948）米国の文化人類学者。主要著書の『文化の型』（*Patterns of Culture*, 1934. 米山俊直訳、講談社文庫、二〇〇八年）で相対主義の立場から文化の多様性を論じた。「レイシズム」の語を広め、日本文化を論じた『菊と刀』を著したことでも知られる。

＊8 文化相対主義に対しては批判もある。その主張をつきつめれば、文化の相互理解や比較は不可能であり、従って評価もできないということになる。また調査対象に対して中立的立場をとるのは正しい態度なのか。そもそも完全に客観的な立場をとることができるのか、中立と称して社会的な問題や争点に対して沈黙する姿勢は正しいのか、それは結果として進化論的人類学と同様、強者に組することにならないのか、研究者は対象である社会のため積極的に行動すべきでないか、人と社会には普遍的に重視すべき価値基準があるのではないか、などの批判である。

＊9 Burke, Peter and Maria Lucia G. Pallares-Burke［2008］110.

一九二七年にフレイレはペルナンブコ州知事の秘書官に就任した。父親の親族であるコインブラ（Estácio A. Coimbra）の知事就任に伴うものであったが、まもなく三〇年に中央集権的な国家を目指すヴァルガス革命が起こり、コインブラはこれに反対し、その結果ポルトガルへの亡命を余儀なくされた。フレイレもまたポルトガルに渡り、次いで米国に移り住んだ。ポルトガルでは著作の構想を練り、米国では、スタンフォード大学で客員教授を務めながら、故郷ノルデステと対比しながら南部の諸都市を訪ね見聞を広めた。三二年にブラジルに戻ったフレイレは翌年に、植民地時代のブラジル北東部の農村における温情主義的な家父長制家族の形成を論じた『大邸宅と奴隷小屋』（Freyre [1933]）を出版した。この書は後にフレイレが展開する人種民主主義論の原点となったものである。次いで三六年には十九世紀の都市における家父長制家族の衰退を描いた『都市の大邸宅と掘立小屋』（Freyre [1936]）を、五九年には奴隷制廃止後の家父長制家族の終焉を論じた『進歩と秩序』（Freyre [1959a]）を出版した。これらは植民地時代から共和制に至るブラジル家父長制の変遷を論じた三部作となっている。この間の三七年には砂糖農園の人々の生活を書いた『ノルデステ』（Freyre [1937]）を出版した。

フレイレは、研究と著作活動の傍ら、積極的に学会や政治活動をおこなった。ブラジルとアフリカの人種関係を議論するため、一九三四年にレシフェで第一回アフロ＝ブラジル会議（Congresso Afro-Brasileiro）を組織した。四五年にヴァルガスが下野すると、翌年にフレイレは下院議員となり、憲法制定会議の委員として新憲法制定に携わった。四七年にはノルデステの社会や文化研究のためジョアキン・ナブコ社会調査研究所（Instituto Joaquim Nabuco de Pesquisas Sociais）をレシフェに設立した。*10 五七年には地域の教育政策を研究するレシフェ教育研究地域センター（Centro Regional de Pesquisas Educacionais do Recife）理事に就任した。これらの活動を通

＊10 現在は連邦政府教育省付属のジョアキン・ナブコ財団として運営されている（https://ead.fundaj.gov.br/）。研究所および財団名はブラジルの奴隷制廃止運動家であるジョアキン・ナブコの名前を冠したものである。

じて地域主義の普及を求めた（コラム2参照）。こうした考えからフレイレは、留学や海外講演などを除いて、故郷レシフェを離れることはなかった。

国内での文化、政治活動に次いでフレイレは、一九五〇年代にポルトガル大統領サラザール[*11]の招きで、カボヴェルデなどポルトガルの植民地や旧植民地を訪ね、この旅から「ルゾ・トロピカリズモ（熱帯ポルトガル主義）」(luso-tropicalismo) 概念を生み出し、ポルトガル人の植民や支配が他のヨーロッパ諸国よりも平和的で穏健であったと論じた。それは『大邸宅と奴隷小屋』の人種民主主義論を引き継ぎ、ポルトガル語圏に展開するものであった。

一九六〇年代はブラジルにとって劇的な時代であった。工業化の行き詰まりで経済が停滞し、キューバ革命の影響も受けて、左派運動が活発化した。保守政党の国家民主連盟（União Democrática Nacional：UDN）に属していたフレイレは、ブラジル労働党（Partido Trabalhista Brasileiro：PTB）出身で社会主義勢力に支援されていたゴラール政権（一九六一～六四年）を批判し、六四年の軍部によるクーデターを支持した。それは民族主義的で反共的な政治姿勢が表れた行動であった。その結果フレイレは保守的な思想家のレッテルを貼られることになった。[*12]

大邸宅と奴隷小屋

『大邸宅と奴隷小屋』はフレイレの代表作であり、ブラジルで数多くの版を重ねただけでなく、多くの言語で翻訳された。そのテーマは、大土地所有制と奴隷制を基礎とする農業経済と、そのもとで形成された大家族と人種関係が、ブラジル社会と人々の価値観やエートス（性格や態度）にどのような影響を与えたかを明らかにすることであった。そのためにフレイレはサトウキビ生産が興隆したノルデステに誕生した大農園を分析対象とする。典型的なサトウキ

*11 António de Oliveira Salazar（1889-1970）ポルトガルの政治家。一九三二年から六八年まで長きにわたって首相の座にあった。三三年には新憲法を制定し独裁政治を確立した。スペイン内乱ではフランコを支持し、第二次世界大戦では中立を維持し、ポルトガルは戦禍からまぬがれた。

*12 Cardoso, Lucileide Costa [2011] "Os discursos de celebração da 'Revolução de 1964'," *Revista Brasileira de História*, 31 (62), pp. 120-121.

ビ農園には、奴隷主一族の住居である大邸宅と奴隷たちを収容した奴隷小屋が存在する。それらの周辺には広大な農園、収穫したサトウキビの精糖工場、家畜小屋、果樹園、礼拝堂、それらを繋ぐ道路や水路、墓地などがあった。[*13] これらのなかで重要なのは大邸宅である。そこには寝室、台所など主人の生活に関わるあらゆるものが存在し、主人とその家族を世話する女奴隷がいた。大邸宅は単に物理的な空間ではなく主人を頂点とする社会関係を象徴するものでもあった。フレイレは、豊富な一次資料やエピソードで、サトウキビ農園と社会生活を描いた。分析に利用した文献は、外国人旅行者の旅行記、日記、手紙などであった。ブラジル帰国後は聞き取り調査などで情報を補完した。分析の方法は、ボアズの文化的相対主義であり、社会や人間の特性を人種的要因ではなく、文化的環境的要因から説明しようとするものであった。

『大邸宅と奴隷小屋』は最初にポルトガルによるブラジル植民地化の全体的な特徴を語る（第一章）。スペインの植民地のように金銀などの資源が当初発見されなかったため、ブラジルの植民地化は農業を基礎とするものであった。生産活動はまずは先住民の、次いでアフリカからの黒人の奴隷労働に依存した。社会統合原理は言語（ポルトガル語）と宗教（カトリック教）によるものであり、血統は重視されず、人種の混淆が進んだ。ブラジルでの植民は円滑に進んだが、その背景に、イスラム教徒などの異民族による占領と定住が繰り返されたイベリア半島での生物的、文化的な混淆があった。その結果人種や民族に対する偏見は乏しく、被植民者や奴隷に対して温和な態度をとった。ポルトガル人はまた歴史的にアフリカの産物や奴隷の交易を営み、熱帯の気候に適応していた。植民地ブラジルではこうした過去と優れた資質が十分に発揮された（第三章）。ブラジルではじめ先住民を労働力とした。先住民男性は農場での肉体労働に就き、先住民女性は家事労働を担った。先住民女性はポルトガル男性にとって

*13　具体的な大農園の施設にはフレイレが描くものとは異なり多様性がある。荒井芳廣［一九九四］「ブラジル黒人の居住空間に関するノート」『神奈川工科大学研究報告』A-18、三月、一一～一二頁。

モーロ人のように素朴で官能的と見なされ、その結果混血が進んだ。しかし、先住民は、キリスト教を容易に受け入れず、また焼き畑など移動耕作中心で定住志向が乏しいため、植民地農業での労働には不適であり、十六世紀に奴隷貿易が開始されると、労働はアフリカからの黒人にとって代わられた（第二章）。

『大邸宅と奴隷小屋』は続いてブラジルの大農園におけるポルトガル人と黒人奴隷が織りなす家族と社会生活を紹介する（第四、五章）。農業生産や日々の生活を維持するには奴隷制が必要であった。農園主である白人と黒人奴隷の間には明確な主従の関係はあったが、両者は家父長的な関係で結ばれていた。白人の黒人女性との性交渉は比較的自由に行われ、その結果多くの混血者が生まれた。黒人女性は農園主の後継者を育てる重要な役割を担った。白人女性は絶対的に少なく、その結果邸宅の主人など白人男性との性的関係で黒人女性との競争にさらされ、そのことがときに彼女らの黒人女性に対する嫉妬と残虐行為をもたらした。大農園を維持するには管理的労働を担う労働力を必要としたが、そのためには多数の混血者が必要であった。混血者だけではなく、後には黒人にも教育を受ける機会が増した。大邸宅の存続には疑似的（非血縁的）な関係を含めて家父長制を不可欠とした。こうした社会関係は混血だけではなく文化の混淆をもたらすことになった。

フレイレは、ブラジル人と社会の特性を人種的な要因ではなく、経済や文化などの社会的環境や文脈のなかで説明した。すなわち無気力、怠惰、好色、マゾヒズムとサディズムなどブラジル人についてしばしば言われる気質や行動は、白人、黒人などの人種によるものでなく、あるいは混血によるものでもなく、植民化の過程でとられた奴隷制、家父長制などの社会制度によるものである。無気力や怠惰は、栄養となる食料の不足とともに、農園での労働から日々の生活に至るまで黒人奴隷に依存した帰結である。好色やサドやマゾ的傾向は大邸宅における農園主の絶対的な支配と奴隷女の服従に起源をもつものである。フレイレはこうした関係がブラジルの政治にも影響を与えているとした。すなわち政治的な保守主義的傾向、そのもとでの専制的な政治と民衆の隷従はサドやマゾ的伝統を背景とするものである(邦訳一一二頁)。人と社会の性格を人種ではなく社会的環境によって説明する方法は、学問の師であるボアズから学んだものである。

フレイレはさらにブラジルの人種関係を積極的に評価する。奴隷主と奴隷との関係は支配者と被支配者の関係であったが、人種的な混淆と疑似的な家族の形成の必要性が、両者の関係を敵対的関係から温和なものに変化させ、また両者の中間に多くの自由人を創出した(「初版への序」)。混血は忌むべきことではなく、ブラジル社会の特質でありブラジル人のアイデンティティの源泉であるとした。こうしたブラジル社会の理解や解釈はそれまでの常識とは大きく異なるものであった。

人種民主主義

フレイレによれば、ブラジルではスペインの植民地で見られたような、厳密な人種区分は生まれなかった。大農園では農園主と奴隷の間では慈悲的な関係が結ばれ、また彼らの間で混血がすすみ、従来の人種区分とは異なる新しい人種が生まれた。そこで、ブラジルでは人種間での厳しい憎悪や対立はあまり見られなかったとし、ブラジルを人種民主主義の国とした。フレイレは『大邸宅と奴隷小屋』のなかでは人種民主主義という用語を使用していないが、その後に書いた著書で、同書がブラジルの人種民主主義を描いたものであると繰り返し述べている。

以降多くの研究者がその概念に基づいてブラジル社会の人種関係を論じることになった。

フレイレの人種民主主義論はその斬新さと衝撃性ゆえに政治的な性格を背負うことになった。ブラジルでは十九世紀末以降ヨーロッパなどから移民の到来によって、南東部や南部で住民の白人化が進んだ。一八八九年に成立した共和国では、人種主義が優勢であった。ブラジル社会の後発性は有色人の存在にあるとされた。とりわけ、奴隷制度下で黒人奴隷の生活や文化に影響を受けたことから「脱アフリカ化」が目指された。そこで共和国憲法でアフリカおよびアジア生まれの者の入国を原則禁止する一方で、ヨーロッパからの移民を促進することでブラジル住民の白人化を促進しようとした。次いで一九三〇年に誕生したヴァルガス政権は、各州の住民のアイデンティティを州民から国民に変えるともに、移民のブラジル社会への同化を図った。ヴァルガス自身は、政権基盤が白人種が優勢な南部にあったため、新しく到来したヨーロッパ移民の同化に専ら関心があったが、国家統合の観点から人種的な混淆を積極的に評価した。

まさにこうした時期に『大邸宅と奴隷小屋』は書かれた。植民地時代から広範に行われてきた混血化が温情主義的で調和のある人種関係をブラジルに作り出してきたというフレイレの主張は、異種族の混淆によって新しい「ブラジル人」という国民を形成しようとするナショナリズムと整合的なものであった。人種民主主義はブラジル国内での人種的な劣等感を払拭しナショナリズムを喚起する思想としても好都合であった。しかしそれは、共和国の人種政策と同様、アフリカ系住民とヨーロッパ移民との混血によって白人化を進め「新しいブラジル人」を生み出そうとしたものであり、多様な人種による自由な混淆が積極的に評価されるものでは必ずしもなかった。[*14] こうしたブラジルでの事情とは別に、人種民主主義は人種主義によ

＊14　共和国政府からヴァルガス政権にいたる人種の「白人化」政策については三田千代子「『人種民主主義』と国家統合」田村ほか［二〇一七］三八～四六頁。

る民族抑圧を批判するものとして国際社会からも賞賛をもって受け入れられた。

人種民主主義批判

フレイレの人種民主主義にはすぐさま国内外から懐疑や批判が向けられた。ブラジルには人種的な偏見や差別がないのか、人種間の不平等が存在しないのか、との疑問である。批判や疑問の一部はフレイレの研究方法、すなわち自身の体系的な調査ではなく、他の見聞に大きく依存したものである点に向けられた。[*15]『大邸宅と奴隷小屋』への懐疑は人種関係の実証的な調査を促した。第二次大戦後国際社会は、植民地支配や民族抑圧への反省から、人種間の平等を重視した。フレイレの人種民主主義は国際的な関心を集めた。UNESCO（国連教育科学文化機関）は一九四〇年代末にブラジルの人種関係の調査を計画した。フレイレが描くブラジルの人種関係が調和的な多人種社会のモデルのように思われたからである。調査は人類学者メトロー[*16]によって計画され、対象地域は当初混血が進むサルヴァドルだけであったが、後にレシフェ、リオデジャネイロとサンパウロが加えられ、内外の人類学者や社会学者を動員して実施された。そこで発見されたのはブラジルにも人種差別も偏見も存在するという事実であった。人種関係は地域によって異なる。すなわち北東部では人種的偏見は弱いが存在する。東南部ではヨーロッパからの移民の到来と奴隷制廃止によって労働者間の競争が高まり、その結果人種間の対立と緊張が強まった。ブラジルでの人種の分類は、肌の色などの生物的な形質だけでなく、社会的な階層や地位、教育などの非生物学的な特徴によっても形成されるなど、複雑なものであった。[*17]メトローもまた、とくにサルヴァドルにおいて混血者という「新しい人種」が生まれ、そこでは人種的偏見が乏しいとしながら、過度な単純化は危険であるとした。

＊15 Celarent, Barbara [2010] "The Masters and Slaves by Gilberto Freyre," *American Journal of Sociology*, 116 (1), July, pp. 324-339.

＊16 Alfred Métraux（1902–63）スイス生まれの人類学者。幼少期を父親の出身地であるアルゼンチンで過ごす。一九五〇年にUNESCOの社会科学部門の職員になり、とくに人種問題の調査に関わった。

＊17 Maio, Marcos Chor [2001] "UNESCO and The Study of Race Relation in Brazil," *Latin American Research Review*, 36 (2).

他方で、南東部では労働市場で人種間の競合があり、人種によって社会の階層化が生まれているとした。[*18] 要するに、白人と黒人の間の間には大きな社会格差があり、白人と非白人の間での社会的移動が小さいとした。

その後も、フレイレの人種民主主義が事実を正確に踏まえたものではなく、また虚偽的な性格をもつことが、多くの論者によって批判された。UNESCOの調査にも参加したフロレスタン・フェルナンデス（第3章参照）は、著書『黒人の社会階級への統合』のなかで、実証的研究によって奴隷制廃止後に「自由労働者」となった黒人が、労働市場での新移民との競合と都市社会への不適合によって困難に直面していると指摘するとともに、人種の混淆あるいは白人化が「半黒人」（meio negro）を誕生させ、人種民主主義を実現するという仮説は事実ではないと厳しく批判した（Fernandes [1964]）。スキッドモア[*19]もまた、十九世紀末から一九三〇年代におけるブラジルエリート層の人種イデオロギーがブラジル住民全体を白人化（black into white）することにあり、ヨーロッパ移民の導入と混血の推奨がその手段であるとした。こうした中で主張された人種民主主義は、人種の平等が現実にあるかのように装い、人種問題の存在を曖昧にするとともに、根幹にあるブラジル人の白人化という人種イデオロギーを隠蔽するものであると批判した（Skidmore [1974]）。

人種民主主義は先住民、黒人などの社会運動からも批判を受けた。軍政末期の一九八〇年代には、民主化要求の運動のなかで、それまで抑圧された人々が声をあげ社会運動を展開したが、黒人運動もその一つであった。運動は黒人が歴史的に受けた差別とその根底にある人種主義を批判し、フレイレの人種民主主義を虚偽的でブラジル社会の根底にある差別を隠蔽するものだとした（詳細は第14章）。八五年の民主化以降フレイレの人種民主主義は急速に威信を

＊18 Métraux, Alfred [1951] "Brazil: Land of Harmony for All Races?," *Courier*, IV (4): April.

＊19 Thomas Elliot Skidmore（1932–2016）米国の歴史家、ブラジルの歴史研究で知られる。主著に*Politics in Brazil 1930–1964: An Experiment in Democracy*, Oxford University Press, 1967などがある。

失った。

しかし、フレイレはブラジルにその名前のとおりの人種民主主義があると言っているわけではない。人種民主主義論は、厳格な人種分離と差別がある米国の人種関係と比較し、ブラジルでは人種間の混血が進み人種関係がより温和であると主張したものである。人種民主主義はまた、虚偽的な側面を含めて、ブラジル社会の特質を解明するうえで重要な概念でもある。フレイレが支持した軍政によって国を追われた人類学者ダルシー・リベイロ（第4章参照）は、フレイレの思想と著作がブラジル社会を理解するうえで重要な契機となったとし、正当な評価をすべきだと論じた。すなわちフレイレへの追悼文（*Folha de São Paulo*, 19 de julho de 1987）のなかで、セルバンテスの『ドン・キホーテ』がスペインの人々がスペイン人になるための「鏡」であったように、『大邸宅と奴隷小屋』はブラジル人が自らの姿を映し自らと文化を形成する「鏡」であったと、その意義を評価し、学生たちがフレイレを反動主義者と決めつけ、その著作を読まないことを戒めた（三田［一九八八］一九三〜一九四頁）。

ルゾ・トロピカリズモ

フレイレは人種民主主義論をブラジルのみならずポルトガル圏にも適用した。ルゾ・トロピカリズモ（Luso-Tropicalismo　ポルトガル熱帯主義）がそれである。フレイレによれば、ポルトガルは先駆的な植民国家であり、その植民地はアジア、アフリカなどに及ぶ。ポルトガルの植民地化は温和であり、キリスト教の布教において同じ植民国家であるスペインと異なり暴力を使わなかった。人種の偏見や差別をもたず現地女性と交わり、その結果混血社会を形成し、また文化の融合を実現し、新しい人間であるルゾ・トロピコ（luso-trópico　ポルトガル系熱帯人）を生み出した。こうした植民の肯定的評価は、ポルトガルの植民地支配を正当化するとともに、低下しつつあるポルトガルの文化的、政治的影響力を強めるための思想となった。

フレイレは、新国家体制を樹立し長きにわたって独裁をしいたサラザールに招かれて、一九五一年から五二年にポルトガルとその植民地、すなわちポルトガル領ギニア（現在のギニアビサウ）、カボヴェルデ、サントメプリンシペ、アンゴラ、モザンビークを訪ねた。その成果は五三年に、民族誌『冒険と日常』[*20]と、関連する報告や討論をまとめた『ポルトガル領土の一ブラジル人』（Freyre [1953]）として出版された。ルゾ・トロピカリズモは後者ではじめて言及された。フレイレは「熱帯ヨーロッパ」の旅を通じて生活スタイル、趣味、言語などで健全な「非ヨーロッパ」に出会い、その経験を踏まえて熱帯ポルトガル文化圏の存在を確認し、その理解のための熱帯ポルトガル学の必要性を示した。さらに『熱帯におけるポルトガル圏の統合』、『ポルトガルと熱帯』を出版したが、[*21]それらは公然とルゾ・トロピカリズモの採用を求める政治的なものであり、多文化共生をつうじて「第三の人間」をつくり文明化を実現するための政策や研究の必要性を主張している。フレイレはルゾ・トロピカリズモによってポルトガル圏の同盟を求めたのである。[*22]

フレイレの関心の中心は、ポルトガル圏で混血者を生み出した社会の平等性を確認し、人種民主主義論を強化することにあったが、サラザール体制においてナショナリズムの高揚と植民地維持のための理論として利用された。ルゾ・トロピカリズモはポルトガルの国益、そして独裁者サラザールの政治的野望に沿うものであった。第二次大戦後アジア、アフリカなどの植民地では独立解放運動が活発化したが、それは当然ポルトガルをも巻き込んだ。植民地の独立は小国ポルトガルにとって帝国終焉の危機であり、独裁者サラザールの政治基盤を危

＊20 Freyre, Gilberto [1953] *Aventura e rotina: sugestões de uma viagem a procura das constantes portuguesas de caráter e ação*, Rio de Janeiro: Editora José Olympio.

＊21 Freyre, Gilberto [1958] *Integração portuguesa nos trópicos*, Lisboa: Centro de Estudos Políticos e Sociais, Ministério do Ultramar, 1958; Freyre, Gilberto [2010 (1961)] *O luso e o trópico. Sugestões em torno dos métodos portugueses de integração de povos autóctones e de culturas diferentes da européia num complexo novo de civilização: o luso-tropical*, São Paulo: É Realizações.

＊22 Silva, Fabricio Pereira da [2020] "Lusotropicalismo, de Gilberto Freyre," https://www.researchgate.net/publication/341909755_Lusotropicalismo_de_Gilberto_Freyre. 二〇二二年七月七日アクセス。

らくするものであった。こうした情勢のなかでサラザールはフレイレのルゾ・トロピカリズモを再発見した。彼自身は人種主義者であり混血には嫌悪をもっていたが、植民地をひき付け、たとえ独立してもポルトガルとの友好関係を維持するため、ポルトガルが多人種から成る複合国家であり、混血に好意的であると装ったのである。フレイレのルゾ・トロピカリズモ論は、大ポルトガル圏をつうじて国際社会におけるポルトガルの地位を維持し、それによって政治基盤を延命しようとするサラザールにとって、格好な主張であった。つまり、サラザールは、フレイレのルゾ・トロピカリズモ論をポルトガルと自らの利益のために政治的に利用したのである（市之瀬［二〇〇〇］九〇〜九四頁）。

真の文化相対主義に向けて

フレイレの評価は時代とともに大きく変化してきた。一九三〇年代に『大邸宅と奴隷小屋』が現れたとき、人々は混血を積極的に評価し、ブラジル社会の劣等性を払拭するものとして歓迎した。混血がブラジル社会の重要な要素であるとするフレイレの主張は国家統合の思想となった。国際社会からも、ナチズムに見られるように人種差別主義が世界を覆うなかで、フレイレの人種民主主義はそれに対抗するイデオロギーとしてもてはやされた。しかし、政治との関係は矛盾に満ちたものでもあった。ヴァルガスのブラジル南部主導の国家統合や白人化中心の人種統合は、フレイレが主張する地域主義や人種民主主義とは本来相いれないものであった。ルゾ・トロピカリズモもまたサラザールの政治的野心に沿うものであった。一九六四年の軍事クーデターとそれに続く軍政を支持したことは、フレイレの政治姿勢への懐疑をさらに強めた。批判はフレイレ思想や研究にも向けられた。ブラジルでは人種間の関係が調和的であるとの主張が、実証的な研究によって虚偽であるとされた。やがてフレイレも『大邸宅と奴隷小屋』も大きな注目を浴びることがなくなった。

一九八五年の民政への移管は人種的平等への関心を高めた。八八年憲法は、反人種主義を謳い、人種差別行為を「保釈の対象にも時効にもならない犯罪である」とみなし、禁固刑に処すると定めた。高等教育では非白人への割り当て制度が導入された。二〇一〇年の人種平等法は、人種、民族、ジェンダー間の平等と、アフリカ系住民と先住民の教育と文化の尊重を規定した。政治民主化の流れのなかで先住民や黒人による社会運動が活発化した。ブラジルでの社会運動は、二十世紀末以降進展したグローバル化への反動として強まった排外主義や差別主義に対抗して、人種的マイノリティの権利保護を求める国際的な運動と共鳴して展開された。そこでは異なる人種や民族の文化を等しく尊重し、異なる人種や民族の共存が目指された。

法制度の整備や社会運動にもかかわらず、現実には黒人や先住民の権利が保護され、その文化が尊重されているわけではない。政治は労働者党（ＰＴ）政権期を除いて白人優位であり、とくにボルソナロ政権は人種的マイノリティに対して露骨な攻撃を繰り返した。社会にはなお人種的な偏見や差別が根強く存在している。他方でこれに対抗する運動も活発である。その場合、人種的偏見や差別への対抗思想や運動の中心は、フレイレのような高踏的なエリートではなく、人種的マイノリティの人々自身であり、彼らを支援する市民組織である。フレイレが提起した人種民主主義や文化相対主義に基づく社会の創造は、フレイレを超えて、あるいはフレイレの批判を踏まえて、新たな担い手によって追求されているのである。[*23]

＊23　本章執筆にあたって三田千代子先生から多くの助言を得たことを記しておく。

【読書案内】

フレイレの主要な著作は下記である。Freyre［1945］はインディアナ州立大学での講義をまとめたものである。『熱帯の新世界』の邦訳は最初一九六一年に、海外農業移住者指導書の一つとして農林水産業生産性向上会議によって出版された。

Freyre, Gilberto［1933］*Casa grande & senzala: formação da família brasileira sob o regime da economia patriarcal*, São Paulo: José Olympio（『大邸宅と奴隷小屋――ブラジルにおける家父長制家族の形成［上下］』鈴木茂訳、日本経済評論社、二〇〇五年）.

――――［1936］*Sobrados e mucambos: decadência do patriarcado rural no Brasil*, São Paulo: Editora Nacional.

――――［1937］*Nordeste*, Rio de Janeiro: Editora José Olympio.

――――［1945］*Brazil, An Interpretation*, New York: Alfred A. Knopf.

――――［1953］*Um brasileiro em terras portuguesas*, Rio de Janeiro: Editora José Olympio.

――――［1959a］*Ordem e Progresso: processo de desintegração das sociedades patriarcais no Brasil sob regime de trabalho livre*, Rio de Janeiro: Editora José Olympio.

――――［1959b］*New World in the Tropics: The Culture of Modern Brazil*, New York: Alfred A. Knoph（『熱帯の新世界――ブラジル文化論の発見』松本幹夫訳、新世界社、一九七九年）.

フレイレに関する研究は数多いが、本章に関連するものは下記である。三田［一九八八］は簡潔にフレイレの思想を紹介している。Burke［2008］はフレイレの研究を紹介し、その現代的な意義を論じている。Fernandes［1964］, Skidmore［1974］と矢澤［二〇一七］は人種民主主義を批判的に検討している。Medina［2000］, Schneider［2012］と市之瀬［二〇〇〇］はルゾ・トロピカリズモを論じている。荒井［二〇一七］はレシフェにおけるフレイレの地方主義と民衆による文化運動を対比して紹介している。

Burke, Peter and Maria Lucia G. Pallares-Burke［2008］*Gilberto Freyre: Social Theory in the Tropics (The Past in the Present)*, Peter Lang Ltd.

Fernandes, Florestan [1964] *A integração do negro na sociedade de classes*, São Paulo: FFCL/USP.
Medina, João [2000] "Gilberto Freyre contestado: o lusotropicalismo criticado nas colônias portuguesas como alibi colonial do salazarismo," *Revista USP*, 45, março/maio, pp. 48-61.
Schneider, Alberto Luiz [2012] "Iberismo e luso-tropicalismo na obra de Gilberto Freyre," *História da Historiografia*, Ouro Preto, 10, dezembro, pp. 75-93.
Skidmore, Thomas E. [1974] *Black into White: Race and Nationality in Brazilian Thought*, New York : Oxford University Press.
荒井芳廣［二〇一七］「地域文化の理想像：知識人文化と民衆文化の交錯についての社会学的考察」『大妻女子大学関係学部紀要　人間関係学研究』一九、一～二〇頁。
市之瀬敦［二〇〇〇］『ポルトガルの世界——海洋帝国の夢のゆくえ』社会評論社。
田村梨花、三田千代子、拝野寿美子、渡会環編［二〇一七］『ブラジルの人と社会』上智大学出版。
三田千代子［一九八八］「熱帯のルーゾ・ブラジル文化——回想のジルベルト・フレイレ」『ソフィア』三七（二）、一八七～一九八頁。
——［二〇〇四］「二人のフレイレ」今井圭子編著『ラテンアメリカ　開発の思想』日本経済評論社、一〇七～一二五頁。
矢澤達弘［二〇一七］「20世紀前半のブラジル黒人運動の言説にみる人種とネイション——サンパウロ州の黒人新聞の分析から」『ラテンアメリカ研究年報』第三七号、五三～八一頁。

フレイレの年譜、著作などについては以下の財団、仮想図書館で知ることができる。
ジルベルト・フレイレ財団 https://fgf.org.br
ジルベルト・フレイレ仮想図書館 http://www.liber.ufpe.br/fgf/index.php

（小池洋一）

一コラム一「神父の革命」から「マンゲ・ビート革命」へ
――レシフェの「自由民権運動」と「文化革新運動」を再考する

ペルナンブコ州都レシフェ。中心街のグアララペス大通りに面した中央郵便局から少々入り込んだところにあるのが、本好きのオアシスとして有名な「古本広場」で、ここはかつて砲兵隊兵舎が建っていたところだ。「ペルナンブコ革命」とも呼ばれている「一八一七年革命」の烽火が、まさにこの場所で上がったのだ。この革命は、軍人、農園主、商人、職人、聖職者など広汎な社会層が参加した運動であったが、啓蒙思想の影響を受けていた神父たちが複数関与したことから、「神父の革命」とも呼ばれた。

一八一七年三月六日、ペルナンブコ革命軍が軍事行動を開始、その二日後に「臨時国民政府」が樹立され、共和制を規定する「基本法」を発布した。これによって、三権（行政・立法・司法）分立、言論の自由、信仰の自由が確約された。ただし奴隷制には触れなかった。この革命運動はレシフェから内陸部へと急速に浸透し、隣接するアラゴアス、パライバから北東部全域に広がっていく。リオデジャネイロとバイアから軍隊を送り込んだ中央政府は、軍事的に革命軍を圧倒したため、五月一九日には鎮圧に成功する。わずか七五日間しか続かなかった臨時政府であったが、啓蒙思想に基づく、実体の伴った独立革命運動であった。ブラジルの社会思想史上においても、十九世紀末に皇帝を追放し権力を掌握した第一共和制政権によって英雄に祭り上げられたチラデンテスらの「ミナスの陰謀」（十八世紀末ミナスで計画された独立反乱運動）よりもはるかに重要な革命運動であった。

この「神父の革命」の自由民権思想に共鳴し、一八二四年の「赤道連盟」（米国型の共和制を目指した独立運動）の指導者フレイ・カネカ（Frei Caneca 1779-1825）の主張を報道した週刊新聞を植字工として制作協力したアントニオ・ジョゼ・デ・ミランダ・ファルカン（Antonio José de Miranda Falcão 1798-1878）が、一八二五年一一月七日に創刊したのが『ジアリオ・デ・ペルナンブコ（*Diario de Pernambuco*）』紙である。創刊日から現在まで継続している日刊紙としては、ブラジル最古にして、ラテンアメリカでも最古の新聞である（ちなみに日本最古の日刊紙は一八七〇年）。長い歴史を有する報道メディアとして同紙はさまざまな歴史事件を記録してきた。レシフェでは、一九二六年の「地方主義宣言」(社会人類学者ジルベルト・フレイレが執筆したレシフェ版モデルニズモ宣言で、その後のノルデステ文学運動の豊饒化を先導した)や一九七〇年に開始された「アルモリアル運動」(劇作家アリアーノ・スアスーナ(Ariano Suassuna 1927–2014)が主導したペルナンブコ大衆文化の再興運動、陶芸家フランシスコ・ブレナン(Francisco Brennand 1927–2019)らが参加した)など、その後も多くの文化革新運動が展開されてきたが、そうした文化・社会運動の発信媒体としても報道機関としてもジアリオ紙の存在は極めて大きかった。

地元文化に通底したジアリオ紙の歴史はレシフェにおける複数の文化・社会活動の歴史に重層的に絡み合っているが、二十世紀最後の文化革命といえる「マンゲ・ビート(Manguebeat)革命」にも同紙は深く関わっている。この文化運動をリードしたのはシコ・サイエンス(本名Francisco de Assis França 1966–97)とフレジ・ゼロ・クアトロ(本名Fred Rodrigues Montenegro 1962–)だが、社会思想史的にはフレジが一九九二年に執筆・発表した『頭脳付きカランゲージョ』マニフェストがその思想宣言である。その多様性哲学宣言を伝統的マラカツ(ペルナンブコの伝統的アフロブラジル民俗芸能、都市部や農村部ごとに異なった様々な流儀がある)に米国由来のロックやファンクを融合した激しい音楽パフォーマンスとして具現化したのがシコのグループ、シコ・サイエンス&ナサゥン・ズンビ(Chico Science & Nação Zumbi)であり、ポレミックな作品『泥んこからカオスへ』を引っ提げて一九九四年に音楽シーンに登場した。フレジ率いるムンド・リブレ(Mundo Livre S/A)など複数のグループが続々と参加した「マンゲ・ビート革命」は、トロピカリズモ(カエターノ・ヴェローゾ、ジルベルト・ジルらが主体となって一九六〇代末に展開された音楽分野に限定されないカウンターカルチャー運動)を凌駕す

シコ・サイエンス彫像
(レシフェ旧市街モエダ通り、筆者撮影)

るほどの地理的広がりをみせたが、音楽の範疇を飛び越えて強烈なインパクトを社会に与えた文化革命運動であった。すなわち、サトウキビに象徴されるモノカルチャー（単一栽培にして単一文化）に対し、生物多様性のゆりかごであるマング（マングローブ）が象徴する多元的文化主義を主張し、その象徴的生物としてのカランゲージョ（泥ガニ）を文化運動のシンボルと捉えたのは、レシフェ出身の地理学者ジョズエ・デ・カストロ（Josué de Castro 1908–73『飢えの地理学』の著者）や劇作家アリアーノ・スアスーナから知的インスピレーションを得たからだ。

レシフェは歴史学研究の分野でも「レシフェ歴史学派」といわれる錚々たる歴史研究者たちを輩出したところでもあった。レシフェ出身でブラジルを代表する歴史家であり外交官でもあったエヴァルド・カブラル・デ・メロ（Evaldo Cabral de Mello 1936–）は、上述した「一八一七年革命」こそがブラジル的民主主義を目指した独立闘争であったと、歴史学的に論証した。文化運動でも歴史研究でも、リオ・サンパウロ中心主義に対抗して、成果を発信し続けているのが、レシフェなのである。

（岸和田仁）

第3章　民衆の社会学――フロレスタン・フェルナンデス

時代を席巻する思想が社会的現実を説明していないと気付いた時、その思考体系を批判し、論破し、社会正義のために立ち上がることは、簡単なことではない。社会学を中心に数多の学問的知見を道具として社会正義の実現の闘いに挑み、常に民衆の立場から社会の真の姿を探求し続けてきたのが社会学者フロレスタン・フェルナンデス（Florestan Fernandes 1920–95 以下フェルナンデス）である。フェルナンデスは二十世紀のブラジル社会科学者を代表するひとりであり、批判的社会学の創始者として有名である。ジルベルト・フレイレ（第2章参照）の「熱帯ポルトガル文明」論によって二十世紀初期のブラジルのナショナリズムを支えたイデオロギーとなった「人種民主主義」[*1]を、後に「サンパウロ社会学派」と呼ばれる研究手法により実証的に批判し、現実社会における人種偏見と人種差別の存在を明らかにしたが[*2]、それは彼がブラジル社会学に残した功績の一部でしかない。フェルナンデスは、ブラジル社会の真の民主化を求めて、人生をかけて「社会学者の使命」を追求した人物である。

学問の世界においてフェルナンデスの知名度が高いことは説明を要しない。彼の生誕の日である七月二二日は「社会科学者の日」に選ばれており[*3]、ブラジル社会学会の学会賞は彼の名前を冠したものである[*4]。彼の広大な研究領域も、「ブラジルの社会学の父」[*5]と呼ばれる理由であろう。時間軸としては植民地時代から二十世紀末までを、課題としては民間伝承、民族誌的

サンパウロで公教育擁護キャンペーンのマニフェストに参加するフロレスタン・フェルナンデス
Florestan Fernandes Source: Biblioteca Digital Curt Nimuendajú, licensed under CC BY 3.0

＊1 第2章、第14章参照。

分析、黒人と白人の関係、ブルジョア革命についての考察、開発と従属についての議論、関係性における不均衡の説明、社会変化の分析など、さまざまなテーマを、ブラジルの発展と社会的不平等の視点から分析した。[*6] 社会運動の世界でも、フェルナンデスを「社会正義、自由、平等のために闘った」[*7]人物と表現し、社会的公正のために闘うシンボルとして位置づける組織は多く、土地なし農民運動(コラム9参照)が二〇〇五年に設立した学校[*8]もその名前を冠している(コラム3参照)。

本章では、近代化のなかで変貌する二十世紀のブラジル社会を生き、想像を超える努力を科学に惜しまず捧げ、真摯な態度で社会問題の分析に専心し、そして何よりも不平等な社会を変えることを命題として行動し続けた人物として、フェルナンデスを考察する。同胞で学生時代からの親友であった文学研究者カンジド[*9]から「超越した統合性」(Candido [1987] 36)の持ち主と呼ばれ、社会学における民衆ラディカリズム(Cohn [2005])を打ち立てた存在と形容された、その軌跡をたどりたい。

ヴィセンテからフロレスタンへ[*10]

フェルナンデスは、サンパウロの下町で、ポルトガル人移民のシングルマザーのもとに生まれ、幼い頃から路上で働いていた。彼の母親マリア・フェルナンデス(Maria Fernandes)はポルトガル北部ミーニョ地方からの移民で、一九二〇年にフェルナンデスを妊娠している時、サンパウロの中産階級のブレッセル(Bresser)家に家政婦として住み込みで働いていた。母親は、その家で運転手として働いていたドイツ人の男性が親切にしてくれていたことから、彼の名前のフロレスタンを息子の名とした。しかしながら、代母となったブレッセル夫人はフロ

＊2 邦語で紹介されている文献としては、読書案内にある荒井［二〇一九］、デグラー［一九八六］、三田［二〇一七］(四三、六八〜七〇頁)以外にも、エドワード・E・テルズ［二〇一一］『ブラジルの人種的不平等――多人種国家における偏見と差別の構造』(伊藤秋仁、富野幹雄訳、明石書店)、アンソニー・W・マークス［二〇〇七］『黒人差別と国民国家――アメリカ・南アフリカ・ブラジル』(富野幹雄、岩野一郎、伊藤秋仁訳、春風社)などがある。

＊3 Dia Nacional do Cientista Social. 二〇〇一年に上院を通過後下院では未承認だが、多くの教育機関はこの日を社会科学者の日としてサンパウロ大学(USP)などで式典などを開いている。またUSP人文学部(FFLCH)の図書館は〇五年の改装時に「フロレスタン・フェルナンデス図書館(Biblioteca Florestan Fernandes)」として名称を変えた。

＊4 フロレスタン・フェルナンデス賞(Prêmio Florestan Fernandes)。ブラジルにおける社会学を中心とする学術界への先駆的な貢献者に対し作られた賞。フェ

レスタンという名前は貧しい家政婦の子どもにはふさわしくないとして、フェルナンデスはヴィセンテ（Vicente）と呼ばれることになった。

フェルナンデスが三歳の時、母親は洗濯婦として働くようになり、二人はその家を出た。フェルナンデスは六歳になると理容室、靴磨き、肉屋で働き始めた。代母の支援のもと通っていた小学校も、家計を助けるため九歳の時に三年生で退学した。その後、木工所、仕立て屋、パン屋、レストラン、バール（スナックバー）など、さまざまな場所で働いた。当時の自分を振り返り、フェルナンデスは、母がいたから孤独ではなかったが、「人生の暴風雨」に吹き飛ばされているようだった、自分たちを救ったのは、野生の自尊心（orgulho servagem）だったと述べている。

母の仕事の変更や家賃の値上げなどでサンパウロを転々とする厳しい生活を送りながら、働く毎日が過ぎていった。転機は、バールで給仕として働いていた時に起きた。そこは、教師や新聞記者などインテリ層が集まるバールで、接客もそぞろに本を読みふけりながら、時々議論に加わり批判的なコメントをしてくるフェルナンデスを見て、ある客が就学と両立できる仕事を紹介してくれた。[*11] 三八年、一七歳の時に定時制高校に復学し、その後三年間で残りの教育課程を終えた。

知的好奇心が幼少の頃から強く、三年しか通っていなかった学校ですでに読書の楽しさを教わっていた。フェルナンデスの送った幼少期は厳しいものだったが、代母の家や母親のパートナーが貸してくれた本が開いてくれる世界と、教師や友達と学びあえる学校という場所との出会いは、彼に第二の居場所をつくった。とくに定時制高校の教師オリヴェイラ（Benedito de Oliveira）との出会いは大きな転機となった。高校での勉強を支えてくれたオリヴェイラに影響

ルナンデスは一九六二年ブラジル社会学会（Sociedade Brasileira de Sociologia：SBS）の会長であった。二〇〇三年より隔年で選考を行っている（SBSウェブサイト *Prêmio Florestan Fernandes* https://www.sbsociologia.com.br/premios-e-concursos/premio-florestan-fernandes/）。

*5 Memorial da Democracia, "Florestan Fernandes," http://memorialdademocracia.com.br/card/interpretes-do-brasil/7.

*6 Bastos, Elide Rugai "Florestan Fernandes," em Lima, Jacob Carlos e Helena Bomeny (orgs.) [2021] *SBS Memória Retratos: sociólogos e sociólogas brasileiras*, Florianópolis: Tribo da Ilha, p.52.

*7 労働者党（PT）ウェブサイト Florestan Fernandes completaria 98 anos de luta pelo Brasil（フロレスタン・フェルナンデス：ブラジルのための闘いの九八年）https://pt.org.br/florestan-fernandes-completaria-98-anos-de-luta-pelo-brasil 23 de julho de 2018.

*8 フロレスタン・フェルナンデス全国学校（Escola Nacional de Florestan Fernandes）。Nacionalとあるが公教育機関ではない。

を受け、教師になるために大学への進学を希望するようになる。大学では化学を専攻するつもりだったが、全日制ゆえ仕事と両立できないためその道は諦め、社会科学の道を選ぶ。社会科学を学ぶことは、社会を変える知識を身に付けることだと思ったことが理由である。

一九四一年に、サンパウロ大学哲学・科学・文学学部(Faculdade de Filosofia, Ciências e Letras, da Universidade de São Paulo：USP-FFCL、以下FFCL。コラム4参照)を受験する。二九人中合格者は六人で、彼は五位の成績であった。勉強の遅れを解消し、普通教育を受けていた生徒と同じ学力をつけ、大学に入学した自分に対し、フェルナンデスは「ヴィセンテ」としての命を終え、「フロレスタン」としての人生がよみがえったことを実感したと述べている(Fernandes [1977] 157)。

人々と向き合う学問の探求

ＦＦＣＬでは、そのほとんどがフランス人である教授陣の授業を、外国語で受けることになる。短期間で学問を身に付け、卓越した能力を示していた[*12]とはいえ、ＦＦＣＬでの課題は簡単ではなく、学問的知識の不足に苦しんだ。バスティード[*13]の「レポートではなく、論文を出すように」とのコメントにショックを受けたが、その訓練が「記者」ではなく「社会学者」としての理論的基礎、経験主義的調査の土台となった。仕事との掛け持ちの生活は続いていたが、時間があれば図書室にこもり、社会学、民俗学、人類学の知識を身につけていく。[*14]

名高い高等教育機関で社会学者としての研鑽を積み続けていたフェルナンデスだが、学生時代からアカデミックな世界の外に出る経験も得ていた。フェルナンデスの経済状況を心配したバスティードは、一九四三年に『オ・エスタード・デ・サンパウロ(*O Estado de São*

＊9 Antônio Candido de Mello e Souza (1918-2017) リオデジャネイロ出身の社会学者、文学研究、文芸評論家。一九三九年ＵＳＰ社会科学・政治学部(Faculdade de Ciências Sociais e Política)入学。本章で述べるとおりフェルナンデスの朋友である。

＊10 フェルナンデスの個人史については、注記のないものはジェトゥリオ・ヴァルガス財団(ＦＧＶ)ブラジル現代史研究資料センター(Centro de Pesquisa e Documentação de História Contemporânea do Brasil)のプロフィール(http://www.fgv.br/cpdoc/acervo/dicionarios/verbete-biografico/fernandes-florestan);Venceslau [1997];Oliveira [2010] 16; Silva, Patrícia [2020] "De Vicente a Florestan: uma breve análise de uma trajetória escolar de sucesso," *Revista Amor Mundi*, 1 (2)を参考にした。

＊11 Bar Biduの常連客のManeco (Manuel Lopes Teixeira) がフェルナンデスに対し、「勉強が好きならここで働くべきじゃない。兵役に就いてタイプライターを習ったら、仕事を紹介するから連絡しておいで」と声をかけた。

Paulo）』紙の記事執筆の仕事を彼に紹介した。その経験は学問と社会全体との関係性を認識する機会を彼に与えたとされる。『フォーリャ・ダ・マニャン（*Folha da Manhã*）』紙での仕事も始め、編集長のサケッタと親交を深め[15]、彼が党首を務めていた革命社会党（Partido Socialista Revolucionário：PSR）の集会に顔を出すようになり、社会主義を学んでいく。それをきっかけに、マルクスの『経済学批判』をポルトガル語に翻訳した（一九四六年出版）。

一九四四年にはサンパウロの「サンパウロ社会政治自由学院（Escola Livre de Sociologia e Política de São Paulo：ELSPSP コラム4参照）」で社会学と人類学の修士課程に進む。卒業後の四五年、FFCLのアゼヴェド[16]のもとで、カンジドとともに助手を務めるようになる。FFCLで働きながら、ELSPSPで人類学と北米の社会学を学んだ。

修士課程で彼が選んだテーマは先住民族、しかも過去に存在した先住民族のアイデンティティについて文献資料をもとに考察することであった。一九四五年に発表した論文「チアゴ・マルケス・アイボプレン――辺境のボロロ人（Tiago Marques Aipobureu: Um Bororo Marginal）」[17]は、先住民族（ボロロ族）と西洋（カトリック教サレジオ会）の二つの世界の双方から社会的に排除されたボロロ族の男性が二つの世界のうちのどちらの基準に基づいて行動すればよいかわからない状態に置かれ、永続的な不安定性と精神的苦痛を受ける悲劇を解明するものであった[18]。人類学の修士論文（Fernandes［1963］）、社会学の博士論文（Fernandes［1970］）として完成させたトゥピナンバ族の研究は、文献調査をもとに機能主義的分析を試みる先駆的な研究となった[19]。博士号を取得した後、五三年にはFFCLの専任教員となり、五四年に教授となった[20]。

博士論文執筆と並行してフェルナンデスが関わっていた研究が、サンパウロの黒人と白

彼の紹介してくれたノヴォテラピカ（Novoterápica）社で働き、歯科部品の配達、部局長を務めた後、最終的には歯科関連業務の営業職に就いた。収入が安定し時間的余裕ができたことで、勉強に費やす時間を確保することができたとフェルナンデスは語っている（Venceslau［1997］229）。

＊12 入試の際、「フランス語は話せないのでポルトガル語で答えても良いか」と試験官に尋ねた。バスティードは試験に出したデュルケム理論への解答が的を得ていたため許可したというエピソードがある（Oliveira［2010］16）。

＊13 Roger Bastide（1898–1974） フランス人社会学者、人類学者。一九三八年、レヴィ＝ストロースの後任としてUSPに着任。本文での説明のとおり、文字通りフェルナンデスの恩師となった研究者。

＊14 フェルナンデスは一九四四年にサンパウロの下町で暮らす子どもを描く初の民俗学的研究となる「ボン・レチーロの『子どもたち』（As 'trocinhas' do Bom Retiro）」を発表している。Retiroのスペルが Reitor（学長）と誤植され

人社会の調査である。ブラジルの「人種民主主義」をポジティブに評価したユネスコが、一九四〇年代末から北東部で実施していた人種関係の調査[*21]を南東部で展開するにあたり、共同代表研究者としてバスティードから声をかけられた（Maio［2014］15）。フェルナンデスにとって、サンパウロは彼自身が生まれ育った地であり、シカゴ社会学派がシカゴで行い、分析の実験室（ラボ）として都市を変えたように、サンパウロでそれを実施したい夢を持っていた（Cardoso［2013b］193）。彼はこの研究で、形作られゆく資本主義社会における人種と社会階級間の関係について考察した。

都市におけるフィールド調査によってわかったことは、近代化の途上にあるサンパウロは明らかに人種差別を根底にもつ社会であるという事実であった。人々の生活に、奴隷制時代の遺産とも呼べる人種差別の意識が温存されていること、ヨーロッパ移民、混血、黒人の社会的上昇のプロセスに大きな違いが存在することが明らかになった。経済的社会的上昇のチャンスは、白人に近いほど大きく、黒人の場合は、社会上昇があるとすればそれは黒人という人種の身体的特徴が和らげられた場合であった。つまり社会的上昇は、黒人ではないこと、混血では白人と競争できる能力を持っている場合に限定され、このことが白人の社会支配の保持を可能にした（Maio［2014］18）。

軍事クーデターが起こる一九六四年に世に出した著書『黒人の社会階級への統合』（Fernandes［2020a］）[*22]では、ブラジルを理解するための主要な問題が奴隷制にあることを認識し、人種的階層化と社会的階層化の間の並列性を維持する人種的支配のパターンを強化し保護するためにあらゆる手段を使っているにもかかわらず、「白人」は、偏見を持たないという偏見を持っていると断言した（Fernandes［2020a］15306/19080）。近代性と人種差別は相容れないこと、つまり

ていたことから出版まで時を要した（Martins［2014］27-28）。四七年に雑誌論文として、六一年に『サンパウロにおける民俗と社会変化』（Fernandes［1979a］）の一章として出版。

*15 Hermínio Sacchetta（1909–82）一九三八年に結成された国際共産主義組織「第四インターナショナル」に所属するトロッキー運動家。

*16 Fernando de Azevedo（1894–1974）ミナスジェライス州出身の社会学者。一九三一年ＦＦＣＬ創立時から定年まで、教授として勤めた。同年『ブラジル教育学叢書（Biblioteca Pedagógica Brasileira）』の編纂を担い、後述の公立学校擁護運動に関わるなど、二十世紀ブラジルにおける教育思想に影響を与えた。

*17 バルドウス（Herbert Baldus 1899–1970）によるセミナーで一九四五年に発表、翌年 *Revista do Arquivo Municipal*, vol. CVII にて出版。バルドウスはドイツ出身の人類学者。ラテンアメリカにおける先住民研究を行ない、三九年よりＥＬＳＰＳＰで教鞭を取る。五二年、ＦＦＣＬでのフェルナンデスの博

黒人に疎外と周縁化を強いる慣習が保持され、人種的不平等が存在する限り、健全な近代的社会発展はもたらされないだろうと説き、逆説的に、黒人の社会への統合は平等で民主的な新しい競争的社会における鍵となると主張し、「教育」と「経済的および社会的計画」がそれを可能にするとした。

フェルナンデスが注目したのは黒人自身による人種差別主義への抵抗運動であった。黒人運動の出現を、新しい資本主義社会秩序におけるポジティブな要素ととらえ、彼らの自尊心の強化と共通意識の可視化につながるとした（Maio［2014］22）。カルドーゾ（第9章参照）が「参加型社会学」の教養と呼ぶその調査法は、社会運動のリーダーを招き、運動の役割や、調査で集めた多数のデータ分析の議論に参加させるという大胆な方法論を選択した（Cardoso［2013b］202）。カンジドは、黒人コミュニティを揺り動かし、調査対象として彼らに接するのではなく、彼らを語りの主体とするこの調査を「私が知る中で最も美しい分析枠組み」と語っている（Barão［2018］122）。フェルナンデスの調査研究は、黒人運動が対峙していた人種と貧困の問題の社会学者による代弁でもあった（Maio［2014］23）。

「公立学校擁護運動」への参加と権力との対峙

フェルナンデスは、ブラジル社会における奴隷制時代の価値観をエリート層がもち続ける重要な原因は教育システムの遅れにあるとした[*23]。一九四六年憲法以降の新教育法編纂をめぐる国会の議論において、すでに多くの学校を運営し「教育の選択の自由」をレトリックに使うカトリック教会と、民間教育機関の経営者の権益を守る私学擁護派の主張が勢いを増すなか、五六年に「質の高い教育の提供は、ある特定の人口に限られた特権階級の源泉であってはなら

論審査をバスティードとともに担当。

*18 Arruda, Maria Arminda do Nascimento［2001］*Metrópole e cultura : São Paulo no meio século XX*, Bauru: Editora da Universidade do Sagrado Coração, pp.306-307. アイボプレンはサレジオ会の宣教師に教育され、ローマとパリを訪れたが、郷愁から二年後にボロロ族コミュニティに戻ってきた。ボロロ族の女性と結婚して正式にコミュニティに入ろうとしたが、自分の中にボロロ族の文化が無くなっていることから、それは困難な道であった。帰国の時に宣教師から受けた教育を放棄したため、白人社会に入ることもできなかった。

*19 フランスの社会学者エミール・デュルケム（Émile Durkheim 1858–1917）による、社会的な分業が果たす「機能」が社会全体を統合するという議論に基づく。

*20 Arruda, Maria Arminda do Nascimento "Posfácio" (Fernandes［2020a］), 位置No. 18758/19080.

*21 ブラジルにおける人種関係調査プログラム（Programa de Pesquisa sobre Relações Raciais no Brasil）。第2章参照。

ない」と主張したテイシェイラ[*24]が中心となり、公立学校擁護運動（Campanha em Defesa da Escola Pública）が生まれた。フェルナンデスも、保守派支配階級が権益を手放さない状況下で、新教育法のもつ公共性が損なわれてはならないとし、この運動に参加した（Oliveira［2020］n.p.）。フェルナンデスは社会主義的知識人として運動にかかわり、新聞への執筆、全国各地での講演に奔走し、知識人として公教育擁護の必要性を聴衆に語った。公教育は国家の社会問題であり、それを保障する闘いは自らの政治的職業的義務であるとした（Barão［2018］117）。

フェルナンデスは、「一般民衆の偶然の代表例」として自分を捉えていた（Saviani［1996］79）。人生において数多くの恩恵を受けることができ、その結果、学問を身に付けて自分の道を切り開くことができた経験から、体系的な公教育の概念を民主主義的な社会の出現の条件として位置づけた。「自分の周りの人間が、教育を受ける機会を奪われていたために労苦の道を歩んだのを見てきた。だからこそ、私は教育の中心的な要素は、学校という制度に、学校の内側に、そして教室にあると考える。学校と教室だ。そして教育を、階級化された社会を縛る鎖から解き放ち、教室を人々が相互に与えあえるような場所に変えなければならない」（Fernandes［1991］45）という思考がそこにはあった。

運動では、「ブラジルの教育システムは社会が近代化するにあたって求められる命題に答えていない。それは社会の変化の障害であり、『文化の遅れ』の現象である」（Arruda［2009］316-317）とし、「少人数の集団の手に権力を集中させる専制主義を避けるために、『権力と富を民主化する』ことが必要」と訴えた（Leher［2012］1166）。一九六一年に制定された教育法は最終的には保守派の主張を組み入れたものとなった。テイシェイラは「半分の勝利に過ぎないが、勝利に変わりはない（Meia vitória, mas vitória）」と運動の意義を称賛したものの、私学派保守層が自

＊22　この論文でフェルナンデスはFFCL「社会学Ⅰ」の教授として昇格した。

＊23　Gouvêa, Tathyana e Antonio Sagra-do Lovato (coords.)［2017］*Educação de Alma Brasileira*, São Paulo: Editora Vekante Educação e Cultura, p.142.

＊24　Anísio Teixeira（1900–71）バイア州出身の教育学者、作家。アメリカの教育学者デューイ（John Dewey 1859–1952）の思想に影響を受け、ブラジルにおける新教育（Educação Nova）運動の代表者として公教育改革の中心人物となった。国立教育調査研究所（Instituto Nacional de Estudos e Pesquisas Educacionais Anísio Teixeira）は彼の名前を冠している。

己の利益を守るため教育予算の要求に躊躇をみせない姿勢を批判した。教育法制定は、社会に深い変化をもたらすどのような改革に対してもブラジルのエリートは抵抗することを示した。

一方で、この運動は、フェルナンデスのブラジル社会との関わり方に変容を与える機会のひとつとなった。彼は、サンパウロで始まった運動が他の州まで普及して組織され、大きな波になったことに驚かされた。民主主義的秩序と教育の擁護において、ブラジル人自身が意思を定め、自分たちの声を人々に聞かせ、自分たちの行動を伝えるといった、社会が相互に協力する瞬間を経験した。さらに、運動への参加が自身の研究を発展させ理論を高めることを知った(Barão［2018］127-132)。

こうして、公立学校擁護運動はフェルナンデスに行動する知識人として動き出すきっかけを与えた。同じく運動に参加していたカルドーゾは、フェルナンデスが闘争者としての姿を見せたのは、公立学校擁護運動のときであったと述べる(Cardoso［2013a］186)。フェルナンデスは、運動に参加することで、ブラジルの階級制度のなかでは「秩序の内部の革命」による変化は困難であることを実感するとともに、ブラジル社会のジレンマである民族・人種問題が教育問題に関わっているとの認識をもつに至った。それはやがて、従属的資本主義国家における「ブルジョア革命」への考察につながることになる(Oliveira［2020］n.p.)。

「ブラジルのブルジョア革命」の理論構築と政治的闘争者の誕生

フェルナンデスは、教育、科学の拠点としての大学がブラジル社会の変革の真の手段となるという信念のもと、大学における教育改革に着手した(Freitag［2005］238)。一九六二年カルドーゾとともにUSPに工業および労働社会学研究所（Centro de Sociologia Industrial e do Trabalho：CESIT）を設立した。その二年後『黒人の社会階級への統合』を発表したとき軍事クーデターが起きた。フェルナンデスは反体制派として拘留されたが、FFCLの捜査に当たった憲兵大佐に送った手紙「軍の最大の徳が規律訓練なら、知識人の徳は批判的精神」が新聞に掲載されると、反響を呼び解放された（Venceslau［1997］234-235）。フェルナンデスは、軍政下の高等教育改革を批判し、大学を自治のある組織として創造し、都市産業的文明に必要な機能を備え、学問の批判的かつ歴史的意識化と思想の創造を可能とする民主主義的革命の場となるよう主張した（Saviani［1996］81）[＊25]。怯むことなく続けた政権批判のかどで、六九年一月USPの教授職から強制的に退職させられる。

フェルナンデスは、クーデターの後カルドーゾなどにマルクス・セミナーに誘われていたがそれには参加せず、「一匹狼の闘争者（o militante solitário）」として、マルクスの思想をもう一度ブラジルの軍事政権の現実と照らし合わせて理解するよう試みた（Freitag［2005］240）。カナダに亡命しトロント大で教授を務めた後[＊26]、一九七三年に帰国したフェルナンデスは、USPの同僚が多く所属した研究職[＊27]にはつかず、自らのこれまでの研究を再検討する時間を過ごした。従属的資本主義、すなわち奴隷制による人種的・階層的不平等という歴史的遺産が温存された状況でブラジルに出現した社会秩序を分析する研究を再開し、一九七五年『ブラジルのブルジョア革命』（Fernandes［1981a］）を出版した。執筆途中で六年以上も中断期間を強いられた本書においてフェルナンデスは、ブラジルの資本主義の発展過程で形成された「競争的社会秩序」は、植民地時代に起源をもつ伝統的な家父長制を温存したものであると「説明」した（Freitag［2005］241）。そして、その社会秩序の発展が不完全にしか達成されない、いわば異形の

＊25　引用元はFernandes［1975b］。

＊26　その後、一九七七年には米国エール大学に客員教授として赴任し、七八年に完全に帰国した。

＊27　カルドーゾ（第9章参照）、イアンニ、シンジェル（第11章参照）などが所属したブラジル分析企画センター（Centro Brasileiro de Análise e Planejamento：CEBRAP）。フォード財団の支援を受けていることを理由に参加しなかった。その仕事が米国経由で軍事政権を支えることになるとの考えによるものであった（Freitag［2005］232）。

資本主義であったことを説いた（Cardoso［2013a］190）。

フェルナンデスにとって軍事政権は、選挙制をとり国会を機能させるなど形式的な民主主義を維持し、資本主義の拡大の秩序を擁護する「責任感のある」ブルジョアジーと結託した政治体制であった。フェルナンデスは、軍政に批判的な立場を貫いていたカトリック左翼の司祭や若者への講演を積極的に行った。彼らから行動を共にしようと呼びかけられたが、自分は研究者として運動に協力したい、そうすればより多くの運動に貢献することができると伝えた（Venceslau［1997］235-236）。

「一匹狼の闘争者」から政治の舞台へ

亡命からの帰国後、フェルナンデスの闘い方は変化した。一九七八年、アルンス枢機卿（コラム6）の誘いを受け、サンパウロカトリック大学に着任するが、ジャーナリズムにおいて精勤し、「下から」（de baixo）の主体的な変革に必要とされる行動の道具としての批判的知の普及に努めた（Saviani［1996］82）。同年から「社会科学者の偉人シリーズ」の編集、監修を担当し、*28 社会科学の基礎となる社会学、歴史学、経済学、心理学、政治学、文化人類学の思想家を紹介する書籍の出版に専心した。*29

フェルナンデスはまた、労働運動が人々の「社会的無関心」を終わらせ、真に共和的で民主的な経験となる可能性を見出していた（Leher［2012］1167）。一九七八年ＡＢＣ工業地区*30で起きたストライキを評価する一方で、底辺の労働者の主張を組織化するシステムとしての政党の必要性を認識していた。ゆえに八〇年に誕生した労働者党（ＰＴ）には強い親近感を持っていた。「一匹狼の闘争者」としてはじめは距離を取っていたが、八九年から『フォーリャ・デ・

*28 *Coleção Grandes Cientistas Sociais*, Editora Ática（Freitag［2005］232）.

*29 一九七八年から九〇年までに六〇巻を出版。各巻の担当は最も信頼できる研究者に依頼した。マルクス・エンゲルスとレーニンは自分が担当した。マルクスは二巻あり、社会学はイアンニ、経済学はシンジェルが担当した。イアンニはフェルナンデスの巻（一九八六年）も担当した。ほかのブラジルの思想家はプラド（第7章参照）、フルタード（第8章参照）、作家のエウクリデス・ダ・クーニャ（Euclides da Cunha 1866-1909）、オランダ（第1章参照）。（Daniel R. Aurélio［2012］"Ciências Sociais e mercado editorial: a coleção 'Grandes cientistas sociais' no contexto de expansão do ensino superior no Brasil após a reforma de 1968," *Ponto-e-Vírgula (PUCSP)*, 12, pp. 104-107.）

*30 サンパウロ州サントアンドレ（Santo André）、サンベルナルド・ド・カンポ（São Bernardo do Campo）、サンカエターノ・ド・スル（São Caetano do Sul）に位置する工業地域。

サンパウロ（*Folha de São Paulo*）』紙に週一で論説を執筆する仕事を始めてから労働者党員との距離がさらに縮まったこと、朋友のカンジドをはじめ自分の尊敬していた友人の多くが党員であったことなどから、八六年労働者党に入党し、同年制憲議会議員として当選する。*31

一九八八年憲法の教育の項目の編纂に熱心に取り組み、続けて教育法改訂の法案に集中した（Saviani [1996] 81-82）。下院議員として再選され、二期目の九四年まで活動した。提案した法案は九四に上り、*32 教育に関するものとして、万人の教育機会平等、すべての教育水準における無償で非宗教的な公教育を国家が保証すること、複数文化主義の民主的な市民社会の「実験室」を学校に作り、教員の評価と自治を約束することなどがあり、それらは国家が強制する「教育プラン」とは対極的なかたちであるとした（Leher [2012] 1167）。*33 具体的には、バイリンガル教育への先住民の権利、大学の自治、科学技術の活動支援、無償の幼児教育の普及、資金調達、私学による公的予算の廃止、国家教育計画による政策計画を教育省から独立して規定する国家教育開発審議会の設立などが挙げられる。これらの法案は、承認されたものもあれば、そうならなかったものもある。フェルナンデスは新憲法について、民衆の意を反映し進歩した憲法本文であるが、いまだ国家の権威的構造を維持しており、社会的対立を放置する矛盾を含んでいると指摘した。*34

憲法策定以降、教育に関わる人々により公立学校擁護全国フォーラム（O Fórum Nacional em Defesa da Escola Pública）が作られ、有機的な立法プロセスにおける初の市民の参加の試みが生まれた。一九六一年の教育法とは異なり、八八年一二月に国会でPＳＤＢ（ブラジル社会民主党）の議員エリジオ*35が提案した新教育法案は、市民社会の作り上げた起源を持っていた（Leher [2012] 1168）。そこには、すべての学校教育の段階に、人間的でリベラル、平等で民主的な批判

*31　一九八六年、ルーラ（第10章参照）、ジルセウ（José Dirceu 1946-）など労働者党幹部から制憲議会議員として立候補を打診された際、「私が議員になったら、党は何をしてくれるんだ？私に何かくれるのか？」と尋ね、「選挙で得た資金の三〇パーセントをあなたが党に渡すことになっている」と答えられて爆笑し、「OK、それなら受けよう」と出馬を決意したエピソードがある（Venceslau [1997] 238）。

Cepêda e Mazucato (orgs.) [2015] の書影。一九八九年の下院議員時代、国会前の民衆運動への支援を表明するフェルナンデスが、「ブルジョア」的な出で立ちだと指摘する人々の声を聞き、ネクタイを放り投げている写真が用いられている。

的社会化の要素として生産的労働の概念が結び付けられていた。六一年の教育法策定時の議論と決定的に異なるのは、新教育法の概念が教育に関わる労働者自身の闘いによって作られようとしていることだった。フェルナンデスは、たとえ苦境や障害が明らかに立ちはだかっているとしても、新憲法と新教育法が開いた道から、教育の変容の可能性に強い希望を抱いた(Saviani [1996] 83)。フェルナンデスは九五年八月一〇日、七五歳でこの世を去るが、[*36] 八九年六月二六日から九五年八月七日までの六年間、『フォーリャ・デ・サンパウロ』紙に論考を書きつづけた。最後の三つの論考は、彼の死後に掲載された。

社会的課題に立ち向かう科学者としての使命とその立ち位置

フェルナンデスが生涯をかけて探求したのは、学問の知を道具とする科学者として自分の使命を果たすことであった。その使命の具体像は、彼自身の経験のなかで変化を遂げた。USP-FFCL時代のフェルナンデスは、社会の変化を求める研究者(acadêmico-reformista)であった(Freitag [2005] 238)。社会科学理論について知識を得るだけではなく、実証的研究によりそれらを批判的に考察する科学者を追及していた。カルドーゾは、社会学の講義を行うフェルナンデスが大学内でいつも白衣を着て、社会学は科学であり社会はその「実験室」であると表現し、当時の社会科学で支配的であった随筆のような研究から自らの研究に一線を画すべく、厳格な方法論を求めて、幾重もの主要なあるいは派生した仮説で埋め尽くされた「調査計画」を練っていたと語っている(Cardoso [2013b] 203)。社会科学は定量的分析が困難で、また実験もできないため、「チームワーク」と「表面から深部までの作業の刷新」が必要であるとし、USPの「社会学I」に社会学者の真の研究集団を作り出すことを追求し、豊かで厳し

*32 九四法案のうち四六が教育関連、二七は基本概念あるいはブラジルの教育組織について、七は科学技術に関するもの、三は大学に関するものであった(Leher [2012] 1167)。

*33 軍事政権による「ブルジョア革命風の教育改革(reformas inerentes à revolução burguesa)」(Leher [2012] 1164)を批判するフェルナンデスの論考についてはFernandes [2020b] 参照。二〇二〇年度版にはLeherが序文を寄せている。

*34 Opera Mundi (22 de julho de 2020).『フォーリャ・デ・サンパウロ』紙への論説を中心に展開した八八年憲法策定の議論への批判的考察をまとめた書籍が『未完成の憲法』(Fernandes [1989])である。

*35 Octavio Elísio (1940–2022) ミナスジェライス出身政治家。

*36 健康上の理由から下院議員の三期目は辞退していた。肝移植手術の医療ミスによる死亡であった。

い知的生産のための刺激的な教育空間を作り出そうとした（Saviani［1996］72）。科学的使命を持った研究機関の創造によって、ブラジルの社会的政治的な後進性、不公正や無知、貧困、それらの要因となっている植民地時代の負の遺産を超え、ブラジル社会を変える可能性を追い求めた[*37]。同時に、公立学校擁護運動へかかわり、科学者としての使命を果たそうとした。しかし、軍事政権の成立はフェルナンデスの挑戦を暴力的に中断した。

軍事政権により大学での生活を剥奪されたフェルナンデスは、革命を目指す政治家（político-revolucionário）として新たな使命を見出していく（Freitag［2005］238-239）。その闘いで、自分自身の実体験から、どれだけ崇高で正しい知識を備えた人間でも、孤立した個人として社会を変えることはできないことを学び、知識を社会に、世界の動きのなかに位置づけることの重要性を認識していく。公立学校擁護運動をとおしてブラジルの国民は新しいフェルナンデスを知ることになったと、カルドーゾは語っている（Oliveira［2020］n.p.）。フェルナンデスは「知的労働者（trabalhador intelectual）」としてブラジルの社会学に新たな領域を開いた。カンジドは、フェルナンデスの研究の軌跡について、一九四〇年代は研究者としての成熟期、五〇年代は知を世界に応用し、社会問題を理解することに夢中になった時代、六〇年代はその知の力を闘いの道具に変えた時代であったと述べている（Candido［1987］33）。オリヴェイラ[*38]は、学生、大学教授、社会学者、社会主義活動家、国会議員、評論家としてフェルナンデスが展開してきた偉業が社会問題に立ち向かう教育学としての役割を果たし、そのことは彼を真の「革命的」教育者として特徴づけるとした（Oliveira［2010］113）。

さらに重要なことは、フェルナンデスが自身の使命を果たすべく科学者として闘うときに、決して民衆の視点を忘れなかったことである。先住民研究や黒人研究、そこでの当事者組織

＊37 Martins, José de Souza［1996］, "A morte de Florestan e a morte da memoria," *Estudos Avançados* 10 (26), p.34.

＊38 Marcos Marques de Oliveira　教育学者、政治学者。フェルナンデスがジャーナリストとして科学と政治を結び付けた軌跡を「社会主義的教育学」として研究。

＊39 フランツ・ファノン『地に呪われたる者（Les Damnés de la Terre / Os Condenados da Terra）』になぞらえている（Venceslau［1997］228）。ファノン（Frantz Fanon 1925-61）はフランス領マルティニク島生れの精神分析医、作家。アルジェリア民族解放戦線の理論的指導者となり、以降の革命運動に影響を与えた人物。

＊40 Opera Mundi, "Florestan Fernandes: a revolução burguesa ao estilo brasileiro"（フロレスタン・フェルナンデス：ブラジル式のブルジョア革命）https://operamundi.uol.com.br/memoria/65823/florestan-fernandes-a-revolucao-burgue-

との出会い、ブルジョア研究、それらすべては「社会を変えるための力は民衆が持っている」という揺るぎない確信を彼に与えた。フェルナンデスは、自分自身が本物の「地に呪われたる者」だったと述べ、[＊39] 自分自身のこうした生い立ちがなければ、社会学者にはならなかっただろうと語っている。[＊40]「私には機会を持ちそれを利用するという強い運があった。子どもの時、自分の潜在力を発揮する機会を享受できなかった仲間の姿を見てきた。彼らは命を落とすか、犯罪に手を染める行動を余儀なくされた。とにかく、自分がしてきたことで最も難しかったことは、自分の出身階級に誠実でありつづけることだった」(Venceslau [1997] 240; Barão [2018] 119)。この言葉は、革命を目指す政治家として彼が歩んできた道には、私たちの想像を超える葛藤と困難があったことを想像させ、それにもかかわらず彼自身が自分の身を置いてきた「底辺からの (de baixo)」革命を決してあきらめなかったことを伝えてくれている。

バラォン[＊41]はフェルナンデスを、グラムシ理論でいう「底辺」の人々の有機的知識人 (intelectual orgânico) の機能を持ち、マリアテギ[＊42]の理論でいう広い視野をもつ教師 (professor panorâmico) として特徴づけることができるとした (Barão [2018] 117-120)。イアンニ[＊43]は、フェルナンデスの仕事は常に民衆の大部分を構成する人々、すなわち先住民族、黒人、移民、奴隷、自由人、都市と農村の労働者を歴史上で再出現させ、彼らの運動を取り戻すことにあったとし、社会学の理論の数々は、そこにある社会的現実の方向性を理解するために、彼によって評価され、批判され、再創造されたと分析している (Ianni [1996] 28)。コーン[＊44]は、フェルナンデスが歴史の現在性を分析し、常に底辺の立場に立ち、社会的現実に介入する民主的手法 (técnicas democráticas) を求め続けた人物であるとする (Cohn [2005] 247-250)。こうした評価のすべてが、知の力をもって彼が成し遂げてきた、社会を民衆のものとするための闘いの根底にある思想を的確に

sa-ao-estilo-brasileiro (acessado em 22 de julho de 2020).

＊41 Gilcilene de Oliveira Damasceno Barão 教育学者。カンピーナス大学でSaviani に師事。新教育運動と革命思想におけるフェルナンデスの教育的貢献について研究。

＊42 José Carlos Mariátegui (1894–1930) ペルーの作家、政治家。ペルーにおける代表的マルクス主義者で左翼運動の中心的存在。

＊43 Octavio Ianni (1926–2004) 社会学者。サンパウロ社会学派の一員。FFCLに一九四九年入学。フェルナンデスによる「社会学I」の教育刷新の時代、カルドーゾらとともにその教育の場を形成した人物。マルクス・セミナーに参加、CESIT、CEBRAPの創立時メンバー。

＊44 Gabriel Cohn (1938–) ユダヤ系ドイツ移民のルーツをもつサンパウロ北部出身の社会学者。FFCLに一九六〇年入学、サンパウロ社会学派の一員。CESITに所属し、「社会科学者の偉人シリーズ」ではマックス・ヴェーバーとテオドール・アドルノの巻を執筆。

表現している。晩年は政治家として行動したが、議員になっても彼の社会問題への社会学的アプローチは継続された（Arruda［2009］322）。「私は議員に変化したわけではない。私はフロレスタンのまま、議会で活動しているだけだ」（Venceslau［1997］238）という彼の語りがそれを如実に示している。

批判的省察のための知と運動の往還

フェルナンデスが民主主義を求める社会的闘争の力の源泉として絶えず手にしていたのは言うまでもなく、知の力である。その知は、既存の理論へ繰り返し向けられる批判的省察の連続によって生まれ出た創造的知である。イアンニは、フェルナンデスの社会学的解釈の理論的かつ歴史的根拠についての省察は、批判的見解により影響を受け、それとともに構築されると説く（Ianni［1996］30）。それは、デュルケムにより体系化された機能主義的方法あるいは客観性、ヴェーバーにより形作られた包括性、*45 マルクスにより創造された弁証法*46という三つの社会学の思想の古典の注意深い分析により成り立っている。それらを丹念に研究し、再考し、統合し、こうした作業をつうじて社会的現実を考えるパラダイムあるいは形式を措定したことによって二十世紀の社会学の思想のなかで特筆すべき影響を与えるものとなったとする（Ianni［1996］30）。

イアンニは、フェルナンデスが残したブラジルの社会学への貢献を二つの特徴にまとめている。まず、社会学の理解を、社会的現実を思考するシステムとして、決定的で疑いの余地のない方法で社会学を構築すること。科学的省察の論理的要求の徹底は、社会学を醸成する不可欠な貢献となり、ブラジルの社会学の方法論的理論的脆弱性を突破し、社会的現実の思考

＊45　o compreensivo　ドイツの社会学者マックス・ヴェーバー（Max Weber 1864-1920）による、社会的行為の意味の理解から社会の成り立ちを捉える理解社会学の概念を意味する。

＊46　生産様式の発展の理論体系としての史的唯物論の根幹となる思想。唯物弁証法。

のための教育と研究における日常的実践の段階へといざなった。それまでエピソード的に語られていたことは、よりシステム化され、力強さを得て、社会と歴史の省察に新天地を開いたと説く。そして、マルクス主義に基を置く古典的・近代的分析視点と、都市と農村の被抑圧者の生活と労働の状況から得られた資料に基づく批判的論点を手にした、思考の新たなスタイルを創造し確立したと述べる（Ianni［1996］33）。フェルナンデスは、USP－FFCLとELSPSPを中心とし、社会科学がブラジルの現実を解析しようとした時代に、まさにそれを代表する人物になった（Arruda［2009］312）。

その根底を支えるのは、マルチンス[*47]が知の職人芸（artesanato intelectual）とも呼ぶ、理論と実践を織り交ぜ丁寧に作られた、相互作用と交換から得られる豊かな知の存在である（Martins［2014］34）。それは、既存の理論を習得する研究スタイルと異なり、自らの調査に基づくデータ解析とその批判的分析を重視するものであった。教室はラボになり、知的成熟の形成の場となった（Saviani［1996］74）。カンジドは、フェルナンデスが社会学の究極の参加型手法を発展させた要因として、ユネスコの人種調査の影響を指摘する（Candido［1987］34）。黒人の社会状況についての研究は彼の人生を変え、ブラジルの社会学の本質を変える道を開いた。フェルナンデスは社会学を、現実を理解する道具としてではなく、社会を変革する道具として理解し、科学的な厳密性と政治的視野を持って取り組んだとする。[*48] その意味でフェルナンデスの社会学はつねに創造的であり、どのような状況でも常に批判的省察を伴うものであった。

そのことを顕著に示しているのが、民主主義のために「民主主義」を疑うという彼の視点である。公立学校擁護運動のとき、そして一九八八年憲法制定のときですら、つねに「ブラジルのブルジョア革命」にみられた既得権益を手放さない集団の存在を注意深く分析し、警鐘を鳴

＊47 José de Souza Martins（1938–）サンパウロ州サンカエターノ出身の社会学者。サンパウロ社会学派の一員。一九六〇年FFCL入学。

＊48 Candido, Antonio［1996］"O Jovem Florestan," *Estudos Avançados*, 10 (26). カンジドはこの論考「若きフロレスタン」を、「若きヘーゲル、若きカント、若きマルクスのような研究の一助となれば幸いである」と結んでいる。

らし続けた。軍事政権批判の「民主主義を取り戻す」という表現に対しても、「ブラジルは一度として民主主義国家ではなかった」（Venceslau［1997］236）との疑問を抱いていた。憲法編纂だけで社会構造は変わらないことを見抜き、権力者の構造が変わっていないのに、政治家が憲法を変革のために使うだろうかと批判した（Fernandes［1991］43）。フェルナンデスは政治の変化を、飢餓と貧困から、多様な出発点をもつものであるとし、政治変化あるいはそれへの抵抗のあり方は階級関係における政治力の所在によって決定され、世界では多くの場合、外的圧力があった場合のみブルジョア階級は歴史的改革を行ったと論じた。すべての変化は、支配階級から自発的に生まれたものではなく、底辺からの抵抗から、あるいは社会不安を抑えそれを吸収する必要性から生まれたとした。八八年以降の新教育法への議論のなかで、彼は政治権力中枢が憲法制定過程でどれほどその潜在力を押しつぶしてきたか直視すべきだと述べ、だからこそ今それを見ぬふりしてはいけない、この長い歴史のなかで彼らは何も作り出していないと痛烈に批判した（Fernandes［1991］34）。「民主主義」を疑い、民主主義を求めるためには民主主義的教育、そして過去を繰り返さない法律、政治的自由のもとに構築される社会的平等が存在する新しい社会の創造が必要であると説いた。

そのために科学者が考慮すべきことを、公立学校擁護運動の時にフェルナンデスはすでに気付いていていた。社会科学者自身だけが「教育問題」を「解決する」条件を有しているという考えを消し去ることである。ブラジルの教育問題は、組織化された社会の変化をとおしてのみ解決できるものであり、その過程に科学者がどうかかわるかが重要であるとした。さらに、科学者と教育者の協力を成功に導くには、ジャーナリズム、読書の普及といった社会的コミュニケーションが三角形の頂点のひとつとして現れることが重要だと認識していた（Oliveira［2020］

した。

n.p.)。人々に語りかけ人々から教わるという往還運動が創造的知を絶えず進化させていくと

フェルナンデスの思考が伝えてくれる批判的省察と知の鍛錬に思いを馳せる時、私たちに必要な視点が次々と見えてくる。科学者は民衆を見ているだろうか。いまある民主主義は真の民主主義と呼べるものなのであろうか。私たちは知を放棄していないだろうか。手にしている知を鵜呑みにして、今ある現実を諦めていないだろうか。フェルナンデスの軌跡は、決して妥協せず、今ある社会の在り方に立ち向かう姿勢を崩さず、知を道具として、ひとりではなく連帯して行動することの重要性を伝えている。平等の概念のもとにある真の「自由な国」を作るためには、人類の知と政治的社会的運動とのつながりを放棄してはならず、その教育的努力が社会的変化をもたらすという、体系的な示唆を我々に与えてくれる（Oliveira［2010］116）。フェルナンデスは、現在を捉え、過去を再考し、未来を想像することを可能にする、社会の構成と運動を理解する新しい形式を打ち立てた人物である（Ianni［1996］28）。フェルナンデスが残してくれた闘いの技法は、グローバル化により社会の格差が拡大し、社会的に排除された人々が断絶と孤立のなかを生きる世界と同じ次元に、まさに彼が見抜いていた支配層が権力を手放さない政治図が存在する社会的現実を、批判的に解読し行動するための勇気を私たちに与えてくれている。

【読書案内】

膨大な数にのぼるフェルナンデスの著作のなかから、本章で述べた内容に関連するものを挙げる。1、2は先住民、11、13は黒人に関する調査をもとにした研究、4、5は社会変化と階級、6～8は階級社会と従属的発展、3はブラジルにおける社会学的発展、9は民主憲法の批判的検討、10、12は教育の批判的検討を論じた主な著作である。以上、若干の分類は行ったが、フェルナンデスの著作はすべての要素が関連していることが特徴としてある。

1 Fernandes, Florestan［1963（1949）］*A organização social dos Tupinambá*, São Paulo: Difel.

2 ――――［1970（1949）］*A função social da guerra na sociedade tupinambá*, São Paulo: Livraria Pioneira/Edusp.

3 ――――［1977］*A sociologia no Brasil: contribuição para o estudo de sua formação e desenvolvimento*, Petrópolis: Vozes.

4 ――――［1979a（1961）］*Folclore e mudança social na cidade de São Paulo*, Petrópolis: Vozes.

5 ――――［1979b（1960）］*Mudanças sociais no Brasil*, São Paulo: Difel.

6 ――――［1981a（1975）］*A revolução burguesa no Brasil: ensaio de interpretação sociológica*, Rio de Janeiro: Zahar.

7 ――――［1981b（1973）］*Capitalismo dependente e classes sociais na América Latina*, Rio de Janeiro: Zahar.

8 ――――［1981c（1968）］*Sociedade de classes e subdesenvolvimento*, São Paulo: Zahar.

9 ――――［1989］*A Constituição inacabada: vias históricas e significado político*, São Paulo: Estação Liberdade.

10 ――――［1991］*Memória viva da educação brasileira*, Brasília: MEC / Inep.

11 ――――［2020a（1964）］*A integração do negro na sociedade de classes*, Editora Contracorrente. Kindle.

12 ——— [2020b (1975)] *A universidade brasileira: reforma ou revolução?*, São Paulo: Editora Expressão Popular.

13 Fernandes, Florestan e Roger Bastide [1971 (1955)] *Brancos e negros em São Paulo : ensaio sociológico sôbre aspectos da formação, manifestações atuais e efeitos do preconceito de côr na sociedade paulistana*, São Paulo: Companhia Editora Nacional.

ブラジルを代表する社会学者フェルナンデスを紹介する書籍も数多に存在する。本章で引用したものを中心に記したが、D'incao (Candido [1987]); Candido [2001]; Cepêda e Mazucato (orgs.) [2015]; Ianni (org.) [1986]; Martins [1998]; Soares e Costa (orgs.) [2021] はフェルナンデスの社会思想の包括的な論集である。また、USP機関紙 *Estudos Avançados* は一九九六年 (Martin; Saviani)、二〇〇五年 (Cohn; Freitag) にフェルナンデスの特集号を組んでいる。邦語で読める論考として、民俗学の視点から評した荒井 [二〇一九]、11を多く引用しているデグラー [一九八六]、「人種民主主義」への批判の軌跡について説明した三田 [二〇一七] などが参考になる。

Arruda, Maria Arminda do Nascimento [2009] "Florestan Fernandes: vocação científica e compromisso de vida," em Botelho, André e Lilia Moritz Schwarcz (orgs.) *Um enigma chamado Brasil: 29 intérpretes e um país*, Companhia das Letras.

Barão, Gilcilene de Oliveira Damasceno [2018] "Florestan Fernandes e o compromisso do intelectual com a defesa da educação pública," em Batista, Eraldo Leme et al., (orgs.) *Os intelectuais e a defesa da educação brasileira*, Uberlândia: Navegando Publicações, pp.117-136.

Candido, Antonio [1987] "Amizade com Florestan," em D'incao, Maria Angela (org.) *O saber militante: ensaios sobre Florestan Fernandes*, Rio de Janeiro: Paz e Terra, pp.31-36.

Candido, Antonio [2001] *Florestan Fernandes*, São Paulo: Fundação Perseu Abramo.

Cardoso, Fernando Henrique [2013a (1999)] "Florestan, cientista", em Cardoso, F. H., *Pensadores que in-*

ventaram o Brasil, São Paulo: Companhia das Letras, pp.185-191.

Cardoso, Fernando Henrique [2013b (2008)] "Uma pesquisa impactante," em Cardoso, F. H., *Pensadores que inventaram o Brasil*, São Paulo: Companhia das Letras, pp.192-203.

Cepêda, Vera Alves e Thiago Mazucato (orgs.) [2015] *Florestan Fernandes, 20 anos depois: um exercício de memória*, São Carlos: Ideias Intelectuais e Instituições: UFSCar.

Cohn, Gabriel [2005] "Florestan Fernandes e o radicalismo plebeu em Sociologia", *Estudos Avançados*, 19 (55), pp. 245-250.

Freitag, Barbara [2005] "Florestan Fernandes: revisitado," *Estudos Avançados*, 19 (55), pp.231-243.

Ianni, Octavio [1996] "A Sociologia de Florestan Fernandes," *Revista USP*, 29, pp.26-33.

Ianni, Octavio (org.) [1986] *Florestan Fernandes*, São Paulo: Ática.

Leher, Roberto [2012] "Florestan Fernandes e a defesa da educação pública," *Educação & Sociedade*, 33 (121), pp.1157-1173.

Maio, Marcos Chor [2014] "O contraponto paulista: Florestan Fernandes, Oracy Nogueira e o projeto Unesco de relações raciais," *Antíteses*, 7, pp.10-39.

Martins, José de Souza [1996] "A morte de Florestan e a morte da memória," *Estudos Avançados*, 10 (26), pp.34-41.

——— [1998] *Florestan: sociologia e consciência social no Brasil*, São Paulo: Edusp.

——— [2014] *Uma Sociologia da vida cotidiana: ensaios na perspectiva de Florestan Fernandes, de Wright Mills e de Henri Lefebvre*, São Paulo: Editora Contexto.

Oliveira, Marcos Marques de [2010] *Florestan Fernandes*, Coleção Educadores MEC, Recife: Fundação Joaquim Nabuco, Editora Massangana.

——— [2020] "Florestan Fernandes e o dilema educacional brasileiro," *Pensata*, 9 (1). n.p.

Saviani, Dermeval [1996] "Florestan Fernandes e a educação," *Estudos Avançados*, 10 (26), pp.71-87.

Soares, Eliane Veras e Diogo Valença de Azevedo Costa (orgs.)［2021］*Florestan Fernandes : trajetória, memórias e dilemas do Brasil*, Chapecó: Marxismo 21.

Venceslau, Paulo de Tarso［1997］"Florestan Fernandes," em Azevedo, Ricardo de e Flamarion Maués (orgs.) *Rememória: entrevistas sobre o Brasil do século XX*, São Paulo: Editora Fundação Perseu Abramo（一九九一年一月二〇日、*Teoria & Debate* 13（1）におけるフェルナンデスとの対談）.

荒井芳廣［二〇一九］『ブラジル北東部港湾都市レシフェの地方文化の創造と再創造』丸善プラネット。

デグラー、C・N［一九八六］『ブラジルと合衆国の人種差別』儀部景俊訳、亜紀書房。

三田千代子［二〇一七］「社会形成の歴史――階級社会と人種」田村梨花、三田千代子、拝野寿美子、渡会環共編『ブラジルの人と社会』上智大学出版。

［ウェブサイト］

サンパウロ州サンカルロス大学が二〇〇五年にコミュニティ図書館として開設した「フロレスタン・フェルナンデス蔵書（Fundo Florestan Fernandes）」には、フェルナンデス関連の研究書籍が集められている。〇九年のユネスコ「世界の記憶（Memory of the World）」の記録物として国内登録され、一〇年よりそれらのアーカイブが電子化されている。

Fundo Florestan Fernandes: https://www.bco.ufscar.br/acervos/fundo-florestan-fernandes

（田村梨花）

コラム　社会を変える学びの空間
——全国フロレスタン・フェルナンデス学校

二〇〇五年、フェルナンデス（第3章参照）逝去の一〇年後、サンパウロ州グアラレマ（Guararema）に全国フロレスタン・フェルナンデス学校（Escola Nacional Florestan Fernandes：ENFF）が創立された。ENFFは、土地なし農民運動（Movimento dos Trabalhadores Rurais Sem Terra：MST　コラム9参照）が公正な世界を求める社会運動組織の活動家を対象とする高等教育機関として設立した学校、すなわちNGOの大学である。二二年までに約四万人もの研修生を輩出している。

ENFFの構想は一九九〇年末に遡る。社会変革のプロセスのために農地改革と教育を両輪として取り組んできたMSTにとり、リーダー育成のための専門性を備えた大学レベルの教育機関の需要は高かった。九七年、MST、ブラジリア大学、UNICEF、UNESCO、ブラジル全国司教協議会による第一回農地改革における教育者全国会議（I Encontro Nacional das Educadoras e Educadores da Reforma Agrária）の開催後、公立大学との協働プログラムが進められるようになった。九八年、農地改革の一環として発足した農業労働者を対象とする教育政策「農地改革における全国教育プログラム（Programa Nacional de Educação na Reforma Agrária：PRONERA）」は、その連携を促進した。プログラムを実践するなかでMSTのイニシアティブが大きくなるにつれ、全国のMSTの活動家を受け入れることができる教育空間の創造が求められるようになった。

MSTが描いたモデルは、権利の主体としての農民自身が自治的に管理運営し、社会運動の実践に必要な基礎理論と批判的思考を身に付けることができ、その知識を農村地域における日常的実践と社会変革を実現する行動に結びつける学校であった。その理想はまさにフェルナンデスが希求したものである。労働者がその学びの主体となり、哲学、社会学、政治経済学といったあらゆる知識を学び、社会的現実を変える力を獲得し、自分自身の生活とともに社会の構造を変革する重要性を訴えたフェルナンデスの思想を体現する場所を目指して、MSTはこの学校に彼の名前を冠した。

二〇〇〇年から〇五年まで、全国各地のMSTから二五回にわたる派遣団が組織され、二〇州から延べ一〇〇〇人以上の農民が建設作業に参加した。建設地の土を使ってレンガを作り、労働以外の時間は識字に取り組みながら、農民による手作りの学校が完成した。建設資金はセバスチャン・サルガド（コラム11参照）の写真集『大地』（*Terra*, Companhia das Letras, 1997）の売上を中心に、国内外の寄付から集められた。三万平方メートルの敷地内に複数の教室と講堂、図書館、食堂、農園、宿泊施設、保育園を有する。サンパウロ大学、サンパウロ州立パウリスタ大学、ジュイスジフォーラ連邦大学をはじめとする約三五大学との連携協定のもと、これまで五〇〇人以上の大学教授や専門家が教壇に立っている。

食堂には、ブラジル北東部の飢餓問題を地政学から批判的に検討したジョズエ・デ・カストロ（Josué de Castro）の名がつけられている。
（撮影者：幡谷則子、2012年）

重要なことは、農作業、清掃、食事の準備など、研修期間中の生活に関するほぼすべての業務を研修生自身が行うことであり、メンバー全員による民主的空間が作られている。ラテンアメリカ、アフリカからの研修生も多く、海外一五組織との協定を結んでいる。運営資金確保のため二〇〇九年には後援会（Associação dos Amigos da ENFF：ENFF友人協会）が設立された。一七年にはクラウドファンディングにより、サッカー選手で社会運動家であったソクラテスの名を冠したサッカー場（Campo de futebol Dr. Sócrates）が建設され、オープニングにはルーラ（第10章参照）と、サルガドの『大地』に歌詞を掲載したシコ・ブアルキ（第19章参照）も参加した。

講義の内容は政治哲学、社会学理論、農村社会学、農業政治経済学、ブラジル社会史、国際問題、社会組織論、ラテンアメリカ研究など多岐にわたる。ＥＮＦＦでの研修と出身地の生活基盤での生産活動とを交替に組み込んだコースにより、学んだことを現地で展開する方法をとっている。研修で得た知識が農村労働者としての日常的実践の支えとなり、実践がもたらす豊かさが社会運動の理論をさらに説得力ある深遠なものにするという、学びの往還を形成している。全国各地の異なる地域からの研修生が集まることで、若者たちが多様な経験を相互に分かち合う空間となっている。

ＥＮＦＦは、社会運動と日常的実践と学問の世界を水平的関係で結びつけ、国際的連帯と豊かさの実践につながる交流の場として機能している。フェルナンデスの思想を継承する学びの空間は、世界中の民衆が紡ぐ多様な運動によって、常に成長し、構築され続ける学校（Uma escola em construção）として、次世代の社会を構築する運動家を輩出している存在といえるだろう。

【参考文献】
Minto, Lalo Watanabe［2019］"Organização e concepções teórico-práticas na Escola Nacional Florestan Fernandes (ENFF)," em Dal Ri, Neusa Maria & outros, *Educação democrática, trabalho e organização produtiva no Movimento dos Trabalhadores Rurais Sem Terra (MST)*, São Paulo: Cultura Acadêmica, pp.63-88.
田村徳子［二〇一三］「ブラジルにおける土地なし農民コミュニティに対する教育――土地なし農民運動（ＭＳＴ）に着目して」『京都大学大学院教育学研究科紀要』五九、二六三～二七五頁。

（田村梨花）

第4章　ブラジルの新たな民族の形成——ダルシー・リベイロ

ブラジル形成の歴史およびブラジル人のアイデンティティの研究に関する代表的な著作として列挙される三作品がある。ジルベルト・フレイレの『奴隷主の館と奴隷小屋』（一九三三年）、セルジオ・B・デ・オランダ『ブラジルのルーツ』（一九三五年）、ダルシー・リベイロ『「ブラジル人」という民族』（一九九五年）である。＊1 前二作は一九三〇年代のブラジル社会で執筆されたものであるが、最後の三作目の作品はそれから六〇年も後に発表されたものである。一九三〇年にクーデターによって国政に登場したヴァルガス（Getúlio Vargas 1882–1954）は、それまでの州知事政治を終焉させて、国民国家の形成に着手し、ポプリズムによって都市の大衆の歓迎を受けた。第二次世界大戦後の冷戦時代には左翼政権が誕生し、社会改革を目指すが、一九六四年の軍事革命によって頓挫した。この社会改革を目指した左翼政権の時代に政治家として、教育者としても業績を残したのが、最後の本の著者リベイロ（Darcy Ribeiro 1922–97）である。

自身が社会学者で作家で文学評論家でサンパウロ大学教授としても紹介されるカンジド（Antônio Cândido 1918-2017）は、リベイロについて、これまでブラジルが排出した偉大な知識人の一人で、人類学者として教育者として作家として高い能力を持っていた人物でもあったという言葉を残している。＊2

晩年のダルシー・リベイロ
Fundação Darcy Ribeiro（ダルシー・リベイロ財団）提供

＊1 Freyre, Gilberto [1978 (1933)] *Casa-grande e senzala: formação da família sob o regime da economia patrialcal*, 2 vols, 19a. edição brasileira, Rio de Janeiro: Liv. José Olympio; Holanda, Sérgio Buarque de [1969 (1936)] *Radizes do Brasil*, 5a. Edição, Rio de Janeiro: Liv. José Olympio;

リベイロはマルクス主義者として、ネオ進化論の視点からブラジル社会とブラジル文化を俯瞰した人類学者である。日本ではブラジルを代表する人類学者の一人として知られてはいるが、彼の著作について日本語ではほとんど紹介されてこなかった。[*3]

『「ブラジル人」という民族――ブラジルの形成とその意味』は、十六世紀以降のブラジルという土地でのブラジルの社会文化とブラジル人の形成について論じている。また、「今日のブラジル人に繋がるブラジル人はどのようにブラジル人になったのか」を歴史・文化的に人類学の視点から説明しようとしたともいえる。八言語に翻訳されており、西欧世界ではよく知られた著作である。本書を通じてブラジル人が、混淆と混血の進んだ自国ブラジルに誇りを持つ機会となったとしても知られている。

本書は、リベイロの死の二年前に書かれたものではあるが、脱稿には三〇年間を要したことから彼の生涯をなぞって、本書の社会政治的背景を辿ってみる。

「新生ブラジル」の年に誕生したリベイロ

リベイロが誕生した一九二二年は、ブラジルがポルトガル帝国から独立を果たして一世紀を経た年で、サンパウロでは近代芸術週間が市立劇場で開催され、様々な文化活動を通じてブラジルにはブラジル固有の文化があることが提示され、ヨーロッパ文化との決別が宣言された年である。

また同年には、国内政治にも大きな変化があった。旧共和制の寡頭政治に反対する若手将校(テネンテス)が、コパカバーナの要塞を占拠するというテネンティズム運動が七月に起こった。以後、一九二七年までサンパウロ、アマゾナス、マットグロッソ、リオグランデドスル、セルジッペ

Ribeiro [1995]; Ribeiro, Darcy [1995] *O pove brasileiro: a formação e o sentido do Brasil*, São Paulo: Companhia das Letras.

＊2 Cândido, Antônio [1995] "Nota da contra-capa de O povo brasileiro," *Companhia das Letras*, S/N.

＊3 ラテンアメリカ諸国の大学教育に携わった教育者として紹介された日本語の論文がある。中島さやか［二〇〇九］「1960・70年代ラテンアメリカの大学論――ダルシー・リベイロの大学論を中心に」『明治学院大学教養教育センター紀要：カルチュール』三（一）九五～一〇一頁。

の各州で若手将校による反乱が続いた。若手将校の急進派は共産主義に賛同し、二二年三月に初の全国政党として結党されたブラジル共産党（ＰＣＢ）に入党する傾向がみられた。結果的にはサンパウロ州とミナスジェライス州の州知事が交代で大統領となる「ミルク入りコーヒー政治（Política do café-com-leite）」が終焉し、三〇年の国民国家建設を目指すヴァルガスのクーデターにつながった。要するに、リベイロが誕生した二二年は、「新生ブラジル」の出発となった年で、ブラジルの住民は「州の住民」であるというアイデンティティからブラジルという「国の住民」であるというアイデンティティに変化していく出発点になった年ともいえる。

リベイロは、ミナスジェライス州北部の小さな町モンテスカルロス（Montes Claros）で生を受けた。モンテスカルロスは十八世紀中頃に奥地探検隊バンデイラが先住民の捕獲と金の発見を目指してやってきた地とされており、それまでのこの地の住民は先住民のみであった。リベイロの父親は薬剤師、母親は小学校教員であったが、三歳で父親を亡くしたリベイロの父親代わりになったのは、医者の叔父であった。当時モンテスカルロスの町で入手できる新聞は二紙のみで、そのうちの一紙『パン（Pan）』を叔父の勧めで購読し社会政治に対する関心を育てたとされる。またスペイン語も叔父から学んだ。[*4] 一九三九年一七歳で医学の勉強のために州都のベロオリゾンテに出てきたリベイロは、モンテスカルロスの小さな町にいた自分は何も知らなかったということを認識した。また第二次世界大戦は彼に政治への関心を深めさせ、四〇年にはＰＣＢに入党している。医学校に進学したものの、医学の授業には興味が持てず、たまたま受講した社会学と政治学の講義に魅せられた。すでに文学にも関心を持っており、当時三〇〇頁に及ぶ小説を書いていたといわれる。[*5] 医学を断念してリベイロは、サンパウロ市のサンパウロ社会政治自由学院（Escola Livre de Sociologia e Política de São Paulo：ＥＬＳＰＳＰ、

＊4 Mateus Oka, "Darcy Ribeiro," *Todo Estudo*, https://www.todoestudo.com.br/sociologia/darcy-ribeiro. 二〇二一年六月三〇日アクセス。

＊5 注4と同じ。

現ＦＥＳＰＳＰ　コラム４参照）に一九四四年に入学し直した。
　ＥＬＳＰＳＰはサンパウロ州の起業家グループが、一九三二年の立憲革命に失敗したことから、サンパウロ州における新しいエリートの育成を目的に設立した民間の高等教育機関である。三三年、米国の大学をモデルとしてＥＬＳＰＳＰが創設されると、翌三四年には州立の高等教育機関としてサンパウロ大学（ＵＳＰ）がフランスの大学をモデルとして設立されている。[＊6]

民族学者として

一九四六年に、人類学者のバルドウス[＊7]の指導を受けてＥＬＳＰＳＰの人類学学位を取得しリベイロは、四七年に先住民保護局（Serviço de Proteção aos Índios：ＳＰＩ、現国立先住民保護財団：ＦＵＮＡＩ）の研究部門で民族学の専門家として雇用され、マトグロッソでカディウエウ族の芸術、宗教、風俗などのフィールド調査を配偶者で民族学者のベルタ[＊8]と共に行った。先住民の姿にとても共感して作成された調査結果は好評で、保護局より表彰状が授与されたと言われる。[＊9]引き続き、四九年から五一年の間にマラニャンで二回それぞれ六か月間にわたって内陸住民カボクロと先住民ウルブー・カアポール族のフィールド調査を行った。この調査には言語学者のボウディン[＊10]と映像作家のフォエルスマン[＊11]が同行し、被調査者の社会構造や習慣、信仰などを記録した。

　この時の調査は、彼の研究の主要な資料となり、論文や著書となって発表された。一九四九から五七年にかけて『カディウエウ族』[＊12]、『カディウエウ族の宗教と神話』[＊13]を、ベルタとの共著で『カアポール族の羽飾り』[＊14]を、『先住民の文化と言語』[＊15]を発表して、ブラジル先住民調査の先駆者の一人となった。こうしたフィールドでの先住民との生活は、彼のその後の研究、つまり

＊6　ＵＳＰは既存の高等教育機関を統合すると同時に、新学部「哲学・科学・文学学部（Faculdade de Filosofia, Ciências e Letras：ＦＦＣＬ）」を創設して、総合大学として開校されたものである。一九六八年、軍事政権下でＦＦＣＬのキャンパスがサンパウロ市内から、現在のブタンタン地区のキャンパスに移転することになり、学部の名称も「哲学文学人文科学学部（Faculdade de Filosofia, Letras e Ciência Humanas：ＦＬＣＨ）」に変更されている。

＊7　Herbert Baldus（1899-1970）ドイツ生まれの人類学者で、一九二三年、アルゼンチンを経てブラジルで研究調査を行い、四一年ブラジル国籍を取得する。ブラジルを中心とするアメリカ大陸の先住民研究に従事する。三九〜六〇年、ＥＬＳＰＳＰで教鞭をとり、この間にリベイロを指導している。機能主義者、構造主義者で、先住民の文化変容が主な研究テーマ。

＊8　Berta Gleizer Ribeiro（1924-97）ルーマニア生まれ。一九二九年家族とブラジルに移住。

＊9　Freire, Carlos A. da [2017] "Darcy

「ブラジル人」を探求する強い興味につながった。

　これらのフィールド調査を通じてリベイロは、当時マットグロッソ州とアマゾニア州を中心に通信網の開設と当該地域の地図の精緻化を進めていた陸軍大将カンジド・ロンドン*16と知り合った。インディアニスタの両者は、主にSPIを通じて先住民保護活動に協力しあい、先住民に対する偏見を乗り越えるために先住民博物館（Museu do Índio）を一九五三年にSPI内に開設している。この博物館はブラジル唯一の先住民文化に関する公立の機関で、先住民への関心を喚起して、偏見を解き、正しいイメージを普及させることを目的に開設され、「偏見に抗する博物館」として国際的にも知られた。

教育者として、人類学者として

　同時期、リベイロは先住民の調査継続のために後継者を育成することを目指して、先住民博物館に二年間の人類学大学院課程を高等教育人材育成事業団（Coordenação de Aperfeiçoamento de Pessoal de Nível Superior：CAPES）の支援を得て開設し、リベイロ自身も指導に当たった。この課程はブラジル人類学の大学院教育プログラムの草分けとなったものである。次にリベイロはリオの国立ブラジル大学（現リオデジャネイロ連邦大学：UFRJ）の哲学学部の教員として人類学の大学院を開設してブラジルの民族学とトゥピ語を担当した。同時期にジェトゥリオ・ヴァルガス財団行政学院（Escola de Administração Pública da Fundação Getulio Vargas）でも人類学を教えている。

　一九五〇年代中頃を回顧している彼の文章によれば、「社会人類学の広範な調査を行ってその結果を利用して発表し（中略）そこでブラジル全体像を（中略）示そうとした。（当時）私

Ribeiro e o Museu do Índio" *Pesquisa Escolar*, Rio de Janeiro, 17 de fevereiro, p. 1.

*10 Max Boudin（1914-91）トゥピ語の辞書を出版している。Boudin, Max [1978] *Dicionário de Tupi moderno-Dialeto Tembé-ténêtéhar do alto do Rio Gurupi*, 2vols. São Paulo: Conselho Estadual de Artes e Ciências Humanas.

*11 Heinz Foerthmann（1915-78）

*12 Ribeiro, Darcy [1980 (1950)] *Kadiwéu – ensaios etnológicos sobre o saber o azar e a beleza*, Petróplis: Vozes.

*13 Ribeiro, Darcy [1950] *Religião e mitologia, Kadiwéu*, Rio de Janeiro: Conselho Nacional de Proteção aos Índios (Publicação do Serviço de Proteção aos Índios, no.106).

*14 Ribeiro, Darcy e Berta G. Ribeiro [1957] *Arte plumeria dos Índios Kaapor*, Rio de Janeiro: Civilização Brasileira.

*15 Ribeiro, Darcy [1957] *Culturas e línguas indígenas do Brasil*, Rio de Janeiro: Civilização Brasileira.

*16 Cândido M.S. Rondon（1865-1958）牛飼いの父親と先住民ボロロ族出身の母親との間にマットグロッソで生まれる。父親はロンドンが出生する前に死

が見たところでは、ブラジルは社会的変化をしようとしている革命の前夜であった（カッコ内は筆者）」と記している（Ribeiro［1995］12）。当時の政権の中枢に教育者として招かれたリベイロは、SPIと博物館を辞して、平等な社会形成のための教育改革を目指した。五七年には教育文化省（MEC）のブラジル教育調査センター（Centro Brasileiro de Pesquisas Educacionais）の社会研究部門を組織し、五八年にはブラジル非識字撲滅キャンペーン（Campanha Nacional de Erradicação do Analfabetismo）の社会調査部門の責任者となった。五九年には国立先住民保護審議会（Conselho Nacional de Proteção ao Índio）のメンバーとなり、サンタカタリーナ、マラニョン、マットグロッソ、ゴイアス諸州の先住民の現地調査を指導している。同時に、国立ブラジル大学の教授としてブラジル人類学会第三代会長（一九五六〜六〇年）に選出されている。*17

社会主義政権の誕生とリベイロ

当時キューバでは、カストロとゲバラを中心として革命が始まっており、ブラジルではヴァルガスの自殺後、次々と政権が短命で終わっていた。一九五五年の大統領選挙で勝利はしたものの不安を抱きながらクビシェッキ（Juscelino Kubitschek 1902–76）は、政権の座についた。リベイロと教育者のテイシェイラ（Anísio Teixeira 1900–71）は政権の教育部門の指針作成に着手した。二人は多くの識者の助言を得て、エリートのためではない誰でもアクセスできる新しい大学の創設と基礎教育の普及を目指した。六〇年の新首都ブラジリアの落成後に大統領に選出されたクアドロス（Janio Quadoros 1917–92）は、キューバの社会主義革命を達成したゲバラに南十字星勲章を贈り、副大統領のゴラール（João Goulart 1918–76）は中国を訪問している。大統領就任後わずか七か月でクアドロスが辞任すると、ゴラールが大統領に就任した。米国はブラ

亡し、母親も二歳の時に死亡した。孤児となったロンドンを育てたのは父方の叔父であった。リオの陸軍学校で学び、先住民の権利の保護に関心を持ち、当時先住民保護のために作られたSPIと国立先住民保護審議会（Conselho Nacional de Proteção aos Índios）でリーダーシップを取った。また、国立シングー公園の先住民の土地を守るためにも奮闘した。二〇年代の将校の運動にも賛同していた。

*17 彼の後任は恩師のバルドゥスで、当時パウリスタ博物館の館長の立場で会長職に就いている。

ジルとの関係に距離を置くようになった。こうした流れの中で、リベイロは、テイシェイラとともに六二年、ブラジリア大学(UnB)を開校し、初代学長に就任した(一九六二〜六三年)。*18

亡命を経て政治家に

ブラジリア大学の学長を辞したリベイロは、一九六三年、ゴラール政権の教育文化大臣と内務長官(Chefe da Casa Civil)に就任した。社会民主主義政権のもとで平等で民主的なブラジル社会の実現を目指し、大臣として教育と文化に関する活動に携った。ところが、クーデターによって政権の座に就いた軍部によってリベイロは、六四年、亡命を余儀なくされ、ウルグアイに脱した。ウルグアイではブラジルからの政治亡命者と交流した。また、ウルグアイ東方大学(Universida de la República Oriental del Uruguay)で人類学を講じると同時に大学改革のアドバイザーにもなっている。

一九六八年に帰国したリベイロは、都市ゲリラやデモ隊に対する人権を無視した軍政の弾圧に反対する「一〇万人デモ行進」に参加して政治活動を早々に再開するが、軍政令第五号によって九か月間投獄された。釈放後直ちに再度の亡命生活に入った。ベネズエラ、チリ、ペルー、メキシコなどラテンアメリカ諸国で前回の亡命先のウルグアイと同様に大学改革を指導した。チリではアジェンデ(Salvador G. Allende Gossns 1908-73)政権下で、ペルーではベラスコ(J. Velasco Alvrado 1910-77)政権下で教育アドバイザーを務めている。ところが、フランス滞在中に肺がんが発見され、治療のため七六年に帰国するが、*19 軍政府の特赦によって政治犯からの解放が認められたのは、八〇年のことである。

特赦を受けたリベイロはリオの大学に戻りブリゾーラ(Leonel Brizola 1922-2004)の結党した

*18 リベイロは一九六二年一月〜同年九月および一九六三年一月〜同年六月まで二回学長を務める。テイシェイラは一九六三年七月〜一九六四年四月まで学長となった。

*19 この時、すでに着想を得ていた先住民を主人公とした小説『マイーラ』(Rbeiro [1976])を帰国早々に脱稿し発表している。

社会民主主義の民主労働党（ＰＤＴ）に入党した。ブリゾーラとは亡命中のウルグアイで知り合っており、一九八二年、リオの州知事に選出されたブリゾーラ（一九八三〜八七及び一九九一〜九四年）のもとで八三年に副州知事に就任し、文化と教育の革命的なプロジェクトを推進した。州内に五〇〇に及ぶ公教育統合センター（Centros Integrados de Educação Pública：ＣＩＥＰｓ）を開設し、教科書による学習のみならず朝食から夕食までの給食を提供して、レクリエーションや文化活動も行う全日制の公立学校教育の運営を目指した。カーニバルの期間にサンバ学校のパレードが展開されるリオのサンボードロモ（Sambódromo Marquees de Sapucaí）には公教育統合センターの教室二〇〇室以上を設け、教育機会の拡大を図った。ストリートチルドレンにも教育と保護の機会を設けた。

リベイロが公教育に執着したのは、学校を設立して教育を普及させることで、放置すれば数年後に必要とされることになる刑務所の増築費用が削減でき、しかもブラジルの社会問題の解決につながると考えていたからである。さらに、ラテンアメリカのなかに位置づけてブラジルを捉えてきたリベイロは、一九八九年にサンパウロにラテンアメリカ記念館（Memorial da América Latina）を建築家のニーマイヤー（Oscar R. Niemeyer S. F. 1970-2012）とともに開館した。

こうした経験からゴラールの時代に制定したブラジル教育基本法（Lei de Diretrizes e Base da Educação：ＬＤＢ）の改正案を策定し、例えば、四歳からの幼児教育を基礎教育の第一段階としている。九六年にこの法案を大統領として承認したカルドーゾ（Fernando Henrique Cardoso 第9章参照）は、リベイロに敬意を表して「ダルシー・リベイロ法」（Lei 9394/96）と命名している。[*20] 九〇年にリオ選出の上院議員にＰＤＴ党員として選出され、国政に携わっていたリベイロであったが、九一年にリオの州知事に再選されたブリゾーラの依頼で、二十一世紀の大学として

＊20 彼の教育における功績からダルシー・リベイロ教育賞が一九九八年から設けられている。

研究者の養成を目指す新たなリオの大学を設立した。九三年、ノルテ・フルミネンセ州立大学（UENF）が開校した。

リベイロは一九九七年に上院議員としてブラジリアで没するがその二年前の九五年に、人類学者として六〇年間にわたって求めた答えをまとめた『「ブラジル人」という民族』を、さらに死の一年前の九六年には民族学者として五〇年以上前に二年間にわたって収集した資料をベルタへの手紙の形でまとめた『先住民の日記』（Ribeiro［1996］）を発表し、さらに自身の一生を綴った『告白』（Ribiro［1997］）も脱稿している。同じ年には、米州機構（OAS）からアメリカ大陸アンドレス・ベジョ教育賞が贈られている。しかも、先住民を主人公にした小説四編（Ribeiro［1976］［1981］［1982］［1988］）を発表していることも含めてリベイロは作家として、一九九三年にブラジル文学アカデミーの会員にも列せられている。ラテンアメリカやヨーロッパ諸国を駆け巡ったリベイロには、ソルボンヌ大学、コペンハーゲン大学、ウルグアイ大学、ベネズエラ大学、ブラジリア大学から名誉博士号が贈られている。

『「ブラジル人」という民族――ブラジルの形成とその意味』

本書はリベイロのブラジル社会文化に関する最後の著書で、今日まで版を重ねて出版されている。すでに言及したように、本書は複数の西欧言語に訳されており、西洋世界ではマルキストによるブラジル住民の歴史書として知られた本である。

肺がんを患っていたリベイロは、残された時間が長くはないことを知り、入院先の病院を抜け出してリオ中心部に近いマリカー市の海岸に移転し、本書の執筆に専念した。序文には、「この本を書くことは最大の挑戦であった。三〇年以上、書いては直してを何度も繰り返してきた。最悪は、執筆が思い通りにならないまま他の仕事をしてきたことである。（中略）これで三回目のチャレンジである。今回ばかりは死を前に終わらせねばならないと覚悟した」（Ribeiro［1995］11）とある。三〇年以上とあるが、当時は亡命を余儀なくされ、ウルグアイに滞在した頃である。以後彼は自問したという。「なぜブラジルは依然としてうまくいかないのか」と。この質問に答えるために執筆されたのが本書である。

一九五〇年代半ばから、ブラジルでは社会格差をなくし平等な社会を求める動きが展開したが、軍事クーデターによってそれは崩壊し、支配階級が勝利したとリベイロは捉えた。その結果が左記の自問となったのである。しかも従属論に触発されたリベイロは、ヨーロッパ中心主義の見方から決別し、ブラジル固有の、あるいはラテンアメリカ固有の理論から自国の歴史を紐解きたいと思った。そこでネオ進化論者のレズリー・A・ホワイト（Leslie Alvin White 1900-75）が提唱した人類進化の諸段階を参考にしてリベイロは、ラテンアメリカとブラジルの事例に当てはめて全五編の人類学叢書『文明の人類学研究（*Estudos de Antroplogia da Civilização*）』を亡命中に執筆した。帰国後順次出版している（Ribeiro［1968a］［1970a］［1970b］［1972］［1978a］）。

人類学叢書を通じて、まず彼は、狩猟採集民として出発した人類は、技術革命によって文明化の過程を歩んできたと捉えた。技術革命は、農業革命に始まって、都市革命、灌漑革命、冶金革命、家畜革命、商業革命、産業革命を経て熱核革命までの八革命が人類一万年の主な技術革命とした後、歴史上の各国及び地域をそれぞれの技術革命の時期に合わせて把握した（Ribeiro［1968a］）。次に不平等な発展の原因を説明するために舞台をラテンアメリカに移している。まず、ラテンアメリカ諸国を住民の特徴から三分類した。複数の民族間で混血化が進んできた「新住民（os povos novos）」の国としてブラジル、コロンビア、パラグアイ、ベネズエラ、アンチル諸島を、次に十五世紀にスペイン人が征服する以前に南アメリカで栄えていた先住民社会やその文化を強く受け継いできている人々「証人（os povos testemunhos）」の国としてペルー、メキシコ、エクアドル、グアテマラ、ボリビアを、最後にヨーロッパ移民の子孫とその文化が強くみられる「植民された人々（os povos transplantados）」の国としてアルゼンチンとウルグアイを挙げている。これら三分類されたラテンアメリカ諸国の社会階級や政治を米国の覇権圧力を考慮しつつ特徴づけ、新しい枠組みを提案している。

こうした人類学の文明化の考察を踏まえ、最も典型的な「新住民」の社会であるブラジルの形成とブラジル人アイデンティティについて本書は論じている。

「新住民」をリベイロは、「民族的、文化的、言語的特徴においてまったく異なるいくつもの住民の融合によって形成された一つの住民」として定義し、それをヨーロッパ植民事業の副産物として出現したものとした（Ribeiro［1995］133）。このようにリベイロは、民族的にも文化的にも言語的にも異なっている人々をそれぞれ異なる一つの住民と捉えている。ポルトガルの植民地支配の過程で登場する異なる民族とは、ブラジル生まれの先住民、ヨーロッパの植民者、奴隷になったアフリカ人で、これら三民族の出会いがブラジル文化形成の出発点になった。黒人、白人、先住民はいずれもそれぞれ異なる目的のためにブラジルに存在することになったが、先住民と白人の間の混淆をカボクロ（caboclos）、黒人と白人の間の混淆をムラート（mulatos）、黒人と先住民との間の混淆をクリボカ（cribocas）というように様々な混淆によって形成された「メスチソの国」がブラジルで、「ブラジル人」という新たな民族の国であるとリベイロは主張した。*21

*21 しかもこの異なる住民の混淆によって形成された社会は美しく混ざり合った文化の国であるとまで言っている。Ribeiro［1995］133, 454-455.

誰でもない「ブラジル人」

彼が最初の「ブラジル人」と考えたのは、見知らぬ人や捕虜に自分の部族の女性を差し出す先住民の制度クニャディズモス（cunhadismo）によって出現することになったサンパウロのマメルーコ（mameluco）である。[*22] マメルーコはバンディランテスとして奥地探検隊（バンディラ）に加わり、奴隷にするための先住民捕獲と後には鉱物を求めて奥地をめぐり、スペインとポルトガルが国境線を締結したトルデシーリャス条約の境界線を超えて活動した。これらバンディランテスは先住民の言葉を話しながらも、先住民でもポルトガル人のいずれでもなく、ブラジル人の民族的形成とブラジルの領土拡大に深く関わった。

白人の父親と先住民の母親との間に生まれたマメルーコは、先住民の理解では父方の子であって、母方のものではないので、母方の先住民からは拒否された。他方、父方のヨーロッパ人側からは疎んじられた。このため、最初のブラジル人マメルーコは、当初より固有のアイデンティティを形成したのではなく、まず、いかなるアイデンティティも存在しないことを認識したのである。「誰でもない。誰もいない」という考えは、ひとつの新しいアイデンティティ、つまり「ブラジル人」の出現をもたらした（Ribeiro［1995］128）。

マメルーコが現在のサンパウロ州やミナスジェライス州の奥地で生活したのに対し、海岸地帯に出現した混血者ムラート（mulato）は、白人と黒人のメスチソで、北東部のサトウキビ農園地帯を中心に出現した。

ブラジルのアフリカ人の役割は労働者で、輸出用生産物のほとんどを担わされた。ブラジルに導入されたアフリカ人は文化的言語的に多様であったことから、出身が同じ民族・部族は奴隷として同じ農園や鉱山に配置されることはなかった。それは、奴隷が集住地を形成し

*22 白人の父親と先住民の母親の間に誕生した混血者のこと。リベイロは brasilíndio と呼んでいる。mameluco はアラビア人が用いていた言葉で、イエズス会士がブラジルで援用した。両親の出自の民族を問わない、単に白人と先住民の混血にはカボクロ（caboclo）が使用される（Ribeiro［1995］107-108）。

たり反乱を起こすことを防ぐためであった。同じ理由で、同じ奴隷船で運ばれたアフリカ人も、同じ農園には導入されなかった。従って、ブラジルでアフリカ人は出身部族の文化や言語を維持することはできず、奴隷主の言語や文化に頼ることになった。つまり、アフリカ人はブラジルにやって来て、文化的アイデンティティを放棄させられるというデカルチュレーションに直面し、他方では植民者の文化の習慣や価値を受け入れるアカルチュレーションによって生き延びざるをえなかった。奴隷としてのアフリカ人がオリジナルな文化を維持しえたのはわずかでしかない。音楽、リズム、料理、信仰、呪術、そして身体的特徴をブラジル文化や住民のなかに残すことにはなった。アフリカ人の子孫ムラートは、マメルーコと同様に、あるいはそれ以上に「ブラジル人」と感じなければ何もなかった。脱アフリカ人化させられた奴隷は、植民者の言葉を使用して後続の奴隷に労働を教え、ヨーロッパ化のエージェントとしての役割を担うことになった。

アフリカ人と同様に白人も大西洋を越えてきたのではあったが、アフリカ人とは対照的にアメリカ大陸で言語的にも文化的にも出身のふるさとのレプリカを作った。植民地事業の推進者である白人は、支配階級として三民族間の混血を促進した。

しかし、支配階級の白人を親としてブラジルで生まれた子であるマゾンボ（mazonbo）は、本国からやってきた人物との関係では劣る位置づけがなされ、マメルーコやムラートが感じたと同様の拒否感覚を感知した。ところが他方では、土着の者として扱われることを拒み、マメルーコを先住民と捉えて差別し、自分が誰であるかを確認することを困難とした。この意味では、マメルーコやムラートと同じで、「ブラジル人」でなければ、誰でもなかったのである。

先住民の生活様式は生きる手立て

これら「誰でもない（ninguendade）」ことから始まって、新しいナショナルな民族的アイデンティティ「ブラジル人」として自己確認するまでのブラジル生まれの住民をリベイロは、「ネオブラジル人（neobrasileiro）」呼んだ。またヨーロッパ本国のコントロール下にあるが、植民地で根を下ろして生活する植民者もネオブラジル人であった。

ネオブラジル人が熱帯で生きるには、先住民の生活術を獲得しなければならなかった。どの植物が食べられるのか、どれが毒なのか知らねばならなかった。[*23] 漁網、ハンモック、焼き物、かごの利用法も学んだ。熱帯の気候に適した家の作り方、カヌー、木材の利用法などといった先住民の生活術のうえに、ヨーロッパの技術が数世紀かけて上乗せられて出現したのがブラジル社会で、アフリカ的要素は大きな割合ではなかったとリベイロは捉えている（Ribeiro［1995］116-117）。

生活術と同様に言語も先住民言語のトゥピ語の一種であるニェエンガトゥ（nheengatu）が共通語リングア・ジェラル（またはリングア・フランカ）として出現したのは十六世紀で、イエズス会が教化村で使用した言語である。十八世紀中頃までブラジル住民の普通の言語として使用され、地域によっては一九四〇年まで、主要言語としてローカルなブラジル人の間で使用されていた。[*24]

ネオブラジル人は先住民とは距離を置き、独自の自立した集団を形成し、染料原木の切り出しのような宗主国の重商主義経済と何らかの形で繋がる生活を展開しながら、その土地の諸環境に適応した固有の生活様式を整えた。時代が下がると輸出用のための生産技術が複雑になり、例えば砂糖工場では鋳鉄の製品を輸入に頼るようにもなった。また、輸出産業に従事す

＊23　この植物の典型は南米原産のマンディオカ（キャッサバ）の扱いであろう。今日ではブラジルを代表する食材であるが、食用には解毒が必要。その技術と知恵は先住民から学んだ。因みに小麦を原料とするパンがブラジルで食されるようになるのは、ポルトガル王室がブラジルに移転してからのことである。

＊24　十八世紀半ばのポンバルン侯爵による植民地のポルトガル語化政策によって一般言語としてのニェエンガトゥは衰退するが、公用語として現在でもブラジルの北部リオネグロネ地方、コロンビア、ベネズエラでは使用されている。

る地域に食料としてあるいは運搬用として牛を供給する牧畜地帯のように二次的に大西洋貿易と関わる地域もあった。

五つのブラジル

ブラジル各地の生態系の多様性、経済サイクルは四世紀の間にそれぞれの地に固有の文化を根づかせた。その結果リベイロは、地域に共通したエスニック・アイデンティティを有してブラジル人はブラジルに五つの伝統文化を根付かせたとしている（Ribeiro［1995］272）。

1．クリオウロ文化――十六世紀初めより北東部地方の肥沃な地帯を中心として展開した文化で、黒人奴隷による砂糖農園が組織化を担った地域の文化。

2．カイピーラ文化――サンパウロのマメルーコが中心的住民となった地域で、当初は先住民を捕獲してそれを売って生計を立てていたが、後には金やダイヤモンドの採鉱が、さらに後には、コーヒー大農園に、工業化へと産業が移行していった地域の文化。

3．セルタネージョ文化――家畜囲いを通じて根付いた文化で、北東部の乾燥地帯から中西部のセラードにまで及んでいる地域の文化。

4．カボクロ文化――アマゾン地方の住民の文化で、人々は森林の香辛料などの植物を採集して生活する。その代表的なものはゴムの樹液の採集である。

5．ガウーショ文化――南部地方平原に広がった牧童の社会文化。さらにポルトガル領土を確定するために移住してきたアソーレス移民は農業に従事し、カイピーラに類似した生活様式を育んだ地域と「カイピーラの外国人」と呼ばれたドイツ移民やイタリア移民が建設した移住地での生活様式が形成された地域も出現し、それぞれ異なる文化を形成した。[*25]

＊25 北東部のクリオウロとは、ヨーロッパ人、先住民、黒人が混淆して形成された住民。サンパウロのカイピーラとはヨーロッパ人と先住民の間に誕生した子孫のことで、主として奥地探検隊バンディラの成員となった。セルタネージョとは北東部奥地の半乾燥地帯セルタンを中心とする生活者でヨーロッパ人と先住民が混淆している。アマゾン地域のカボクロもヨーロッパ人と先住民の混血者で、熱帯森林を生活資源としている。南部複数のブラジル住民は、牧童のガウーショ、アソーレス移民の子孫で農業に従事するマツット、ヨーロッパ移民の子孫のグリンゴで、三文化・社会を形成。ヨーロッパ移民の子孫を除き、いずれも先住民グアラニーとヨーロッパ人との混血者である。ブラジル各地の住民の名称は、リベイロが学術的意図で用いた用語である。侮蔑、差別の意味があるので日常の口語によるコミュニケーションで用いるには注意が必要。

ブラジルの行方は?

最後の章「国民的な宿命(Destino Nacional)」で彼は、今日のブラジル人とは何なのかという問いに答えるのであるが、最後にはブラジル人であることを称賛している。

ブラジル人はアメリカ大陸の一つの民族ではある。しかしメキシコやアンデス高地の「証人」とは対照的に異なる存在であり、さらに米国やカナダ、あるいはアルゼンチンやウルグアイといった「ヨーロッパからの植民者」とも異なっている。「われわれは肉も精神もメスチソの民族である。混血化は決して罪でも過失でもない。混血化は今でも続いている。数世紀の間『誰でもない(ninguendade)』ということから新しいナショナルな民族的アイデンティティである『ブラジル人』として自己を明確にすることになったのである。この『ブラジル人』という民族は、先住民と黒人の血で洗われて、時間はかかったがより良いものとなった」(Ribeiro [1995] 453)。

他方でリベイロは、本書で何度も奴隷の扱いの非人間性に言及し、ジェノサイドが行われたと主張しており、先住民に対しても黒人に対しても決して民主的な社会ではなかったことを訴えている。ブラジルが「人種民主主義」を謳うならば、それ以前に民主主義の社会が形成されていなければならないと、オランダの『ブラジルのルーツ』を言及しながら訴えている(Ribeiro [1995] 451)。

さらにリベイロは、これまで存在したことがない新しいタイプの民族となるためにブラジルはまだ戦いを続けていると述べこの作業は難しく骨が折れるが、同時に美しく心掻き立てられることであると前向きに評価している(Ribeiro [1995] 454)。さらに彼は、ブラジルはネオラテンの国の中では人口も経済的潜在性も文化的創造性も最大なのであるから、自分自身に誇りをもって混血と熱帯の新しい文明の花を咲かせることができると、ブラジルの未来に希望

＊26 ポルトガル王国がナポレオンに追われてブラジルのリオに移転して以来、ブラジルは急速に西洋化した。ブラジルの知識人は自国の社会現実や大衆には目を向けずにトランスオセアニズムと呼ばれる舶来主義に傾倒し、ヨーロッパとは異なるブラジル社会の現実を劣性の証と捉え、反対に外国、特にフランスの文物は優れたものと見做して憧れるマゾンビズモという自国

を託しており、混血の存在に悩んできたブラジル人に勇気を与えた。[*26]

リベイロの著書は、ブラジルのアカデミックの世界からは、表現が文学的であると批判される。一九九〇年代に出版した著書でありながら言及されている資料が八〇年代までのものであるということからも批判の対象となった。九〇年代に入り、ブラジルの奴隷制度には奴隷が肉体労働のみでなく家事労働や芸人といった非肉体労働に従事する場合があり、奴隷に選択の余地があったとする新たな見解が出されたが、リベイロはこの新たな問題に取り組むことはしなかったのではないかと思われる。[*27]

このように研究書としての問題が指摘されながらも、五〇〇年以上にわたるブラジルの社会文化やその住民について通観した研究書としては常に評価されてきている。さらに、ブラジルが西洋文化に別れを告げた一九二二年の近代芸術週間が開催された年に誕生したリベイロは、六〇年代まで続くブラジル・モデルニズモと共にブラジルの固有性を求めた知識人であったと言えよう。

また、多文化化や社会文化の多様性が世界的に叫ばれる今日、リベイロを単なるマルキストの研究者としてではなく、混血社会であるが故に長い間自国に劣等感を抱いてきたブラジル人の自己評価の新たな挑戦の視線として読み直すのも意味があろう。

【読書案内】

以下著作として出版された文献のみを分野別に表示した。

の社会文化に対する悲観的な態度を創り出した。ブラジルを積極的に評価する視点が登場するのは一九二〇年代以降のことである。(三田千代子[一九九九]「ブラジルとヨーロッパ思想——悲観論からナショナル・アイデンティティの形成へ」蝋山道夫、中村雅治編『新しいヨーロッパ像を求めて』同文館、一六五~一八四頁)。

*27 J・C・レイスは、ブラジルの奴隷制に関する解釈が、一九六〇~七〇年代と八〇~九〇年代とでは変化していると指摘している。六〇~七〇年代ではG・フレイレがいうように米国の奴隷制と比較してブラジルの奴隷制は優しいものであったという解釈に異が唱えられ、社会階級と階級闘争の概念をもって考えられた。他方、社会主義政権が下野した一九八〇~九〇年代になると、フレイレの説に戻り、奴隷制は合意の上のもので、奴隷は自分の主体性を維持することができたととらえられるようになった。Reis, José Carlos [1999] *As identidades do Brasil: de Varnhagen a FHC*, Rio de Janeiro: Editora FGV, p. 62.

人類学の分野での重要な著作としては以下が挙げられる。うち［1968a］は亡命中のウルグアイで執筆され、人類社会の進化に関する新たな解釈によりブラジルの人類学が世界的視野から評価された。米国、ドイツ、イタリア、ポルトガル、ベネズエラ、アルゼンチン、メキシコ諸国で出版されている。［1970a］と［1970b］は亡命中に執筆された著作で、リベイロの優れた知性が感じられる。ブラジル先住民の存在はブラジル社会の形成に結びついているとしている。十六世紀のヨーロッパ人との出会いから二十世紀までの先住民生活や社会の変化を論じており、先住民にとって「文明化」されることは飢餓と苦しみであったことを訴えている。ブラジルの歴史のもう一つの側面を知ることができる。ブラジルの先住民問題を広範な形で論じている。［1978］はスペイン語がオリジナル。［1995］は本稿で扱った著作である。［1996］は没する前年に『先住民の日記──ウルブース-カアポール族』という表題で執筆された。一九五〇年代に行われた先住民調査に関する論文や記録をもとに民族学者であった配偶者のベルタへの手紙の形で先住民に関する情報をまとめ、映像作家と共に記録した当時の映像も掲載している。セルジオ・ブアルケ・デ・オランダ賞を受賞している。［1997］は死の直前に自分が歩んできた道を描いた著作『告白』で、生を受けた地で少年として成長するなかで、読書に没頭した当時や家族の記録を思い出したりし、出生地の当時の社会文化的特徴にも触れている。大学生から人類学者としてキャリアを積んだことやブラジリア大学の理念を綴り、教育大臣としての執務、亡命から帰国、その後の活動などが書き記されている。これらの彼が活躍した分野から、精力的に生きたブラジルの知識人の姿がみられる。

Ribeiro, Darcy［1968a］*O processo civilizatório- etapas da evolução socio-cultural*, São Paulo: Editora Vozes. (Translated by Meggers, Betty J., *The Civilizational Process*,Washington, D.C.: Smithonian Publications, 1968.)

――――［1970a］*As Américas e a civilização,-processo de formação e causas de desevolvimento cultural desigual dos povos americanos*, Petrópolis: Editora Vozes. (Translated by Barrett, Linton Lomas and Barrett, Marie McDavid, *The Americas and Civilization*, New York: E.P. Dutton & Company.)

——— [1970b] *Os índios e a civilização – a integração das populações indígenas no Brasil moderno*, São Paulo: Editora Vozes.

——— [1972] *Os brasileiros – teoria do Brasil*, Peropolis: Editora Vozes.

——— [1978a] *O dilemma da América Latina – estruturas do poder e forças insurgentes*, Petrópolis: Editora Vozes. (*El dilema de America Latina- estructuras del poder y fuerzas insurgentes*, Mexico, Siglo Veintiuno, 1971.)

——— [1995] *O povo brasileiro – a formação e o sentido do Brasil*, São Paulo: Companhia das Letras. (Translated by Rabassa, Gregory, *The Brazilian People-The Foumation and Meaning of Brasil*, Gainesville: Univeresity of Florida Press, 2000.)

——— [1996] *Os diários índios – os urubus-kaapor*, São Paulo: Companhia dasLetras.

——— [1997] *Confissões*, São Paulo: Companhia das Letras.

リベイロは小説に関心があり、最初に出版した作品が『マイーラ』である。先住民を主人公にしたもので、西洋世界との接触によって伝統やアイデンティティが失われる状況に置かれた先住民の心の辛さを綴ったものである。亡命中のペルーで執筆されており、独裁政権下で自身の文化が否定されることと先住民の当時置かれた状況と重なるところがある。トゥピ語を語源とする「マイーラ」という名は七〇年代にブラジルで女子の命名に多用され、今日でも女性に多い名として知られている。八言語訳、四八版を重ねている。

Ribeiro, Darcy [1976] *Maíra*, São Paulo: Editora Record.（英訳：*Maíia*, New York: VintageBooks, 1984.）

——— [1981] *O mulo*, Rio de Janeiro: Editora Nova Fronteira.

——— [1982] *Utopia selagem*, Rio de Janeiro: Editora Nova Fronteira.

——— [1988] *Migo*, Rio de Janeiro: Editora Guanabara,.

大学教育に関連する著作として次のようなものがある。

Ribeiro, Darcy［1968b］*La univrsidad latinamericana*, Montevideo: Universidad de la Repúlica Departamento de Publicacions.

――――［1969］*A universidade nescessária*, São Paulo: Paz e Terra.

――――［1971］*Universidad Latinamericana*, Santiago: Editorial Universitaria.

――――［1974］L*a universidade peruana*, Lima: Ediciones del Centro de Estudios de Participación Popular.

――――［1978b］*UnB – invenção e descaminho*, Rio de Janeiro: Avenir Editora.

リベイロに関する研究として以下が挙げられる。

Barretto Filho, Henyo T.［2002］"Darcy Ribeiro（1922-1997）"*Anuário Antropológico*, Rio de Janeiro: Tempo Brasileiro.99, pp. 229-232.

Bomeny, Helena［2017］"Vinte anos sem Darcy: Impressões e notas," *Revista Interinstitucional Artes de Educar*, Rio de Janeiro, 3 (2), pp. 22-30, jul/out, Número Esperial Darcy Ribeiro, DOI: 10.12957/riae.2017.31707.

Fernandes, João Azevedo［2004］"Violência e mestiçagem: a origem da família brasileira na obra de Darcy Ribeiro," *Revista Anthropológicas*, 15 (1), pp. 155-183.

Giarola,Flavio R.［2012］"O povo novo brasileiro: mesticagem e identidade no pensamento de Darcy Ribeiro," *Revista Tempo e Argumento*, 4 (1).

Mattos, André Luís Lopes Borges de［2007］*Darcy Ribeiro: uma trajetória (1944-1982)*, Campinas: Universidae Estadual de Campinas.

（三田千代子）

Column 4

コラム 社会学・文化人類学を牽引した「サンパウロ社会政治自由学院」と「サンパウロ大学哲学・科学・文学学部」

一九五〇年代にサンパウロ学派と称されるようになった人文・社会科学を牽引した二つの研究教育機関がサンパウロに誕生したのは三〇年代の初期のことである。

一九二九年の世界大恐慌によってコーヒー産業は打撃を受け、三〇年のヴァルガス革命によって州知事政治体制が崩れ、三二年の立憲主義革命の敗退はサンパウロにとって決定的であった。新しい時代の対応に危機感を抱いたサンパウロの起業家は、新時代の人材育成に関心を寄せ、三三年、研究者や官僚の育成を目指す新たな高等教育機関「サンパウロ社会政治自由学院（Escola Livre de Sociologia e Política de São Paulo：ELSPSP、現FESPSP）」を創設した。ELSPSPはブラジルで社会学及び政治学を講じる最初の高等教育機関となった。米国のシカゴ学派に注目し、都市社会学のローリー（Samuel Lowrie 1894-1975）、人類学のオベーグ（Kalervo Oberg 1901-73）、社会学のピアソン（Donald Pierson 1901-95）、農村社会学のリン・スミス（T. Lynn Smith 1903-76）、人類学のラドクリフ＝ブラウン（A.R. Radcliffe-Brown 1881-1955）といったシカゴ大学と関係のある研究者を招聘した。

ELSPSPの動きに呼応するようにサンパウロ州が州立大学を開校した。生物学、物理学、法律学といった既存の単科大学を統合すると同時に、新たに「哲学・科学・文学学部（Faculdade de Filosofia, Ciência e Letras：FFCL）」を設けて三四年、「サンパウロ大学（Universidade de São Paulo：USP」を立ち上げた。中高等教育の教員育成を主な目的としたUSPは、フランスのパリ大学から研究者を招聘した。新設のFFCLには、哲学のアルブス＝バスティード（Paul Arbousse-Bastide 1899-1985）とモーギュエ（Jean Maugüé 1904-90）、社会学のレヴィ＝ストロース（C. Levi-Strauss 1908-2009）、バスティード（Roger Bastide 1889-1974）、グィヴィッチ（George Guivitch 1894-1965）、地理学のモンベージュ（Pierr Monbeig 1908-87）、歴史学のブローデル（Fernand Braudel 1902-85）などが赴任した。

米国とフランスからの研究者の他に、ドイツ出身の研究者も両校の教壇に立った。ケルン大学とベルリン大学で学んだ社会学・人類学のウィレム（Emilio Willems 1905-97）とフリードリヒ・ヴィルヘルム大学で学んだ人類学のバルドゥス（Herbert Baldus 1899–1970）である。

両校の教育目的は多少異なるが、一九三〇年代にサンパウロに人文・社会科学の研究・教育を目指す二つの学術組織が発足したのである。サンパウロ州政府は、私立のELSPSPの公共的有用性を考慮して、三九年、USPの補完的研究学術機関として統合するが、ELSPSPはその後も完全に自立した教育研究機関として独自の活動を八〇年代初頭まで継続した。この間、両校の教員は、それぞれ交差しながら両教育研究機関で教鞭をとった。四一年にELSPSPに大学院が設置されると、USPで学部を修了したフェルナンデス（Florestan Fernandes 1920–95　第3章参照）のようにELSPSP の大学院課程に進むものが出現している。あるいは、ノゲイラ（Oracy Nogueira 1917–96）のようにELSPSPの修士課程を終えると協定校のシカゴ大学の博士課程に留学する者も出現した。

一九四〇年代になると、招聘された外国人研究者がそれぞれの専門分野からブラジルあるいはサンパウロに関する研究調査結果を発表するようになった。これに伴い人類学や社会学といった新しい学問分野の調査研究地として学問的に未知であったブラジルが、英語、フランス語、ドイツ語そしてポルトガル語と、多様な言語で紹介されるようになった。

「ブラジル社会学会」と「ブラジル人類学会」が五〇年代に発足し、組織的に研究者を育成してきたサンパウロの両校の研究活動は注目され、サンパウロ学派と呼ばれるようになった。特に、USPで一六年間にわたって社会学の教鞭を取ったバスティードとトゥピナンバ族の社会的調査研究をして博士号を取得したフェルナンデスはUSPの突出した社会学研究者と評価され、イアンニ（Octavio Ianni 1926–2004）やカルドーゾ（Fernando Henrique Cardoso 1931–　第9章参照）とともにサンパウロ社会学派を牽引した。他方、人類学を核とするサンパウロ学派は、主としてELSPSPを中心に形成された。ピアソンやウィレムにバルダスといったELSPSP の研究者がブラジルの先住民や民族を対象にした人類学の研究を発表すると同時に、ノゲイラやシャーデン（Egon Schaden 1913–91）にリベイロ（Darcy Ribeiro 1922–97　第4章参照）といった若い世代の人類学者を育て、サンパウロの人類学を牽引した。

一九六四年の軍事政権の登場は、こうしたサンパウロの社会学・人類学研究を頓挫させた。軍政令第一号によって、両校の研究教育活動は中断され、研究者は亡命を余儀なくされた。両校の研究教育活動が戻るのは八五年の再民主化以後のことである。ブラジルの社会・人文科学を牽引したサンパウロ学派は軍事政権によって一つの時代を終えたといえよう。

（三田千代子）

1954年にサンパウロ社会政治自由学院が転居した校舎の正面玄関
Fundação Escola de Sociologia e Política de São Paulo (FESPSP). Photo by Dornicke, public domain

第5章　被抑圧者の教育学――パウロ・フレイレ

社会構造を維持するだけの教育に疑義を唱えつつも、教育を「人間の解放」のための社会変革の理念そしてその対象として考え抜いたのが教育思想家、パウロ・フレイレ（Paulo Freire 1921-97）だ。フレイレはこれまで数多くの書籍を残したが、フレイレの代表作『被抑圧者の教育学』は二〇以上の言語に翻訳され、既存の教育や社会を変革する一つの希望の書として世界中の人々の手にわたった。そして、筆者を含め教育の可能性を信じる多くの人々を魅了し鼓舞し続けている。また、彼の教育や社会を捉える眼差しや民衆との対話を常に重視する姿勢は、教育分野に限らず農村開発や社会福祉、医療などの領域でも受容され盛んに議論されている。

フレイレ生誕一〇〇周年となる二〇二一年には、世界中でフレイレに関する講演会やワークショップが開かれた。フレイレの誕生日の前後には、筆者が参加しただけでもドイツや米国、ブラジルでオンラインのイベントが開催され、フレイレの思想に共鳴するものたちが国境や立場を超えて対話を重ねた。

フレイレは、一九八六年にユネスコ平和教育賞を受賞し、二〇一七年にはフレイレの手書き原稿や書籍がユネスコの世界記憶遺産に登録された。ロンドン・スクール・オブ・エコノミクス（LSE）のグリーン（Eliot Green）が一六年に発表した調査結果によれば、フレイレの『被

パウロ・フレイレ　アンジコス再訪
Todavia（出版社）より提供

抑圧者の教育学』は、Google Scholarで検索可能な人文社会学の文献において世界で三番目に引用されている。[*1]

日本でのフレイレの著作は『被抑圧者の教育学』や『伝達か対話か』、『自由のための文化行動』、『希望の教育学』や、ジェンダー・脱学校化の議論で有名な思想家イリイチ[*2]との対談が翻訳されている。二〇二一年には、民主教育研究所が季刊誌『人間と教育』でフレイレ特集を組んだのは記憶に新しい。しかしながら、日本国内のフレイレに関する議論の多くは、『被抑圧者の教育学』が中心であり、それ以降のフレイレの教育実践や思想の変遷はあまり注目されていない。

フレイレは生涯にわたり「対話」の重要性を指摘し、自身も常にそれを実践した。またフレイレは、『被抑圧者の教育学』をはじめとする初期の著作に向けられた批判に対して、自らの思考は当時から変容していることを主張し、晩年の著作も踏まえてほしいと度々発言している（Freire e Guimarães［2015］24-26; Freire［1993］59-64）。

このフレイレの意志を継ぎ、本章では、フレイレの生涯並びに教育思想やその変遷の全体像について、多様な他者との関係性や対話をキーワードに素描していくことにする。

フレイレの生い立ちと識字教育[*3]

フレイレは、一九二一年九月一九日にブラジル北東部ペルナンブコ州の州都レシフェ市で四人兄弟の末子として生まれた。軍警察だった父親と敬虔なクリスチャンで専業主婦の母親のもと、比較的裕福な中産階級家庭で育った。

しかし、父親の持病の悪化による失業や世界恐慌（一九二九年）にともなう家計の逼迫によ

＊1 Green, Elliot, "What are the most-cited publicatipns in the social sciences (according to Google Scholar)?," *The LSE Impact Blog*, http://blogs.lse.ac.uk/impactofsocialsciences/2016/05/12/what-are-the-most-cited-publications-in-the-social-sciences-according-to-google-scholar/（二〇二一年九月三〇日アクセス）.

＊2 Ivan Illich（1926–2002）オーストリア生まれの歴史家・哲学者である。カトリック教会の神父として北米で活動するがラテンアメリカの教会の問題でバチカンと対立し一九六九年に還俗する。『脱学校の社会』や『シャドウ・ワーク』などの著作を通じて現代社会の学校や労働に問題提起した。

＊3 フレイレの生い立ちについては、Freire [1992]; Freire [2017]; Haddad [2019]; Gadotti [1989] を参考にしている。

り、フレイレは学校に通えなくなる。そこでフレイレ家族は、レシフェ市から一八キロ離れ、当時交通網が鉄道しかなかったジャボアタォ市（Jaboatão）へと移り住んだ。一九三四年に父親が他界すると一家はさらに困窮を極めた。フレイレは、移り住んだ先でできた友人との出会いや、空腹が故に学びたくても学べない経験から、貧困などの社会的状況が人々の生活や意思を規定することを体感する。

当時ジャボアタォ市には中等教育機関がなかった。またフレイレ家族には学費を払い続ける経済的余裕もなかった。そこで、フレイレの母親は奨学金を得て学び続けられる進学先を探すため毎日州都へと通った。そして、どうにかして富裕層の子弟が多く在籍するオズワルド・クルス私立学校を見つけ、学校長の理解もありフレイレは進学できることになる。フレイレは、家族を支えるため在学中からポルトガル語のアシスタントや教師として働いた。

一九四三年にはレシフェ大学法学部（現ペルナンブコ連邦大学）に入学する。フレイレ自身は当時中等教育のポルトガル語の教師を志していたが、教員を養成する高等教育機関は首都にしかなかった。そこで、法学よりも人文科学がカリキュラムの中心であった法学部に入学したようだ（Freire［2017］63-64）。在学時はポルトガル語の教師として働きながら勉学に勤しんだ。

一九四七年に大学を卒業後、友人の誘いもあり工業社会サービス（SESI）[*4]の教育文化局で働きはじめる。そこでフレイレは学校教員や児童・生徒が抱える問題を目の当たりにする。そして、児童・生徒の課題を保護者と教師らも一緒に議論するためのサークル活動を組織化していった。また、体罰などの児童・生徒と保護者の関係に関する調査もすすめた。これらの実践から、教育は学習者が有する経験や知識から出発すべきであること、教育には教師と学

＊4　工業社会サービス（Serviço Social da Indústria）は、ブラジル全国工業連盟の下部組織で一九四六年に設置された。労働者とその家族に対する教育・文化・福祉支援事業を目的として、学校や劇場の運営や中小企業への研修事業に取り組んでいる。

習者との対話が必要であることを実感していく。

　私生活では、小学校の教員で敬虔なクリスチャンでもあったエルザ（Elza）と大学在学中に結婚し、五人の子どもにも恵まれた。学生時代には、エルザとともにカトリックの活動にも従事する。ヨーロッパで生起しブラジルでも広がりを見せていた、信徒らが自ら組織化し社会福祉や教育にたずさわるカトリック・アクションには、家族で参加した。フレイレは教区の教育部門の責任者となり、教育活動や地域課題調査、それら課題の解決に向けた学校と信徒、地域住民らの組織化にも取り組んだ。

　フレイレは、学会発表や地元紙への寄稿を通じて、ブラジルの教育および社会に対する批判も展開した。一九五九年には自らの教育実践を博士論文としてまとめ、レシフェ大学で学位を取得する。翌年には、当時のレシフェ市長の呼びかけに応じて民衆文化運動[*5]の立ち上げにも参加している。

　一九六一年には、レシフェ大学文学部に着任した。その翌年には文化普及サービスセンター（Serviço de Extensão Cultural：ＳＥＣ）を学内に創設し初代責任者も務めた。このＳＥＣで六三年一月から四月にかけて取り組んだのが、フレイレの名を国内外で広く知らしめることになるリオグランデドノルテ州アンジコス（Angicos）での識字教育であった。

　フレイレの教育実践は当時から関係者間では注目されていた。そこで当時のリオグランデドノルテ州の州知事はフレイレに声をかけ、行政と大学が協定を結ぶかたちで識字教育のプログラムを依頼した。実践地域であるアンジコスは、住民の約七割が非識字であったことや州知事自身の生まれ故郷であるなどの理由で選ばれたようだ（Freire［2017］137-138）。フレイレは、この貧しい農村に住む約三〇〇名の住民に対して、ボランティアの学生や教員らとともに

＊5　民衆文化運動（Movimento de Cultura Popular：ＭＣＰ）とは、芸術家や大学の研究者、学生らによって一九六〇年五月に組織化された実践を指す。当時レシフェだけでも八〜九万人の児童・生徒が不就学でかつ成人の識字率も低かったため、識字教育を柱として読書会やコンサート、参加型演劇などの教育・文化活動に組織的に取り組んだ。六四年のクーデターによって終わりを迎える。

四〇時間の識字教育プログラムを展開し、参加者は文字を習得していった。のちに「アンジコスの奇跡」とも呼ばれたこのプログラムの卒業式に出席した当時のゴラール（Goulart）大統領はその成果に驚嘆する。そして、全国の五〇〇万人以上の若者・大人に対して識字教育を進める国家識字計画（Plano Nacional de Alfabetização：ＰＮＡ）を立ち上げ、フレイレをそのコーディネーターとして招聘する。一九六〇年代のブラジルは、国民の約四割が非識字者であり、彼ら・彼女らには法律で投票権が認められていなかった。また子どもの三分の一は、学校に通うことができていなかった。こうしたブラジルの社会状況に鑑みると、フレイレの識字教育がもたらしたインパクトは大きかったといえる。

しかしながら、フレイレの識字教育やその政策は資本家や保守層、軍部からは歓迎されなかった。一九六四年三月三一日に軍事クーデターが発生したことで、ゴラール政権は終焉を迎え、ＰＮＡも頓挫する。また、文字の習得を通じて政治や社会に対し批判的な眼差しを向け、それらの変革を意図するフレイレの教育思想は軍部や保守層から危険視され、フレイレは約七〇日もの間投獄される。六二年からフレイレと交流があったイリイチはフレイレの身を案じ、自身が住むメキシコへ亡命するよう何度もフレイレに手紙を送ってもいる（Freire［2017］167-168）。

亡命生活と世界規模での知的交流

母国での生活に命の危険を感じたフレイレは、一九六四年にボリビアを経由しチリへと亡命した。当時のチリは、中道左派のキリスト教民主党が政権を担っており、近隣諸国からの亡命者受け入れに寛容であった。チリには、カルドーゾ（Fernando Henrique Cardoso　第9章参照）

やフルタード（Celso Frutado 第8章参照）、ゴラール政権時代の教育大臣といった多くのブラジル知識人らも亡命しており、彼らはしばしば会って議論を交わしていた。チリへの亡命後、フレイレはチリ政府の農牧開発局（INDAP）や農業改革調査訓練機関（ICIRA）に勤め、小農家への技術・教育支援にも従事した。また、教育省の成人教育部門とも連携し識字教育にも取り組んでいる。

チリでは執筆活動にも注力した。一九六九年には、農業技師の農村普及活動への批判や対話の必要性を論じた『伝達か対話か』（Freire [1969]）をICIRAから発刊する。七〇年に英語訳が出版されフレイレの名を世界に知らしめた『被抑圧者の教育学』の草稿もこの時代にまとめられ関係者の手にわたった。[*6] 草稿を読んだイリイチはニューヨークで識字教育に取り組んでいた神父らに紹介し、六七年にフレイレによる米国での講演が実現している。またイリイチは、国際文化資料センター（CIDOC）[*7]が実施する教育プログラムのゲストとしてフレイレをたびたび招いてもいる。CIDOCにはフレイレの初期の著作でも引用されている社会心理学者フロム[*8]ら知識人も多数集まり、六七年頃から世界規模で知的交流がはかられていた。

チリでは平穏な暮らしを取り戻せたかに見えた。しかし、フレイレの進歩主義的な教育は、チリ政権内部の保守層から次第に警戒されていく。そこで、フレイレは客員教員として招請されたハーバード大学で教鞭をとるため、一九六九年に渡米する。一〇か月間の滞在では、講演会や勉強会で米国各地をまわった。ハーバード大学との契約終了後の七〇年にはスイスのジュネーブへと移住する。ジュネーブでは世界教会協議会教育部門の特別顧問として働いた。世界教会協議会では、『被抑圧者の教育学』に関する講演や会議、大学での講義で一五〇か国以上をめぐった。この時フレイレは世界に離散した同郷の知識人らとも関係を深めている。

＊6 なお、同年にはスペイン語の翻訳も発刊された。ブラジルでの初版はフレイレ自身は一九七五年だと指摘しているが（フレイレ［二〇〇一］八七頁）、一九七〇年にPaz e Terra社から出版されたという指摘もある。Freire, Paulo, Jason Ferreira Mafra, José Eustáquio Romão, e Moacir Gadotti [2018] *Pedagogia do oprimido (o manuscrito)*, São Paulo: Editora e Livraria Instituto Paulo Freire, p.25.

＊7 Centro Intercultural de Documentación（CIDOC）はイヴァン・イリイチらによって一九六六年に創設された機関である。メキシコのモレロス州クエルナバカ市に位置し、オルタナティブな大学として世界の知識人を招聘し講演会や学習会に取り組んだ。七六年に閉鎖される。

＊8 Erich Fromm（1900–80）ユダヤ系ドイツ人。社会心理や哲学を専門とし、『自由からの逃走』や『愛するということ』『生きるということ』などの邦訳も多数出版されている。

例えば、七三年にはリベイロ（Darcy Ribeiro　第4章参照）とペルーで再会している。二人は、軍事クーデター以前リベイロが大統領府官房庁でPNAに関わっていた頃を述懐し、ラテンアメリカの政治について議論をかわした。また、両者はペルーでイリイチらと教育改革に従事してもいる（フレイレ［二〇〇一］二六六頁）。

一九七一年には、ジュネーブに亡命中のブラジル知識人や妻エルザらとともに、文化行動機関（Instituto de Ação Cultural：ＩＤＡＣ）を創設する。ＩＤＡＣでは、教育セミナーを開催したり、イタリアの労働組合やスイスのフェミニズム運動の教育活動に関わった。ＩＤＡＣの活動で特筆すべきは、アフリカのポルトガル旧植民地諸国における識字教育であろう。フレイレはＩＤＡＣとして四年以上のものあいだモザンビークを除くポルトガル語圏の国々の識字教育に関わった。七三年にポルトガルからの独立を宣言したギニアビサウは、フレイレの晩年の教育思想に多大な影響を与えたアミルカル・カブラル（Amílcar Cabral　コラム5参照）が民族解放の指揮をとった国であり、国家再建や精神の脱植民地化を意図する教育の普及、識字教育に強い思い入れがあった。ギニアビサウでは、七四年の初訪問以降、地元の教育省や教師らと対話を重ね、識字教育の計画立案や普及に組織的に取り組んだ。当時のギニアビサウ教育大臣との往復書簡は書籍化されてもいる。[*9]

祖国への帰国と学び直し

ブラジルでは一九七九年の恩赦法の制定により、亡命者の帰国が可能となる。そこでフレイレは、一九八〇年六月に念願の帰国を果たし一六年の亡命生活に終止符を打つ。

一九八〇年代のフレイレは、亡命によって断たれた祖国とのつながりを編み直すかの

＊9　Freire, Paulo［1978］*Cartas à Guiné-Bissau: registros de uma experiência em Processo*, São Paulo: Paz e Terra.

ように精力的にブラジル社会へ関わった。例えばフレイレは、サンパウロカトリック大学（ＰＵＣ-ＳＰ）やカンピナス州立大学（ＵＮＩＣＡＭＰ）で教鞭をとりつつ、国内の大学で開かれるシンポジウムや講演に積極的に参加した。また、ブラジルの様々な地域を自身の足でまわっており、八三年にはアンジコスを再訪し、当時の教え子や教師らとの再会も果たしている。研究・執筆活動では、書斎に引きこもり文章をまとめあげるのではなく、他者との対話から自らの思考を整理し再創造する過程に強い関心を寄せていた。八二年からの約一〇年間は、国内外の研究者や実践者らとの対話を重視し、それらをまとめた対談録を多数刊行している。

また、多くの市民団体の創設にもたずさわった。一九八〇年には、自らも創設メンバーの一人であった労働者党（ＰＴ）の教育研究機関ウィルソン・ピニェイロ財団（Fundação Wilson Pinheiro）設立にかかわる。八六年には、民衆教育や労働者の組織化を目的として労働組合や知識人、政治家らが設立したカジャマール（Cajamar）の代表も務めた。「労働者の大学」とも呼ばれたカジャマールは、八二年に発足しフレイレ自身が初期の代表も担ったラテンアメリカ・カリブ民衆教育協議会（ＣＥＡＡＬ）[*10]のメンバーが集う場所でもあり、フレイレは彼ら・彼女らと対話を重ねた。

当時は政治活動にも積極的に関与していく。一九八九年には労働者党だったエルンジーナ（Luiza Erundina）がサンパウロ市長に当選したことをうけて、同市の教育長に就任する。そこでフレイレは「学校の顔を変える」（mudar a cara da escola）をスローガンにかかげ、多くの公教育改革に取り組んだ。例えば、大学と協定を結び、研究者も巻き込んだ教師の研修プログラムの策定や教職員の学び直しの機会の拡充につとめた。また、サンパウロ市青年・成人識字教育運動（ＭＯＶＡ-ＳＰ）の組織化もすすめ、識字教育の核となるセンター設置にも取り組んだ。

＊10　Consejo de educación popular de América Latina y el Caribe（ＣＥＡＡＬ）は、ラテンアメリカおよびカリブ海地域の二一の国の二〇〇以上のＮＧＯや労働組合などで構成する組織である。民衆教育の促進や関連組織のネットワーク化を目的に結成された。

ＭＯＶＡ－ＳＰは自治体主導による識字教育プログラムのモデルとなり、他の州にも広がっていく。

教育長在任期間中の一九八九年には来日も実現した。日本では、国際識字年に向けたユネスコ東京フォーラムや、青森で開かれたＮＧＯ行動計画世界会議に参加した。また、大阪の日之出解放会館で取り組まれている識字学級も見学している。しかし、この来日も含めた九回の海外出張や在任期間中に一〇二日間不在だったことはマスメディアによる批判の的となった。こうしたマスメディアの批判や急進的な改革に対して教育現場からあがる不満の声、遅々として進まない改革への憂いなどにより、フレイレは九一年五月二七日サンパウロ市教育長を退任する。サンパウロ市立劇場で開かれた辞任式にはリベイロや当時労働者党の党首だったルーラ（Lula 第10章参照）も出席している。

私生活においては、一九八六年に人生で最も辛い出来事がフレイレを襲った。それは、四二年間連れ添ったエルザの死である。公私共にフレイレを支えたエルザが亡くなったことでフレイレは何も手につかなくなる。講演会で登壇できなくなることもあった。このフレイレの窮地を救ったのが、アナ・マリア・アラウジョ・フレイレ（Ana Maria Araújo Freire 通称＝Nita（ニタ））だ。ニタは、オズワルド・クルス校の校長の娘でフレイレとは旧知の仲であり、ＰＵＣ－ＳＰでのフレイレの教え子でもあった。八八年にフレイレはニタと結婚し、第二の人生を歩むことになる。

晩年のフレイレはニタと共に過ごす時間を大事にしつつ、執筆活動や海外での講演に専念した。一九九二年には、自身の教育思想の変遷や『被抑圧者の教育学』に寄せられた批判への応答をまとめた『希望の教育学』（Freire [1992]）を発刊する。多くの人々の手に届くことを意図して、小さくかつ低価格で出版した『自己決定の教育学――教育実践に必要な知識』（Freire [1997]）が自身による最後の著作となり、九七年五月二日に逝去する。

フレイレの死後、ニタが未刊行だった手紙や論文、インタビュー記事をまとめ多数の書籍を刊行している。二〇一二年には、労働者党政権下においてフレイレをブラジルにおける教育の守護者（Patrono da Educação Brasileira）であると公的に位置付ける連邦法（二〇一二年四月一三日付け法律第一二六一二号）が定められた。*11

人間の解放に向けた思想

フレイレが生涯にわたって問い希求したのは、人間の解放や人間化を目指した教育であった。それは、人間の解放を妨げ、非人間化をおしすすめる社会の抑圧状況や、それを維持する教育を問うことでもあった。例えば、非人間化を助長する社会状況については「沈黙の文化」という言葉を用いて説明している。沈黙の文化とは、抑圧者によって被抑圧者らが自らを表現する権利やその言葉が奪われている状況を意味する。また、フレイレは、被抑圧者自身が抑圧者を内面化するその二重性も問題視した。つまり、抑圧状況は抑圧者だけが一方的に強いているのではなく、被抑圧者側も無意識のうちにそれを受容し、自らが抑圧側となったときに同様の状況を他者へ強いることも問題だと指摘したのだ。したがって、被抑圧者自身もまた、内面化された抑圧性をいかに克服できるのかが重要だとも述べている。

このような抑圧状況に適応するためだけの非人間化を促す教育を、フレイレは『被抑圧者の教育学』で「銀行型教育」（Educação bancária）と名付けた。銀行型教育とは、学習者をあたかも空っぽの預金口座とし、その口座に教育者が知識をひたすら預金するという教育の在り方で

*11 なお、この法律は元サンパウロ市長で二〇一二年当時は連邦議員だったエルンジーナが中心となって制定された。ブラジルの教育の守護者として法律で定められているのはフレイレのみである。

ある。銀行型教育の目的は知識の蓄積であり、教育者にとって学習者自身はあくまでも受け身、教育を受ける客体として認識される。そこに両者の対話は存在しない。学習者自身もこうした教育関係を黙認するため、教師の立ち振る舞いや提供される知識を批判的に考えることは難しい。したがって、この銀行型教育では学習者が自らの解放を企図することは困難になる。

またフレイレは、中立性を掲げる教育も虚偽だと批判した。それには自らの識字教育に対する評価がクーデターによって一八〇度変化したことや、既存の社会を維持したい支配階級が自らの立場を揺るがし特権を奪うような革命的な教育は認めないという認識と経験があった。つまり、フレイレにとって教育とは決して中立的な営みではなく、あくまで政治的行為なのだ。

亡命前のフレイレは、抑圧状況を生み出す社会を変革し人々を解放する手段の一つとして識字教育を構想した。そして、その過程を「意識化」(conscientização)と命名した。フレイレの識字教育実践では、まず参加者が学習グループをつくる。フレイレはこれを「文化サークル」(círculo de cultura)」と呼んだ。つぎに、このサークルで参加者の生活現実に根ざした「言葉の宇宙」(universo vocabular)に関する調査を実施する。この参加型調査を通じて集められた日常生活の平易な言葉の中から、社会現実について議論することを可能にし、他の関連する言葉を連想・誘発する比較的シンプルな音節の語である「生成語」(palavra geradora)を選出する。つぎに、整理された言葉を現地の状況に合わせながら、カードや紙芝居などで視覚的に理解できるようまとめていく。そして、それらに基づいて参加者で対話を繰り返しながら、文字を獲得し社会を批判的に捉え変革するための学習内容を構成していく。

このようにして、学習者は自らの現実をいったんコード化し、対話を通じてそれを解読する。そうすることで、自らが置かれた抑圧状況やそれを生み出す社会構造を批判的に問い、世界を読むことになる。この「意識化」を通じて、初期のフレイレは世界と人間の関係性の変革が観念論的に可能だと考えていた。

意識化を進める教育実践において重要なのが「対話」(diálogo)である。対話は『被抑圧者の教育学』でその理論体系が提示された。フレイレによれば、対話とは、「現実を構築し、また再構築するときに、人間同士が現実を省察するために出会う瞬間である」とする(Freire e Shor [1987] 123)。また、フレイレは対話自体を「民主的な関係であり、他者の思考を使い、他者に向かっておのれを開く可能性の追求」(フレイレ[二〇〇一]一六七頁)だと考える。つまり、フレイレは、対話的な教育を通じて、教育者は自身の抑圧性や不完全性を省察し、学習者の有する経験や知識を踏まえることが可能となり、ひいては人間解放を目指す教育が成立すると考えた。

フレイレは、対話を理論化しその重要性を訴えるだけではなく、自らもそれを積極的に実践していた。特に一九八〇年代には多くの研究者や実践者らと対話を重ねることで、自らの思想を省察しその再創造に取り組んでいる。フレイレの教育思想に影響を受けたと公言する、米国のブラックフェミニストであるフックス[*12]は、フレイレによる晩年の対話に向かう姿勢について、「自分の思想の欠点をちゃんと指摘し、自己防衛的になることなく格闘する意志を活字にしたこと、そして、自分の思想に変化をもたらし、新しい批判的な内省を示した」と評価している(フックス[二〇〇六]六六頁)。

＊12 bell hooks (1952-2021) アフリカ系アメリカ人の社会活動家でありフェミニスト。一九八四年の*Feminist Theory: From Margin to Center*(『わたしは女ではないの?——黒人女性とフェミニズム』として二〇一七年に邦訳)で人種差別と性差別の重層的な差別構造を指摘し、当時の中産階級の白人女性が言論の中心だったフェミニズムに一石を投じて注目を集める。以後多くの著作を発表し米国のアフリカ系アメリカ人フェミニストの中心として活動する。フレイレについては、上記の代表作でもしばしば言及し、フェミニズム運動にフレイレの教育思想を位置付けることの重要性を指摘している。また、hooks [1994] や、hooks, bell [2003] *Teaching Community: A Pedagogy of Hope*, New York: Routledge. などフレイレへのオマージュと分かる作品を多数残している。なお、名前と苗字の表記は本人の意思で小文字にしている。

フレイレの教育思想を支える人間観

こうしたフレイレの思想の根底にある人間観は、人間は誰もが未完であり、だからこそ人間および人間がつくる世界は変容可能だというものである。フレイレによれば、人間であることは、歴史・社会的に規定されるものであり、宿命論的かつ機械論的にその運命が決定づけられているわけではない。したがって、フレイレにとって歴史は、常に私たち人間の手で変容可能であり、人間それ自身は歴史をつくりかえることができる主体として眼差されている。こうした人間観は、フレイレも認めるように社会構築主義の影響がうかがえる（Freire et al.［2019］16）。

フレイレの人間観において重要なのが、夢や希望、ユートピアなどの理想である。特にブラジルへ帰国した後のフレイレは、歴史的存在としての人間とそうした人間の夢や希望、そしてユートピアの可能性について強調した。例えばフレイレは、歴史的主体としての人間と夢や希望について以下のように論じている。

「人間は歴史をつくる主体であると同時に、その歴史によって形成され再形成される客体でもある。そうして人間は世界に適応するだけではなく、世界に介入する存在たりつづけてきた。とどのつまり、夢もまた歴史を動かす原動力の一つだったのである。夢がなければ、変化はありえない。希望なしには夢がありえないように」（フレイレ［二〇〇一］一二七頁）。

またフレイレは、カブラルが独立戦争の真っ只中で、未来からきた預言者のごとく、革命後の来るべき未来を仲間たちに語り聞かせる逸話をたびたび引用し、未来を想像し創造する能力の重要性を指摘している（Freire［1982］100-101; Freire e Shor［1987］220）。つまり、フレイレにとってのユートピアや夢や希望は単なる観念主義的なものではない。それらはあくまで実現可能なものとして認識され、自身や世界を突き動かす原動力であり、希求され続けるべきものなのである。

批判的教育学の先駆者であるジルー[*13]は、フレイレが一九八五年に発行した『教育の政治学』の序文で、フレイレは、人間がおかれた社会・歴史的な抑圧状況への批判の言語とシニシズムや絶望に陥らないための可能性の言語とを結合する、ラディカルな教育学の基礎を提示したと評価した（ジルー［一九八六］）。このようにフレイレの教育思想をより総合的に捉え、その価値を論じるためには、抑圧状況に対する批判の言語だけでなく、晩年の夢や希望に関するフレイレの議論にも注目する必要があるだろう。

『被抑圧者の教育学』に向けられた批判や誤読、そして自身の変化

フレイレが『被抑圧者の教育学』を中心とする初期の著作で議論した意識化や対話、銀行型教育といった概念は、世界中に普及し議論されていく。とくに、一九七〇年代以降、世界各地で生起した植民地からの独立運動や、差別や環境問題に対する社会運動、内発的発展論、エンパワーメントの理論らと共鳴し受容された。また意識化の議論は、後述するように草の根（基礎）教育運動（MEB）[*14]などのカトリックの運動とも呼応してカトリック信者や教会内部に浸透していく。

ただし、一九七〇年代になるとフレイレは意識化の使用を避けるようになる。例えば、世界教会協議会が七四年に開催したイリイチとの対談において、フレイレは、「『自由の実践としての教育』の中で意識化の過程について考えていたときには、現実を明らかにすること自体が、その発見された現実を変革する上での十分な動機になると考えていました。わたしのここで

＊13 Henry A. Giroux（1943–）アメリカ系カナダ人の教育学者。批判的教育学の代表的な論者の一人でもある。

＊14 Movimento de Educação de Base（MEB）は、一九六一年三月二一日にブラジル全国司教協議会（Conferência Nacional dos Bispos do Brasil：CNBB）がブラジル連邦政府からの支援を受けて、ブラジル北部、北東部、中西部地域を中心に開始した教育運動。ラジオ放送を用いて民衆の識字能力の獲得や社会変革を意図した意識化が目指された。進歩的なカトリック信者らに支持され全国に広まった。

の誤りは、変革の過程において、現実を知ることがいかに重要であるかを認識していなかったということでは、もちろんありません。むしろ、誤りは、現実を知るということと、現実を変革する作業という別々のふたつの事柄を弁証法的な関係としてとらえていなかった点にありました。つまり、わたしは、現実の発見が即、変革につながるかのように主張していたわけです」(イリイチ、フレイレ［一九八〇］一九頁)と述べている。

『被抑圧者の教育学』には多くの批判も寄せられた。具体的には、先述した意識化に関する観念論的な捉え方や文法的性の問題に対するナイーブさ、そして社会階級の議論の欠如に対する批判である。文法的性の問題については、フレイレ自身も認めたうえで、『被抑圧者の教育学』およびそれ以降の著作で「Homem (He)」と表記していた主語を「Homem e mulher (He and She)」にすべて修正した。こうした批判に対しフレイレは「肌の色や、ジェンダー等ではなく社会階級に焦点化していた」(アウ［二〇一七］二八八頁)と晩年弁明している。また、自らも社会変革に加わる義務と権利を持つものとして、フレイレ自身も性差別反対の運動に加わる権利を有していると証言している(Freire e Shor［1987］198)。

『被抑圧者の教育学』は、フレイレが意図しない誤読も多数招いた。例えば、教育における教師は不要であり、探求者やコーディネーター、ファシリテーターがそれに変わるべきだといった議論である。しかしながら、フレイレは、教育という行為やそれにたずさわる教育者を全否定したわけではなかった。対話の議論を踏まえても、あくまでも学習過程における指導性や権威を有する教師による、学習者との民主主義的な対話の重要性をフレイレは論じている。また、フレイレ自身は、教師の軽視や教育そのものに対する不当な扱いについて、生涯を通じて批判してきた。一九九三年に出版した『教師であって叔母ではない――教育にたずさわる人たちへの手紙（*Professora, sim, Tia, não cartas a quem ousa ensinar*）』やフレイレが生前最後に刊行した『自己決定の教育学』では、教育者の可能性や教育の意義、人間解放を企図した教育の在り方について考察している。また、成り行きを見守るだけの自由放任主義に陥りやすいファシリテーターという言葉とは意識的に距離をおき、自らは教育者であるとも主張している（Freire e Guimarães［2011］138）。

またフレイレは、自らが考案した識字教育の意図が、文字の読み書きの習得にのみ矮小化されたり、それがパッケージ化・神格化し一人歩きすることに懸念を示した。晩年は識字教育という言葉にはあまり触れず、総じて「世界を読み文字を読む」（a leitura do mundo e a leitura da palavra）という言葉で自らの教育の意図を表現している。

フレイレの教育実践・思想が世界に与えた影響

フレイレの人間解放の思想に依拠した教育は、世界の識字実践や政策に多大な影響を与えた。ブラジルやチリ、タンザニア、ギニアビサウ、ニカラグアでは自らその識字教育プログラムの策定や実践に関与し、民衆の文字の獲得と世界を読むことに寄与した。また、一九七五年にイランのペルセポリスで開かれたＵＮＥＳＣＯの国際識字シンポジウムでは、フレイレの議論が基軸となり「ペルセポリス宣言」が策定された。宣言では、リテラシーという概念が単に読み書きのスキルにとどまるものではなく、人間の解放やひいては社会変革に貢献するものとして定義され、その普及の重要性がうたわれた。八五年にパリで開かれた第四回ユネスコ国際成人教育会議の「学習権宣言」にも影響を与えたといわれている。

また、米国で成人教育と労働運動に取り組み、公民権運動を牽引したホートン[*15]が述べるよ

＊15 Myles Horton（1905–90）米国南部のテネシー州に生まれる。人種差別や貧困問題に苦しむ人々を目の当たりにし、一九三二年にハイランダーフォークスクール（Highlander Folk School）を創設、アメリカの成人教育や労働・市民権運動を牽引した。

＊16 解放の神学については第6章を参照。

＊17 カサノヴァ、ホセ［二〇二一］『近代世界の公共宗教』津城寛文訳、筑摩書房。

＊18 Frei Betto（1941–）解放の神学の神父、作家、政治活動家。ミナスジェライス州で生まれる。ＭＥＢとしてリオデジャネイロのファヴェーラなどで長年に渡り識字教育に関わる。その他にもブラジルの労働者統一本部（Central Única dos Trabalhadores：ＣＵＴ）の創設や多数の政治市民団体にも関わる。

＊19 Loja, Matías "Frei Betto: Freire llevó a los oprimidos a conquistar su autoestima política y su protagonismo," *La Capital*, https://www.lacapital.com.ar/educacion/frei-betto-freire-llevo-los-oprimidos-conquistar-su-autoestima-politica-y-su-prota-

うに、フレイレの教育思想が、公的な学校の外で取り組まれてきた教育に対して、成人教育や民衆教育という枠組みを提示したことも、その価値として指摘できるだろう（Horton and Freire [1990] 201）。このことは、米国で生起し、生みの親の一人としてもしばしば指摘される批判的教育学についても同様のことがいえる。

解放の神学におけるフレイレの識字教育や意識化の思想の受容も忘れてはならない。[*16] 一九六一年に開始されたMEBでの読み書きと教理問答を教えるラジオ番組の授業に、フレイレが提唱した意識化や教育方法が採用され決定的な役割を演じた。[*17] ブラジルの解放の神学の代表的な論者として知られるベト[*18]も、フレイレの思想に影響を受け、MEBでの活動に識字教育を取り入れたと言及している。[*19]

日本国内でもフレイレの影響は見てとれる。[*20] 例えば『被抑圧者の教育学』の日本語訳が刊行される以前から、思想家の花崎皋平や釜ヶ崎地域問題研究会、兵庫解放教育研究会、日本キリスト教協議会らはすでに読んでいたという。[*21] これは差別によって文字を奪われた被差別部落の人々による文字を取り戻すための識字学級と、フレイレの教育思想や実践との親和性を示していると言えるだろう。また一九七〇年から八五年のあいだ東京大学で自主講座「公害原論」を開講し公害問題を問い続けた環境学者の宇井純も、邦訳前にフレイレの原著を読み彼の教育思想に影響を受けたと公言する一人である。[*22] 一九九二年のブラジル訪問時には、フレイレと直接会って来日した際の印象や部落解放運動の識字教育について議論している。[*23] また、社会教育研究者の野元弘幸は、UNICAMPに留学しフレイレのゼミで学んだ。野元は、里見とともにフレイレを紹介する書籍の翻訳や論文も多数発表している。二〇〇五年に当時多くの日系ブラジル人が居住していた愛知県の保見団地で、野元がパウロ・フレイレ地域学

gonismo-n268527.html（二〇二一年九月三〇日アクセス）.

＊20 なお、日本国内でフレイレの思想を普及した先駆者として教育学者の里見実をあげることができる。里見はフレイレの『伝達か対話か』（一九八二）や『希望の教育学』（二〇〇一）の翻訳だけでなく、先述したベル・フックスの著書『とびこえよ、その囲いを』（二〇〇六）、フレイレや学校教育・成人教育に関する研究者の一人であるピーター・メイヨー（Peter Mayo）による著書『グラムシとフレイレ――対抗ヘゲモニー文化の形成と成人教育』（二〇一四）、モアシル・ガドッチ『パウロ・フレイレを読む』（一九九三）の翻訳も手がけた。また、里見自身も『パウロ・フレイレ「被抑圧者の教育学」を読む』（二〇一〇）を発刊している。

＊21 楠原彰［一九七九］「あとがき」パウロ・フレイレ『被抑圧者の教育学』楠原彰ほか訳、亜紀書房、三二三頁。

＊22 宇井純［一九九四］「〈潮流〉パウロ・フレイレとのひととき」『総合教育技術』四八巻一九号（二月）、一二頁。

＊23 宇井純［一九九四］「地球環境を

校を創設したことは特筆すべきであろう。この学校では、フレイレの教育思想を基盤に、成人を対象とした教育や日本語とブラジルポルトガル語のバイリンガル教育も実践している。つまり、ここ日本においてもフレイレの思想は着実に根をはり、被差別部落出身者や外国人、公害被害者などの被抑圧者との教育に影響を与えてきたと言えるだろう。一方で、晩年のフレイレによる教師論や学校制度論、その前提となる夢や希望に関する議論はまだ十分に踏まえられてはいない。これは日本のフレイレ研究における今後の課題だと言えるだろう。

他者との対話を重んじ、理想や希望を希求し続けることの重要性を語ったフレイレ。そんな彼を召喚し対話するとき、現代に生きる私たちはどんな実現可能な未来や理想を想像し創造することができるのだろうか。いかにして抑圧状況への批判の言語とシニシズムや絶望に陥らないための可能性の言語とを統合し、我々自身の解放に向けた教育実践を展開できるのだろうか。フレイレの生誕から一〇〇年たったいま、問われている。

【読書案内】

フレイレの著作や対談録、関連論文は数多あるが、全てを紹介することは不可能ゆえ、日本語訳があるフレイレの書籍並びに解説書、未訳ではあるが晩年のフレイレを知るうえで重要なもの、八〇年代以降の注目すべきフレイレの対話録、そして近年ブラジルで出版されたフレイレに関する伝記や資料を中心に取り上げた。

ブラジル北東部独特の言い回しで難解な文章を書くフレイレだが、対談録は、口語体で初学者にも

追って」沖縄大学教養部『沖縄大学紀要』第一一号、一四一～一四二頁。

フレイレ生誕一〇〇周年を記念して描かれた壁画
Raul Zitoi氏より提供

比較的わかりやすい。また、冗談を交えつつ自身の過去を省察したり、ときに対話の相手に憤る人間らしい姿を感じ取ることもできる。フレイレの脱神話化をはかるにはもってこいであろう。

Freire, Paulo［1969］*¿Extensión o comunicación? La concientización en el medio rural*, Montevideo: Tierra Nueva（『伝達か対話か』里見実ほか訳、亜紀書房、一九八二年）.

――――［1970］*Cultural Action for Freedom*, Geneva: Harvard educational review（『自由のための文化行動』柿沼秀雄訳、亜紀書房、一九八四年）.

――――［1974］*Pedagogia do oprimido*, São Paulo: Paz e Terra（『被抑圧者の教育学』三砂ちづる訳、亜紀書房、二〇一一年、および小沢有作、楠原彰、柿沼秀雄、伊藤周訳、一九七九年）.

――――［1982］"Educação: o sonho possível," *Educador: vida e morte*, Rio de Janeiro: Edições Graal, pp.91-101.

――――［1992］*Pedagogia da esperança*, São Paulo: Paz e Terra（里見実訳『希望の教育学』太郎次郎社、二〇〇一年）.

――――［1993］*Política e educação*, São Paulo: Cortez Edirora.

――――［1997］*Pedagogia da autonomia: saberes necessários à prática educativa*, São Paulo: Paz e Terra.

Freire, Paulo e Ira Shor［1987］*Medo e Ousadia O Cotidiano do Professor*, São Paulo: Paz e Terra.

Freire, Paulo e Sérgio Guimarães［2011］*Dialogando com a própria história*, São Paulo: Paz e Terra.

――――［2015］*Lições de casa: últimos diálogos sobre educação*, São Paulo: Paz e Terra.

Freire, Paulo, Ana Maria Araújo e Erasto Fortes Mendonça［2019］*Direitos humanos e educação libertadora*, São Paulo: Paz e Terra.

Horton, Myles and Paulo Freire［1990］*We Make the Road by Walking*, Philadelphia: Temple Univ.

Illich, Ivan and Paulo Freire［1975］"Pilgrims of the obvious," *Risk*, vol.11（イヴァン・イリイチ、パウロ・

フレイレ『対話——教育を超えて』島田裕巳、角南和宏、林淳、伊藤周訳、野草社、一九八〇年).

Freire, Ana Maria Araújo [2017] *Paulo Freire: uma história de vida*, Rio de Janeiro/São Paulo: Paz e Terra.

Gadotti, Moacir [1989] *Convite à leitura de Paulo Freire*, São Paulo: Editora Scipione (モアシル・ガドッチ『パウロ・フレイレを読む』里見実、野元弘幸訳、亜紀書房、一九九三年).

Haddad, Sérgio [2019] *O Educador*, São Paulo: Todavia.

hooks, bell [1994] *Teaching to Transgress Education as the Practice of Freedom*, Routledge (ベル・フックス『とびこえよ、その囲いを——自由の実践としてのフェミニズム教育』里見実監訳、新水社、二〇〇六年).

アウ、ウェイン[二〇一七]「テキストと闘うこと——フレイレの批判的ペダゴジーを文脈化し、再文脈化する」『批判的教育学辞典』明石書店、二八一～二九五頁。

ジルー、ヘンリー[一九八六]「可能性としての教育の地平——パウロ・フレイレの『教育の政治学』によせて」一橋秀夫、能山文香訳『新日本文学』四一巻一／二号(一月)、三一～四二頁。

里見実[二〇一〇]『パウロ・フレイレ「被抑圧者の教育学」を読む』太郎次郎社エディタス。

(酒井佑輔)

コラム　アルミカル・カブラル――革命の教育者

西アフリカのポルトガル領の国々で民族解放闘争を指導した革命家アミルカル・カブラル（Amílcar Cabral 1924-73）。彼は一九七〇年代以降のフレイレに最も影響を与えた人物の一人だ。カブラルは、一九二四年九月一二日に当時ポルトガル領ギニア（現在のギニアビサウ）の地方都市バファァタに生まれた。八歳の頃に両親の故郷であった大西洋の諸島カボベルデへと移住し初等・中等教育を受ける。四五年には奨学金を得てポルトガルへと渡り、リスボン大学高等農学研究所で勉学に勤しんだ。大学では、農業とその根幹を支える土壌を科学的に理解し守ることは人間を守ることであるという問題意識を持っていた。そこで卒業論文では地質学と農業経済学の観点から、ポルトガルで貧困に喘ぐ農村地帯の土壌浸食およびその保全についてまとめている。また留学中は、アンゴラ初代大統領となったアゴスチーニョ・ネトや、アンゴラの解放運動に従事したマリオ・ピント・デ・アンドラーデらと出会いともに学ぶなかで、アフリカ人としてのアイデンティティを形成していく。

大学卒業後は故郷へと戻り、ポルトガルの農業技師として全国各地を見て歩いた。このころギニア初の農業センサスもまとめている。カブラルがポルトガルからの独立運動に直接的に関わり始めたのは一九五〇年代半ばからだ。第二次世界大戦以降、東南アジアやアフリカでは多くの国々がヨーロッパ宗主国から独立していった。カブラルも五六年にギニア・カボベルデ独立アフリカ人党（ＰＡＩＧＣ）を創設し、当初は平和的な独立の道を模索していた。しかしながら、ポルトガル政府は民衆支配や搾取を頑強に続け、警察による弾圧や虐殺事件も多発していた。そこで、ＰＡＩＧＣはポルトガルとの武装闘争を決断し、農民らを巻き込んでゲリラ戦を展開していく。解放闘争では戦いの拠点となる解放区をもうけ、新たな政治・行政・司法システムを導入し、教育や福祉にも力を入れ統治を進めていった。解放区では、女性の地位向上にもつとめ、強制結婚などの慣習を禁止した。また、カブラル自身は米国やキューバ、ヨーロッパ諸国を歴訪し、ＰＡＩＧＣの闘争の意義を訴え国際世論を味方にしていく。ポルトガルの植民地主義の終焉を見届けることはできなかったが、カブラルは七三年に暗殺者の銃弾に倒れるまで戦い続けた。

フレイレはカブラルと面識があるわけではない。しかし彼がカブラルの著作を読み込み、自身の議論でたびたび引用し称賛するには理由がある。それはカブラルの解放闘争の根幹を成す教育および文化認識によるものであろう。例えば、PAIGCは一九六〇年に隣国のギニア共和国首都コナクリに政治活動家の養成を目指した政治学校を創設した。学校では政治教育だけでなく、科学的知識の獲得や自身が置かれた社会文化的状況について、対話を通して批判的に認識するための意識化が目指された。また、PAIGCは戦いのなかから学ぶというスローガンのもと、六五〜六六年には解放区に小学校や幼稚園をつくりポルトガル語の教科書も自ら編纂した。最前線で戦う兵士らも積極的に学校で学ばせたという。これらは、武力闘争の目的があくまで植民地主義からの解放であると意識されていた結果だと言えるだろう。

カブラルのポートレート
Portrait of Amilcar Cabral, wearing the sumbia - traditional skullcap. Source: Fundação Mário Soares, public domain

また、カブラルは解放闘争の基礎としての文化の価値を繰り返し強調している。カブラルの定義する文化とは、歴史の継続を保証し、社会の発展や人間解放の可能性を有するものであり、個々に優劣がつけられない人類にとって共通の財産だとする。だからこそ、帝国主義や植民地主義支配は被支配者固有の歴史や文化を否定・奪取・抑圧してきたとカブラルは分析した。したがって、人類全体のより良い文化の発展に向けて、民衆が有する固有で多様な文化を認識・分析し、価値を見出せる抑圧者の文化があれば積極的に吸収し、それへの屈従は拒否することをカブラルは訴えた。つまり、植民地主義からの人々の解放運動それ自体が文化的営為であり、同時にそれ自体が文化の要因でもあると定義したと言えるだろう。カブラルはこうして教育や文化を実践に位置付けることで、植民地主義からの解放を実際に成し得たし、また、異国の教育者にも多大な影響を与えたのである。

（酒井佑輔）

第6章 「解放の神学」から「神学の解放」へ——レオナルド・ボフ

新しい神学を求めて

貧しく抑圧された民衆の解放こそ神学最大の課題とする「解放の神学」（Teologia da Libertação）は、一九六〇〜七〇年代のラテンアメリカで誕生した。植民地時代以来、社会の統合と現状維持機能を果たしてきたカトリック教会が、初めての宗教改革を経験することになった。この改革は貧者を中心に据えることでキリスト教の原点に戻るとともに、ヨーロッパ神学からの自立と解放をめざす神学でもある。

解放の神学が誕生した背景の第一は、開発政策の破綻がもたらした貧困の拡大と深化である。ラテンアメリカでは第二次世界大戦後、先進国をモデルとする開発論や輸入代替工業化が実施されたが破綻し、軍事政権のもとでの新自由主義的経済政策は巨額の累積債務と貧富の差の拡大を生んだ。[*1] 背景の第二は、一九五九年に起きたキューバ革命のインパクトである。無神論革命の脅威は、進行する農地改革など社会革命への共感に次第に変わっていく。

反革命として南米を席巻した軍事政権とその政策が、背景の第三である。軍政を支えた国家安全保障イデオロギーは、キリスト教的西欧自由世界の最も弱い環であるラテンアメリカを共産主義（ソ連と提携するキューバ）の脅威から守ることが課題だった。この軍政のもとで共通善は国家の安全保障であり、個人や集団は有機体たる安全保障国家に従属する。軍政当初

レオナルド・ボフ
Reprinted from Leonardo Boff, *Ecologia, mundialização, espiritualidade*, São Paulo: Editora Ática, 1993.

＊1 グティエレス、グスタボ［一九八五］『解放の神学』関望、山田経三訳、岩波書店、八四〜八六頁。

これを黙認した教会も、次第に国家安全保障イデオロギーをキリスト教精神とは相容れない民主主義の後退、と認識した。[*2]

世界最大のカトリック人口を擁するブラジルにおいて、新しい神学の実践と理論化をすすめたレオナルド・ボフ（Leonardo Boff）は、軍政末期にバチカン（ローマ教皇庁）に召喚され、沈黙を強いられた。以後彼は「神学の解放」をめざして羽ばたいていく。

*2 Comblin, José［1979］*The Church and the National Security State*, New York: Orbis Books, pp.79-98.

ボフの歩み

レオナルド・ボフは一九三八年一二月一四日、ブラジル南部のサンタカタリナ州コンコルディアで、イタリア移民の二世として生まれた。一一人の子どもの長男だった。ボフ家は恵まれていて、一〇人の弟や妹たちもみな大学を卒業し、ボフを含む五人は外国の大学院で学んだ。[*3] 弟の一人、クロドヴィス・ボフ（Clodovis Boff）はサレジオ会士でサンパウロ・カトリック大学の神学教授となり、レオナルドとの共著『入門解放の神学』（大倉一郎、高橋弘訳、新教出版社、一九九九年）などがある。レオナルドは著書『主の祈り』（山田経三訳、教文館、一九九一年）の序文の日本人読者へのメッセージのなかで、「私の妹は日系二世と結婚し、三人の混血の子どもがいます。……私個人として日本の禅、仏教に強い興味を持っています」と日本との関係と関心を述べている。

ボフに最も影響を与えたのは父親である。イエズス会の教育を受けていた父は神学校卒業後、奥地に赴いて教師・薬剤師として働き、人々の良き相談相手となった。彼は自力で努力するイタリア人やドイツ人を支援し、自身で読み書きプログラムを作り、子どもや大人に読み書きを教えた。父はポルトガル語を教えるのにラジオを使い、日曜礼拝のあと人々を集めて指

*3 Boff, Leonardo［1993］*The Path to Hope: Fragments from a Theologian's Journey*, translated by Phillip Berryman, New York: Orbis Books, pp.v-vii, 1. 英訳者のP・ベリマンによると、同書はバチカンの圧力の下に置かれていたボフの思想を紹介するために、彼の著書、論文、インタビュー記事などから抜粋して出版された小冊子がもとになっている。

導した。父によれば、人生とは共同体に奉仕することだった。差別に苦しんでいるムラート（白人と黒人の混血）とも親しかったが、仕事半ばの五三歳で没した。ボフは父から内なる炎を受け継いだ。これが無ければ、知的作業は味気ないものとなるだろう。また貧者のための選択無くして、我々の信仰は無意味なものとなる、とボフ語っている。

一九四九年五月九日は、当時一〇歳だったボフにとって忘れられない日である。ボフ家には健全な反聖職者主義的伝統が生きていたので、司祭になるとは夢想だにしなかった。この日リオから来た司祭が聖フランシスコなどについて語り、最後に「司祭になりたい者は手を挙げよ」と言った。この言葉は少年ボフを捉え、内なるものが挙手させた。しかし帰宅後ボフは後悔する。本当はトラックの運転手になりたかったからだという。

フランシスコ会[*4]に入会（一九五九年）後、彼はパラナ州都クリチバとリオ近郊のペトロポリスの神学校で古典の研究にとりつかれた。まずギリシャの思想家たち，ついでアウグスティヌスなどキリスト教の古典、さらに近代の思想家の思想を学び、現代の民衆や飢え、低開発の問題などをいかに考えるべきかと、思索を続けた。[*5] ブラジルが軍政化された六四年に司祭に叙階（任命）され、以後ドイツ、ベルギー、イギリスの大学で学び、六五〜七〇年までミュンヘン大学で著名な神学者カール・ラーナー（Karl Rahner）に師事して、ヨーロッパの改革的神学の流れにふれた。七二年に「世界経験の地平におけるサクラメント（秘跡）[*6]としての教会（*Die Kirche als Sakrament im Horizont der Welterfahrung*）」という論文で博士号を得る。

ボフを指導したラーナーはイエズス会の司祭で、教皇ヨハネ二十三世に嘱望されて第二バチカン公会議（後述）の神学顧問をつとめた。新神学（ヌーベル・テオロジー）派と称されるリベラル派で、他宗教との対話（エキュメニズム）にも熱心だった。ボフを通じてラテンアメリカの解放の神学への関

＊4　イタリア中部アッシジのフランチェスコによって創設された修道会。清貧・所有権の放棄を旨とする。

＊5　Boff, *op. cit.*, pp.2-4.

＊6　秘跡（サクラメント）とは、隠れた「神秘を示す感覚的しるし」で、洗礼・ゆるし・聖餐・叙階・婚姻などを指す。

心も強く、著書『解放の神学』でバチカンから警戒されていたペルーの神学者G・グティエレスを支持する書簡を、没する前年(一九八三年)にペルーの司教団に送っている。[*7]

一九七〇年二月、ボフは軍政下のブラジルに帰国した。ペトロポリスの大学と哲学神学研究所の教授をつとめつつ、キリスト教基礎共同体(後述)運動に打ち込んだ。布教団の司祭や修道士に説教するため八月にマナウスのアマゾン熱帯林におもむいた彼は、そこで決定的危機に遭遇する。当時ブラジル人の半数近くが飢餓状態で働き生活し(ボフ[一九八七]三五〜三六頁)[*8]、先住民インディオは開発業者から土地を狙われていた。アマゾン地域ではその状況はより深刻で、彼の危機感は強まって話し続けることが出来ず、神学的思考は深刻な挑戦を受けた。この時代に著したのが『解放者イエス・キリスト――われわれの時代のための批判的キリスト論』(Boff [1972])で、貧者の立場からの批判的キリスト論である。また『教会の生成――基礎共同体が教会を再生させる』(Boff [1977])は女性の司祭叙階の必要も述べており、次第に保守派の司教やバチカンから警戒視され始める。

軍政とたたかう教会

一九六四年三月末、ブラジル軍部はクーデターを起こし、軍事政権を樹立した。以後二〇年続いたブラジルの軍政は、のちのアルゼンチン、チリなど近代化・工業化が進んだ国々の軍政(官僚主義的権威主義体制)化の先駆となる。世界恐慌を契機に、南米では大衆を支持基盤とするポプリスモ政権(ブラジルのヴァルガス、アルゼンチンのペロンなど)のもとで輸入代替工業化が進められたが、六〇年代になるとキューバ化阻止と外資導入による輸出向け工業化――「国家安全保障と経済発展」が軍のイデオロギーとなった。こうして七〇年代中葉までにベネズエラ

*7 カー、ファーガス[二〇一一]『二〇世紀のカトリック神学――新スコラ主義から婚姻神秘主義へ』前川登、福田誠二監訳、教文館、「第六章 カール・ラーナー」参照。

*8 Boff, *op. cit.*, p.4.

とコロンビアを除く南米諸国が軍政化された。ただしブラジル軍政の場合、政党・選挙など形式的立憲民主制を維持した。[*9]

ラテンアメリカのカトリック教会はイベリア半島の戦闘的カトリシズムの所産である。[*10] スペインとポルトガルの両国王は、イスラム勢力から国土を奪還する報酬として教皇から特権を得た。しかし植民地時代のブラジルの教会は大農園（ファゼンダ）の大邸宅（カザグランデ）の付属施設にすぎなかった。バチカンとの結びつきは独立以後のことで、第一共和制（一八九〇年）と政教分離により、教会は国家による支配を脱して、バチカンとの関係を強めることになる。

近代に抵抗し続けてきたバチカンも、貧しい人々に無関心だったわけではない。教皇レオ十三世は回勅『レールム・ノヴァルム――労働者の境遇について』（一八九一年）において、産業革命の進展がもたらした労働者の貧困を憂慮し、社会主義に対抗する労働者の組織化と国家の協力を求めた。第二次世界大戦後の冷戦期に、教皇ヨハネ二十三世（在位一九五八～六三年）が開催した第二バチカン公会議（バチカンⅡ、一九六二～六五年）を期に、カトリック教会は変貌、現代適応（アジョルナメント）し始める。「支配する教会」から「仕える教会」へという自己改革への転換である。

ヨハネ二十三世のあとを継いでバチカンⅡを完了させた教皇パウロ六世（在位一九六三～七八年）は、一九五〇年代にブラジルのバチカン事務所で働き（当時の名はジョヴァンニ・モンティーニ）、[*11] ブラジル全国司教協議会（CNBB）[*12] の成立を援けた。彼が教皇に即位後渙発した回勅『ポプロールム・プログレシオ――諸民族の進歩推進について』（一九六七年）は、南北問題に対するバチカンの積極的関与を示している。

軍政当初、教会内部から軍政への強い批判は起きず、慎重ながら軍の行動を正統化した。この時期軍政批判を開始したのは、北東部のエルデル・カマラ（Hélder Câmara）司教たちである。

＊9 乗浩子［一九八八］「長期軍政」山田睦男編『概説ブラジル史』有斐閣、一七〇～一七四頁。

＊10 カサノヴァ、ホセ［一九九七］『近代世界の公共宗教』津城寛文訳、玉川大学出版部、一四六頁。

＊11 同上書、一五三頁。

＊12 Conferência Nacional dos Bispos do Brasil は、拡大する教区を全国規模で統合し、社会改革に関与する目的で、一九五二年に設立された。

CNBBを設立したカマラを中心に、貧農の組織化をすすめ、読み書きを通じて意識を高める基礎教育運動に取り組んだ。一九五五年にはバチカンの支援のもとにラテンアメリカ司教協議会（CELAM）[*13]がブラジルのリオデジャネイロで設立され、大陸規模の教会の動静を左右することになる。

一九六八年の軍政令第五号布告以降、人身保護令が停止され、都市ゲリラの激化と弾圧、学生・労働者・聖職者による反政府運動が高揚する。七〇年にバチカンの「正義と平和委員会」および教皇パウロ六世がブラジルにおける拷問を非難、翌七一年にエヴァリスト・アルンス・サンパウロ大司教（コラム6参照）が獄中のカトリック労働者への拷問を糾弾するに及び、反軍政の潮流は全国に拡大、教会は弾圧の標的になった。[*14] 六五年の選挙で保守派が指導権を握っていたCNBBの指導部は、七一年に進歩派に移り、七四年にも進歩派が再選される。

この流れを促進したのが、一九六八年八月にコロンビアのメデジンで教皇を迎えて開かれたCELAMⅡ総会である。進歩派司教による決議文『メデジン文書』はラテンアメリカにおける貧困と不平等を「構造的暴力」「罪の状態」ととらえ、社会変革への参加を促し、キリスト教（または教会）基礎共同体（CEBs）[*15]の設立が推奨された。教会の方向転換を示す会議であり、ここに「解放の神学」の基礎が築かれたといえよう。カサノヴァの表現によれば、「寡頭制の教会」から「民の教会」への変容である。[*16] 七九年初頭、メキシコのプエブラで教皇ヨハネ・パウロ二世（在位一九七八～二〇〇五年）臨席のもとCELAMⅢが開催された。プエブラ会議では主導権が保守派に移っていたが、会議の文書は軍事政権の政策を改めて批判し、教会の社会参加を求める解放の神学路線であった。[*17]

ソ連のアフガニスタン侵攻（一九七九年末）に始まる新冷戦期に、ニカラグアで起きたサン

*13 Consejo Episcopal Latinoamericano は全国司教協議会の連合組織。第二バチカン公会議の決定に沿って設立された。

*14 Klaiber, Jeffrey [1998] *The Church, Dictatorships and Democracy in Latin America*, New York: Orbis Books, pp.27-29.

*15 Comunidades eclesiales de base＝貧しい人々の教会。

*16 カサノヴァ、前掲書、一四六～一七一頁

*17 Agostin, Nilo [1990] *Nova evangelização e opção comunitária*, Petrópolis: Vozes, pp.112-129.

ディニスタ革命とエルサルバドルの軍事クーデターは、中米動乱を予告した。社会主義的なサンディニスタ政権に数名の解放の神学者が入閣し、米国の軍事介入阻止と社会改革の実現に貢献する。ブラジルでは七九年初頭に軍政令第五号が撤廃され、政治開放（アベルトゥーラ）が本格化する。この時期CNBBの指導部は依然進歩派が握り、軍事政権主導の再民主化過程に警鐘を鳴らし続けた。CEBs内で広がる労働者党のルーラ（第10章参照）への支持も、保守派の危機感を強めた。民政移管の前年の一九八四年、バチカンは解放の神学者レオナルド・ボフの喚問を開始する。

『教会・カリスマと権力』をめぐって

一九八四年五月一五日、レオナルド・ボフはバチカンの教理省長官ヨーゼフ・ラッツィンガー（Joseph Ratzinger）枢機卿から著書『教会・カリスマと権力』[＊18]に関する一通の書簡を受けとった。同書に関する喚問のための召喚状であるが、喚問について述べる前に、同書の内容を簡単に紹介したい。参照したのは Boff, Leonardo［1982］*Igreja, Carisma e Poder*, Petrópolis: Editora Vozes.[＊19] および邦語訳のボフ［一九八七］である。

一三章から成る本書の第一章は「教会の諸形態と司牧の実態」という史的総論である。「神国論」（アウグスティヌス）における教会は、神の国と同じものとみなされたが、植民地時代になると「母と教師（マーテル・エト・マジストラ）」としての教会は支配階級と手を結ぶ。二十世紀初頭に始まる進歩と開発の時代に注目されたのが「救いの秘跡（サクラメント）」としての教会である。教会も社会改革に身を投じ、第二バチカン公会議もこれを認めて、固有の神学を発展させた。しかし一九七〇年代になると低開発の原因が北大西洋諸国への従属にあり、抑圧を生むことが明らかになる。教会の

＊18　カリスマ（charisma 英語、ポルトガル語ではcarisma）は、神から与えられる「賜物」、非日常的な天与の資質を意味するギリシャ語で、新約聖書の中で使徒パウロによって、数多く用いられた。のちに社会学者のマックス・ヴェーバーは合法的支配・伝統的支配に対比される第三の支配型としてカリスマ的支配を概念化した。

＊19　原書（三版）には「闘争的教会論」という挑戦的な副題がつけられている。邦訳にこれが見当たらないのは、恐らく初版か二版の翻訳故か。

基礎の部分（底辺）である民衆による教会基礎共同体（ＣＥＢｓ）が発展し、政治と宗教の解放が求められる。

「神学の諸傾向と司牧の実態」（第二章）は、神学は複数の神学へ発展する傾向があり、「信仰の遺産の解説者としての神学」から「今日の教会に固有な神学」に向かう。

一九七九年のプエブラ会議（ＣＥＬＡＭⅢ）を例に、社会的・構造的不正義の排除を主張する七〇年代のラテンアメリカの教会の姿勢を紹介するのが、第三章「教会と貧しい人々の正義と権利のための闘い」である。

「教会における人権の侵害」を扱った第四章では、辛辣な筆致で「教会は聖であると同時にいつも浄化の必要のある存在」だと説く。例えば還俗した司祭は宗教教育機関への出入りを禁じられている。女性修道者の数は男性の一〇倍に及ぶが、教会法では無能扱いにされている。イエスが使徒として一一人の既婚者と一人の独身者を選んだことを想起すれば、修道者（男女を問わず）の独身を求めることも非合理であろう。また教理省（一九〇八年まで検邪聖省）による審問の規制（七一年）には、人権に関する条項が省かれている。第二バチカン公会議以降、「教会の民主化」がはかられてはいるのだが。

教会の歴史を追いつつその再生可能性を問うのが、第五章「制度化された教会の権力、その回心は可能か」である。キリスト教はローマ皇帝のもとで帝国の宗教に変貌し、十一世紀に教皇が地上の神となる。制度化されたカトリック教会はルターを破門し（一五二一年）、フランス革命にも反対（一七八九年）、民主主義を誤りとした（一八四六年）。著者は教会の統治形態とソ連共産党との驚くべき相似性に言及する。

第六章「ローマ・カトリシズム、その構造の常態と病理学的症状」。カトリックの独自性はその秘跡性と福音（良い知らせ）がこの世界に浸透する際の積極的仲介にある。しかしその制度と教義が少数の聖職者の手に集中し、カトリシズムは全体主義的で抑圧的イデオロギーと化した。

普遍性の同義語としてのカトリック性は、折衷主義の過程を通して達成されると説くのが、第七章「折衷主義（シンクレティズム）への傾き、カトリシズムのカトリック性」である。カトリシズム自身、ユダヤ・ギリシャ・ローマなどの壮大な思想と文化との統合・融合を図ってきた。また教会がアフリカ人の、中国人の、ラテンアメリカ人の教会でないなら、カトリックとは言い難い。

第八章「階級社会における教会の特徴」は草の根の教会がテーマである。十六世紀の神学者R・ベラルミーノの主張をもとに、底辺からの教会を分析する。

第九章「教会基礎共同体、その素描」のテーマは、ボフの解放の神学論の中心となる組織である。CEBsはラテンアメリカの基礎＝社会の底辺から生まれた共同体で、次の五つの特徴がある。

1 抑圧の中で信仰する民――共同体主義[*20]の精神は希望の表現である。CEBsは約一五～二〇の貧しい家族で構成され、週に一～二度集まり、聖書の解説を受け、祈り、グループとして何をなすべきかを決める。制度上の教会とCEBsは補い協力する。

2 神のみことばからの誕生――参加者は病気、失業、水などの社会問題から政治的態度をとり始める。

3 教会であるための新しい道――信仰を生きる共同体方式（コムニタリア）によって教会は底辺から再創造され、有機体となる。

4 解放のしるしと道具――福音書を読んで分かち合い、社会の不正な関係を克服するため民

＊20 原書の comunitário（一九四、一九六および二〇七頁）が、邦訳では「共同社会主義」（邦訳二〇一、二〇三および二〇七頁）と表記されており、誤解を招く訳である。資本主義も社会主義のいずれも人間の尊厳を犯すものとみなすカトリック社会思想が理想とするのが、第三の道としての共同体主義（comunitário）であり、CEBsの基本理念である。Bustmante,Rodrígues-Arias [1961] *La democracia cristiana y América Latina*, Lima: Editorial Universitaria, p.105. 参照。

衆運動を組織する。

5 信仰と生活の祭典――民衆は神の言葉を上演し、祝祭を組織し、自らの解放に向かう。

第一〇章「教会基礎共同体の支えとなる教会論」では第二バチカン公会議後、教会を神の民とする表現が目立つようになった（教会生成）。教会は決定に民衆の参加を認め、組織の解放をすすめる（共同体と解放のしるしとしての教会）。社会的・構造的問題に対処するには深い霊性と連帯が必要（解放と予言の道具としての教会）。

第一一章「『教える教会』対『学ぶ教会』」は六つのテーゼから成る。全体の教会（信者の共同体）は学ぶ教会（第一のテーゼ）。教会全体（信者の共同体）が「教える」教会（第二のテーゼ）。「教える」ことと「学ぶ」ことは教会の区分ではなく、二つの機能（第三のテーゼ）。「教える」教会と「学ぶ」教会の区分は、神学的に有効（第四のテーゼ）。「教える教会」と「学ぶ教会」の二分法は、教会の現実の病理学的分析の結果（第五のテーゼ）。弁証法的相互作用は「教える教会」と「学ぶ教会」の健全な区分であり、両側通行の道こそ必要（第六のテーゼ）。

第一二章「二者択一の見方に立って、聖霊の秘跡（サクラメント）としての教会」では、「受肉は教会のモデルか？」「キリストと使徒により創造され、聖霊に導かれた教会」「キリスト論と聖霊論との間の基礎的一致」「教会―聖霊の秘跡」（教会は復活したキリストで、しるし）が論じられる。最終章の第一三章「選択可能な構造、組織化の原理としてのカリスマ」では改めて「カリスマとは」共同体のメンバーにおける聖霊の表出とし、最後に内的結合と調和をもたらす「一致のカリスマ」の重要性を指摘して、本書を終えている。

バチカンへの召喚――沈黙の強制へ

ポーランド出身で頑強な反共主義者のヨハネ・パウロ二世と、彼によって一九八二年に教理省長官に任じられたラッツィンガー枢機卿（のちの教皇ベネディクト十六世、在位二〇〇五～一三年）の時代は、ヨハネ二十三世とパウロ六世による平和共存路線の終焉と、脱社会主義化にともなうグローバルな教会再統一が試みられた。なかでもかつて進歩派と称されたラッツィンガー枢機卿はボフの博士論文の出版を支援した人物だが、解放の神学に対して現代の異端審問官ぶりを発揮する。

ラッツィンガー教理省長官からバチカンへの召喚状を受けとったボフは、一九八四年九月二日、弟のクロドヴィスと共にローマに到着。彼を支援するE・アルンス、A・ローシャイダ両枢機卿が同伴した。七日にボフはラッツィンガーおよびバチカン教理省の数名と四時間にわたって会談したが、その四日前の九月三日に教理省による『自由の使信（Libertatis Nuntius）――解放の神学の誤った側面に関する注意』（通称『ラッツィンガー・レポート』）が出されている。三六ページに及ぶ『使信』の大要[*21]は、解放の神学の一部がマルクス主義思想を無批判に借用する危険を警告し、教会の位階構造に挑戦しているとして、福音に基づいた神学であるべきと述べている。

『自由の使信』は解放の神学を否定してはいないが、後半は攻撃的な神学論争に近い。とくにマルクス主義への反対の文書の感がある。しかし問題になったボフの著書『教会、カリスマと権力』では教会の圧倒的権力を問題にしており、それに対置するものとして権力を持たないCEBsが描かれている。彼の論調はマルクス主義的というよりも従属論[*22]（中心―周辺理論）的である。使信はボフにとって的外れな攻撃であったが、情報はマスコミを通じて日本を含め、広く伝えられた。

＊21 Cox, Harvey［1988］*Silencing of Leonardo Boff: The Vatican and the Future of World Christianity*, Collins Flame, pp.77-81. マシア、ホアン［一九八五］『解放の神学――信仰と政治の十字路』南窓社、一四九～一六〇頁。

＊22 世界システムとしての資本主義は、周辺部の経済余剰を収奪して従属と低開発をもたらすという理論。

帰国後クロドヴィスと著した共著『現実の議論における解放の神学』(Boff, L. e Clodovis Boff [1985]) は、バチカンへのきびしい返答である。当局の家父長的態度がラテンアメリカの貧しい人々を従属的地位に追いやっていること、指針におけるマルクス主義の曖昧な扱いなどを糾弾している。

しかしラッツィンガーとの対話はボフを不安にした。バチカンから見れば事態はまだ終わっていなかったのだ。

翌一九八五年三月一一日、前年ボフの許に届いた召喚状(「ボフの著書が伝統的権威にとり危険」との主旨)が公的告示としてボフのもとに送られてきた。ボフは告示の内容に失望したが、服従せざるをえなかった。さらに同年五月九日、ローマから「償いの沈黙」を課す通知がボフのもとに届く。これは講演、執筆、出版社 Vozes などでの編集・出版、会議への出席などを慎む要請で、目的は「真剣な反省」を促すためであるという。

「沈黙の時期は大変辛いものだった」とのちにボフは述懐している。「言葉は我々の武器だが、それを突然奪われて私は大変苦しんだ。私はこの受け入れられない強権的方法——ブラジルの軍が用いたやり方で、教会はそれを批判してきたのだが——の犠牲となったが、この大陸の多くの先住民や黒人を沈黙させてきた文化との交流の精神で、これを受け止めた。彼らは決して語ることを許されない。私よりもずっと苦しんできたのだ」と。*23

バチカンとの対立はボフの名を国際的に高めた。「沈黙の強制」ともいうべき箝口令(かんこうれい)に対してブラジルの多くの司教たちは反対の署名をバチカンに送り、一〇に近いブラジルの市はボフを名誉市民とした。沈黙の期間がいつまで続くか明確ではなかったが、一年間との予想に反して、一九八六年四月に禁止命令が解除される。*24 すでに同年三月二二日、解放の神学につい

*23 Boff, *op. cit.*, p.9.

*24 山田経三[一九九二]「現代世界における解放の神学の役割——レオナルド・ボフの貢献」『社会正義』一一号、一一~一三頁。

ての二番目の教書としてバチカン教理省は『自由の自覚――キリスト者の自由と解放に関する指針』(Libertatis Conscientia)を公にしていた。[*25] 文書は権威主義的で抽象的表現ではあるものの、解放の神学を支持して取り込む姿勢が注目された。

ボフをめぐるバチカンの対応について、米国の神学者コックス(Harvey Cox)は「今日、断層は教義のうちではなく、北と南、キリスト教の伝統的ヨーロッパの中心と第三世界、比較的心地よい教会と絶望的に貧しい教会との分裂となっている……今日アフリカでキリスト教のインカルチュレーション(土着化)がすでに数多くの独立教会を生んでおり、中国の教会も独自の発展を遂げている……カトリシズムの輪郭をいかに形成するかが問題になるだろう」と指摘している。[*26]

＊25 マシア、ホアン[一九八六]『バチカンと解放の神学』南窓社、一四九〜二〇九頁。

＊26 *Cox, op. cit.*, pp.117-8.

聖職離脱――エコロジー神学へ

一九九二年六月、コロンブスの新大陸到着五〇〇年を記念して、国連環境開発会議(Eco-92)がブラジルのリオデジャネイロで開催された。再びローマからボフに沈黙が課されたのはこの時で、地球サミットへのボフの参加を阻止するためであった。ボフはこの指令を拒否して直ちにフランシスコ会を脱会し、司祭職からも離脱した(六月二六日)。事実上の破門である。翌月、彼はその心境と決意を記したが、以下はその大要である。

「私は聖職から離れるが、教会からではない。私は今後もエキュメニカルな神学者として貧者の解放のために戦い続ける。解放の神学(初めてのラテンアメリカ神学)を通して、権力者の利益に抗っていく。私は異端やマルクス主義と共謀しているとの非難に耐え、神学の講義も控えざるを得なくなった……いまカトリック教会には深刻な危機が存在する。第一は秩序維持のため服従と従順を求める権力であり、第二は第三世界の周縁の教会に見られる自由と生命に溢れる教会との対立である。私はインド・アフロ・アメリカのキリスト教の建設に、知的作業を通じて関わっていきたい」と。[*27]

ついでEco-92に向けて準備していたボフは、著書『エコロジーと解放、新しいパラダイム』(Boff [1995])[*28]を上梓した。同書は三部から成るが（第一部「エコロジー＝新しいパラダイム」、第二部「エコロジーからグローバルな意識へ」、第三部「世界意識から神秘主義へ」）、全体の印象はエコロジーよりも解放に重点が置かれている。

エコロジー（生態学）は本来生物学の分野だが、生態系としての地球環境の破壊が深刻化するにともない、エコロジー神学が台頭してきた（第一部）。とくに執筆直前（一九九一年）に起きたソ連崩壊（社会主義体制の消滅）の衝撃は大きく、グローバルな解放の必要が生まれる（第二部）。キリスト教の神秘主義は、人間の側の努力というよりも、神が神の側からキリストを通じて人間に到来することを意味する。第三部では、世界意識を背景に生まれた神秘主義のキリスト教的重要性と性の重要性のバランスが論じられる。

バチカン内で次期教皇はラテンアメリカかアフリカからという声が聞こえ始めたのは、ラッツィンガー枢機卿が教皇（ベネディクト十六世）となった末期以降である。[*29]

「神学の解放」へ

世界最大のカトリック人口（二〇一〇年に一億二三〇〇万人）を擁するブラジルだが、その比重は全人口の九二パーセント（一九七〇年）から六五パーセント（二〇一〇年）に低下してきている。代わって伸張著しいのがプロテスタントで（一九七〇年の五パーセントから二〇一〇年に二二

＊27 *The Tablet*, July 11, 1992, pp.882-883.

＊28 ポルトガル語版『エコロジー・世界意識・精神性』は九三年に刊行。

＊29 *The Tablet*, Jan.5, 2013.

パーセントに)、なかでも米国起源のペンテコステ派はゼロから一三パーセントに急増している。無宗教者も〇・七パーセントから八パーセントに増加した。[*30] また軍政時代、草の根民主主義の砦であったCEBsも、民政化後かつての勢いを失った。

還俗したボフはリオデジャネイロ州立大学の倫理学、宗教哲学、環境の名誉教授をつとめ、結婚も実現した。俗人聖職者としていくつかのCEBsで働き、「ブラジル土地なき人々の運動」にも関わってきた。

ボフは教会の新しいモデルを、権力が神学的特権を持たず、コミュニティ(共同体)の必要を明確に表現できる存在と構想した。「神学の解放」をイメージしたのだが、この理念はすでに彼の代表的著書『教会・カリスマと権力』に表れており、彼の著作を特徴づけている。またウルグアイの解放の神学者セグンドはすでに『神学の解放』(Segundo [1975])を著して、欧米中心の神学からの解放を主張した。

そして「神学の解放」の理念は、バチカンからの攻撃の繰り返しを経て、「解放の神学」と共にボフの神学の中心思想となった。二〇一三年、南の世界(アルゼンチン)からフランシスコ教皇が登場して、バチカンの空気も変わった。

一〇〇を超える著書・論文を世に送ったボフは今も著作を続けており、現在も神学思想ジャーナル *Concilium*(『教会会議』)の諮問委員などをつとめる。世界のリベラルな神学者から成る委員のなかにはペルーのG・グティエレスの名もあり、ともにムスリムとの共存などのテーマに取り組んでいる。

*30 *Almanaque Abril 2015*, p.144.

【読書案内】

Boff, Leonardo [1972] *Jesus Cristo Libertador: ensaio de cristologia crítica para nosso tempo*, Petrópolis: Editora Vozes.

——— [1977] *Eclesiogênese: as comunidades eclesiais de base reinventam a igreja*, Petrópolis: Editora Vozes.

——— [1995] *Ecology & Liberation: A New Paradigm*, New York: Orbis Books.

Boff, Leonardo e Clodovis Boff [1985] *Teologia da Libertação no Debate Atual*, Petrópolis: Editora Vozes.

Segundo, Juan Luis [1975] *Liberación de la teología*, Buenos Aires: Ediciones Carlos Lohlê.

Greenman, Jeffrey P. et al. (eds.) [2007] *The Sermon on the Mount through the Centuries*, Michigan: Brazos Press.

Ormerod, Neil [1990] *Introducing Contemporary Theologies*, Newton, NSW: E.J. Dwver.

Elizondo, Javier [1988] *The Use of the Bible in the Moral Deliberation of Liberation Theologians: An Examination of the Works of Leonardo Boff, José Míguez Bonino and Porfirio Miranda*, Texas: Waco.

ボフ、レオナルド［一九六五］『アシジの貧者・解放の神学』石井健吾訳、エンデルレ書店。

———［一九八七］『教会、カリスマと権力』石井健吾、伊能哲大訳、エンデルレ書店。

コックス、H［一九八六］『世俗都市の宗教』大島かおり訳、新教出版社。

ハーバーマス、ユルゲン、ヨーゼフ・ラッツィンガー［二〇〇七］『ポスト世俗化時代の哲学と宗教』三島憲一訳・解説、岩波書店。

Greenman et al. (eds.) [2007] は、「アウグスチヌス」に始まる一二の論文から成るが、その一つが「ヨハネ・パウロ二世（JPⅡ）とレオナルド・ボフ」（著者＝William T. Cavanaugh）である。カトリック教会で両極を代表するのが上記の二人で、各々「聖人」と「殉教者」（虐げられた人々を擁護して沈黙させられた）とされた。人権侵害を批判する点で両者は共通だが、神学的診断が異なっていたと著者はみる。その相違は、JPⅡが北の聴衆に語りかけ、ボフが相手にしたのが南の貧しい人々だったこと、さらにJPⅡがイエスをそのユダヤ的文脈に位置づけた点で、ボフより有利であったとする。

一九六五年に『世俗都市』を著して都市化と世俗化を積極的に評価した米国のH・コックスは、コックス［一九八六］（原書は一九八四年刊）において、米国の政治的ファンダメンタリズムとラテンアメリカの基礎共同体運動（解放の神学）とを考察した。近代社会の「底辺と周縁」から起きたこれらの動きが、果たして著者の予言どおり「新しい宗教改革」の芽なのか（だったのか）、改めて問い直す必要がある。ちなみにファンダメンタリストは、米国のトランプ元大統領ら福音派を含む。

ハーバーマス［二〇〇七］は、リベラル・レフトの哲学者ハーバーマスと保守右翼のラッツィンガー枢機卿とのドイツ・ミュンヘンにおける二〇〇四年の討論の記録である。「変貌するカトリック教会とディスクルス倫理」と題する長文の訳者解説が、カトリック世界の知的動向を伝えていて興味深い。

（乗　浩子）

コラム　「移行期の正義」と取り組んだアルンス枢機卿

召喚されたＬ・ボフに寄り添ってバチカンを訪れたアルンス(Paulo Evaristo Arns)枢機卿(もとサンパウロの大司教)は、軍政期の人権侵害を告発する文書『ブラジル――決して再び(*Brasil: Nunca Mais*)』(ＢＮＭ)を公表したことでも知られる。

軍政期(一九六四～八五年)のなかでも軍による人権侵害が激化した一九七〇年末、対立する教会と軍の代表の間に極秘の対話の試みが生まれ、七四年後半まで続いた。教会側はこの対話を通じて失踪者の所在や拷問などについての情報を得、さらにＢＮＭという型の告発を可能にする手がかりをつかんだとみられる。一方でアルンスはブラジル各地の監獄や抑留センターに政治犯を訪ね、拷問の実態を見聞きしてきた。サンパウロのカテドラルは、拷問死をとげたユダヤ人ジャーナリストやプロテスタントの学生などを含むエキュメニカルな(宗派を超えた)葬送礼拝の場となった。

一九七九年八月、サンパウロ大司教区内にＢＮＭプロジェクトが秘かに設立された背景には、軍政最後のフィゲイレド大統領のもとで政治犯罪に対する恩赦(アムネスティ)法が同年八月に制定された事情がある。民間人と軍人の双方の恩赦を決めた同法は、軍政期の人権侵害の加害者の免責に加え、真実委員会設立による真相究明の機会を封じるものだったからである。ブラジルの軍政が、チリ、アルゼンチンなど他の南米諸国にくらべて人権侵害の程度が比較的低かったことで、民政移管は軍部主導で行われた。

政治開放過程(アベルトゥーラ)で始まったＢＮＭプロジェクトの作業は、軍事法廷で行われた全政治事件の公式裁判記録に弁護士など研究者グループがアクセスし、膨大な文書のオリジナルコピーを複写し、内容を分析・研究。三〇〇ページ余りに圧縮して、一九八五年三月、民政ブラジルのスタートと同時に『ブラジル――決して再び』(アルンスの序文付き)と題して発売され、ベストセラーとなった。

同書は、「拷問」に象徴される抑圧体制の分析から始まる。冷戦体制のもと軍のファシスト的性格は強化され、行政権や治安組織を強化、死刑が導入される。軍人をクーデターに駆り立てた国家安全保障ドクトリンは、「内部の敵」を警戒するからである。こうして叛乱の容疑で拘束された被告たちに拷問が行われる。電気ショック、アイスボックスなどさまざまな方法が計画的に採用され、拷問中の死は自殺とされた。また拷問は身体的傷跡を残さず行うよう指示されていた。

BNMプロジェクトが抽出した六九五件の裁判の被告は主に中産階級で、最も多い罪状は共産党など左翼組織における活動と、武装闘争への参加であった。標的にされた社会グループは、軍人、労働者、学生、宗教者（解放の神学派の神父）などである。誘拐、恣意的拘留についで多いのが「政治的行方不明者」（desaparecidos políticos）で、反体制派を威嚇する有効でよく用いられた方法だった。被害者は家族や組織との接触を失い、秘密の墓地に埋められた。巻末の行方不明者リスト（一二五人）の中に、日系人らしい名前が二名ある。また軍の医療検査官として拷問死を隠蔽する報告書を中心になって作成した医師も日系人らしい。

一九七五年一二月、国連総会は「拷問等禁止宣言」を採択した。これはBNMの序文でアルンス枢機卿が求めたもので、八五年九月、民政復帰間もないサルネイ大統領により調印・批准された。二〇一二年、自身軍政期に拷問を受けたジルマ・ルセフ大統領のもとで国家真実委員会が組織され、報告書が一四年に提出されたが、七九年の恩赦法故に、加害者名が公にされるにとどまった。教会関係者による人権侵害報告書としては、グアテマラ、ウルグアイ、パラグアイの例がある。

（乗　浩子）

アルンス枢機卿
Reprinted from *Paulo Evaristo Arns: Cardeal da Esperança e Pastor da Igreja de São Paulo*, São Paulo: Edições Paulinas, 1989.

第Ⅱ部

低開発と闘う

第7章　唯物史観による最初のブラジル経済史――カイオ・プラド・ジュニオール

カイオ・ダ・シルヴァ・プラド・ジュニオール（Caio da Sliva Prado Júnior）は、唯物史観（史的唯物論）の方法でブラジル史を書いた最初の歴史家と言われている。通常カイオ・プラド・Jr（以下プラドと略す）名で言及される。「唯物史観」とはカール・マルクスとフリードリヒ・エンゲルスが確立した経済社会史の認識方法である。人類の発展史には客観的な法則があり、原始社会、奴隷制、封建制、資本主義へと進化してきたが、資本主義が人類史の最後の段階とは限らない、という史観である。[*1] プラドは、ポスト資本主義すなわち社会主義を展望しつつブラジル史を論じた、最初の歴史家であった。彼がその思想を形成した青年期の一九二〇年代、ブラジルは世界大恐慌（二九年恐慌）に見舞われるという大混乱の時代であった。また一八八八年に廃止されたばかりの奴隷制の悪影響（劣悪な労働環境）も残っていた。こうした事情により、今でもこの国の貧富の格差は大きく貧者の困窮度合いは高いが、当時の貧困は今以上に過酷であった。こうした中で貧しさの現実を直視し、貧困者を根本的に解放する道を探求したのが、プラドであった。

プラドの主な特徴を四点挙げておくと、第一に、政治活動・革命運動と学術・研究活動の二つの領域で仕事を続けたという点である。一九三〇年～四五年のヴァルガス政権の独裁や六四年～八五年の軍事政権の弾圧の下で、高い志で帝国主義と資本主義を批判し続け、逮捕

カイオ・プラド・ジュニオール　一九三九年、リオデジャネイロ市内で撮影　Reprinted from Luiz Bernardo Pericás, *Caio Prado Júnior: uma biografia política*, FAPESP/Boitempo Editorial, 2016.

＊1　マルクスがこの法則を定式化したのは、一八五九年に刊行した『経済学批判』という著書の序言で、そこでは生産力の発展（技術進歩）と生産諸関係の矛盾が発展（体制の変化、革命）を促す力だと論じた。生産諸関係とは、誰が生産手段（土地、工場、生産機

と投獄の弾圧を何度も経験しているが、圧力に屈することなく、批判的理論を堅持した。第二に、博覧強記の印象を与えるその文章は魅力に溢れ、多くの読者を獲得して、ブラジル人に多大な影響を与えた。この国を代表する知識人であり、ブラジル史を勉強した日本人の多くも、理論的立場の違いを超えて、彼の主要著作の恩恵を受けてきたといえるだろう。

以上二点はわかりやすい特徴であるが、次の二点は複雑である。第三に、ブラジル共産党[*2]との関係が明快ではないという点である。理論面では、彼は革命の展望に関する同党の綱領路線（公式見解）を拒絶し、異なる展望を持っていた。そのためブラジル共産党の革命戦略を生涯厳しく批判し続けたが、実践面では離党せず、八三歳で死去するまで党員であった。理論と実践が不整合で、この点で理解困難な要素のある思想家である。第四に、彼の理論的特徴は、広い意味ではマルクス主義に分類されるであろうが、資本蓄積に関するマルクスの中心的な理論を重視していない点である。すなわち工業部門における生産過程内での資本家による労働者の搾取（剰余価値生産[*3]）を基礎とした資本蓄積のメカニズムに焦点を当てていない。「流通主義」と特徴づけられるように、貿易や投資などの経済取引を通じた先進国によるブラジルの富の収奪の分析に力点が置かれている。このように矛盾をかかえた思想家であるが、根本的な貧困撲滅をめざしたヒューマニズムの歴史家であることを否定する論者はいないであろう。

生い立ちと著作

プラドは、一九〇七年二月一一日、サンパウロ州の裕福な貴族の家庭に生まれた。[*4] コーヒー農園を経営する大土地所有者の家系で、祖父のマルチーニョ・ダ・シルヴァ・プラド・ジュニオール（Martinho da Silva Prado Jr.）は、サンパウロ州北東部のリベイロン・プレト（Ribeirão

械、販売店など）を所有し、誰が生産現場で働くかといった社会関係を意味しており、奴隷制、封建制、資本主義を区分する基準である。すなわち、この三つの時代は、生産力も異なるが、生産諸関係が異なっていると考える。

*2 略号はＰＣＢ（Partido Comunista do Brasil）。一九二二年創立。六〇年代にソ連系と中国系の二つに分裂し、ソ連系は最近さらに分裂したが、中心のメンバーはＰＣＢ（フルネームはPartido Comunista Brasileiroと改名）として存続している。中国系はＰＣdoＢ（フルネームは創立当初のPartido Comunista do Brasil）と称する。現在連邦議会および州や基礎自治体の議会で一定の議席を有するのはＰＣdoＢのほうで、ＰＣＢは連邦議会に現時点で議席を保有していない。

*3 これはマルクスが主著『資本論』（第Ⅰ部は一八六七年刊）で詳しく展開した理論で、労働者がある期間（例えば一日）に生産する総価値のうち、その一部分（例えば五〇パーセント）は労賃として労働者自身が手にするが、残り（例えば五〇パーセント）は資本

Preto）地域に農園を有する、世界最大のコーヒー生産者であった。同家は、多くの政治家を輩出した名門であった。プラドは、幼少期から良質な教育を受け、高等教育については、現在のサンパウロ大学法学部の前身であるラルゴ・デ・サンフランシスコ法学校へ入学した。そこでの勉学は、プラドが批判的社会科学の方法を身につけるきっかけとなった。二八年に民主党（Partido Democrático）に入党して、政治活動に参加し始めた。民主党員として三〇年の「ヴァルガス革命」[*5]を支援したが、政権成立後はヴァルガス大統領の政治に幻滅するようになり、三一年に、ブラジル共産党（ＰＣＢ）に入党した。ブラジルではファシズムへの抵抗運動である民族解放同盟（Aliança Nacional Libertadora：ＡＮＬ）が三四年に創設されたが、それにも参加して活動した。この同盟の指導者の一人は、ルイス・カルロス・プレステスであった[*6]。プラドは、こうした政治活動中の三三年に、ブラジル史研究に唯物史観による新風を吹き込んだと評価される作品『ブラジルの政治的進化――ブラジル史の唯物的解釈の小論』を発表した。プラドは同じ題名が付された本を、その他の論稿とあわせて（書名に「およびその他の論稿」を加筆）、五三年にも出している。

一九三四年にはブラジル地理学会（Associação Geógrafos do Brasil）の創立に参加し、雑誌『地理』（*Geografia*）の編集にたずさわる。三五年の年末にＰＣＢの活動の関係で逮捕され、三七年に釈放されて欧州に亡命したが、三九年に帰国し、四二年に『現代ブラジルの形成』を刊行する。翌四三年に、父方祖母から相続した遺産を投じて、現在も存続する出版社ブラジリエンセ（Brasiliense）を設立し、以後彼はここから著作を出版し続けた。Brasilienseは、「ブラジルに関する」という意味である。四五年に、次節で紹介する『ブラジル経済史』を同社から出版した。この年、軍部のクーデターによりヴァルガス大統領は失脚し、ＰＣＢは合法化された。プラド

家が取得し、それが彼の利潤を形成するという考え方である。この資本家の取り分を剰余価値と呼んだ。この例での剰余価値率は一〇〇パーセント（五〇÷五〇×一〇〇）と計算される。剰余価値が生産される過程をマルクスは「搾取」（exploitation）と呼んだ。資本家は取得した剰余価値の全部または一部を再投資することで、事業を拡大させるが、これを「資本蓄積」という。

*4　以下生い立ちについては、Ｌ・セコ教授およびＬ・Ｂ・ペリカス教授の研究書（Secco [2015]; Pericás [2017]）ならびに著作選集巻末（各巻共通）のSobre o Autor（著者について）を参照した。

*5　政治家ジェトゥリオ・ヴァルガス（Getúlio Vargas 1882–1954）が軍部の力を得て一九三〇年に成功させた、無血の軍事クーデター。彼は同年三月一日の大統領選挙ではライバル候補に完敗していたが、一一月三日臨時革命政府を樹立し、その後独裁色を強めた政治を四五年まで続けた。

*6　Luís Carlos Prestes（1898–1990）ブラジル共産党（ＰＣＢ）の書記長を

は四七年に同党からサンパウロ州議会議員に立候補して当選した。同時点で、文筆活動においては、彼はPCBの公的理論（綱領路線）とはいわば真正面から対立していたが、政治活動については州の議員になるほど同党との強い関係を維持していた。その後五五年に『ブラジリエンセ誌（*Revista Brasiliense*）』という学術誌を創刊した。この学術誌には多くの論客が集い、ブラジルの言論界において重要な役割を果たした。以後彼の著作のほとんどは、まずはこの雑誌に掲載され、のちに本として刊行された。六四年に始まった軍事政権下で、同雑誌は廃刊となったが、それは軍事政権が出版物の検閲といった言論統制を行ったためである。プラド自身は軍政下で何度か逮捕され、拘禁・投獄されたが、[*7] 著書は軍政下でも刊行された。軍政が続くなか八三年（七六歳）まで著作・出版活動を続け、九〇年一一月二三日に、八三歳でその一生を終えた。

プラドの主要な著作物は表7-1のとおりである。[*8] 邦訳があるのは『ブラジル経済史』のみである。題名は、その一冊を除いて、筆者による仮訳である。なお、一九三五年の獄中の「政治日記」（Diário Político）、学術誌の論文、書簡、新聞等のインタビュー記事など、多数の著作のより完全な表は、セコ教授とペリカス教授の研究書（Secco [2015]；Pericás [2017]）を参照されたい。

日本人への影響については、日本語で読めるブラジル史の代表的作品であるアンドウ・ゼンパチの『ブラジル史』に触れる必要があろう。アンドウはこの本を書くにあたって参考にした最も重要な歴史研究者の一人として、プラドを挙げている（アンドウ［一九八三］）。

二十世紀初頭のブラジル社会と『ブラジル経済史』

本章では、彼の多数の著作の中から、代表作といえる『ブラジル経済史』と『ブラジル革命』

一九四三年から八〇年まで務め、ブラジルにおける共産主義運動の発展を支えた政治家・革命家。

*7 一九六四年の四月、六五年の四月と六月に、逮捕され、短期間拘禁された。七〇年には、武装闘争を支援した容疑で逮捕され、七一年八月まで投獄された。獄中で『レヴィ＝ストロースの構造主義』（表7-1参照）の原稿を完成させた（出版も同年）（Pericás [2017] Cronologia）。

*8 章末の読書案内には、これらの業績が収録された著作集をふくめて掲載しているので、一対一の対応にはなっていない。本章で取り上げた『ブラジル経済史』の原著は、現時点で三冊まで出されている著作集には含まれていないので、単独の本として章末のリストに掲げた。本文では一九四五年の初版の刊行年を示したが、同リストでは、一九七〇年の改訂版の第四三版の初刷の刊行年である二〇一二年を、刊行年として記載した。

表 7–1 主要著作

書名（日本語）	書名（原語）	出版年
『ブラジルの政治的進化 ── ブラジル史の唯物論的解釈の小論』	*Evolução política do Brasil: Ensaio de interpretação materialista da história brasileira*	1933
『ソビエト連邦：新しい世界』	*URSS:um novo mundo*	1934
『現代ブラジルの形成』	*Formação do Brasil contemporâneo*	1942
『ブラジル経済史』	*História econômica do Brasil*	1945
『知の弁証法』	*Dialética do conhecimento*	1952
『ブラジルの政治的進化およびその他の論稿』	*Evolução política do Brasil e outros estudos*	1953
「ブラジルの経済政策にむけたガイドライン」（サンパウロ大学 Law School の教員ポストへの応募のため書かれた論文）	*Diretrizes para uma política econômica brasileira*	1954
『経済学理論の基礎のスケッチ』	*Esboço de fundamentos da teoria econômica*	1957
『弁証法論理への入門的ノート』	*Notas introdutórias à lógica dialética*	1959
『社会主義の世界』	*O mundo do socialismo*	1962
『ブラジル革命』	*A revolução brasileira*	1966
『レヴィ＝ストロースの構造主義 ── ルイ・アルチュセールのマルクス主義』	*Estruturalismo de Lévi-Strauss: o marxismo de Louis Althusser*	1971
『歴史と開発』	*História e desenvolvimento*	1972
『ブラジルの農業問題』	*A questão agrária no Brasil*	1979
『自由とは何か』	*O que é liberdade*	1980
『哲学とは何か』	*O que é filosofia*	1981
『都市サンパウロ』	*A cidade de São Paulo*	1983

〔出所〕Secco［2015］および Pericás［2017］を参照して、筆者作成。

近年発刊された著作集三巻および『ブラジル経済史』の原著第四三版とその邦訳書（訳の底本は一九七〇年刊の第一二版）

著者撮影

の二冊を取り上げる。これらをふくめて、プラドは生涯、唯物史観すなわちマルクスの方法論から分析を進めたが、それは次のような意味である。彼は二十世紀のブラジル社会の矛盾とその解消に最大の関心を寄せていた。具体的には、貧困にあえぐ人々とくにコーヒー農園などの農場の労働者や農民の人間的な解放を展望する観点から、国家(行政)、市場、社会の歴史を論じた。貧困者の根本的な解放は、資本主義体制では不可能で、社会主義革命が必要だという思想に立脚して、文筆活動を続けた。

彼がその思想を形成し始めた一九二〇年代のブラジルは、まだ圧倒的に農業経済の国であった。工業化はすでに前世紀の一八五〇年代頃から始まっており、そのための産業インフラ整備も、たとえば鉄道建設が一八五二年に始まるなど、開始していたが、全体としては農業国であった。とくにコーヒー、ゴム、カカオ、マテ茶、煙草などの生産に傾斜したモノカルチャー的な経済であった。コーヒーについては、一九二四年にドイツ市場の好転をみて、大幅に作付け面積を拡大した。ドイツは米国と並んで最も重要な輸出先であった。この拡大がいわば「時限爆弾」であった。[*9] コーヒーの木は五年で実を結ぶ。五年後に大豊作となったが、それは二九年の世界大恐慌の年で、欧米の需要は劇的に縮小した。価格は暴落し、大量の売れ残りが生じて、コーヒー産業およびブラジル経済全体が壊滅的打撃をうけた。農民の困窮度は深刻化した。二九年恐慌以前でも、当時の農場での労働は過酷で、農民の貧困は深刻であった。

ブラジル資本主義の性格をめぐって

『ブラジル経済史』は、八部二七章から構成されている。紙数の関係から、部のタイトルの

*9 この経緯については、臼井隆一郎[一九九二]『コーヒーが廻り世界史が廻る——近代市民社会の黒い血液』中央公論新社を参照。

*10 ポルトガル語は Francesco Matarazzo。ブラジルを代表するビジネス・グループを築いたイタリア系の実業家。一八八一年にブラジルに移民し、最初はラード(豚の脂肪)の輸入から始め、その後多様な事業を成功させた。彼とその家族の事業は、繊維、化学、食料、商業、金融などを含むコングロマリットへと成長した。

*11 差額地代とは、土地の肥沃度や気候条件などを含めた条件の違いから生じる収穫量の違いに着目した地代理論(基本的に農地が念頭に置かれた分析)である。ある条件のよい農地があるとして、それと最劣等地の収穫量との差分が、差額地代として、その農地の所有者に帰属すると、マルクスは考えた(耕作者と農地所有者が別人格である

みを挙げておこう。第一部 黎明期（一五〇〇〜一五三〇年）／第二部 実質的な開拓（一五三〇〜一六四〇年）／第三部 開拓の拡大（一六四〇〜一七七〇年）／第四部 植民地の絶頂期（一七七〇〜一八〇八年）／第五部 自由主義の時代（一八〇八〜一八五〇年）／第六部 奴隷制帝国とブルジョワジーの台頭（一八五〇〜一八八九年）／第七部 ブルジョワ共和制（一八八九〜一九三〇年）／第八部 輸出農業体制の危機（一九三〇〜？）、以上である。

構成からわかるように、本著の大部分は一九三〇年までの時代の分析に当てられている。初版が出た一九四五年は、工業化（一八五〇年代に開始）がヴァルガス体制下で本格化して一五年経った時点であり、工業部門の労働者がさらに増えつつあった時期である。マルクス主義の観点から分析するのであれば、工場の生産過程の分析がかなり重視されることが、一般的には期待される。カール・マルクスの主著『資本論』では、第Ⅰ部のかなりの部分で、工場の生産過程が検討の対象となっている。すなわち第五章「労働過程と価値増殖過程」から第一三章「機械と大工業」までは、工場での生産過程が詳しく分析される。これに対して『ブラジル経済史』では第二四章「工業化」が、工業化を扱っており、イタリア移民のマタラゾ[*10]などブルジョワジー（新興のビジネスリーダー）の興隆にも言及されるが、工場内の生産過程の分析は登場しない。『ブラジル経済史』は基本的に農業部門を中心に分析しているが、『資本論』第Ⅲ部が扱う差額地代や絶対地代[*11]、同書第四七章第五節の「分益経営と農民的分割地所有」[*12]などへの言及はない。同書第Ⅲ部の農民的分割地所有の節は、農民が没落してプロレタリアート化[*13]するかどうかについての論点を扱った部分である。『資本論』のこの部分は、プラドの農村、農業研究と密接にかかわるが、言及されていない。ちなみにプラドは、どの著作でも、マルクスに限らず参考にした研究や文献に言及しない傾向があり、この本の本文にも参考文献にも、マル

ことが前提の議論）。絶対地代は、最劣等地に生じる地代を説明した理論である。農業では、機械や工場建屋などの固定資本への投資コストが比較的少なくてすむ（資本の有機的構成が低いと表現する）ので、農業の利潤率（儲けの率）は、都市の工業の利潤率よりも高くなる。工業と比べての差分が絶対地代として農地の所有者に帰属すると、マルクスは理論化した。

*12 分益経営（sharecropping）とは、日本でいう小作のことで、収穫物の一部を農地所有者に地代（生産物地代）として支払うという経営を指している。農民的分割地所有とは、日本でいう自作農（耕作者が農地を所有している経営）を指している。

*13 プロレタリアートとは、没落した農民が離農して都市へ移住し、農地といった資産（労働手段）を一切所有しない状況で資本家に雇用される労働者を指している。資産を持たないので「無産者」ともいい、解雇されると生存の術をすべて失うことになるため、それだけ資本家に対して立場が弱い社会集団である。

クスへの言及はない。

本書の理論的な特徴は次のとおりである。プラドは、ブラジル経済の危機を資本主義の矛盾および帝国主義の矛盾としてとらえた。ブラジルは、長年砂糖やコーヒーなどの一次産品を先進国経済に向けて輸出する農業経済の国であった。そこに国際金融資本と帝国主義が浸透して、ブラジル資本主義は世界経済に統合されてきた。しかし一八二二年の独立後も、植民地期の遺産である少数の輸出品の生産に傾斜した生産活動の体制が維持された。その結果、近代工業の発達が遅れ、経済は矛盾を抱え込んだ。この矛盾の原因は、植民地遺制としての大土地所有制と、それと結びついた近代的大規模プランテーションによる資本主義的生産という構造である。すなわち資本主義的農業の大規模な展開に対して、広大な土地の提供を可能とする大土地所有制度が寄与した。プランテーションで働く農業労働者の賃金は極めて低く、購買力が小さいので十分な国内市場を形成しない。生産物は基本的に海外市場へと輸出される。海外市場に依存した輸出経済はときに過剰生産を経験し、価格の暴落という危機に見舞われたが、それを克服するだけの十分な機能を国家・行政機構は有していなかった。工業国との貿易関係は、一次産品を輸出し、工業製品を輸入する構造となり、貿易収支はつねに赤字であった。質の良い輸入品に勝てない状況が続き、国内の製造業は十分に発達しなかった。

その後、十九世紀後半からは近代的工業化が徐々に始まるが、その確立を阻む要因について、第二四章において次のように述べている。

> しかし、ブラジルの近代工業確立を何よりも阻んでいたのは、消費市場の狭隘さであり、この消費市場の拡大こそが製造業を特徴づける大量生産に不可欠な条件を見いだすことに

なる。この点で、ブラジルの状況は、きわめて不利であった。人口と経済の水準と国民の生活水準は、きわめて低かった。広大な土地に点在し、交通機関の不備のために隔絶した、諸地域からなる分裂した国家の構造は、その問題を一層悪化させた。ブラジル経済の方向は外国向けの生産に特化した地域毎の生産に組織されていたが、それは、元来自然条件から困難であった国内交通の緊密な体系の形成と有効的国家統一を妨げていた。二三〇〇万の人口が、六〇〇〇キロにおよぶ海岸線と、八〇〇万平方キロ以上もある土地に散在していた（プラド［一九七二］三四四頁）。

このあと、工業化に有利な要素も皆無ではなかったことを論じ、いくつかの事例を挙げている。一つは輸入関税である。その目的は、幼稚産業の保護ではなく、国家財政の十分な収入の確保であった。工業製品以外にも無差別に課されたので、ブラジル経済全体には負の影響を与えたが、結果的に、ブラジル国内の工業には、一定程度の保護的な効果を有したと、プラドは評価した。また奴隷制の歴史の影響で低賃金の労働者が豊富に賦存し、それは工業化に有利な条件となったと指摘している。しかし全体として、狭隘な国内消費市場という不利な要素が凌駕し、不安定な工業化が継続した。すなわち工業化はたしかに徐々に進展していったが、利益は少なく、資本蓄積は緩慢で[*14]、資本市場の形成が不十分なままであった。

旧宗主国などの強い国が旧植民地国などの弱い国を支配するという帝国主義がブラジルにもたらす負の諸影響は、第二五章「帝国主義」や第二六章「危機の進行」で具体的かつ鮮やかに描かれている。引用すべき箇所は多いが、資金面に着目すると、第二六章で以下のように外資の負の影響を論じて、帝国主義を批判している。

*14 注3を参照。

かくして、外資の活動を総括すれば、ブラジルにとって概ね赤字である。「ロイヤルティー」[*15]やブラジルに投下された外資の報酬その他の偽装形態[*16]を除外するとして、また正式に登録された投資から生まれる利潤だけを考慮するとしても、その送金利潤額および投下資本額の収支表は、その計算が始められた一九四七年以来次のような結果を示している。一九五五年までは、連続的な赤字であり、（中略）一九六三年以来六七年に至るまで、次表（表7‐2、筆者）の示す如く、連続的に増加するばかりの赤字が生じた。（中略）外資の投下は、ブラジルの国際収支の不均衡の問題に対する解決になるどころか、反対に、この国際収支の悪化の要因をなしていることが直ちに分かるのである。（中略）なぜなら、国内に設立された帝国主義企業の自然拡張と、その結果増大するそれらの活動および利潤が、海外への送金の増加をもたらすからである（プラド［一九七二］四二〇〜四二一頁）。

これまで述べたように、プラドは、ブラジル経済の停滞の主要因を、植民地遺制としての大土地所有制とそれに結びついた一次産品の輸出経済構造、および帝国主義国から流入する外資の行動（利潤の海外流出など）から説明した。二〇一二年の第四三版の第三刷（一七年刊行）では、一九七六年発行時に追加された「あとがき（Post Scriptum 1976）」が付されており、そこで七〇年代の「ブラジルの奇跡」とよばれた急速な工業化に言及している。当時ラテンアメリカや東アジアなどの地域で急速に工業化する国が登場し、ＮＩＣＳ（新興工業国）やＮＩＥＳ（新興工業経済地域）とよばれて注目されていたが、ブラジルもその一つの例であった。この現象に直面すると、プラドの悲観論が現実によって覆されたと考えることも可能である。こうした

＊15　原語は、英語のままで、royalty。外資が生み出した利潤のうち、ブラジルの中央政府や地方自治体に対する納付を、このように呼ぶ。主に、石油や天然ガスなどの資源の利用にかかわる支払いを指している。

＊16　外資は節税・脱税などを目的として利潤を過少評価する方向に財務データを偽装するケースが多いというように、プラドは現実を理解している（原書の注でそのように注意を喚起している）点を、想起されたい。

批判を想定しての反論だと思われるが、急速な工業化の経験を経たブラジルの「現在」（七六年時点）でも、植民地モデルに規定される従属的構造は変わらないと論じている。以下この「あとがき」の最後の段落から引用しておこう。ここは山田訳の刊行から数年後に付加された論考なので、日本語版には当然含まれていない。

表 7–2 外国資本によるブラジルへの投資の最終的な効果

年	利潤送金	投資	差引残高
1963	− 147	51	− 96
1964	− 192	76	− 116
1965	− 269	75	− 194
1966	− 291	133	− 158
1967	− 313	84	− 229

〔注〕原書の表には、タイトルは付されていない。単位も記されていないが、前後の文脈から百万米ドルである。
〔出所〕プラド［1972］421（原資料：Boletim do Banco Central）

ひいき目の表現としての「ブラジルの奇跡」モデルの経済・社会政策は、もし資本主義世界がここ数年の間熱烈に関わった投機を最大限に活用する道を受け容れる方法をブラジルが知っていたとしても――そのことは良いとして――、伝統的な植民地モデルの枠内でのブラジル経済の促進という意味で、事実上維持されてきた旧来型以外の何ものでもない（Prado［2012b］355-356 訳は筆者による）。

「投機を最大限に……」の部分は、一九七〇年代に世界の資本主義国で発達し始めたデリバティブ（例えば為替先物取引）*17などの新しい金融取引を含めた世界の変化と無縁のままだ、というわけではないという意味である。にもかかわらず、旧来の構造は不変だと、プラドは主張した。こうした考察をふまえて、最後の結論と

*17 為替取引には、輸出入の決済の目的と、取引自体から儲け（利ざや）を得るという投機目的の二つがある。前者（決済）の従来型は時価レートでの取引であるが、新手法の為替先物取引では、将来の支払い決済時の通貨の交換レートを現時点で（商品の売買契約時に）決めておくことで、為替の変動リスクを回避する。後者（投機）の従来型は、外国の通貨を安値で買って高値の時に売ることで利ざやを稼ぐ取引である。新手法の先物取引も投機的に利用して儲けることができる。決済であれ投機であれ、先物取引などの新手法を総合して金融デリバティブ（派生）取引という。

して、「革命」という表現は使われないが、植民地遺制と決別するような大胆な構造改革が必要であると論じて、本書を終えている。

プラドの分析は、今日「従属理論」[*18]といわれる潮流に位置づけることができよう。マルクスからの引用はないが、最後の結びの文章の中にマルクス的な弁証法[*19]が含まれている。すなわち「危機の中で(中略)変革の力と要因が生まれている」や「ブラジル国民が達成した生活水準によりふさわしい新しい基盤の上に、ブラジル経済を再構成する」などとあり、そうした表現は、資本主義が達成した高い工業生産力などの技術水準を否定せずに継承しつつ、資本主義を否定する(より高次の段階すなわち社会主義を実現する)という止揚(アウフヘーベン)の発想のように思われるし、「古い体制の残滓」という表現も出てくるが、それは資本主義体制の生産諸関係をさしていて、それを変えることを想定していると考えられる。

ブラジルの革命をどう展望するか

本章で取り上げる二冊目の『ブラジル革命』は、ブラジルにおける社会主義革命の方法と戦略を論じたもので、とくにPCBの綱領路線との違いを明確に論じている点に特徴がある。この本では、あらためて、プラドによるブラジル資本主義分析の要点が明らかにされる。

プラドは、ブラジルが十六世紀の植民地時代より資本主義であったとする。ただし大土地所有制という植民地としての特徴を刻印された資本主義であり、その周辺的な位置を強調してきた。これは一九六〇年代のアンドレ・G・フランクの周辺資本主義論[*20]に通じる発想といえる。これにたいして、PCBは、ブラジル資本主義の封建性を強調し、革命の順番として、社会主義革命よりも「民主ブルジョア革命」(フランス革命のような市民革命)を先に達成し、そ

*18 世界経済(世界資本主義)は先進国が途上国を収奪することで発展すると考える理論である。これによれば、世界資本主義が発展すれば発展するほど、途上国の従属性(貿易収支の赤字、技術水準の低さ、高い貧困率など)は増していくと、分析される。

*19 古代ギリシャからある思弁の方法で、二人の論者が相互批判の討論を重ねつつ認識をより高次な水準へと発展させていく過程を指している。この方法の一つの要素が「止揚」で、AかBかという対立や矛盾を検討する中で、AでもBでもない、より高次のCがあるという発想である。

*20 Andre Gunder Frank (1929–2005) 世界資本主義(世界全体を一つの資本主義システムとみる見解)が発展すればするほど、周辺国(途上国)の低開発(underdevelopment)は進む、すなわちますます貧しくなると論じた。この状況を変えるには、社会主義革命が必要であると論じた。

のあとで社会主義革命をめざすという路線（いわゆる「二段階革命論」）を採用していた。
プラド著作集の一環で二〇一四年に刊行された『ブラジル革命　ブラジルの農業問題』（大きく二つのテーマが一冊に統合された本）の巻には、関連するいくつかの論文が収録され、最後にリンコルン・セコ（Lincoln Secco）サンパウロ大学教授（現代史）による解題が付されている。この巻の第二章にあたる「ブラジル革命の理論（A teoria da revolução brasileira）」を中心に要点を紹介しよう。本論文でプラドが批判したブラジル共産党の革命路線に関する公式見解には、共産主義インターナショナル（コミンテルンまたは第三インターナショナル）[*21]の指導と影響があり、同じく共産党がコミンテルンの支部として誕生した日本の事情と類似性がある。すなわち日本の共産党（一九二二年創立）の「二段階」[*22]の革命路線や日本資本主義論争における講座派の理論[*23]と、PCBの公式理論は、類似している。

「講座派」は、農村・農業の半封建的性格を強調した。たとえば地主制（または寄生地主制）のもとで強いられた高額小作料が農民（小作人）を苦しめた点などが重視された。現代の日本の農家は、農地を借りて企業的経営する例を除いて自作農（耕作地を所有する農家）であるが、戦前多くの農家は小作人（耕作地を非所有）で、小作料という重い地代が課されていた。同派の革命理論は、民主主義革命をまず優先し、そのあとで社会主義革命をめざすという、「二段階革命」論であった。こうした共産主義インターナショナルの理論に対して、プラドは、ブラジルの植民地遺制とくに大土地所有制がもたらす負の影響を重視した。その下で展開される砂糖やコーヒーなどのプランテーションでの低賃金労働と農業労働者の過酷な貧困は近代資本主義システムの要素であると規定し、封建的という性格規定を拒絶した。彼はブラジル経済に「封建制の残滓（restos feudais）」はないとし、それを払拭するための「ブルジョワ民主主義革命

*21　ロシア革命（一九一七年）から二年後の一九年に、レーニンらが創設した国際共産主義運動の組織で、モスクワに本部が置かれた。世界各国に支部があり、各国の革命運動を指導した。

*22　当時の主要目標は、アジアでの侵略戦争の道（満州侵略など）を大日本帝国が進むことを阻止することや、半封建的と規定された地主制度をなくして土地を農民に解放すること、などであった。まずは民主主義革命を達成し、そのあとで社会主義革命をめざすという「二段階革命」の路線であった。

*23　これは一九二〇年代〜三〇年代に交わされた論争で、大きく「講座派」と「労農派」に分かれて展開された。学術論争であると同時に、革命路線が関係したので、政治論争でもあった。「講座派」の論者の野呂栄太郎、服部之総、山田盛太郎らがその分析を発表したのが、岩波書店の『日本資本主義発達史講座』（全七巻、一九三二年〜三三年にかけて刊行）だったため、彼らは「講座派」と呼ばれた。

（revolução democrático-burguesa）」を優先する路線を批判して、次の課題は社会主義革命の実現であると論じた。これは、大まかには、日本の労農派[*24]の見解に類似するといえよう。

『ブラジル革命』は軍政下ではあるがよく売れて、発行年に二刷が実現し、その後一九六八年、七二年、七七年、七八年と刷りを重ねた（Secco [2014] 267）。本著によってプラドはブラジル作家協会（União Brasileira de Escritores）の「一九六六年の知識人（Intelectual do Ano 1996）」に選ばれて、ジュカ・パト（Juca Pato）賞を受賞した。この「知識人賞」（ジュカ・パトとは受賞者に贈られるトロフィーの名称）は、六二年に創設され、九三年と九四年の中断期を除いて、毎年一人が選ばれてきた。現在も継続中で、たとえば七九年にセルジオ・ブアルケ・デ・オランダ（第1章参照）、八四年にフェルナンド・H・カルドーゾ（第9章参照）、二〇〇七年にアントニオ・カンジド[*25]、一五年にブレッセル＝ペレイラ[*26]らが授賞している。

近年の論者による評価

プラドについては近年多くの論稿が書かれているが[*27]、批判として、以下のような論点がある。第一に、ブラジル内部の工業部門における資本蓄積の分析を軽視しており、生産よりも流通を重視しすぎている。たとえば一八五〇年代以降、とくに一九三〇年代以降は、工業化が進み、狭隘な国内市場向けではあるにせよ、製造業が発達して、工場労働者が増大した。その歴史には言及されるが、工場労働者が搾取されて貧困から脱出できないという問題は、十分に論じられていない。第二に、ブラジルの植民地時代における開拓過程の解釈が単純な二元論である。彼はsettlement（入植）が支配的であった米国（したがって自立的な農民が多数誕生した）に対して、exploration（開拓）が支配的だったブラジルでは、農民はあまり誕生せず、大規模プラ

＊24 日本資本主義論争（注12も参照）において「講座派」に対抗した猪俣津南雄、大内兵衛、向坂逸郎らの論客を指しており、彼らは雑誌『労農』に分析を発表したので、このように呼ばれた。

＊25 Antônio Candido（1918–2017）サンパウロ大学名誉教授。社会学、ブラジル文学論、哲学などの分野で活躍。

＊26 Luiz Carlos Bresser-Pereira（1934–）大学教授、経済学者、政治家、実業家、ジャーナリストなど多くの分野で活躍する人物。ジェトゥリオ・ヴァルガス財団教授（一九六〇年代、二〇〇五年に名誉教授）、連邦財務大臣（一九八七年）、Pão de Açúcarグループ（大規模販売店、流通業）の役員など歴任。

＊27 読書案内に掲載した、L・セコ（サンパウロ大学哲学文学人文科学部歴史学科教授）の研究書（Secco [2015]）および著作選集の解題（Secco [2014]）

ンテーションで働くアフリカ人奴隷や、その後の農業労働者が、農業の主要な担い手であると考えた。しかしこの二元論は歴史認識として単純すぎると、指摘されている。第三に、ブラジルは「新世界」であり、その植民地時代の歴史のなかに封建制を見いだすことは困難で、それをプラドが指摘した点は適切であった。封建制とは、各地方つまり邦（くに）を封建領主が城を建てて支配し、多くの人々は農奴として領主に隷属するという前近代的統治制度である。国全体を統括する強い中央政府は存在しない。十六世紀以降のブラジル植民地は近代植民地であり、宗主国であるポルトガルは、国王が支配する絶対主義へ移行していた。ブラジルはその中央集権的な支配体制に組み込まれた。各地に城主がいて、独自に地域を支配していたわけではない。この点で、共産主義インターナショナルの封建的という規定をプラドが拒否したことは、正しい。しかし植民地経済の農業を近代資本主義的生産様式とみることにも無理がある。ブラジルの農村に数世紀にわたり残存した非資本主義的農業（家族経営の零細農家）を軽視している。第四に、ブラジルの農村の労働者性を強調すること、すなわち農民のほとんどがプランテーションの経営者に雇用された労働者だとみる視点を重視することで、かえって大土地所有制の問題解決を遅延させる可能性がある。農地の再分配の問題すなわち土地無し農民に農地を与えて農家として成長させる戦略も重視すべきである。第五に、スターリン下のソ連共産主義を肯定的に評価していたが、それは間違いであった。

　セコは、こうした批判の一方で、いくつかの点でプラドを擁護してもいる。[*28] 第一に、工業部門の資本蓄積をまったく無視しているわけではないし、結局今日においてもブラジルの工業が世界経済において周辺的な位置にあることは事実であり、プラドの周辺性の強調が間違いとはいいきれない。第二に、一九三〇年代、四〇年代にはまだマルクス・エンゲルス全集、

と、L・B・ペリカス（同学科教授）の研究書（Pericás [2017]）以外に、たとえば以下がある。

De Paula, João Antônio [2006] "Caio Prado Júnior e o desenvolvimento econômico brasileiro" *Pesquisa e Debate*, 17 (1), pp. 1-19.

Rêgo, Rubem Murilo Leão [2014] "Posfácio: questão agrária e democracia em Caio Prado Jr." em Caio Prado Jr., *A Revolução brasileira: a questão agrária no Brasil*, São Paulo: Companhia das Letras, pp. 435-441.

Reis, José Carlos [1999] "Anos 1960: Caio Prado Jr. e 'A Revolução Brasileira'" *Revista Brasileira de História*, 19 (37). https://doi.org/0.1590/S0102-01881999000100012

Secco, Lincoln [2007] "O Marxismo de Caio Prado Jr." *Teoria e Debate*, Edição 73. https://teoriaedebate.org.br/2007/09/01/o-marxismo-de-caio-prado-jr/

*28　セコの論説については、注27およびSecco [2014] を参照せよ。同教授の本についてはSecco [2015] を参照せよ。

レーニン全集はブラジルにはなく、研究環境は現在とくらべて格段に不十分な状況であった。マルクスとエンゲルスの思想の全貌を十分に吸収してブラジル研究に応用できるような、恵まれた条件はなかった。第三に、農地の再分配の政策についての議論は不十分であるが、無視しているわけでなく、論じている、などである。

欧州の現実の中から生まれた、人間解放のためのマルクスとエンゲルスの理論の普遍性を継承しつつも、欧州とは異なる旧植民地国の現実に照らし合わせてそれを修正しようとしたプラドの姿勢は、重要であろう。ブラジルであれ日本であれ、イギリスやドイツ以外の国を分析するときに、彼らの理論の何を継承し何を修正するかについては、簡単な解はない。根本的に貧困を撲滅して人々を解放するために、日本に暮らす私たちも悩み続ける課題である。

【読書案内】

カイオ・プラド・Jrの著作集（選集）として、以下三冊が刊行されている。

Prado Júnior, Caio［2011］*Formação do Brasil contemporâneo: colônia*, São Paulo: Companhia das Letras (editado pelo Conselho Editorial Coleção Caio Prado Júnior).

――――［2012a］*Evolução política do Brasil e outros estudos*, São Paulo: Companhia das Letras (editado pelo Conselho Editorial Coleção Caio Prado Júnior).

――――［2014］*A revolução brasileira: a questão agrária no Brasil*, São Paulo: Companhia das Letras (editado pelo Conselho Editorial Coleção Caio Prado Júnior).

このなかに収録されているセコ教授の解題は重要である。

Secco, Lincoln [2014] "Posfácio" em Prado Jr., Caio [2014].

著作集以外では、以下の著書が入手可能である。

Prado Júnior, Caio [1968] *História e desenvolvimento: a contribuição da historiografia para a teoria e prática do desenvolvimento brasileiro*, São Paulo: Brasiliense (3ª edição 1989, 1ª reimpressão 1999).

——— [1981] *O que é filosofia*, São Paulo: Brasiliense (edição Kindle em 2008).

——— [2012b] *História econômica do Brasil*, São Paulo: Brasiliense (Primeira edição 1945, Atualização 1970, 43ª edição 2012, 3ª reimpressão 2017).

Prado Júnior, Caio e Florestan Fernandes [2000] *Clássicos sobre a revolução brasileira*, São Paulo: Expressão Popular (5ª reimpressão 2008).

プラドの思想と生涯に関する研究書として、以下の二冊（電子ブック）がある。

Pericás, Luiz Bernardo [2017] *Caio Prado Júnior: uma biografia política*, São Paulo: Boitempo (edição Kindle / edição paperback em 2016).

Secco, Lincoln [2015] *Caio Prado Júnior: O sentido da revolução*, São Paulo: Boitempo (edição Kindle / edição paperback em 2008).

著書のうち唯一邦訳のある本は、以下である。

プラド・Jr、カイオ［一九七二］『ブラジル経済史』（ラテン・アメリカ経済選書三）山田睦男訳、新世界社。

ブラジル史を学習する上で、以下の文献が参考になる。

アンドウ・ゼンパチ［一九五六］『ブラジル史』河出書房。

アンドウ・ゼンパチ［一九八三］『ブラジル史』岩波書店。

アレンカール、シッコ他［二〇〇三］『ブラジルの歴史――ブラジル高校歴史教科書』東明彦、アンジェロ・イシ、鈴木茂訳、明石書店。

今西正雄［一九七四］「『ブラジル社会経済史学』の形成」『経済学論叢』（同志社大学）第二三巻第一号、八五～一一〇頁。

佐藤常蔵［一九八五］『ブラジル全史』トッパン・プレス印刷出版会社（サンパウロ市）。

住田育法［一九八四］「（書評）アンドウ・ゼンパチ著『ブラジル史』」『ANNALS』No. 4 一六六～一七三頁。

富野幹雄、住田育法［一九九〇］『ブラジル――その歴史と経済』啓文社。

ファウスト、ボリス［二〇〇八］『ブラジル史』鈴木茂訳、明石書店。

山田睦男編［一九八六］『概説ブラジル史』有斐閣。


アンドウの『ブラジル史』（一九八三年版）については、住田育法の書評が参考になる（住田［一九八四］）。住田は広大なブラジルを扱う場合、地誌に重点をおくか総合史に重点をおくかのバランス問題があるが、アンドウのこの本は前者であると特徴づけている。山田睦男がプラドの『ブラジル経済史』を全訳したことは、後進の研究者にとって大きな恵みであった。なお今西［一九七四］は「ブラジル社会経済史学」の形成を論じる中でも、カロゼェラス（João Pandiá Calógeras）、ロベルト・シモンセン（Roberto Simonsen）、フルタード（Celso Furtado　第8章参照）と並ぶ最重要論者としてプラドを取り上げている。総じて、プラドの歴史分析は、通史・概説書にない魅力を放っており（史観の呈示）、これに近い性格の近年の本としては、ファウスト［二〇〇八］が挙げられる。

（山崎圭一）

コラム ブラジルにおけるマルクス主義の影響

ブラジルの経済思想において、マルクス主義はどのように受入れられていったであろうか。カンピナス大学出版会から、「ブラジルにおけるマルクス主義の歴史（História do Marxismo no Brasil）」が刊行されている。第六巻まであり、膨大な量で、その紹介は別の機会に委ねたい。各巻の副題は次のとおりである。第一巻「革命とその影響」、第二巻「理論の流入」、第三巻「理論、解釈」、第四巻「ブラジルのビジョン」、第五巻「一九二〇年代から六〇年代の政党と団体」、第六巻「一九六〇年代以降の政党と運動」。ブラジルへの理論的影響という点でとくに重要と思われるのは、第一巻から第三巻であろう。第一巻は、ロシア革命、中国革命、キューバ革命など二十世紀の革命がブラジルのマルクス主義に与えた影響が論じられている。第二巻はトロツキー、ルカーチらの影響が扱われている。第三巻ではアルチュセール、グラムシ、ブラジル共産党の理論などが論じられている。

マルクスとエンゲルスの著作は、彼らが生きていた同時代に欧州で多少ひろまっていたが、リスボン大学のカルロス・バスティエン（Carlos Bastien）によれば、ポルトガルに伝わるのは少し遅れた。プルードンの『貧困の哲学』を批判したマルクスの『哲学の貧困』（一八四七年刊）は、フランス語で書かれてブリュッセルで出版されたので、ポルトガルでもコインブラ大学の学生など一部の人々には早く伝わっていたようである。しかし、同国でマルクスがより知られるようになったのは、パリ・コミューンの影響で社会主義への関心が高まった一八七〇年代であった。パリ・コミューンとは、七一年三月～五月、フランスのパリで成立した労働者階級による革命政権である。『資本論』の第一巻については、七三年に、ポルトガルの労働運動の指導者がフランス語版を二冊、マルクスから受け取っている。

ジャーナリストのジョゼ・C・ルイ（José Carlos Ruy）によれば、ブラジルで最初にマルクスに言及する人が登場するのは、一八八〇年代で、場所はペルナンブコ県である。オリンダ市の法律学校の卒業式のスピーチで、セルジッペ県生まれのトビアス・バレット（Tobias Barreto）教授が言及した、とされる。その後、帝政を打倒して共和国をつくる運動や、労働運動や社会主義運動の中で、マルクスの教えをひろめる人がでてくる。たとえば、セルジッペ県で五八年に生まれたシルヴェリオ・フォンテス（Silvério Fontes）は、医師として、そして社会主義者として、主にサンパウロ州のサントス市で活動し、九五年に「サントス社会主義サークル」（Círculo Socialista de Santos）を創立した。同団体が一九〇二年にブラジル社会党（ＰＳＢ）になった。

重要な画期は一九二二年のブラジル共産党（ＰＣＢ）の創立である。これはブラジルにおけるマルクス主義の思想と理論の本格的な拡がりの、重要な契機となった。ルイス・プレステス（Luis Carlos Prestes）、ネルソン・ソドレ（Nelson Werneck Sodré）、カイオ・プラド・ジュニオール、オズワルド・デ・アンドラーデ（Oswald de Andrade）、アルベルト・ギマランエス（Alberto Passos Guimarães）らが入党し（時期は異なる）、論客となっていく。三〇年代は、共産主義インターナショナルの影響が強くなっていった。プラドは三三年に、ソドレは三九年に、それぞれマルクス主義の方法に基づく最初の著作（いずれも歴史分析）を刊行した。しかし、この段階では、彼らはマルクス、エンゲルスの全集を知らない。「マルクス・エンゲルス著作集」（Marx Engels Werke：ＭＥＷ）または「旧ＭＥＧＡ」とよばれる全集（ドイツ語版）がドイツで刊行されたのは五六年から六八年にかけての時期である（最終の第四三巻の刊行は九〇年）。ちなみに、七〇年代にはじまった「新ＭＥＧＡ」という新しい全集は、現在も刊行中である（完結予定は二〇二五年）。現代のブラジルで新ＭＥＧＡ（ブラジルでは「ＭＥＧＡ２」とも呼ばれる）の刊行状況を追跡して、新情報に基づく再解釈を試みている研究者の一人として、ミナスジェライス連邦大学のウゴ・セルケイラ（Hugo E. A. da Gama Cerqueira）がいる。

一九六〇年代に戻ると、マルクス思想の全体をあつかう論者が登場する。サンパウロ大学哲学文学人文科学部のジョゼ・ジアノッティ（José Arthur Giannotti 1930–2021）が哲学分野の代表的な研究者の一人である。経済学分野では、工業化過程、都市部の労働市場（インフォーマル・セクターを含む）、協同組合やＮＰＯなどの「連帯経済」などに焦点を当てた、新しい研究が登場する。また欧州の研究者の成果も入ってくる。冒頭で言及した論者以外では、ドイツの「フランクフルト学派」（Ｔ・アドルノ、Ｍ・ホルクハイマー、Ｗ・ベンヤミンら）などである（たとえば文化と支配の関係への着目など）。カイオ・プラド・ジュニオールは、ブラジルにおけるこうした多様なマルクス主義研究者の一人であり先駆者であった。

（山崎圭一）

第8章　低開発を解明する――セルソ・フルタード

二十世紀後半は開発の時代であった。第二次世界大戦後植民地から独立した国々が工業化による経済発展を目指した。そのためには新しい経済学が必要であった。経済学はそれまではイギリスなど市場経済が発達した資本主義国を対象とし、それ以外の国々は対象外であった。旧植民地については、市場とは異なる原理が支配する経済、あるいは市場経済に先立つ後進や低開発の段階にある経済、もしくは二つの原理が並立する経済として捉えられていた。いずれにしろ経済学にとって後進国や低開発国は重要な対象ではなかった。開発の時代の到来は後進国や低開発国を対象とした経済学を生み出した。開発経済学がそれである。その一つが近代化論であり新古典派経済学であった。近代化論は旧植民地をいかに欧米のような社会に作り変えるかを課題とし、新古典派経済学は経済活動を市場に委ねることが成長と厚生を実現するとした。

しかし現実には、先進国と途上国の格差は解消しないばかりか、豊かな国はさらに豊かに、貧しい国はさらに貧しくなった。こうしたなかで一九五〇～六〇年代にラテンアメリカでは近代化論や新古典派経済学に異を唱える開発論や経済学が生まれる。構造学派と従属論がそれである。構造学派は新古典派経済学への批判、従属論は近代化論への批判として誕生した（カイ［二〇〇二］一三頁）。構造学派は、市場原理によって経済発展を実現するのは不可能だと

企画相時代のセルソ・フルタード
Celso Furtado　Imagem do Fundo Correio da Manhã. Public domain / Arquivo Nacional Collection

し、経済発展における政府の役割を重視した。こうした主張の背景には、発展途上国の経済構造は先進国のそれとは異質であるとの理解があった。ラウル・プレビッシュ[＊1]や本章が取り上げるセルソ・フルタード（Celso Furtado 1920-2004）が構造学派を代表する経済学者である。[＊2]従属論は、構造学派を継承するとともに、構造学派が主張する工業化が期待するように進まないなかで、それを批判する形で誕生した。そのなかには、先進国との経済関係を断絶し社会主義を目指すマルクス主義的従属学派と、近代化論を基礎に国家、国内企業、多国籍企業の連携による開発を主張する改良主義的な従属学派がある。フランク[＊3]が前者の、カルドーゾ（第9章参照）が後者の代表的論者である。

フルタードは何よりもブラジルの低開発の原因がどこにあるか、その解明に心血を注ぎ、開発あるいは工業化への道筋を示した。その研究方法論は、経済現象を分析的かつ実証的に考察し、そのために多様な経済理論を援用し、また政治や社会など関連分野にも関心を払い、歴史を辿るというものであった。そのうえで得られた知見によって実際に政策を提案し、あるいは自ら関わった。一九七〇年代以降開発経済学では、一方で市場の役割を絶対視する新自由主義の影響力が強まり、他方で技術革新による経済の構造転換を主張する新構造主義が登場したが、今日開発途上国の多くがなお貧困のなかにあり、また経済格差が広がるなかで、フルタードの考察はなお多くの示唆をわれわれに与えている。

理論形成への長い旅

フルタードは一九二〇年ブラジル北東部のパライバ州ポンバル（Pombal）に生まれ、青少年期を過ごした。[＊4]ポンバルは州都ジョアンペソアから西に約三〇〇キロメートル内陸にあり、

＊1 Raul Prebisch（1901-86）アルゼンチンの経済学者。国連ラテンアメリカ経済委員会（ＣＥＰＡＬ）事務局長、国連貿易開発会議（ＵＮＣＴＡＤ）事務局長を務めた。

＊2 開発経済学者マイヤーらは開発経済学のパイオニアを紹介する書籍を編んだが、フルタードは、ハーシュマン、ルイス、ミュルダール、シンガー、ミント、ヌルクセ、プレビッシュなど一五人の一人として選ばれた。Meier, Gerald and Didley Seers (eds.) [1984] *Pioneers in Development*, Washington, D.C.: World Bank; Meier, Gerald and Theodore Schultz (eds.) [1987] *Pioneers in Development*, Second Series, New York: Oxford University Press.

＊3 Andre Gunder Frank（1929-2005）ドイツ生まれの経済史家。著書に『世界資本主義とラテンアメリカ――ルンペン・ブルジョワジーとルンペン的発展』（西川潤訳、岩波書店、一九七八年）などがある。

＊4 フルタードの個人史についてはFurtado [1983]; Love [2018] のほか、国際セルソ・フルタード開発政策セン

半乾燥地帯に位置し、周期的に旱魃が起こる地域で、人々は貧困のなかにあった。社会では政治的対立から暴力が日常化していた。不確実で粗暴な環境のなかで人々は超自然的なものに憧れるか、反対に現実世界のなかで政治ボスによる救済を求めた。こうした状況は州都ジョアンペソアに移り住んだあとも変わりなかった。父親は裁判官で政治的中立を信条としていた。自由と友愛を信条とするフリーメーソンのメンバーでもあった。家には図書室があり、若きフルタードは歴史、文学を中心に読書した。幅広い学識の基礎は幼年期に形成されたものであった。最も影響されたのは実証主義、マルクス経済学、米国の社会学だったと後に回顧している（Furtado［1983］33-34）。社会の発展や変化を、自然科学のように必然的な過程とみなし、経験的事実にのみ立脚して理解する実証主義は、十九世紀末から二十世紀はじめにかけて最も影響力のある社会思想となったが、ブラジルもまた同様であった。マルクスへの関心は歴史への関心の延長であった。米国の社会学への関心は、それが現実の社会問題の解決を目指す実践的な性格をもっていることによる。

中等教育を終えたフルタードは一九四〇年に首都リオデジャネイロのブラジル大学に入学する。大学では経済学の専攻を希望したが、当時そうした学部がなく、法学部に入学した。まもなくリオデジャネイロ滞在中のフランスの経済学者バイ＊5と知己を得た。この出会いはフルタードを構造学派経済学へ導くことになる。バイは構造学派経済学の祖とされるフランソワ・ペルー＊6の弟子であった。フルタードは大学での専攻を法律から行政学に変更し、卒業後は連合国側に加わったブラジル国軍のヨーロッパ遠征に参加しイタリアで公務に就いた。第二次世界大戦が終了すると、パリ大学でバイの指導のもとで経済学の研究を始める。ペルーもまた助言者となった。四八年にはブラジル植民地期の経済に関する論文で学位を得た。

ターのウェブサイト（http://www.centrocelsofurtado.org.br/）を参照。

＊5 Maurice Bye（1905-68）フランスの経済学者。パリ大学教授。

＊6 Françoi Perroux（1903-87）空間と時間の双方によって形成される構造から社会を把握する必要を主張し、低開発とは遅れた経済ではなく、先進経済の影響を受け従属化し、不均等な発展を遂げた経済であるとした。サンパウロ大学の若手研究者招聘プログラム（フランス・ミッション）の一員として一九三六年から三七年にブラジルに滞在した。その門下からはサミール・アミン（Samir Amin 1931-2018）、ベルニ（Gérard Destanne de Bernis 1928-2010）など従属論者を輩出した。西川潤［一九八八］「巨星を悼む」『BULLETIN』（日仏経済学会）第一一号、五〜六頁。

フルタードは、ペルーとともに、ケインズからも影響を受けた。ケインズは、自由放任のもとでは有効需要の不足から完全雇用が達成されず非自発的失業が発生するとし、政府が減税や公共事業をつうじて投資を増加させる必要を主張した。こうした理解や政策は、経済の後発性を歴史的制度的条件に求め、その解決を国家に求める構造学派に影響を与えた。フルタードが研究生活の初期に書いたエッセイ「ブラジル経済の一般的性格」(Furtado [1950])や後の『ブラジル経済の形成』(Furtado [1959a])[*7]にはケインズの影響が見られる。フルタードが著した著作は数多くまた多方面にわたるが、主なものを挙げれば表8-1のようになる。

理論から実践へ

パリでの学位取得後の一九四八年にフルタードは母国に戻り、財務省に職をえて、ジェトゥリオ・ヴァルガス財団(FGV)[*8]と共同で雑誌『経済動向(*Conjuntura Econômica*)』発行に携わり、それが縁でFGVの創設者の一人であるブリョンエス[*9]の紹介でラテンアメリカ経済委員会(CEPAL)のスタッフとなった。翌年にはプレビッシュが第二代事務局長に就くCEPAL本部(チリのサンチアゴ)に赴いた。この年プレビッシュは「ラテンアメリカの経済発展とその基本問題」という論文を発表した。そこでは中枢=周辺、周辺国での技術的後発性、国際収支制約などを論じたが、そのなかで周辺国が生産輸出する農産物や鉱物などの一次産品価格が、中枢国が生産輸出する工業製品に対して傾向的に低下するとした交易条件悪化説を唱え、そこから脱却するには工業化が必要だと主張した。この論文はプレビッシュとCEPALによる構造主義開発論の出発点となった。

設立間もないCEPALと深い関係をもち、その政策提案を受け入れたのはブラジルで

*7 日本語訳の書名は『ブラジル経済の形成と発展』であるが、本章では『ブラジル経済の形成』で統一した。

*8 Fundação Getulio Vargas 行政および民間企業の人材育成にための高等教育機関、経済社会分野のシンクタンクを目的に一九四四年に設立。

*9 Otávio Gouveia de Bulhões (1906–90) 弁護士で経済学者。アダム・スミスの影響を受け自由主義経済を支持し、財務相などを歴任したが、政治的には中立を維持した。グジン(Eugênio Gudin Filho)とともにFGV設立に尽力した。

表 8–1 フルタードの主要著作（出版順）

書名（日本語）*	書名（ポルトガル語）	出版年
ブラジル経済の一般的性格	*Características gerais da economia brasileira*	1950
ブラジル経済──開発分析への寄与	*A economia brasileira: contribuição à análise do seu desenvolvimento*	1954
ブラジル経済の形成	*Formação econômica do Brasil*	1959
ノルデステ作戦	*A operação Nordeste*	1959
開発と低開発	*Desenvolvimento e subdesenvolvimento*	1961
開発の弁証法	*Dialética do desenvolvimento*	1964
ラテンアメリカの低開発と停滞	*Subdesenvolvimento e estagnação na América Latina*	1966
経済開発の理論と政策	*Teoria e política do desenvolvimento econômico*	1969
ブラジルモデルの分析	*Análise do modelo brasileiro*	1972
経済開発の神話	*O mito do desenvolvimento econômico*	1974
開発への入門	*Pequena introdução ao desenvolvimento*	1980
整然としたファンタジー	*A fantasia organizada*	1985
果たされなかったファンタジー	*A fantasia desfeito*	1989
ブラジル──中断された経済建設	*Brasil: a construção interrompida*	1992
新しいモデルを求めて──現代の危機の考察	*Em busca de novo modelo: reflexções sobre crise contemporânea*	2002

＊日本語の書名は筆者の仮訳。

あった。ヴァルガス政権（一九五一～五四年）と産業界はＣＥＰＡＬの重要なサポーターとなった。ヴァルガスは国家の強い介入による工業化を政権の目標とした。工業家たちは全国工業連盟（ＣＮＩ）を通じて工業化を支持し広報活動を行った。ヴァルガス政権期には開発計画と政策について二つの組織が存在した。一つが一九五一年設立されたブラジル・米国経済開発合同委員会（ＣＭＢＥＵ）[10]であり、ブラジルと米国の専門家によってブラジルの開発のボトルネックについて議論が重ねられた。その提案によって五二年に国立経済開発銀行（ＢＮＤＥ）が設立された。[11]もう一つはこのＢＮＤＥとＣＥＰＡＬの協定に基づいて組織された合同研究グループである。[12]ＣＭＢＥＵはカンポス[13]によって指導され、戦略部門への集中的な投資によって工業化を目指す成長の極（pontos de germinação）を主張した。それは後にハーシュマン[14]が主張する不均等発展論に当たるものである。これに対してＢＮＤＥとＣＥＰＡＬの合同研究グループは、経済および産業部門間の均等な発展を目指すもので、ヌルクセ[15]やフルタードが主張する均整成長論に沿うものであった。しかし、開発資金不足という現実を踏まえて、前者の戦略分野への集中的な投資を実行することになった。二つの組織が作成した報告書は、ヴァルガス政権の「国家経済再活性化・工業再生計画」、クビシェッキ政権（一九五六～六〇年）の「メタス（目標）計画」(Plano de Metas)、ゴラール政権（一九六一～六四年）の「開発三か年計画」に影響を与えた。[16]

　目標計画作成を終えたフルタードは一九五七年カルドア[17]の招きでケンブリッジ大学キングスカレッジに留学する。そこはかつてケインズが研究し、そしてミード、カーン、ジョン・ロビンソン、センなど錚々たるケインズ学派が集まる場であった。[18]カルドアの指導のもとで、フルタードは新古典派経済学に基づく伝統的な経済成長論への懐疑を深め、現実の経済を理解

＊10　Comissão Mista Brasil-Estados Unidos para o Desenvolvimento Econômico　政治的な対立から一九五三年にその活動の幕を閉じた。

＊11　Banco Nacional de Desenvolvimento Econômico　米国の援助資金を受け入れインフラ部門への融資を目的に設立された国立開発銀行。現在の名称は国立経済社会開発銀行（ＢＮＤＥＳ）。

＊12　その後一九六〇年にＣＥＰＡＬとＢＮＤＥは共同で経済開発センター（Centro de Desenvolvimento Econômico）を設立した。

＊13　Roberto Campos（1917–2001）　ブラジルの経済学者。ヴァルガス政権でペトロブラス（石油公社）、ＢＮＤＥ設立に尽力。軍政最初のカステロ・ブランコ政権では企画大臣を務めた。市場経済を前提に国家の開発への介入を支持した。

＊14　Albert O. Hirschman（1915–2012）　ドイツ生まれで米国などで活動した経済学者。開発経済学の分野では経済発展を不均衡な過程として捉える不均衡成長論を唱えた。

＊15　Ragnar Nurkse（1907–59）　エスト

するために政治学、社会学、地理学、哲学など幅広い学識を得た。英国滞在中に、主著となる『ブラジル経済の形成』(Furtado [1959a]) と『開発と低開発』(Furtado [1961]) を執筆した。

英国での留学を終え一九五八年に帰国したフルタードは、BNDEのノルデステ(北東ブラジル)の担当理事となる。ノルデステは貧困に加え未曽有の旱魃が人々の生活を苦しめていた。政治は不安定化し労働運動や社会運動が頻発した。フランシスコ・ジュリアン[19]がキューバ革命の影響を受け小作農を組織し農民運動を展開していた。クビシェッキ政権は、フルタードの提案を受けて、六〇年にノルデステの貧困と格差是正を目的に北東部開発庁(SUDENE)[20]を設立し、フルタードは初代総裁となった。

クビシェッキ政権のメタス計画は耐久消費財などの工業製品の生産で当初目覚ましい成果をあげたが、まもなく工業化は停滞した。経済成長率が鈍化する一方でインフレが高進した。こうしたなかフルタードはゴラール政権で企画相に就任し、「経済三か年計画」を作成したが、物価政策をめぐって政権と対立し、徐々に孤立していった。ブラジルの経済状況はさらに悪化し社会不安が増大し、六四年にクーデターによって軍政が誕生する。フルタードはSUDENEを追われ、政治的権利を失う。亡命を余儀なくされたフルタードは、短い米国滞在を経て六五年にパリ大学教授となった。翌年フルタードは輸入代替工業化の停滞を論じた『ラテンアメリカの低開発と停滞』(Furtado [1966]) を著した。

フルタードが長い海外生活を終えブラジルに帰国したのは、民政移管の翌年の一九八六年であった。前年にはサルネイ政権(一九八五〜八九年)がフルタードをEEC(ヨーロッパ経済共同体)大使に、帰国後には文化相に任命した。フルタードにとって政治や行政との関わりは、研究者の責務を果たす手段であるとともに、自らの理論を検証し深めるための手段であった。

ニア生まれで米国で活動。開発途上国では投資の不足が供給と需要の両面から経済発展を阻害しているとし、貧困の悪循環論を展開した。
*16 CMBEU、CEPALとBNDE合同研究グループについてはGumiero, Rafael [2013] "Projeto de desenvolvimento em disputa: o debate entre Comissão Mista Brasi-Estados Unidas e o Grupo Misto Cepal-BNDE," *Caderno de Desenvolvimento*, 8 (13), pp.129-150, jul-dez.
*17 Nicolas Kaldor (1908-86) ハンガリー生まれのイギリスの経済学者。技術進歩に注目し独自の成長論を展開するなどした。
*18 James Edward Meade (1907-95) イギリスの国際経済学者。IMFやGATTなど第二次大戦後の国際貿易・通貨体制の確立に尽力。
Richard Kahn (1905-89) イギリスの経済学者。雇用乗数の理論を明らかにし、ケインズ『一般理論』に影響を与えた。
Joan Robinson (1903-83) イギリスの経済学者。不完全競争論などを展開した。
Amartya Sen (1933-) インド出身の経済学者。貧困を市場の失敗と捉え、そ

歴史的・構造的方法論

フルタードは生涯にわたってブラジルを中心にラテンアメリカあるいは途上国の低開発を解剖し、開発のための処方箋を探求したが、その基礎にあるのはどのような理論と方法だろうか。フルタードはマルクス、リカード、ケインズなど多くの経済学理論を学び、それを現実の経済に当てはめて解釈する努力をしたが、常に既成の理論に囚われることなく、自立を維持した。理論はあくまで現実の経済問題を理解し、また解決するために存在すると考えた。こうした姿勢はマルクスやケインズなどの先人たちも同じであった。彼らもまた貧困や失業などの原因を探り、それらを解決する方法を示した。他方でフルタードは、既成理論からの自由とともに、決定主義を拒否し主意主義を主張し、人間がその意思に基づいて経済のあり方を決定できると考えた。物質的な生産力や生産関係が歴史の原動力だとするマルクスの唯物史観や、個々の経済主体の合理的な行動が自ずと経済成長を実現するとした新古典派経済学の合理性仮説を否定した。主意主義の立場から社会の変革者としての知識階級の役割を重視した。フルタードは青年期にマンハイム[*21]に傾倒したが、階級など存在被拘束性から自由で全体的視野をもつ知識階級こそが、社会を正しく理解し変革しうると考えた（Bresser-Pereira [2004]）。

それではフルタードの経済学方法論とは何か。フルタードは、開発理論をはじめて論じた『開発と低開発』の冒頭で、経済理論は抽象的かつ歴史的であるべきとする。すなわち経済発展の理論は、マクロ経済の視点から、継続的な成長と生産組織と社会的生産物の分配を説明することを目的としているが、そのための作業は二つの次元をもつ。一つは抽象化あるいはモデル化の作業であり、成長過程のメカニズムを経済変数間の関係を数式などによって示すこ

の克服を潜在能力アプローチ（capability approach）、人間の安全保障の概念によって示した。

＊19 Francisco Julião（1915–99）ペルナンブコ州レシフェの地主出身で、弁護士、政治家。一九五六年に、土地から排除された農民を組織し協同組合運動の農民同盟（Ligas Camponesas）を組織した。著書に『重いくびきの下で――ブラジル農民解放闘争』西川大二郎訳、岩波新書、一九七六年（原書は一九六八年刊）がある。

＊20 Superintendência do Desenvolvimento do Nordeste　ペルナンブコ州シフェに本部を置くブラジル北東部地域開発機関。二〇〇一年にカルドーゾ政権によって廃止されたが、〇七年にルーラ政権によって再興された。

＊21 Karl Mannheim（1893–1947）ハンガリー出身の社会学者。知識社会学の創始者で、知識の存在拘束性を指摘し、独裁制を生み出す大衆社会の特質を考察し、拘束から自由な知識人の社会変革における役割を強調した。

とである。もう一つは歴史的な作業であり、抽象的な分析が歴史に照らして事実かどうかを批判的に考察することである。後者の作業は抽象化の限界を明らかにする過程でもある。別の言い方をすれば、経済分析がより高次なものに向かうためには、歴史的な作業によって不断にその有効性を問う必要がある。こうした経済科学の二重の性格、抽象的であるとともに歴史的であることは、当然ながら経済発展の理論にも当てはまる。したがって、イギリスなどの経験を基礎に生まれた経済学がそのまま他の国々に当てはまると考えることは誤りであるとした（Furtado［1961］1-3）。

フルタードは『開発と低開発』の英語版の発行（一九六四年）に当たって「先進国と低開発国の諸問題への構造的な視点」という副題を加えた。経済現象を歴史的な構造の継起や変化のなかで解明しようとしたのである。こうした研究手法は彼が師事したペルーに従ったものであったが、加えて一九五〇～六〇年にフランスで興隆した構造主義からも影響を受けた。構造主義は人間や社会の諸現象を、それらが構成する構造全体のなかで理解しようとする思想である。なかでも重要であったのはレヴィ＝ストロースであった。構造主義を人類学に適用し、未開社会の言語や文化の構造を考察した。フルタードは、構造主義とともに、同じ時代にフランスで流行したブローデルなどアナール学派[*22]の歴史観からも影響を受けた（Boianovsky［2015］414）。

ラテンアメリカでもCEPALのエコノミストの間で構造主義的な手法による経済分析が試みられた。すなわちプレビッシュは、方法論として構造主義を明言していないが、「ラテンアメリカの経済発展とその基本問題」[*23]で、世界経済が生産構造が異なる中枢と周辺の二つの極から構成される非対称性をもっているとした。しかし、フルタードによれば、中枢＝周辺論も

＊22　二十世紀に影響力をもったフランス現代歴史学の潮流のひとつ。従来の歴史学で欠如していた民衆の生活を含め社会全体の事実を叙述する重要性を主張した。

＊23　Prebisch, Raul［1959］"The Economic Development and its Principal Problem," New York: United Nations.

また、本質的に共時的、すなわち経済現象を静止した体系として扱うものであり、構造の変化を考察するものではない（Furtado［1985］67）。要するに歴史的＝構造的アプローチがフルタードの研究方法論であった。*24

低開発とは何か

それでは、歴史的＝構造的な視点からみると、低開発はどのような経済なのか。『開発と低開発』は第四章において低開発の理論を提示している。フルタードは十八世紀の工業化が世界経済を三つの進路に分けたと論じた。一つが西欧諸国、次が北米とオーストラリア、最後がそれ以外の国々である。最初の西欧では前資本主義経済が解体され、工業化によって所得上昇が進んだ。次の北米などはもともと人口が少なく、移民によって西欧同様の生産と消費が全国に浸透し、資本主義が成立した。これに対して第三の国々は一定の人口規模をもち、その経済制度は多様であるが一様に前資本主義の性格をもっていた。西欧資本主義との接触は従来の経済を変容させる。その内容は地域の状況、資本主義の浸透の在り方や強度によって異なるが、一様に複合的な構造、すなわち資本主義制度と前資本主義制度の混合をもたらした。低開発に見られる経済の二重構造の起源はここにある。低開発は、歴史的な結果であり、高度に発展した国が過去に辿った過程とは異なるものである（Furtado［1961］127-129, 138）。

そのうえでフルタードは、どのような経済が形成されるかは、移入された資本主義経済と先行する経済の内容によって異なるとする。資本主義生産が大規模で労働力が豊富に存在する場合、無制限的な労働力供給によって資本主義は広範なものとなる。しかし、経験的には伝統的な部門から大量の労働力が資本主義部門に移動することはなく、その結果資本主義の浸透

*24　歴史的＝構造的アプローチという用語は、もともとは一九六〇年末から七〇年代はじめにかけてチリの経済学者スンケル（Osvaldo Sunkel 1929-）、改良主義的従属論者であるカルドーゾとチリの社会学者ファレット（Enzo Faletto 1935-2003）によって使われたものである（Boianowsky［2015］441-443）。

によって伝統的な経済が変更されることはなかった。[*25]

このように複合的な経済が広く見られるが、それは固定的なものと考えるのは誤りである。ブラジルは一つの例である。ブラジルのコーヒー経済は、広大な未開地と豊富な労働力の存在から発展を遂げ過剰な生産力を持つまでになった。コーヒー経済の発展はまた国内に金融市場と消費財市場の形成を促した。コーヒー輸出が停滞し輸入能力が減少すると、国内市場向けの軽工業への投資機会が増加した。その結果、伝統的な自給的部門、輸出に関わる部門、そして国内市場に基礎的な工業品を生産する部門の三つから構成される経済が成立した。しかし、工業部門の収益性は必ずしも高いものではない。為替の下落から輸入機械の価格が上昇するからである。低開発からより高い段階に移るには、先進工業国のように、工業が多様化し、イノベーションが起こる必要がある。要するに低開発とは、近代的な資本主義経済成立の一過程ではなく、資本主義的な企業が伝統的経済へ浸透する過程で誕生した特殊な経済である（Furtado［1961］133-138）。

*25　フルタードはセイロン（スリランカ）の紅茶、ビルマ（ミャンマー）のゴム生産を例外として挙げている。これらの事例では大規模なプランテーションが開かれることによって多数の人口が賃金労働者として吸収され、伝統的経済を大きく変質させた。しかしその場合でも、プランテーションの労働力が海外から輸入されたり、紅茶やゴムへの需要が縮小すれば、国内の賃金は上昇せず生存水準にとどまり、これらの国で実際に見られたように、経済体制の大きな変更はなかったとした（Furtado［1961］129-132）。

ブラジル経済の一般的性格

フルタードの研究は広範囲に及び、その全体像を明らかにするのは容易でないが、その中心的な関心がブラジルの低開発の要因がどこにあり、そこから脱出するには何が必要かを解明することにあったことに異論はないであろう。フルタードはプレビッシュの議論を発展する形で「ブラジル経済の一般的性格」を著したが、それは、プレビッシュの「基本問題」が中枢と周辺の間の関係に専ら関心を向けたのに対して、周辺つまりブラジルの内部に焦点を当てて考察したものである。

ブラジル経済は植民以来少数の一次産品への特化を基本的な性格としている。こうした経済では、経済成長は外部要因すなわち国際的な一次産品需要によって規定され、内的要因すなわち国内市場や所得によっては規定されない。一次産品価格が上昇する繁栄期には輸出部門の所得が増加する。本来であればそれは国内での消費や投資を通じて他の経済部門に波及するが、ブラジルではそうしたことは起こらない。何故ならば、一つには輸出部門の所得のほとんどが消費、しかも工業製品や奢侈的な商品の輸入に向けられたからである。つまり国内経済への乗数効果[*26]が輸入によって海外に流出してしまったのである。国内経済への波及効果がないもう一つの理由は、国内の賃金が上昇しないからである。その要因は、輸出産品が繁栄と衰退を繰り返すなかで、新たな一次産品生産のための労働力が衰退産品部門から供給されたためと、コーヒー生産については労働力がヨーロッパ移民によって供給されたからである。こうしてブラジルのでは経済成長は、ごく限られたグループすなわち輸出部門のエリートを利したにすぎず、国内市場はきわめて限られたものであった。労働力の不断の供給は賃金の上昇とそれに起因する生産性の上昇も生じさせなかった（Furtado［1950］11-12）。

低開発の議論のあと、フルタードは工業化と開発の可能性を論じる。一九二九年の大恐慌という外的ショックは、一次産品輸出による経済成長を困難なものとした。コーヒー輸出による外貨獲得手段が失われ、また為替が下落し輸入能力が減退するなかで、かつて輸入によって満たされていた工業製品に対する需要が、国内工業に向かう可能性が高まった。要するに外的ショックがブラジル工業に好機を与えたのである（Furtado［1950］28-29）。

乗数効果の議論にはケインズの影響を見ることができる。他方で、一次産品輸出経済を輸出部門と自給部門に二分化し低開発を論じるフルタードの視点は、アーサー・ルイス[*27]の二重

*26 乗数効果は、例えば投資などを増加させたときに、その増加額を上回る国民所得などが得られることを指す。国民所得拡大額を投資増加額で除したものを投資乗数という。

*27 Arthur Lewis（1915-91）西インド諸島セントルシア出身の経済学者。専門は経済発展論。後発国経済を資本家部門（近代部門）生存維持部門（伝統的部門）に分けて分析する二重経済論を展開し、労働力移動と経済発展を論じた。二重経済論はルイス以降多くの研究者によって精緻化され、開発経済学や経済発展論に大きな影響を与えた。

構造論を想起させる。ルイスが無制限労働力供給論を発表したのは一九五八年なので、フルタードの議論はそれに先行したことになる（Love［2018］68）。構造学派を代表するルイスは、発展途上国の開発を、都市と農村、あるいは近代部門と伝統部門が交錯して発展する過程として描いた。ルイスによれば開発途上国の特徴は、土地や資本に対して労働力が過剰なことであり、近代的な都市部門と伝統的な農村部門が並立している。経済成長の原動力は都市の工業部門であり、これに対して農村は労働力を提供する。農村では限界生産力がゼロ、すなわち新たに労働力を投入しても生産は増加しない。人々は生存ぎりぎりの生活を営んでいる。そこで農村部からは、生存維持水準の賃金で労働力が無制限に供給され、その結果都市部門で大きな利潤が生まれ、投資の増大によって工業生産が拡大する。こうしてルイスの議論では二重構造はいずれ解消される過程と描かれているのに対して、フルタードでは二重構造が解消されることのない低開発を表象するものとして描かれている。違いは、フルタードの議論では、輸出部門が生み出す所得が奢侈的な商品輸入に充てられ、工業での労働力投入や投資には向かわないとされているからである。

ブラジル経済の形成

『ブラジル経済の形成』は、理論によって経済史を明らかにする試みであり、経済史によって理論を創造する試みである。こうした方法をとるのは、ブラジル経済と低開発が既存の経済理論によっては解明し得ないという認識がある。フルタードは、開発過程の解明のために、経済学だけでなく、幅広い分野の知識を動員し、ブラジル社会の変革を体系的に明らかにしようとした。経済理論と経済史の統合は、事実を叙述する歴史学への批判であるとともに、歴史的事実を軽視する伝統的な経済理論に対する批判でもあった。『ブラジル経済の形成』のもう一つの重要な特徴は、それが単に経済発展や低開発の要因を明らかにしただけではなく、経済発展のための政策、低開発の悪循環を克服するための政策を示していることである。歴史上優れた経済理論の書がそうであるように、『ブラジル経済の形成』もまた社会変革のためのものであった。

『ブラジル経済の形成』はこうした深遠な意図をもっているが、まず解明しようとしたのは低開発の起源であり、低開発がどのような性格をもっているかであった。ブラジル経済はその起源である十六世紀初頭から外国との関係において二つの部門に分割された。輸出向けの商品生産部門と国内向けの自給部門である。ブラジルに限らず低開発国はそのほとんどが輸出産品を通じて外国に従属している。国内総生産は国内の投資率よりも経常収支水準から強い影響を受けている。その結果通常のマクロ経済理論は経済成長を説明しえない。経済の従属性を理解するには歴史を遡ることが不可欠である。

本書は、前半部分でブラジルの低開発がどのように形成されたかを、後半部門で開発がどのように進行したかを論じている。前半部分では、同じ植民地から高度な工業化社会を築いた米国と比較しながら、十六世紀はじめの植民から二十世紀はじめに至るブラジルの低開発を論じている。米国の北部植民地は小規模な家族農から構成され、所得は平等で消費水準は概して高く、市場規模は大きいものであった。重商主義のイギリスは自国製品と競合しない限り生産を認めていたので、日用品を中心に工業が生成した。独立戦争による輸入の途絶は工業飛躍の機会となった。フルタードがもう一つ着目したのは綿織物の原料である綿花需要の急増である。中南部での綿花栽培はイギリスからの投資や移民をひき付け、それは資本の蓄積と市場の拡大につながった。[*28] これに対してブラジルでは奴隷制を基礎として砂糖栽培が広がったが、砂糖輸出が生み出す所得は土地所有者に集中し、その所得も製糖設備や奴隷の輸入、そして彼らの奢侈的な消費財の輸入に多くが費やされた。つまり循環的で自律的な国内経済を実現する条件が欠けていたのである。ブラジルは砂糖のあと、金などの鉱物、そしてコーヒーの経済サイクルを経験するが、資本の蓄積と市場の拡大にはつながらなかった。

『ブラジル経済の形成』は後半部分で開発の時代を論じる。すなわちブラジル経済は一九二九年の大恐慌を契機に工業化の時代を迎えた。大恐慌は輸出の大半を占めるコーヒー経済を破綻させ、それを契機に工業化が進展した。CEPALの命題、すなわち一次産品輸出部門の破綻が工業化を促すというショック理論を踏襲したものである。フルタードはさらに、大恐慌後の為替の下落がその不利益を社会に転嫁することによって、そして余剰コーヒーの政府購入と焼却が輸出部門の所得減少を抑制することによって、国民所得と消費の落ち込みを阻止することになったとする。余剰コーヒー購入資金は通貨発行によって調達された。コーヒー部門の防衛政策が経済成長政策となった。つまりブラジルは、ケインズが『雇用・利子および貨幣の一般理論』（一九三六年）を書く以前に、無意識に需要の不足を補う財政政策が実行されたのである（フルタード［一九七二］二二二頁）。他方で輸入の途絶は工業製品の輸入代替を刺激した。それは消費財から生産財にまで及んだ。『ブラジル経済の形成』は、フルタードの工業化への期待とその可能性への楽観が色濃く見えるものであった。[*29]

輸入代替工業化停滞論争

しかし、フルタードの期待に反して、ブラジルを含めラテンアメリカの輸入代替工業化は、

＊28 カナダなど人口密度の低いヨーロッパ諸国の旧植民地を対象に、輸出向け一次産品生産が一国の経済成長を促進するとした議論にステープル理論がある。ステープルとは主要輸出品を意味し、それが経済成長に結びつくかどうかはステープルが高い連関効果をもつかどうかによるとされる。

＊29 二十世紀初頭から一九三〇年代に至る初期工業化をめぐる論争については小池［一九八四］一五六〜一六六頁。

その開始からまもなく一九五〇年代末以降徐々に失速する。それは一時的な停滞なのかそれとも限界なのか、フルタードは『ラテンアメリカの低開発と停滞』(Furtado [1966]) や『経済開発の理論と政策』(Furtado [1969]) で輸入代替工業化が直面する課題とその克服のための政策を論じた。

ラテンアメリカでは輸入代替の対象が一般消費財から耐久消費財、さらに中間財や資本財に移ったが、それらの財の生産は規模の経済が働き、多額の資本を必要とし、また技術の代替性が乏しいという特徴をもつ。その結果最適生産に達せず生産コストは高いものになる。生産は機械設備に大きく依存し、その結果労働力の吸収は小さいものとなる。他方で需要側の問題もある。所得分配の不公正は、富裕層の奢侈的な消費とマス層(大衆)の停滞した消費を生み、国内市場の成長による生産の拡大を困難にする。投資の相当部分が奢侈的な生産に向けられ、マス層向けの生産は停滞する。富裕層の貯蓄性向はマス層中上位と変わらず低く、そのため貯蓄が投資に向かうという循環ができず、生産拡大に必要な投資を賄うことができない。

輸入代替工業化に停滞をもたらす構造的な硬直性を打破するには、輸入能力を高める必要があるかもしれない。輸入が自由にできる条件があれば、輸入代替とそのための投資が柔軟に実行でき、過剰な生産能力を軽減し投資効率を高めることができる。こうした供給側の変更とともに需要側で、富裕層の消費の一部を投資に向けるような誘導が必要である。需給両面で変更を実現するには経済全体でのコーディネーションが必要であるが、それは経済計画によって経済過程全体を調整することによって可能になる。国家による計画は経済の構造を変革する本質的に唯一の方法である。構造的な二重構造の克服と低開発の除去は、ますます政策の立案とその実行の条件にかかっている（Furtado［1969］226）。

フルタードの輸入代替工業化停滞論には批判がある。その一つがタヴァレスとセラの論文である[*30]。彼らは、中間財・資本財部門での低い投資効率が利潤率を引き下げるというフルタードの議論が、それらの部門が寡占あるいは独占的な地位にあり価格を引き上げられること、そして高い資本集約度（労働量に対する資本量の比率）が労働生産性を引き上げることを考えれば、必ずしも正当ではないとした。つまり利潤率の低さが工業部門の投資の抑制と低成長を説明するものではない。工業化が停滞するのは国際収支の制約から資本財や中間財が輸入できないことであるとした（コラム8参照）[*31]。

フルタードの輸入代替工業化停滞論はまた事実によっても懐疑が向けられた。すなわちブラジル経済は、軍政のもとで、一九六七年から七三年に「ブラジルの奇跡」と言われた高い経済成長率を達成し、工業でも耐久消費財生産が急速に増加し、さらに中間財・資本財の生産が開始された。フルタードは七二年に『ブラジルモデルの分析』（Furtado［1972］訳書は『ブラジルの開発戦略』一九七三）で、長期平均経済成長率を上回る成長率の要因を、高成長以前に広範に存在した遊休設備の利用、消費者金融と中間層の所得上昇、政府投資による総需要の増加に求めている。工業化に対する悲観論は少し影を潜めているが、なお構造的な要因が経済成長を抑制しているとの理解を放棄していない。続いて出版した『経済開発の神話』（Furtado［1974］）では開発が神話に過ぎないと論じた。その理由として、多くの国が依然として貧困のなかにあり経済発展が普遍化したとは言い難いこと、ローマクラブの「成長の限界」[*32]が指摘しているように経済発展には天然資源の制約が存在すること、さらにはブラジルの経験が示すように消費が一部の特権層に帰属し、そのことが社会的格差を悪化させていることを挙げている。

＊30 Tavares, Maria da Conceição e José Serra [1971] "Más allá del estacionamento: una discusión sobre el estilo de desarollo reciente," *El Trimestre Económico*, México, 38 (4), pp.905-950.

＊31 フルタードとタヴァレス&セラの間の論争については以下に紹介がある。Coutinho, Maurício C. [2019] "Furtado e seus críticos: da estagnação à retomada do crescimento econômico," *Economia e Sociedade*, Campinas, 28 (3), pp.741-759; カイ［二〇一二］六三〜六五頁。

＊32 ローマクラブの委託に対してデニス・メドウズを主査とする研究チームが一九七二年に発表した報告書で、人口増加や環境汚染など現在の傾向が続けば、資源の不足から一〇〇年以内に地球上の成長は限界に達すると、警鐘を鳴らした。

フルタードは、資源と環境制約という新しい論点を加えるとともに、構造的理由による低開発の持続というこれまでの主張を改めて開陳している。

ノルデステ開発

ノルデステ（北東ブラジル）開発はフルタードのテーマの一つであった。何よりもノルデステは彼の生まれ故郷であった。加えてフルタードの低開発概念はノルデステの社会での見聞を素材の一つとして生まれたものであった。一九五八年にＢＮＤＥの局長に就任したフルタードは、クビシェッキ大統領の要請でノルデステ開発作業グループ（ＧＴＤＮ）[*33]を率いることになった。ＧＴＤＮは五九年に「ノルデステの開発政策」[*34]を作成し、それをもとに同じ年フルタードは『ノルデステ作戦』（Furtado [1959]）を出版した。これらは、構造主義のテーマである、工業国と農業国あるいは中枢と周辺の格差と支配と従属関係についての議論を、ブラジル国内に適用してノルデステの低開発を論じたものである。

「ノルデステの開発政策」によれば、一九五〇年代半ばのノルデステの一人当たり所得が中南部（Centro-Sul）に比べて著しく低く、その格差はブラジルと先進国の格差よりも大きい。しかも格差は拡大する傾向にある。とくに二つの地域の工業部門の成長率の格差が大きい。その背景を説明するため三角交易概念を導入する。すなわちノルデステの交易は、外国との直接貿易、中南部との交易、そして中南部を介した外国との貿易の三つである（GTDN [1959] 22）。ノルデステは外国との取引においては黒字であるが、中南部との取引においては赤字である。こうした不均衡の重要な原因は政府の経済介入、端的に言えば輸入代替工業化政策である。工業製品への保護関税は工業製品価格を引き上げ、その結果農業部門は高価な工業製

*33　ＧＴＤＮ（Grupo de Trabalho para o Desenvolvimento do Nordeste）は後に大統領府直属のノルデステ開発審議会（Conselho de Desenvolvimento do Nordeste：ＣＯＤＥＮＯ）に改編された。

*34　GTDN [1959] "Uma política de desenvolvimento para o Nordeste." 作成者名はＧＴＤＮとなっているが、執筆したのはフルタードであった。

品の購入を強いられる。補助金や低利融資、資本財輸入を優遇する為替政策は工業部門の所得を増大させる。こうして政府介入は、農業から工業への所得移転を促し、工業が重要な中南部の経済成長を促し、他方で農業に依存するノルデステの経済成長を抑制する。こうした議論は、先進工業国と後発農業国の間の交易条件を議論したプレビッシュ仮説の国内版である。ラブはフルタードのノルデステについての議論を「国内植民地主義論」の一つとして紹介している。*35

それではノルデステの開発には何が必要か。フルタードは、ノルデステとくに海岸部では肥沃な土地が限られていることを踏まえて、工業化を提案し、その先行事例としてプエルトリコと日本を挙げている（GTDN［1959］51-52）。ノルデステで工業への投資がなされる条件は安価な労働力の存在である。しかし、食料品価格を見ると、絶対額では中南部より安価であるが、傾向的には中南部より価格が上昇している。背景には農業の土地および労働者あたりの生産性が低いことがある。そこでフルタードは、工業化には、あるいはノルデステの開発には、土地改革を含む農業構造の根底から改革が必要であるとした（GTDN［1959］59-61）。

フルタードが提案した農業改革も工業化もノルデステでは実現することはなかった。大土地所有者が支配する保守的な政治環境のなかで土地改革は容易に実行できなかった。工業を起こすための資本、技術などの資源が不足し、それらの資源を動員し組織する企業者能力や行政能力を欠いていた。そして軍政がフルタードをSUDENEから排除すると、ノルデステは開発の優先地域ではなくなった。ノルデステが工業地域として注目を浴びたのは、皮肉にも、経済自由化政策が実行され、国内外での競争に対応するため、中南部の企業が低賃金労働を求めて競ってノルデステに投資した一九九〇年代以降である。ノルデステの州政府が企業

*35　国内植民地主義論は一国内での地域間での不平等な交換を議論したものであり、ロシア、イタリアなど多くの国について議論されている。ラテンアメリカについてはカイ［二〇〇二］第三章、ブラジルについては以下を参照。Love, Joseph L. [1989] "Modeling Internal Colonialism: History and Prospect," *World Development*, 17 (6), pp.905-922.

を誘致するため流通税を減免したことも奏功した。こうした変化にもかかわらず、ブラジルには著しい地域格差が存続しているのもまた事実である。

フルタード後

構造学派は一九七〇年代以降開発経済学のなかで急速にその影響力を失った。ラテンアメリカ諸国が実行した輸入代替工業化が失速し、他方で東アジアの輸出志向型工業化への転換が高い成果を挙げたからである。七〇年代半ばから八〇年代はじめにかけて対外債務を原資とした重工業の輸入代替工業化政策の失敗は、構造学派の後退を決定的なものとした。IMFや世銀による債務救済とその条件である構造調整のなかで、構造学派の理論と政策は一掃され、開発論は市場原理の有効性を主張する新古典派経済学と、その政治的主張である新自由主義に取って代わられた。経済自由化が進められ、国家の役割は著しく限られたものとなった。

これに対してCEPALは「新構造主義」という新たな看板を掲げファインジルベル*36を中心に専門家を再結集し、新自由主義に対抗する開発モデルの作成を目指した。*37 新構造主義は、経済成長における技術進歩の重要性を強調した。それは従来の構造主義への批判であるとともに、経済安定化や比較優位など静学的な議論や政策を中心とし、成長論が脆弱な新自由主義とその根底にある新古典派経済学への批判を目指すものであった。新構造主義では、工業化は重要な課題とされない。より重要なのは産業の効率性や生産性の向上である。所得分配において新構造主義が重視したのは、技術進歩を可能とする人的開発と所得の平等化である。技術進歩を重視した新構造主義の開発論は、技術や知識に着目して経済成長を論じた内生的成

*36 Fernando Fajnzylber Waissbluth（1940–91）チリの経済学者。国連工業開発機関（UNIDO）、世銀を経て一九八六年以降CEPALで開発研究に従事。一九九〇年の報告書（*Changing Production Patterns and Social Equity: The Prime Task of Latin American and Caribbean Development in 1990s*）は新構造主義の先駆けとなった。

*37 新構造主義については浜口伸明、村上善道［二〇一六］「新構造主義とは何か」神戸大学経済経営研究所『ディスカッション・ペーパー』DP2016-J08がその評価を含めて紹介している。

長論にもつうじ、その意味では新古典派経済学と親和性をもつものであった。

一九八〇年代以降ラテンアメリカでは、経済自由化とグローバル化が進み、一次産品輸出部門が成長し、非工業化（de-industrialization）が進んだ。輸出される一次産品は多様化し加工度が高まったが、経済は一次産品価格の変動にさらされ不安定なものであった。加えて大量の資金の流出入が為替相場を著しく不安定なものとした。一次産品輸出増大期には、投機を含めた大量の外資流入によって為替が上昇し、多くの工業が駆逐された。適切な為替管理と産業政策があれば存続した工業が消失した。[*38] 市場原理に基づく開発戦略は、東アジアがそうであったように、労働集約的な産業を創造し、貧困削減と分配の公正化を実現すると想定されていた。しかし現実にはブラジルを含め多くのラテンアメリカ諸国ではそうならなかった。失業を増大させ雇用の非正規化を促した。新構造主義が想定するような技術進歩は起こらなかった。残った工業は、労働集約的な製品や工程に偏り、投資や生産性は低いままである。フルタードが問題とした富裕層の奢侈的消費と低い貯蓄性向は、現在でも投資を制約し歪めている。フルタードが改革の必要性を論じた土地制度や税制については、新自由主義はそれを無視し、新構造主義は軽視した。新構造主義はＩＴ技術と教育の重要性を強調するが、それらは先進国などの経験からみると分配をより不公正にする可能性がある。フルタードが理論と実証によって明らかにした後発国の低開発と不公正はなおも解決されず存在しているのである。

＊38　ブレッセル＝ペレイラは経済全体の為替レートに加えて工業発展にとって適正なレートの設定を提案している。ブレッセル＝ペレイラ［二〇一九］。

【読書案内】

フルタードの著作は数多く多方面に渡るが、開発研究と政策に大きな影響力をもった書籍などは比較的初期に書かれている。以下に本文で紹介したものを中心に主要なものを挙げた。

Furtado, Celso [1950] "Características gerais da economia brasileira," *Revista Brasileira de Economia*, 4 (1), pp.7-37.

——— [1959a] *Formação econômica do Brasil*, Rio de Janeiro: Editôra Fundo de Cultura（『ブラジル経済の形成と発展』水野一訳、新世界社、一九七一）.

——— [1959b] *A operação Nordeste*, Rio de Janeiro: ISEB.

——— [1961] *Desenvolvimento e subdesenvolvimento*, Rio de Janeiro: Editora de Fundo de Cultura.

——— [1966] *Subdesenvolvimento e estagnação na América Latina*, Rio de Janeiro: Civilização Brasileira.

——— [1969] *Teoria e política do desenvolvimento econômico*, São Paulo: Compania Editora Nacional.

——— [1972] *Análise do modelo brasileiro*, Rio de Janeiro: Civilização Brasileia（『ブラジルの開発戦略──高度成長の要因と問題点』山田睦男訳、新世界社、一九七三）.

——— [1974] *O mito do desenvovimento econômico*, São Paulo: Compania Editora Nacional.

——— [1983 (1973)] "Auto-retrato intelectual," em Oliveira [1983] pp. 30-41.

——— [1985] *A fantasia organizada*, Rio de Janeiro: Editora Paz e Terra.

フルタードの研究を紹介したものも夥しい数にのぼる。Love [2018] はフルタードの履歴と研究を包括的に紹介している。カイ［二〇〇二］とブレッセル＝ペレイラ［二〇一九］は構造主義を含めラテンアメリカの開発思想史を紹介している。子安［一九九四］はフルタードの開発の思想と重要な概念を解説している。Oliveira [1983] はフルタードの主要著作の一部を掲載するとともに、著作を批判的に紹介している。

Araújo, Tarcisio Patricio de et al. (orgs.) [2009] *50 anos de formação econômica do Brasil: ensaios sobre a obra clássica de Celso Furtado*, Rio de Janeiro: Fundação Getulio Vargas.

Bielschowsky, Ricardo [2016] "Celso Furtado's Contributions to Structuralism," *CEPAL Review*, 86, April, pp.7-14.

——— [2014] "Frutado's Economic Growth of Brazil ," *International Journal of Political Economy*, 43 (4), pp.44-62.

Boianovsky, Mauro [2015] "Between Lévi-Strauss and Braudel: Furtado and the Historical-structural Method in Latin American Political Economy," *Journal of Economic Methodology*, 22 (4), pp.413-438.

Bresser-Pereira, Luiz Carlos [2004] "Method and Passion in Celso Furtado," *Cepal Review*, 84, December, pp.19-34.

Kay, Cristóbal [1989] *Latin American Theories of Development and Underdevelopment*, London and New York: Routledge（カイ、クリストバル［二〇〇二］『ラテンアメリカ従属論の系譜――ラテンアメリカ：開発と低開発の理論』吾郷健二監訳、大村書店）.

Love, Joseph [2018] "Brazilian Structuralism," in Edmund Amann, Carlos Azzoni and Werner Baer (eds.), *The Oxford Handbook of Brazilian Economy*, New York: Oxford University Press, pp.63-88.

Oliveira, Francisco de (org.) [1983] *Celso Frutado*, São Paulo: Editora Ática.

Szmrecsányi, Tamás [2005] "The Contributions of Celso Furtado (1920-2004) to Development Economics," *European Journal of Economic Thought*, 12 (4), pp.689-700.

小池洋一［一九八四］「ブラジルの工業化と資源・エネルギー」大泉光一、今井圭子、小池洋一『ラテンアメリカ中進国の資源と工業化』泰流社。

子安昭子［一九九四］「セルソ・フルタードの経済開発思想――ブラジルの『構造改革』を目指して」『国際学論集』（上智大学）第三三号、四月、二五〜四九頁。

ブレッセル＝ペレイラ、ルイス・カルロス［二〇一九］「開発のマクロ経済学としての新開発主義」岡本哲史、小池洋一編『経済学のパラレルワールド――異端派総合アプローチ』新評論、三五五～三九九頁。

フルタードの逝去、生誕一〇〇周年を記念して多くの雑誌が特集号を組んだ。以下はその主なものである。国連開発計画（ＵＮＤＰ）の *In Focus* はハンス・シンガー（Hans Singer）が編集したもので、カルドーゾ、ピーター・エヴァンス（Peter Evance）らが寄稿している。

In Focus (UNDP), April, Special Edition on Celso Furtado (1920-2004), 2005.

Cadernos do Desenvovimento, 15 (26), edição especial sobre 100 anos de Celso Furtado, 2020.

História Econômica & História de Empresas, 24 (1), edição especial sobre Celso Furtado, 2021.

国際セルソ・フルタード開発政策センター（Centro Internacional Celso Furtado de Políticas para o Desenvolvimento）は、二〇〇四年にサンパウロで開催された国連貿易開発会議（ＵＮＣＴＡＤ）において、ルーラ大統領の提案によって設立されたもので、貧困削減と開発政策研究、政策提案などを目的とするが、併せてフルタードの研究や資料を紹介しており、フルタードとブラジルの開発研究の軌跡を知るうえで格好の情報ソースとなっている。

http://www.centrocelsofurtado.org.br/

（小池洋一）

コラム マリア・ダ・コンセイソン・タヴァレス
——工業化の国際収支制約を解明

マリア・ダ・コンセイソン・タヴァレス（Maria da Conceição Tavares 1930–）はフルタードとともにブラジルの構造学派を代表する経済学者である。ポルトガル生まれで、父親は無政府主義者であった。一九三〇年代に母国ではサラザールが独裁をしき、無政府主義を批判し、隣国スペインのフランコ政権を支持していた。こうしたなかで父親はスペイン市民戦争の避難民の保護活動をしていた。タヴァレスは五三年にリスボン大学で数学の学位をとったが、サラザールの独裁政治を避けてブラジルに移住し五七年に市民権を得た。翌年には国立経済開発銀行（BNDE）で所得分配の計量分析に従事し、六〇年にはCEPALとBNDEが設立した経済開発センター（Centro de Desenvolvimento Econômico）で、その代表であるチリ人エコノミストのアニバル・ピント（Anibal Pinto）のアシスタントとなり、彼の帰国後代表となった。最初の論文「ブラジルにおける輸入代替の成長と衰退」（"The Growth and Decline of Import Substitution in Brazil," *Economic Bulletin for Latin America*, IX (1), March 1964.）は国内外に衝撃をもって迎えられ、CEPALを代表する研究成果となった。この論文をベースに七二年に主著『輸入代替から金融資本主義へ』（*Da substituição de importações ao capitalismo financeiro*, Rio de Janeiro: Zahar, 1972.）を発表した。ブラジルで軍政による抑圧が強まるなか、六八～七二年にアジェンデ政権下のチリに滞在し経済省で働いた。帰国後カンピナス大学、リオデジャネイロ連邦大学で教鞭をとった。労働者党に属し九五～九九年にはリオデジャネイロ州選出の下院議員となった。

「ブラジルにおける輸入代替の成長と衰退」はブラジルの輸入代替工業化が直面する困難を克明に描いている。タヴァレスによれば一九五〇年代から六〇年代初頭に至る輸入代替工業化を失敗に導いたものは、輸出部門のダイナミズムの喪失である。後発性からの脱却を目的とした輸入代替工業化は、耐久消費財などでより高次な段階に移るにつれ、中間財や資本財輸入が増大し、国際収支制約が深刻化したことによって中断された。輸入代替によって外貨を節約するために開始された工業化が、外貨制約によって頓挫するという矛盾を生んだのである。つまり、輸入代替工業化が順調に進むには、輸出部門（端的には一次産品輸出）が生み出す外貨が必要なのである。加えて輸入代替工業化は、資本集約的な技術の採用から労働力の吸収や所得分配の改善に失敗し、そのことは国内市場を狭隘なものとし、工業製品需要を抑制した。伝統的な土地制度の残存もまた農村部の工業製品需要を抑制した。輸入代替工業化はブラジル経済の二重構造を終焉させるよりもむしろ強化した。タヴァレスは、構造学派のエコノミストとして、低開発からの脱却のための工業化を支持しているが、その困難性やジレンマを怜悧に考察した。

タヴァレスは労働問題にも深い関心をよせた。筆者は一九八九年に来日した彼女を案内して自動車工場を訪問した。当時ブラジルでブームだった日本的生産システムを見てもらうためであった。そのときのタヴァレスの感想は興味深いものであった。組立ラインのベルトコンベヤーで多くの種類の作業をこなす労働に対して、自分はこうした作業現場で働きたくはないと、小声で言った。そこでタヴァレスが見たのは、日本的経営論が賛美する労働者による自主管理でも労働の人間化でもなく、非人間的で強度が高い労働だったのである。

タヴァレスは、『異端派経済学者事典』(Arestis, Philip and Wolfson College (eds.) [2000] *A Biographical Dictionary of Dissenting Economists*, Cheltenham and Northampton: Edward Elgar.）で、二十世紀の異端派経済学者一〇〇人の一人として、女性ではラテンアメリカで唯一選ばれた。タヴァレスの生涯、思想、理論、政治活動については以下から知ることができる。Melo, Hildete Pereira de (org.) [2019] *Maria da Conceição Tavares: vida, ideias, teorias e políticas*, São Paulo: Editora Expressão Popular.

（小池洋一）

ルセフ大統領弾劾批判集会にて
A economista Maria da Conceição Tavares esteve no ato com lideranças femininas de movimentos sociais e sindicais defendo o governo da presidenta Dilma Rousseff Photo by Fernando Frazão/ Agência Brasil, licensed under CC BY 3.0

第9章　緩く真摯な変革者――フェルナンド・エンリケ・カルドーゾ

ラテンアメリカの二大大国はブラジルとメキシコである。多くの共通点を持つ両国だが、一九八〇年代の経済危機を経て、メキシコが国家として隣国のアメリカ合衆国を模範とするようになり、その矛盾に対して民衆の様々な抵抗がみられる一方で、ブラジルはその産業政策や外交、さらには社会政策や文化政策においても独自の路線を追求しようとしている。政治腐敗など多くの課題を抱えているとはいえ、ブラジルでは左翼勢力が政治制度により建設的な形で組み込まれているといえる。本章で紹介するフェルナンド・エンリケ・カルドーゾ（Fernando Henrique Cardoso）は、穏健左派の知識人として、改革派の政治家として、現代ブラジルの変容に多大な功績を残した。差異を際立たせるよりも妥協点を探ろうとする姿勢ゆえ、批判も受けてきた。だが、カルドーゾの成し遂げたことから、メキシコを含むラテンアメリカ諸国はもちろん、日本も多くを学ぶことができる。

フェルナンド・エンリケ・カルドーゾ（一九九八年撮影）
Fernando Henrique Cardoso em maio de 1998.
Photo by Organização Mundial do Comércio, licensed under CC BY-SA 2.0

「緩さ」の美徳

ラテンアメリカの魅力として、零か一かではないグレーな解を許容する、妥協を悪くみない、約束事を臨機応変に解釈するといった「緩さ」を挙げる人は多いだろう。ＡＩ時代のテクノクラートが社会的課題にも配慮した経済成長を説くとき、人生が設計、管理される恐れが付きまとう。左派の側をみると、国家による上からの社会変革の試みは、国民の自発性を奪い、体制維持のため国家権力が強大化していくという負の連鎖を生んできた。小農主義者やメキシコのサパティスタ民族解放軍（Ejército Zapatista de Liberación Nacional：EZLN）[*1]のように、資本主義も国家も乗り越えようとする運動はラテンアメリカで根強く、世界中に賛同者がいるものの、そのラディカルな性格ゆえに体制を脅かすことは少ない。もちろん、イデオロギーの信奉や管理への誘惑に囚われることなく、好きにやればいいというものでもない。ルールなど破るためにあるのであれば、政治汚職や経済低迷、治安悪化などを通じて、法治国家の根幹が危ぶまれてしまう。これは、ブラジルを含む多くのラテンアメリカ諸国が経験してきたことである。開発や民主主義といった大きな問いについて考えるとき、真面目過ぎてもいけないし、緩すぎてもいけない。

カルドーゾの凄さは、緩さを堅持しつつ、ラテンアメリカを代表する左派知識人の一人として、およびブラジルの転換を支えた有力政治家として、真剣に変革を追い求めたことである。ここでの「緩さ」とは、特定のイデオロギーやディシプリンを絶対視しない学際性、柔軟な理論への選好、および政治を通じて紛争や社会的課題の解決は可能だとする楽観主義のことを指す。緩さを好まぬ識者にとっても、カルドーゾの著作と生き様は、ブラジルという文脈を超えて評価されるべき価値を持つ。

生い立ちと経歴にみえる一貫性

主に自伝（Cardoso［2006］）によりつつ、カルドーゾの足跡を辿ってみたい。カルドーゾは、一九三一年にリオデジャネイロにて、政治と縁の深い家系に生まれた。祖父も父もエリート

＊1　一九八三年にメキシコ南部チアパス州において先住民を主な兵士とする農民ゲリラ組織として結成され、九四年に武装蜂起した。その後、賛同する先住民たちと国家と資本主義に抵抗する自治を実践しつつ、新自由主義への批判とマイノリティの権利を国内外に唱える社会運動へと発展し、今日に至る。

軍人だったが、ともに社会改革への関心が強く、とくに父親は弁護士資格も持つリベラルな教養人であり、軍歴のあるヴァルガス大統領[*2]に重用された。頻繁に政治家や知識人が訪れる家の長男として育ったカルドーゾは、サンパウロ大学に入学し、のちに恩師となるフェルナンデス（第3章参照）ら優れた教授陣を抱える社会学に惹かれるようになり、研究者としての道を歩み始める。子どもの時分から陰の部分もみてきた政治より、ブラジルの最高学府で学問を究めることを選んだわけであるが、政治は常に身近なところにあった。幼い頃から友人を作ることが得意だったと述懐するカルドーゾは、マルクスの新しい読み方を探究する研究会「マルクス・セミナー」（一九五八～六四年）への参加やフランスなど海外での滞在を通じて、国内外の研究者とネットワークを築いていく。

一九六〇年代から八〇年代にかけては、ラテンアメリカを代表する社会学者として名を馳せた。彼の名を一躍高めたのは、六九年にスペイン語の初版が出版されたファレート（Enzo Falleto）との共著『ラテンアメリカにおける従属と発展』（以後、『従属と発展』）である。カルドーゾの主要な関心は、対外的および技術的な制約条件の枠内で、途上国の開発過程の多様性を説明する国内の政治的諸条件を明らかにすることにあった。

国内政治に力点をおく発展論を探究していたカルドーゾだが、次第に、自らの見識とエネルギーを現実の政治過程に注ぐようになる。彼を取り巻く政治状況も、学問から政治への転身を促した。一九六四年の軍事クーデター勃発後に四年間の亡命生活を余儀なくされ、帰国後には学生運動に幻滅し、さらに高まりをみせていく民主化運動にかかわる中で、自身で政治を変えていこうと決意する。上院議員から外相、蔵相を経て、大統領を二期（一九九五～九九年、九九～二〇〇三年）務めている。

＊2 Getúlio Vargas（1882–1954）。一九三〇～四五年と五一～五四年にブラジルの大統領として、同国の国民統合と工業化を推進した。

社会学者として活躍していた一九七〇年代のカルドーゾ
Source: Arquivo Fundação Fernando Henrique Cardoso

このように研究と政治が分かち難く結び付いている点で、カルドーゾの人生は一貫している。政治の表舞台から退いて以後は、カルドーゾ財団[*3]を創設したほか、世界各地で講演を行っている。

学術的、政治的な貢献

研究者としての半生からみてみよう。その最大の功績は、後発途上国が多国籍企業の投資を受け入れつつ工業化を目指すなど新たな状況が出現する中で、途上国の不利を克服するための国内条件、特に政治的な条件に焦点を当てた「従属論の完成者[*4]」であることだろう。この他にも、史料の読解やスラム居住者への聞き取りに基づき、「人種問題など存在しない」という神話のあったブラジルにおいて、奴隷制が廃止後の発展過程に及ぼした広範な影響を分析するという先駆的な業績もある。スラムへの訪問調査は、二〇代のカルドーゾにとって貧困、人種差別と分断の現実を目の当たりにする初めての機会であり、学びの多い経験だったという。また、民主主義=競争的な選挙の実施のことであり、経済発展のあり様がその成否に決定的な影響を及ぼすといった狭い政治観を超えて、民主主義の定義と成立条件を拡げようとした一連の論考も、重要な貢献に含められよう(Cardoso [2001])。

カルドーゾは、新古典派経済学であれ、政治的・社会的な近代化論であれ、あるいはマルクス主義の流れを汲む議論であれ、単線的で自己完結した議論を嫌悪した。経済学者の中でカルドーゾが、恩師として、親友として最も評価し、影響を及ぼし合ってきたのは、ハーシュマン[*5]である。両者は、人文主義的な素養、民主主義に寄せる期待、極端に振れがちなラテンアメリカの政治的伝統への危惧などで一致していた。また、亡命期に現在の国連ラテンアメリ

＊3 Fundação Fernando Henrique Cardoso 開発と民主主義をめぐる公論に資することを目的に二〇〇四年に創設されたシンクタンクであり、カルドーゾと人類学者であるルース夫人(Ruth Cardoso)の書庫管理も行っている。

＊4 従属論は、経済学が一般に自由貿易体制の普遍的な恩恵を説くのに対し、自由貿易の後発国にとっての不利を強調する。国連ラテンアメリカ・カリブ経済委員会(CEPAL)やカルドーゾのように適切な国家介入により不利を軽減できるとする穏健なものから、国際経済からの離脱と社会主義的な革命を唱える急進的なものまで、従属論者の間にも幅がある。

＊5 Albert Hirschman (1915-2012) ラテンアメリカで大きな影響力を持った、ドイツ出身の社会科学者。主著に、『離脱・発言・忠誠――企業・組織・国家における衰退への反応』(ミネルヴァ書房、二〇〇五年)や『情念の政治経済学』(法政大学出版局、一九八五年)などがある。

カ・カリブ経済委員会（Comisión Económica para América Latina y el Caribe：CEPAL）に属し、サンティアゴに集う識者から刺激を受けたこともあり、近代化開始時点での各国の経済的、社会的、政治的条件を重視する実践的な開発論を提唱しているとして、CEPALを評価した。CEPALというと、「（一次産品に依存した経済は工業化を遂げた経済に追い付けないという）一次産品ペシミズム」や「（世界経済のルールは中心をなす先進国には有利に、周辺をなす途上国には不利に働くという）中心―周辺命題」などで知られる。だが、歴史社会学者としてカルドーゾは、一次産品と工業製品の性質の違い（後者の方が前者よりも所得の増加率に対する需要の増加率が高い等）、それによる先進国の途上国に対する優位といった技術的な議論よりもむしろ、政治的要因（先進国の労組と企業の独占力等）や社会的要因（国内エリートの性格、構造的異質性等）への着目を評価した（Cardoso［1977］）。

ブラジルに限らず、ラテンアメリカの知識人や社会運動の間に広く浸透していたマルクス主義については、対立からむしろ新たなものが生まれるという弁証法的な枠組を柔軟に社会分析に用いることを勧める。その一方で、経済構造が政治や文化を決めるとする経済決定論にも、既成秩序の転覆こそ進歩をもたらすという革命論にも、与することはなかった。ラテンアメリカにおいて激しい再分配要求は「（右派）クーデターのレシピ」である一方、生産と分配を国家が集権的に管理してもうまくいかないことには早くから気付いていた。

ところが、カルドーゾの知的歩み、成熟とは逆に、後発途上国の不利を重視するいわゆる従属論は、マルクス主義も取り入れつつ急進化していく。CEPALの説く輸入代替工業化路線は、技術面での停滞と成長率の減速、工業化の恩恵を受けた集団と（インフォーマル部門や農民ら）受けていない集団との格差など、綻びが露呈するようになる。これに加えて、中国やキューバでの社会主義革命の成立が急進化を促した。その代表格のフランク[*6]は、一次産品輸出期の農園主や商人、国家が信頼に値しないように、工業化を担う国内の企業家や多国籍企業、政治家や官僚等も大多数の国民にはむしろ不利益をもたらすのであり、革命により国際経済から自立した社会主義体制の樹立を説いた。その簡明さゆえ、反帝国主義、反資本主義を掲げる従属論は世界的に読者を獲得することになった（受田［二〇一四］）。

主著『従属と発展』の意図は、フランクらに対抗し、各国の政治的、経済的現実に根差した開発論を示すことにあった。マルクス主義者やCEPALの経済学者の議論を消化し、経済的制約を意識しつつも、焦点は特定の型の経済発展を可能とする各国の政治制度や各政治主体の持つイデオロギーや運動戦略にあった。その独立性や能力について懐疑論の強かった後発国の国家について、カルドーゾの見方は柔軟である。同書で展開された有名な議論の一つに、工業化の初期時点において、民族ブルジョアジーが一定の勢力として成長し外資への依存の少ない国の方が発展しやすいというものがある。だが、正確には、この有利さは政治がそれを機会として捉えない限り実現されない。アルゼンチンとメキシコを比べると、二十世紀初頭に工業化に適していたのは、ヨーロッパの影響が大きく、国民の同質性も高いアルゼンチンだった。だが、労働者階級の支持を取り付けたポピュリストのペロン[*7]以降、アルゼンチンの政治体制は労使間の分配の調整にエネルギーを注ぎ、資本蓄積と生産性の改善は疎かになる傾向にあった。その一方、メキシコは著しい格差ゆえに社会革命を経験し、革命後の七〇年にわたる（官製組織を通じて、企業や労組、公務員、農民ら諸集団の利害調整を図る）コーポラティズム型の一党支配体制、さらには二十一世紀以降の競争的政治体制の下で、アルゼンチン以上の経済構造の多様化を達成した。経済の発展段階（産業構造や都市化率などで示される）や社会構造（資

＊6 Andre Gunder Frank（1929–2005）ドイツ出身の経済学者で、その生涯を通して、ラディカルな従属論をはじめ異端の視点を提起し続けた。主著に、『従属的蓄積と低開発』（岩波書店、一九八〇年）や『リオリエント――アジア時代のグローバル・エコノミー』（藤原書店、二〇〇〇年）などがある。

＊7 Juan Domingo Perón（1895–1974）アルゼンチンの軍人、政治家であり、三期大統領を務めた。カリスマ性を生かして労働者保護政策を進めた一方で、財政運営と工業化政策には規律に欠けるところがあった。

産の集中度など）、政治制度（大統領制か否か等）の重要性は認めつつも、カルドーゾの関心は、そこから一般法則を導くことではなく、それらの制約の中で各国、各社会が公正な発展のために工夫する余地のあることを示すことにあった。

カルドーゾの、広義の政治を決定的な要素とみる思考の枠組は、多国籍企業の評価にも適用される。独自の戦略を持って途上国に進出し、進出国の長期的な成長に直接の利害関係を持たない多国籍企業の存在が、国内向け生産と輸出の増大による貿易収支の改善、さらには自国企業への技術移転など、国内経済に望ましい機能を果たすためには、政府の側に先見性や交渉力があることに加え、一定の保護と同時に企業間競争を促す仕組みが求められる。ビッグプレーヤーだから良い、悪いというのではなく、その特性が自国経済の高度化に資するような政治的同盟と政策の実現がみられるか否かに目を向けるべきだとする議論は、その後の多国籍企業の実証研究にも影響を与えた。世界におけるパワーの不均等な分配を意識し、従属という概念を使うものの、国際経済ないしグローバルな資本主義体制は途上国の発展を促進し得るのであり、そのための国内条件を見出そうとするのがカルドーゾの開発論ないし政治経済学である。

続いて、カルドーゾの政治的な貢献について論じてみたい。扱う事例の個別性を考慮しながら、さまざまな理論を弾力的に組み合わせて適用し、経済発展や民主化など普遍性のある目標実現のための実践的な条件や戦略を導くというのが、カルドーゾの研究だけでなく、政治活動にも通底するスタイルである。政治家としてのカルドーゾも、研究生活同様、危機的状況を巧みに切り抜け、対立を調整し、大きな成功を収めている。

一九七八年に初めて上院議員選挙に立候補して以降、徐々に政治に足場を移していく。穏健民主派として、八五年の民政移管を後押しした。八八年には、中道左派政党であるブラジル社会民主党（Partido da Social Democracia Brasileira：ＰＳＤＢ）の結党に参加している。民主主義の定着のためにも、経済の再建が政治の優先課題だったが、カルドーゾはそれまでの蔵相が失敗しては辞任を繰り返してきた国難を解決し、脚光を浴びる。慢性的なインフレを鎮静化させたのである。レアル・プランは、新通貨レアルの導入とそのレートの変動幅の維持、緊縮財政、さらには国民のインフレ期待を減らす説得キャンペーンからなるものである（Cardoso [2006] 185-188）。カルドーゾが社会学者でありテクノクラートでないことは、むしろインフレ鎮圧に寄与した可能性が高い。というのは、経済学者の見解を参考にしつつも特定の理論に拘泥することなく、不要な社会対立を回避しながら、ブラジルの政治的、社会的文脈に適合した政策メニューを試行錯誤で見出すことができたからである。

インフレを鎮静化させた蔵相は、翌年にＰＳＤＢ所属の大統領候補として勝利し、二期八年にわたりブラジルの大統領を務めることになった。カルドーゾ政権は、安定した経済運営と構造改革と同時に、教育改善策や貧困対策、ＡＩＤＳ対策にも力を入れた。教育についてみると、政府の責任と分権化を定めた教育基本法の制定、公的支出の増加、さらには貧困世帯への条件付き現金給付（Bolsa Escola）などを通じて、教育水準の改善を実現している。さらに、研究者として最初に取り組んだ人種問題に手をこまねていることはできず、有色人種の教育水準の改善や政府部門における雇用、技能訓練を促進するアファーマティブ・アクション[*8]を導入している。

カルドーゾにとってみれば、大統領になったからといって価値観が変わったわけではなく、

＊8　歴史的に差別を受けてきた集団の地位向上のために、雇用や教育の機会を優先的に割り当てる政策のこと。ブラジルでは、公立大学の入試や一部の公職において、黒人や先住民のための枠が設けられている。

今も昔も社会民主主義者である。しかし、左派の中には、カルドーゾの「変節」や「資本との妥協」を批判する者もいる（コラム9を参照）。民営化を例にとると、カルドーゾは「最も民営化を推し進めた大統領」として批判される。カルドーゾ自身、公営企業の非効率と財政負担を問題視していたのは事実である。だが、独立性の強い規制機関の創設や戦略的部門には政府の株式所有を残した点を、積極的な教育政策や環境保護策と合わせて考えるならば、カルドーゾは新自由主義者に過ぎず産業政策など無かったという指摘は的を得ているとはいえない。

カルドーゾとよく比べられる政治家として、カルドーゾ政権後に労働者党（Partido dos Trabalhadores：PT）政権を二期率いたルーラ（Luiz Inácio Lula da Silva）がいる。[*9] たたき上げの労働組合指導者として鳴らし、その急進左派的な言動から、カルドーゾとは対照的な存在といえる。だが、立候補して四度目の選挙の結果、大統領に選出されて以降は穏健化している。カルドーゾ政権の八年間があったからこそ、それを土台として労働者党政権が誕生し、社会の分極化を招くことなく、多くの成果を実現できたという解釈もできる。カルドーゾの緩さは、資本家に譲歩すると同時に、労働者と市民社会に異議申し立ての機会を与えるものでもある。

*9　PTとルーラについては第10章を参照。

二十一世紀の世界とカルドーゾ的なるもの

知識人として、政治家として、カルドーゾはブラジル国内にとどまらぬスケールの活躍をしてきた。では、二十一世紀以降の世界においても、カルドーゾから学べるものはあるのだろうか。彼の「緩さ」が認められる余地はあるのだろうか。

カルドーゾの研究、思想面からみると、『従属と発展』公刊から半世紀以上が経っており、彼の研究をそのまま適用することはできない。政治と経済の相互作用の分析、広義の制度への注目などには、今日の社会科学からみても先見性が認められる。だが、現代の社会科学において主流の経済学的アプローチからみれば、理論が厳密でない（ミクロ的基礎付けの欠如）、経験的な裏付けに乏しい（計量的な検証の欠如）という批判は避けられない。ゲーム理論や計量経済学を用いつつ、北米と比べてラテンアメリカ諸国が停滞し「中進国の罠」[*10]から抜け出せないでいる状況を植民地期に形成された垂直的な社会構造の悪影響により説明するという、新制度学派[*11]の明快で手法的にも洗練された議論に慣れ親しんだ若い世代には、カルドーゾの著作は煩雑かつ古色蒼然にみえることだろう。筆者も、論述に省略や飛躍の多い『従属と発展』を分かりやすい日本語に訳出しようと格闘する過程で、研究スタイルの「緩さ」に何度も怒りをおぼえたものである。

とはいえ、論理整合性やエビデンスにこだわると、カルドーゾの良さも押し殺してしまう。カルドーゾの学際性は、自然科学志向の経済学とは異なり、社会科学と人文科学を融合しようとするものであり、経済学的なアプローチにはない解釈の自由さとスケールの大きさ、個別性の尊重という魅力を伴っている。政治家と官僚、企業、労組と農民など従来の分析で扱われてきた主体に加えて市民社会の役割も積極的に組み込んだ国家論の再構築、ラテンアメリカと東アジア、アフリカなど異なる地域の地域研究者間の交流、途上国が選択できる政策の範囲を広げるための国際経済ルールの改革など、カルドーゾの問題関心を現代世界において発展させるテーマや仕掛けはいろいろとある（*Studies in Comparative International Development* [2009]）。

政治家としてのカルドーゾについてみれば、彼のような為政者の必要性は今後も高まりこそすれ、減ることはないだろう。ラテンアメリカだけでなく欧米諸国においても、国民の不満と社会的分断に乗じて、ポピュリズムが支持を拡げている。日本では三〇年にわたり、新しい

＊10　一定の経済成長を遂げた後発国の成長率が逓減し、先進国に追い付けずにいる状況を指す。ブラジルを含む大半のラテンアメリカ諸国が陥っているとされる。

＊11　新制度学派（new institutionalism, new institutional economics）は、経済学の分析枠組を用いつつ、経済発展を広義の制度――法規や組織、規範や政治体制――により説明しようとする。同じ植民地として出発しながらも発展度に顕著な差のついた南北アメリカの歴史は、制度の重要性を示す格好の例とされる。

経済発展と社会的共生のモデルへの転換に向けて合意形成をできずにいる。国際的には、環境問題、格差拡大と将来への不安、安全保障など、調整を要する数々の難題が横たわる。政治に期待をかけるよりも絶望したくなる。融通無碍にみえるが誠実であり、対話を好み、アカデミーへのコンプレックスがなく、最適解を追い求めるよりも次善解をどんどん導いていけるカルドーゾのような人物、さらにはそういう人物が政治にたくさんかかわれるような制度改革が必要とされている。カルドーゾは、その生涯を通して、政治の可能性を示したのである。

【読書案内】

1 Adelman, Jeremy [2013] *Worldly Philosopher: The Odyssey of Albert O. Hirschman*, Princeton: Princeton University Press.

2 Cardoso, Fernando Henrique y Enzo Falleto [1969] *Dependencia y desarrollo en América Latina: ensayo de interpretación sociológica*, Buenos Aires: Siglo Veintiuno Editores（『ラテンアメリカにおける従属と発展』鈴木茂、受田宏之、宮地隆廣訳、東京外国語大学出版会、二〇一二年）.

3 Cardoso, Fernando Henrique [1977] "The Originality of a Copy: CEPAL and the Idea of Development," *CEPAL Review*, No.4, pp. 7-40.

4 Cardoso, Fernando Henrique [2001] *Charting a New Course: The Politics of Globalization and Social Transformation* (Edited and Introduced by Mauricio a. Font), Maryland: Rowman & Littlefield Publishers.

5 Cardoso, Fernando Henrique [2006] *The Accidental President of Brazil*, New York: PublicAffairs.

6 Cardoso, Fernando Henrique and Eduardo Graef [2012] "Political Leadership and Economic Reform: The Brazilian Experience in the Context of Latin America," in Santiso, Javier and Jeff Dayton-Johnson (ed.), *The Oxford Handbook of Latin American Political Economy*, Oxford: Oxford University Press.
7 *Studies in Comparative International Development*, 44 (4) [2009] (Dependency and Development 特集号).
8 アセモルグ、D、J・ロビンソン［二〇二〇］『自由の命運――国家、社会、そして狭い回廊（上）（下）』早川書房。
9 受田宏之［二〇一四］「A・G・フランク再読――現代ラテンアメリカと従属論」三宅芳夫編『近代世界システムと新自由主義グローバリズム』作品社、三〇五～三一二頁。
10 カイ、クリストバル［二〇〇二］『ラテンアメリカ従属論の系譜――ラテンアメリカ：開発と低開発の理論』大村書店。
11 ジミー・カーターほか［二〇一四］『知の英断』、NHK出版。
12 田村梨花［二〇〇三］「カルドーゾ政権における教育開発」『イベロアメリカ研究』二四（二）、五九～六九頁。
13 恒川恵市［一九八八］『従属の政治経済学メキシコ』東京大学出版会。
14 フランク、A・G［一九八〇］『従属的蓄積と低開発』岩波現代選書。
15 堀坂浩太郎、子安昭子、竹下幸治郎［二〇一九］『現代ブラジル論――危機の実相と対応力』上智大学出版。

研究者としてのカルドーゾを語る上で主著の2は外せない。従属論や開発の政治経済学における2の貢献を理解するには、カルドーゾによるCEPALに関する論考である3、カルドーゾが批判した急進派の従属論者フランクに関する文献9と14、従属論をサーベイした10と13も合わせて読むとよい。カルドーゾの他の業績を概観するには4が便利である。カルドーゾの現代的意義については、7

の特集号が参考になる。従属論者同様に歴史の重要性を認めつつも経済学的な手法を用いる新制度学派については、8が読みやすい。政治家としてのカルドーゾについては、5の自伝のほかに、カルドーゾへのインタビューの掲載されている11、彼の教育政策を扱った12、さらには15の現代ブラジル論などが参考になる。カルドーゾの近年の議論を知るには、6および7所収の本人の論文がよい。最後に、1のハーシュマンの評伝は大著だが、カルドーゾに影響を与えた知のネットワークの拡がりを知ることができる。

（受田宏之）

コラム 農地改革と資本主義
——土地なし農民運動とカルドーゾ政権

左派、進歩派を自認しながらも、カルドーゾは特定のイデオロギーに依拠することも政治的冒険主義とも距離を保ってきた。資本主義の矛盾は、国家や市民社会により是正される必要がある。だが、公共行動が結果として、貧しい人びとの状況を悪化させることがあってはならない。それを防ぐのは、過激な言動ではなく、見解の異なる専門家も含む対話を許容する民主主義の実践ということになる。

ブラジルは格差の大きな社会であり、急進左派には、カルドーゾの姿勢は微温的で、体制派のエリートにみえがちである。その最たる例が土地なし農民運動（Movimento dos Trabalhadores Sem Terra：MST）であろう。カルドーゾも自伝のうち七頁を費やして、MSTの歴史や彼らとの確執、より望ましいと考える農地改革の方向性について論じている。一九八四年に結成されたMSTは、大農園と多国籍企業の支配するブラジル農業に真っ向から異議を唱え、土地なし農を組織化し集団での占拠を通じて彼らに農地を再分配し、小規模農家からなるコミュニティが環境に優しい農業を行うことを対置する、ラディカルな運動である。知識人やカトリック左派、芸能人らの支持も受けて、国内に一五〇万人の成員がいると説く。その組織力から、国際的な小農擁護運動（Via Campesina）を牽引している。カルドーゾはMSTの大義には共鳴する。ポルトガル王室が少数の植民者に広大な土地を与えたという歴史的偶然により、ブラジルは今も農地分配において最も不平等な国の一つであり、それが同国の抱える諸問題の根源にある。だが、農地の占拠という暴力的な手段は、地主側による殺害等の凄惨な対抗暴力を招く、所有権の不確実性からMSTの強い地域では投資が手控えられるなど、優れたアプローチとはいえない。また、小農を中心に据えるMSTの（脱）開発モデルはあまりにロマン主義的に映るという。このため、カルドーゾ政権はMSTによる既存の占拠地は黙認する一方で、新規の占拠を防ぐ措置を取った。それへの報復として、MSTがカルドーゾの親族の農園を占拠し、カルドーゾが裁判所の許可を得た上で占拠者を立ち退かせたのは、両者間の緊張を物語る有名なエピソードである。MSTに対抗してカルドーゾの勧める農地改革は、有効に活用されていない土地を税制等を通じて合法的に再分配することであり、実際に彼の在任中、世銀や米州開銀（ＩＤＢ）の支援を受けながら四四五〇万エーカーの土地が再分配された。再分配された農地面積を比べれば、ＭＳＴとより良好な関係を築いた労働者党のルーラ政権に劣るものではない。

大統領や地主でなくとも、ＭＳＴを批判するのは容易である。メキシコのＥＺＬＮにも当てはまるところがあるが、ラディカリズムゆえ、国際的な注目を集める一方で、社会主義的でアグロエコロジカルな理想に則って生きるメンバーは少数派にならざるを得ない。ＭＳＴの農産物の学校給食の食材としての地方政府による買取りや高品質のブランド化した市場向け生産等、理想とは必ずしも一致しない実践を不可避に含むものとして、ＭＳＴはグローバルな影響力を維持してきたのである。

MSTによる占拠地の様子
Occupation par des paysans Sans-Terre: construction sommaire.
Photo by Julien Vandeburie, 2006, licensed under CC BY-SA 1.0

ＭＳＴのようなラディカルな運動についてむしろ議論すべきは、国家の側がそれをどう受けとめるかである。民主主義を高く評価し、軍政から民政への移行にも関与したカルドーゾは、ＭＳＴに同調はしないが、弾圧もしない。ＭＳＴがなかったならば、政府による農地改革も、世界的な小農運動も、スケールの小さなものになっていただろう。これは権威主義体制との大きな違いである。様々なラディカルな運動の存在は、現代ラテンアメリカが誇るべき達成といってよい。

だが同時に、ラディカルな運動が国家と対峙し続けるならば、社会的分断の克服は限定的なものにとどまる。逆に、少なからぬ権威主義国家でみられるように、それが国家に吸収されてしまうならば、対抗集団の急進化、さらにはそれを抑えるための軍事化や自由の剥奪という悪循環をもたらしかねない。カルドーゾは一九六〇年代から七〇年代にかけて域内を覆った軍政について、当初は労働者階級の要求を抑えるものとして歓迎した中産階級はやがて過剰なまでの自由の制限に直面し後悔することになったと論じているが、ラディカルな運動の側も、自らの要求が広く認められる政治的状況が含意するものの洞察に欠ければ、後悔することになる。国家と社会運動の建設的な対話の回路を構築することは、ラテンアメリカの政治的課題の一つである。

ＭＳＴはそれ自体、興味深い運動である。だが、ＭＳＴとカルドーゾ政権およびルーラ政権との複雑な関係からも、多くの示唆を得ることができる。

（受田宏之）

【参考文献】

Cardoso, Fernando Henrique［2001］*Charting a New Course: The Politics of Globalization and Social Transformation* (Edited and Introduced by Mauricio a. Font), Maryland: Rowman & Littlefeld Publishers.

――――［2006］*The Accidental President of Brazil*, New York: Public Affairs.

Carter, Miguel［2011］"The Landless Rural Workers Movement and Democracy in Brazil," *Latin American Research Review*, Vol. 45, Special Issue, pp. 186-217.

Pahnke, Anthony［2015］"Institutionalizing Economies of Opposition: Explaining and Evaluating the Success of the MST's Cooperatives and Agroecological Repeasantization," *Journal of Peasant Studies*, 42 (6), pp. 1087-1107.

第10章　人間の尊厳――飢餓・貧困と闘うルーラの原点

二〇〇三年から一〇年に二期八年間大統領職にあったルーラ（Luiz Inácio Lula da Silva）。一〇歳にならないうちから家計を助けるために働き、小学校を終えられないまま、旋盤工として働く中で組合活動に目覚め、三〇歳の若さで一〇万人が加入する金属加工業労働組合の委員長となった。当時のブラジルは軍政から民政へと時代が変わる中にあり、ルーラは労働運動そして民主化運動のリーダーとして、労働者党（PT）[*1]や労働者統一本部（CUT）結成に中心メンバーとして携わった。一九八五年の民主化後に下院議員に当選、八九年以降、三度にわたって大統領選に出馬、四度目で大統領の座を獲得した。「ブラジルを変える」をキャッチフレーズに、新興国の雄としてブラジルをグローバルな舞台に引き上げた。労組委員長から大統領という異色の経歴の持ち主であり、また大統領時代にかかわったとされる汚職事件ラバジャット[*2]では逮捕、服役、その後一転して無罪となり、今また三回目の大統領の声が囁かれる（本論執筆時点）。ルーラに対する評価は様々である。熱烈な支持者がいる一方で「ルーラ嫌い」の人もいる。今も政治家として現役を続けるルーラであるが、これまでのルーラの生き様からいえることは、ルーラは究極的には人間が人間らしく生きることとは何か、そのためには何が必要かを考え、その実現のために行動してきたということである。以下、本論では、生い立ち、軍政と闘った労働運動や民主化運動、飢餓や貧困との闘いを通してルーラの原点にある

ルーラ（二〇二〇年撮影）
Former Brazilian President Lula visit Die Link in Berlin, March 2020 Photo by Martin Heinlein, licensed under CC BY 2.0

＊1　ポルトガル語で Partido dos Trabalhadores.

＊2　国営石油会社ペトロブラスや大手ゼネコンが関与するブラジル史上最大規模といわれる汚職事件。ラバジャット（Lava Jato）とはガソリンスタンドで車を洗う高速洗浄機を意味するポルトガル語。捜査当局のコードネー

「人間の尊厳」に迫ってみたい。

生い立ち——極貧家庭に育ったルーラ

一九四五年一〇月、ルーラは、ブラジル北東部ペルナンブコ州カエテスという町で父アリスティージ・イナーシオ（Aristides Inácio da Silva 1913–78）、母エウリディシ・フェレイラ（Euridice Ferreira de Melo 通称ドナ・リンドゥ Dona Lindu 1915–80）の七人目の子供（末っ子）として誕生した。ルーラ家族が住んでいた地域はアグレステ[*3]と呼ばれる植生に属し、ブラジルのなかでも貧困地帯であった。実際ルーラの家も部屋は二つ、電気も水道もなく、床は泥のままの住居であった。父親はルーラが生まれる前にサンパウロ近郊の港町サントスに出稼ぎに出ており、ルーラが初めて父親に会ったのは五歳の時、父親が長男を連れに家に戻ったときであった。

一九五二年一二月、ルーラは母や兄弟たちとともに一三日間の旅[*4]ののち、サントス港でコーヒー俵の運搬人として働く父親とともに暮らすようになった。当時七歳、兄ジョゼ[*5]と一緒に路上でオレンジを売り、靴磨きをする生活であった。五六年八月、子供たちに暴力を振るい、勉強より働くことを強要した大酒飲みの夫と離婚、ドナ・リンドゥは子供たちを連れて、サンパウロの工業地帯、通称「ABC地区[*6]」の「C」にあたるサンカエタノドスルに隣接する小さな町に移った。ルーラはそこで一四歳から金属加工工場で働き始め、一五歳で工業訓練所SENAI[*7]に入学、旋盤[*8]技術を身に着けた。小学校を修了できなかったルーラは初等教育をその時に終えている。

組合運動との出会い

ムであるが、今回の汚職事件全般を指す。ブラジリアのガソリンスタンドを使った資金洗浄（マネーロンダリング）で始まったことからこの名称が使われるようになった。

＊3 ポルトガル語で agreste. ブラジル北東部の石ころだらけで植物の乏しい地方（『現代ポルトガル語辞典』白水社、二〇〇五年）。

＊4 ルーラ家族のような北東部から軽装トラックで移動する出稼ぎ労働者のことを「パウジアララ」と呼ぶ。ポルトガル語で Pau de Arara。北東部地方出身者に対する軽蔑的な意味もある（『現代ポルトガル語辞典』白水社、二〇〇五年）。

＊5 その後フレイ・シコ（Frei Chico）という愛称で呼ばれるようになる。共産党員。ルーラを組合運動の道に誘った人物。ルーラが組合活動を本格的に始めるきっかけは兄の逮捕だった（Santana [1998] 6）。

＊6 サンパウロの大都市圏から少し

ブラジルで軍事クーデターが起きた一九六四年三月、ルーラは一八歳であった。勤務先の金属加工工場でプレス機が故障、左手小指を切断という大怪我に見舞われた。真夜中におきた事故だったため、工場長が朝六時に出勤し、ルーラを病院に連れていくまでの数時間、ルーラは包帯がまかれた左手の激痛にひたすら耐えていた。

一九六六年一月、ルーラはABC地区のBにあたるサンベルナルドドカンポにある大手金属加工メーカーのインドゥストリアス・ビジャレス（Indústrias Villares）に就職、この時初めて隣接するジアデマ（Diadema）地区の金属加工業労働組合を訪れている。ブラジル共産党（PCB）*9の党員であった兄ジョゼと一緒であったが、ルーラは当初「組合活動はつまらない。不要な議論をしているだけ」と冷めた姿勢で組合活動をとらえていたが、何度か集会に参加するうちに組合活動に熱くなっていったという。ただこうも述べている。「私はただ単にその道の（＝金属加工の）プロになって、稼ぎを増やし、いい暮らしをしたいだけだった。子供も欲しかった。組合リーダーになることなど全く私の頭にはなかった」（ルーラ協会 Instituto Lula のウェブサイト）。その後二三歳で金属加工業労働組合の執行委員となり、七五年、齢三〇歳でルーラは金属加工業労働組合委員長に就任、一〇万人の労働者の頂点に立つことになった（七八年に再選）*10。

新しい組合主義（novo sindicalismo）のリーダーとして

ブラジルで労働組合が初めて作られたのは十九世紀末である。当時イタリアやスペインなど南欧諸国の移民が労働運動思想を持ちこんだことが背景にある。堀坂によればブラジルには「一九二〇年代までにはある程度の労働運動の伝統と階級意識が育っていた」（堀坂

離れたところにある外資系自動車メーカーや自動車関連工場が数多く林立する工場地帯。サントアンドレ（Santo André）、サンベルナルドドカンポ（São Bernardo do Campo）、サンカエタノドスル（São Caetano do Sul）の下線のアルファベットをつなげたもの。

＊7 ポルトガル語では Serviço Nacional de Aprendizagem Industrial（SENAI）。

＊8 金属加工を行うときに使用する工作機器のひとつ。その旋盤を扱って金属などの切削加工をする職人が「旋盤工」。

＊9 ポルトガル語で Partido Comunista Brasileiro。

＊10 委員長就任演説は、ルーラの友人ソアレス（Maurício Soares）博士の助けを受けて作られた。ソアレス博士のキリスト教社会主義的な視点が反映され、資本主義とソビエト型社会主義両方に対する批判をバランスよく述べた演説で、ルーラ自身もそうした考えを共有したという。自分たちのような労働者はブラジル社会で尊厳をもって受け止められるべき人びとであることも述べられた（Goerzel [2018] 354, 363）。

〔一九八七〕一一六頁）。こうした下からの労働運動を抑え込み、ブラジルに新しい組合と国家の関係を作ったのが、ヴァルガス大統領[*11]であった。「組合国家協調主義」（コーポラティズム）である。一九三〇年革命によって政権に就いたヴァルガス大統領は都市の組織労働者を支持基盤に取り込むべく、労働時間や休日、失業や疾病手当などの整備を通して彼らに一定の権利を保障、その一方で、組合は国家に対して協調する、言い換えれば定められた構図（＝コーポラティズム）の枠組みの中で行動することになった。ピラミッドにたとえるならば、頂点に労働省があり、その下に労働組合があるイメージである。労働組合の中身は上から順番に全国レベルの「産業別総連盟」、続いて州レベルの「連盟」、底辺に産業別の「地方組合」であった。産業別の組合であり、企業ごとの組合は禁止、そもそも組合を認可するのも労働省であり、組合役員（幹部）の人事権も労働省がもっていた。「国家お抱えの」組合員はしばしば「ペレーゴ」（鞍の敷き皮）と軽蔑的に呼ばれ、後述するルーラたちの「新しい組合主義」の標的となった。

このように国家のもとに労働組合がある政治社会の在り方、すなわちコーポラティズムはヴァルガスが退陣した第二次世界大戦以降も存続した。軍政になる前に一時期独立労組の動きが見られたが、軍政になった六四年以降も基本的にコーポラティズムの体制は変化することはなかった。軍政にとって経済発展を遂行させるうえで組合運動を抑え込んでおくほうが好都合であったからである。こうしたブラジルのコーポラティズムを象徴するものとして、労働者が組合加入の有無にかかわらず年一日分の給与相当額が徴収される組合費があった。集められた組合費はそれぞれの労働組合に配分され、かつ労働省にも振り分けられていた。この組合費についてルーラたちはのちに激しく非難するようになる。

ブラジルは一九六〇年代後半、より正確には六八年から七四年にかけて「ブラジルの奇跡」

＊11 Getúlio Dornelles Vargas（1882–1954）一八八九年から一九三〇年までの旧共和政（サンパウロやミナスジェライスなど南東部の州を中心に、コーヒー農園主や牧場主などが政治的経済的に影響力をもつ寡頭支配政治が続いた時代）に反対し、若手将校らに担ぎ出され、三〇年革命を起こした。四五年まで続く独裁をヴァルガス時代と呼ぶ。この一五年間にヴァルガスはサンパウロやミナスジェライスなど特定の地方が強い時代から中央集権的な国家を目指し、ナショナリズムの高揚、一次産品輸出経済からの脱却、工業化の道を開いた。

と呼ばれる年率九・六パーセントの高度経済成長を遂げた。都市労働者も増加し、それに伴い組合加入者も増え、組合活動はおのずと活発になった。賃上げやより良い労働環境を求め労働争議も多発した。むろん当時ストライキは禁止である。こうした中でルーラは新しい世代の組合リーダーとして頭角を現したのである。旧来のブラジルの組合の在り方、すなわち国家のもとにある組合運動ではなく、より踏み込んだ言い方をするならば、国家に従属的な組合員すなわちペレーゴと闘う運動を行うべく立ち上がったのである。「新しい組合主義」の始まりであった。[*12] ルーラは「国家とへその緒でつながっている」「組合費の徴収は組合に対する国家の抑圧」「本来組合活動とは下からのものであり、あくまで自発的に労働者が自らの必要性に基づいて生まれるものだ」と従来の、つまり「古い」組合主義を厳しく批判した(Santana [1998] 9-10)。

「新しい」組合主義の重要な点は、組合としての自治、(国家からの)自由の獲得、組合費の徴収など国家からの抑圧の排除を意味した。一九六四年以前の「古い」組合主義は、下からの運動ではなく、ペレーゴの存在にメスを入れるものではなかった。伝統的なコーポラティズムからの脱却を掲げる運動の中心にいたのがルーラであった。六八年のサンパウロのオザスコで発生した山猫ストのリーダーの一人イブラヒム[*13]も以下のようにルーラたちの新しい組合主義に賛同した。「下からの運動、工場内で組織される委員会を通して、垂直的でポピュリスト的、コーポラティスト的な組合の構造と断絶するのみである。それによってすべての組合の民主化が達せられる。これこそが私にとっての新しい組合主義である」(Santana [1998] 10)。

一九七七年に賃上げの算定根拠となるインフレスライド指数を政府がごまかしていたとして、労働者の不満が爆発、翌七八年五月、ルーラ率いるＡＢＣ地区の二五〇〇人の外資系自動

＊12 サンタナは真の「新しい組合主義」の象徴的な出来事として、一九七八年に開催された第五回工業労働者組合総連盟会議（ＣＮＴＩ）を挙げている。ある組合員のグループがペレーゴのやり方に反発したことがその理由である(Santana [1998] 3)。

＊13 José Ibrahim (1947-2013) サンパウロ出身の組合リーダー。一九六八年のストライキを指揮する。ＰＴやＣＵＴの創設メンバーの一人。

車メーカーの工場で働く金属加工労働者たちが座り込みを行った。ちなみに座り込みは新しい抗議の形でもあった。工場外に出れば警察につかまるため、工場内にいることで労働者の安全が確保される実に賢いやり方であった(Skidmore［1988］205)。

一九七九年三月一三日のゼネストでは一〇万以上の組合員の前で演説をするルーラの姿があった。この時の集会場はサンベルナルドドカンポにあるサッカー場ヴィラ・エウクリーデス(Vila Euclides)である。ルーラの自伝的映画「ルーラ、ブラジルの息子」でもこのシーンが登場する。音響設備もなく、サッカー場に集まった組合員を前に、ルーラはフィールドの中心に置かれたカウンターテーブルに上り演説を始めた。ルーラがしゃべったことを、ルーラのすぐ近くにいる人びとが自分の周り(後ろ)の人に伝えていき、その人がまた次の人に伝えていく――あたかもルーラの言葉が湖の水面にできるさざ波のように外へ外へと広がっていくシーンであった。

一九八〇年代前半の不況はさらに労働運動の激化に拍車をかけた。八〇年四月、サンベルナルドドカンポとジアデマの金属加工労働者一四万人がストに突入、労使間で賃金交渉が続いた。集会場所となっていたサッカー場の上空にはヘリコプターが飛来した。ストをやめさせる威嚇行為である。ルーラの自宅前には当局のワゴン車が常駐し、四六時中ルーラ家族を監視していた。この時にはすでに組合執行部は閉鎖され、集会場であるサッカー場を使うことも禁止、ルーラは最終的に仲間とともに連邦警察公安警察部(DOPS)に連行された。拘留中には七日間のハンストも行った(司教の説得で中止)。[*14] ルーラの釈放は逮捕から三〇日後であった。ストライキは四一日間続行し、解雇された労働者は一五〇〇人に上った。ルーラたちに食料や資金を提供しストライキ続行を支えたのは急進的なカトリック神父や信者であっ

サッカー場に集まった一〇万以上の組合員を前に演説をするルーラ
Reprinted from Denise Paraná, *Lula, o filho do Brasil*, Editora Fundação Perseu Abramo, 2003.

＊14 病気療養中の母ドナ・リンドゥが亡くなったことを聞いたルーラは厳しい監視の中で葬儀に参列、すぐにまた拘置所に連れ戻された。母は我が子が警察に拘留されていることを知らないままであったという。

た。その中にはサンパウロのアルンス枢機卿（コラム6参照）も含まれている。

一九八一年八月には、サンパウロ州プライアグランジで一〇九一の労働組合の代表者五〇〇〇人を集めた労働者全国階級会議（CONCLAT）が開催され、CUT結成へとつながっていく。「従来の組合組織にとらわれない産業横断的な労働運動が展開され始めたのである」（堀坂［一九八七］一一九頁）。新しい組合主義は賃上げや労働環境の改善を求める運動を超え、労働者の政治的社会的権利を保障する国家の在り方そのものを求める運動であった。大統領の直接選挙を求める民主化運動「ジレッタス・ジャ（Diretas já）」[*15]もこうした中から全国的に拡大していったのである。

労働者党（PT）の結成──既存の政党とは一線を画す

ルーラが労働者のための政党が必要であると感じたのは、労働省が経済社会活動において重要な職種の人びと（たとえば銀行員、ガスステーションの労働者、教員など）のストを禁止する法案を通そうとした時であった。ルーラはそれを阻止するために首都ブラジリアに出向いたものの、労働者の声を代弁してくれる議員がいない現実に直面、この時初めて労働者のための政党が必要だということに気が付いたという。ちなみにその気づきは一九七八年七月五日、自分の息子が生まれたその日であった（Filmus［2017］58）。

話が前後するが、一九七八年二月、ブラジルの政治経済雑誌*Isto É*の表紙に初めてルーラが登場した。ルーラはインタビューで、軍事政権の官製二大政党[*16]、すなわち野党のブラジル民主運動（MDB）[*17]と与党の国家革新同盟（ARENA）[*18]のどちらにも加わるつもりはないと語った。いずれの政党も労働者階級を代弁するものではなく、上から下を見下すような政党には関心

＊15　直接選挙（eleições diretas）を今すぐ（já）にという意味。

＊16　一九六五年一〇月二七日、軍政令二号を発令し、政党を解散、一一月二四日に二大政党制を制定し、与党ARENAと野党MDBが結成された。

＊17　ポルトガル語でMovimento Brasileiro Democrático。

＊18　ポルトガル語でAliança Renovadora Nacional。

はないと述べた。軍政下唯一の野党であるMDBはPCBや毛沢東主義を信奉する「ブラジルの共産党」（PCdoB）[19]、またペレーゴの支持を得ており、ルーラたち「新しい組合主義」メンバーにとっては敵対するグループであった（Skidmore［1988］220）。中でもPCBはルーラたちが結党することには反対であり、政治ではなく、あくまで組合に固執すべきと主張、それに対してルーラたちは労働者のための政党ができなければ、労働者が政治的な影響力をもつことはできないと強く反駁した（Skidmore［1988］220-221）。「新しい組合主義」を目指すグループ内にも政党を作るべきかどうか意見は分かれていたが、最終的に労働者党（PT）は八〇年二月に結党（ただし党綱領に基づく発足は六月、近田［二〇〇八］二三七頁）、ルーラは初代党首となった。

二一年間続いたブラジルの軍事政権（一九六四年〜八五年）は一九七〇年代半ば以降、「上からの」民主化の動きが始まった。もちろん民主化に向けて一直線に進んでいくという形ではなく、ガイゼル政権[20]の下での自由化の試み、すなわち緊張緩和（ポルトガル語でディステンサン）は「ストップアンドゴー」と表される通り、「締めては開き、開いては締める」政策であった（堀坂［一九八七］）。政治自由化の動きが本格化するのは七〇年代末以降、軍政最後の大統領フィゲイレド政権[21]になってからであった。

一九七九年一一月、そうした政治自由化の中で政党法が改正され、それまでの二大政党制は多党制へと改められた。その際カルドーゾ（第9章参照）らは、軍政時代の野党MDBを基盤にブラジル民主運動党（PMDB）[22]を立ち上げた。PTはそうした軍政時代からある政党と結びつくことなく、まったく別のルートから、すなわちこれまでも述べたように、サンパウロABC地区でルーラが行ってきた組合運動を基盤として作られたのである。ただしPTの結

＊19　ポルトガル語でPartido Comunista do Brasil。一九五八年にPCBから分派。

＊20　Ernesto Geisel（1907-96）　軍政四代目の大統領。任期は一九七四年〜七九年。

＊21　João Baptista de Oliveira Figueiredo（1918-99）　軍政五代目の大統領。任期は一九七九年〜八五年。

＊22　ポルトガル語でPartido do Movimento Democrático Brasileiro。

成に賛同したグループは労働組合だけではなかった。農地改革活動家、環境保護活動家、フェミニスト、性的マイノリティの人びと、解放の神学の論者たちなどきわめて多様であった。

英国の雑誌『エコノミスト』のコラムニスト、マイケル・レイドは、PT設立を支持した労組以外のグループを次の三つに分類している。すなわち①カトリック信者（解放の神学の影響を受けた草の根キリスト教基礎共同体の人びと）、②一九六〇年代、七〇年代のゲリラ運動、とくにトロツキストの流れをくむ極左グループの残党、③左派の知識人や学生たち、である（Reid［2015］140）。PTは政党ではあるが、とりわけ結成当初は代表制民主主義については懐疑的であり、むしろ大統領選挙を直接選挙で行うことを訴えたジレッタス・ジャといった大衆運動に力を注いでいた（Reid［2015］140）。体制移行期の八五年一月の大統領選挙にPTが参加しなかったのは、大統領選が軍政時代と同じく国会議員などから構成される大統領選挙人団による間接選挙を通して行われることに反発したからであった。ブラジルで直接選挙が復活するのは八九年である。この時ルーラは大統領選に出馬、決選投票で敗北している（後述）。

一九八五年三月、ブラジルは二一年ぶりの民政移管を果たした。ルーラは八六年一一月に下院議員に選出され、CUTやPTのほかのメンバーとともに制憲議会に参加、[*23]一二〇日間の産後休暇、労働時間の週四四時間への短縮、ストライキ権などを盛り込むべく積極的に憲法起草にかかわった。労働時間やストライキ権の確保などはルーラ自身が労働者として、また組合委員長として長らく求めてきた働く者の権利であった。ルーラはこの頃を回顧して以下のように述べている。「自分は議員になりたいと思ったことは一度もなかった。でも制憲議会のメンバーになることは人生で唯一望んだことであり、その希望がかなったときにもう一つやりたいと思ったことは大統領になることであった」（Goerzel［2018］478）。こうして誕生した

＊23　幅広い層の人びとの声を取り入れる目的で、有権者の署名が三万人以上あることを条件にした「人民修正案」が一二二件出された（堀坂［一九八九］六三六頁）。

八八年憲法は一八九一年の初代共和国憲法から数えて七本目の憲法となった。軍政をアンチテーゼに作られた八八年憲法は「市民憲法」と呼ばれ、それは章立てにも表れている。基本原則の第一編に続き、第二編ですでに基本的な権利と保障が述べられており、軍政時代の六七年憲法の章立てとは対照的であった。

大統領ポストへの挑戦——三度の敗北とルーラの変身(メタモルフォーゼ)

ルーラは四回目の挑戦にしてようやく大統領の座を得た。三回の大統領選(一九八九年、九四年、九八年)[*24]はいずれも敗北に終わっている。二〇〇二年の選挙は、カルドーゾ大統領(一九九五年〜二〇〇二年まで二期八年)の後継者として、同じくブラジル社会民主党(PSDB)[*25]から出馬したジョゼ・セーハ[*26]との戦いであった。カルドーゾの八年間は経済安定化政策「レアル・プラン」[*27]のもとで慢性的なインフレが終息、また初等教育の就学率など社会指標の改善が見られた。しかしながら九九年に二期目に入ると国際経済環境はブラジルにとって向かい風となり、失業率の悪化や低成長といった問題を抱えるようになった。とくに雇用問題はカルドーゾ政権の最大の問題であった。[*28]そうした中で国民はPSDB以外の政党から新しいリーダーを望み、その結果として誕生したのがルーラPT政権であった。

ルーラは二〇〇二年の大統領選を戦略的に戦った。二つの条件が保障されない場合出馬はしないとまで述べていた。伝統的にPTが距離をおいてきた政党との連立を許可すること、そして副大統領候補に財界に顔が利く人物を選ぶことであった。後者については、自由党(PL)[*29]でミナスジェライス州工業連盟副会長(当時)を務めたジョゼ・アレンカール(José Alencar 1931-2011)の名前を挙げた。アレンカールとルーラには共通点があった。どちらも貧

*24 一九八九年の大統領選の対抗馬はコロル、そして九四年と九八年はともにカルドーゾである。一期目のカルドーゾ政権で憲法改正が行われ、大統領や州知事など首長の二回までの再選が可能になった。ちなみにカルドーゾは二回の選挙とも第一回目の投票で過半数を獲得している。

*25 ポルトガル語でPartido do Social Democracia Brasileira。

*26 José Serra(1942-)上院議員。サンパウロ州知事や市長、またカルドーゾ政権では保健大臣を務めた。

*27 フランコ政権で大蔵大臣であったカルドーゾを中心とする経済チームが立案・実施。

*28 当時の世論調査でも国民が考える政府の課題として雇用や経済の問題が上位に挙がっていた。

*29 ポルトガル語でPartido Liberal。

困な幼少時代を過ごしたこと、アレンカールもまた労組リーダーの経験があったことである。こうしてルーラを大統領候補に、アレンカールを副大統領候補とすることで、前者は労働者に対する、そして後者は経営者団体に対するメッセージとなった。

また、当時ブラジルで著名な選挙ストラテジストとして知られていたメンドンサ（Duda Mendonça）を選挙参謀に雇い入れ、ルーラが変わったことを全面に打ち出すキャンペーンを行った。これまでのようにシャツの袖をまくり上げ、こぶしを振り上げる組合リーダーのイメージを払拭し、ヘアスタイルや髭も整え、背広やネクタイ姿のルーラを印象付けた。選挙スローガンも「愛しきルーラ、愛そして平和（Lulinho, Amor e Paz）」とソフトなトーンになった。ルーラが、貧困の中で幼少時代を過ごしたこと、ブラジルの貧困地帯である北東部を知る人間であることなど、ルーラがいかに自分たちと近い人物であるかをアピール、加えてそうした貧しさから脱却した「ブラジリアンドリーム」を体現した人物であることも強調した。

プラグマティストであるルーラ

ＰＴは二〇〇一年末の党大会で新自由主義や国際通貨基金（ＩＭＦ）との「必要な決別」や銀行国有化といった従来の党方針を維持していたが、選挙戦に臨むルーラのスタンスは極めて穏健であった。今後とも右派の人びとがルーラを支持することはなく、鍵となるのは中道票であること、中間層やビジネスセクターの人びとの票を得るために、ルーラの前任者であるカルドーゾ政権の経済政策を継続することが重要であることも理解していた。この背景には後述するようにカルドーゾとの会話が影響したことが想像できる。二〇〇二年六月には選挙公約「国民への書簡」（Carta ao Povo）を公表、その狙いは財界の人びとを安心させ、支持層を拡大することにあった。対外債務の返済はこれまで通り行うこと、ＩＭＦなど国際金融機関と結んだ契約をきちんと遂行することが述べられ、インフレを抑え、経済の安定についても約束した。いわばオーソドックなマクロ経済政策を今後とも継続することを強調したのである。[*30]

二〇〇二年一〇月、ＰＳＤＢ候補のセーハとの決選投票[*31]の末、ルーラは勝利、その日はルーラの五七歳の誕生日であった。一五万もの人びとがサンパウロにあるパウリスタ大通りに集まりルーラの演説を聞いた。演説では、母のドナ・リンドゥ、セルジオ・ブアルケ・デ・オランダ（第1章参照）、すでに他界していた環境活動家のシコ・メンデス（第15章参照）、パウロ・フレイレ（第5章参照）、ベチンニョ（Betinho　後述、コラム16参照）、ジョアン・アマゾナス（João Amazonas　1912–2002）、セルソ・ダニエル（Celso Daniel　1951–2002）といったＰＴ創設にかかわった多くのメンバーに対する敬意を表した。

二〇〇三年一月一日、首都ブラジリアにはルーラの姿があった。カルドーゾから大統領の襷を引き継ぐセレモニーで、カルドーゾが自分の肩から大統領の襷を外そうとしたとき、襷がひっかかり、カルドーゾが眼鏡を床に落としてしまった。その眼鏡をルーラが拾い、カルドーゾに渡した。去り行く大統領を暖かく気遣う新米大統領の姿であった。カルドーゾとルーラは政党も異なり、これまでも見てきたように二度大統領選で戦う「ライバル」であったが、そもそも両者は軍政時代にブラジルの民主化をともにリードしてきた同志でもある。[*32] 両者の関係を表すエピソードを一つ紹介する。当時大統領であったカルドーゾが、二〇〇二年大統領選挙を前に、候補者の一人であったルーラを大統領官邸に呼び出した。カルドーゾはブラジルの経済状況は厳しく、外資に対して強硬な姿勢をとる従来のＰＴ路線では次の大統領選には勝てないことを説明し、ルーラもカルドーゾの説得を静かに聞いていたという。カルドー

＊30　「国民への書簡」はＰＴではなくルーラがサインしたものであったが、ただしルーラ自身もサインするまで一〇日間迷ったという。「自分がこれまで歩んできたものを変えることになるから」と述べている。

＊31　大統領選は一回目の投票で過半数を獲得できなかった場合、得票数で上位二人の候補の間で決選投票が行われる。

＊32　二〇二二年五月、ボルソナロ政権のもとでブラジルの民主主義は危機に瀕しているとして、カルドーゾとルーラが話し合う様子がメディアで取り上げられた。

ゾはその時ルーラに「いつか君もここに（＝大統領官邸に）住むことになるだろう」と言ったという（Goertzel［2018］589）。

人間の尊厳――大統領時代の八年間に残した言説から

ルーラは学者ではないので、著作を通して理論を展開することはない。しかしながら大統領の八年間、数多くの演説やインタビューを受け、著書ではなく「生の言葉」で自らの考えや立ち位置を表現している。そうした大統領在職中のルーラの演説やインタビューをキーワードごとにまとめたものが、ジャーナリストで社会学者のカメル（Ali Kamel）編纂の『ルーラ辞典――自分の言葉で語る大統領』[*33]である。ルーラの場合、本人の生い立ちがその後の思想形成に影響を与えたと考えられる。貧困家庭に育ち、人間の尊厳にはほど遠い生活（とくに幼少時代）であった。軍政と闘った組合運動も民主化運動も究極的には人が人として尊厳をもって生きられることを求めたものであった。以下、カメルの著書を中心に「飢餓」、「貧困」、「尊厳」の三つのキーワードを含む演説やインタビューを通してルーラの人間の尊厳に寄せる思いを分析する。

まずは「飢餓」についてのルーラの言説を紹介する。（　）の中はルーラが演説やインタビューを受けた日付もしくは新聞などのメディアに掲載された日付および実施された場所である。

「飢餓はそれが政治問題となったときに完全に解決できるだろう。現状で飢餓は社会問題としてとらえられている」（二〇〇四年五月二一日、ブラジリア）

＊33 Kamel, Ali［2009］*Dicionário Lula: um presidente exposto por suas próprias palavras*, Rio de Janeiro: Nova Fronteira.

「飢餓を撲滅することは、神聖なものである。なぜならば食べる権利は人間が持つもっとも基本的な権利であるから」（二〇〇四年三月一七日、オリンダ、ペルナンブコ、第二回食糧・安全保障審議会[*34]の開会式）

「世界の主なリーダーたちは、飢餓というものが世界に存在する不平等に最も大きくのしかかり、かつ最もドラマティックに映し出されるものであることを思い出してほしい。欧州に居住するどのくらいの人びとが、農業分野での先進国政府の保護主義が、世界の様々な地域の飢餓や貧困を悪化させていることを知っているだろうか」（二〇〇七年六月三日、ドイツの新聞 *Bild* の書面でのインタビュー）

「飢餓は飢餓にある人びとの問題ではない。今食べている人びとにとっての問題である。我々こそが今、食べていない人びとに手を差し伸べる責務がある」（二〇〇五年一月二八日、スイス、世界経済フォーラム）

続いて「貧困」に関してルーラの言説である。

「人類の歴史において、いまだかつて世界で貧困問題が議論されたことはなかった。八か国首脳会議（G8）だけでも二度貧困のテーマが議題となった。ダボス（＝世界経済フォーラム）でも二年連続、飢餓が重要テーマであった」（二〇〇五年七月一四日、フランス訪問の際、シラク大統領主催のレセプションで）

「二十一世紀を迎え、テクノロジーの進化を目の当たりにする中で、いまだに貧困や極貧が存在していることは考えられないことである」（二〇〇五年、二月一一日、ブラジルの新聞グロー

＊34 ポルトガル語で Conselho de Segurança Alimentar e Nutricional（CONSEA）。飢餓ゼロプログラム（Programa Fome Zero）において、政策議論の場として一三人の関係大臣と三八人の市民組織に代表によって構成された。詳細は『現代ブラジル事典』新評論、二〇〇五年、二五九頁のコラムを参照。

ボでのインタビュー）

「この国には、貧しい人びとを好きではない政治家のタイプ、また労働者を尊敬しない政治家のタイプがいる。彼らは、米とフェイジョン（豆）が買えるように貧しい人びとや労働者に施しをすることが社会扶助だと考えている。それは三度の食事をしたうえで、なお余った食べ物の半分は捨ててしまう人びとが考える社会扶助である。しかしながらブラジルで貧困の中で暮らす人びとは、子供がバター付きパンの朝食を食べること、一杯のミルクを飲めること、満腹感で眠ることの意味がわかっている。首都から出ることもなく、あるいは大学の中だけで政治を考えている人間は、広い意味の本当のブラジルをわかっていない」（二〇〇六年五月二三日、トカンチンス、鉄道建設工事の視察で）

ルーラは大統領就任直後から政権を挙げて貧困や飢餓の問題に取り組んできた。上記の言説の中で「首都ブラジリアにいては貧困や飢餓の状態はわからない」と述べているように、政権スタートとともにおよそ半分の閣僚を連れて北東部や南東部（とくにミナスジェライス）の貧困地域を回った。

貧困や飢餓との闘いを世界に向けて発信していることも上記の言説から理解することができる。大統領就任後まもなくルーラは、ポルトアレグレで開催された世界社会フォーラム（第三回）に参加、ブラジル大統領として初めて演説を行った。当時注目が集まったのは、世界社会フォーラムの参加二日後、一転して先進国リーダーや大企業の経営者などが集まる場として知られている世界経済フォーラム（スイスのダボス開催）に参加したことであった。二つのフォーラムでルーラは以下の通り飢餓や貧困について言及している。

「ダボス(=世界経済フォーラム)で自分が言いたいことは、ある人びとは一日五回も食事をし、もう片方では五日間も物を口にしていない人びとがいる、こんな世界の経済秩序が今後も続くことはあり得ないことである」(世界社会フォーラムにおいて)

「ベルリンの壁崩壊から一〇年以上が経っているにもかかわらず、世界には、食べられる人と飢えている人、仕事がある人と失業している人、人間らしい住環境にいる人と路上や悲惨なスラムで暮らす人、教育を受け文化や教養を身に着けられる人と字を読むことも書くこともできず、完全に社会の中で取り残されてしまう人——こうした壁が存在する」(世界経済フォーラムにおいて)[*35]

二〇〇三年一月三〇日、政権発足から一か月後にスタートした「飢餓撲滅プログラム」(Programa Fome Zero)はルーラ政権の看板ともいえる社会扶助政策であった。飢餓をなくし、食糧安全保障を高めるとともに、貧困や格差を解消し、社会的包摂を促すことが主要目的であった。プログラムに合わせて作られた「食糧安全保障および飢餓対策特別省」の初代大臣にはのちに国連食糧計画(FAO)の事務局長となるグラジアーノ(José Graziano da Silva 1949-)が就任した。

実はルーラが飢餓撲滅に取り組んだのは大統領になってからではなかった。一九八九年の大統領選でコロルに負けたのち、九〇年三月からルーラたちは英国労働党の影響を受けて「影の内閣」を作った。その際に社会学者で活動家のベチンニョ(本名 Herbert José de Souza コラム16参照)の「飢餓、貧困撲滅、生活のための市民による行動」に触発され、飢餓撲滅運動を支

*35 ルーラ協会(Instituto Lula)のウェブサイトより。

援するようになったという。人口の五分の一（およそ三二〇〇万人に相当）が貧困ライン以下の生活を送っていた当時のブラジル。「影の内閣」はその後九三年三月に「市民権協会」（Instituto Cidadania）に生まれ変わり、ルーラも代表の一人を務めた。この市民権協会がルーラ政権終了翌年の二〇一一年に、ルーラ協会（Instituto Lula）となり現在に至っている。

市民権協会時代の活動の中でも、ルーラは貧困や様々な事情で排除されてきた人びとの現状を知るべく、キャラバン（Caravanas de Cidadania）を組んで各地を回っている。最初のキャラバンは一九九三年三月で、場所はルーラの生まれ故郷ガラニュンスであった。翌九四年七月までに合計七つのキャラバンがブラジルの五つの地域を回り、走行距離は四万キロに及んだ。[*36] 先に述べたブラジルの本当の姿を知ることの重要性を表すものだったといえよう。

ルーラを理解するための三つ目のキーワードは「尊厳」である。「尊厳のある」（ポルトガル語でdigno）という言葉をルーラは、インタビュー、文書を問わずしばしば使っている。以下の言説にも表れているように、とくにそれは労働と結びつくことが多い。組合委員長の時代から労働者に対して経営者は尊厳をもって接するべきであると主張してきたことが根底にあると考えられる。

＊36　ルーラ協会のウェブサイトより。この様子は当時米国の雑誌『ニューズウィーク』にも取り上げられた。

「私は常々こう述べてきた。男性も女性も人間にとって、毎朝目が覚めて、働きにいき、月末に自分の労働の対価を受け取ること、あるいは収穫が終るときに、これまでの生産活動や苗の植え付けと引き換えに、食事にありつけることに勝る尊厳はない。そうすることで人間は頭を挙げて堂々と歩いていくことできるのである」（二〇〇三年四月九日、ブラジリア）

「一人の人間に尊厳をもたらすものは何か。それは国家から恩顧を受けることではない。男性であろうと、女性であろうと人間にとっての尊厳とは、働くことであり、労働の結果として報酬を得て、自分のために、あるいは家族のために必要なものを公的な助けに頼ることなく、自分自身で買えることである」(二〇〇四年三月一九日、ミナスジェライス、フィアット工場訪問)

現代社会への意義

コロナ禍の中、ブラジルの経済状況は一九八〇年代の「失われた一〇年」に匹敵するほど深刻さが増している。ルーラ政権下の二十一世紀ゼロ年代は、国民のおよそ半分が中産階級(ブラジルの所得レベルを表すアルファベットでCクラス)となった。それに続く二十一世紀の一〇年代には、政治経済が混乱し、二〇一三年頃からブラジルでは教育や医療の改善を求めて市民デモが多発、社会の分断が懸念されるようになり今もその状況は続いている(本稿執筆時点)。「飢餓ゼロプログラム」に続くルーラ政権の社会扶助政策「ボルサ・ファミリア」のお披露目の際の演説でもルーラは以下のように述べている。

ブラジルが社会的にこれまで排除されてきた多くの人びとを包摂できれば、我々の国はもっと良くなるであろう。間違いなく、かなり良くなる。そうした二つの世界の間に橋を架けることが必要である。そうした橋の名前は「機会」である。どんな国でもその恩恵を受けることができる。貧困ライン以下で暮らすおよそ五〇〇〇万の人びとは尊厳のある生活をする権利がある。今日という日を生き、そして明日が信じられるように、今すぐ必要な支援を受けるべきである。多くの場合、彼らは家族で、一つ屋根の下で暮らしている。

……母親の中には誰からも助けが得られず、一家の主として家計を支えている場合もある（二〇〇三年一〇月二〇日、ブラジリア、ボルサ・ファミリア開始に合わせて）（Kamel［2019］371）。

ルーラはまた別のインタビューで「貧しい人は胃袋で政治を考える」と述べている（Dines et al.［2000］）。貧困の人びとにとって何よりも大事なことは食べることであり、政治はそこに対する答えを出すことが求められるということを表している。

ルーラのリーダーとしての魅力は自らの経験をもとに、人間味あふれるパーソナリティとメッセージ性のある言説を通して、排除されてきた人びとの側に立ってきたことにある。今なおルーラが支持される背景には、ブラジルが依然として解決できず、とりわけ二〇二〇年以降世界に広がるパンデミックの中でさらに深刻化する構造的な問題、すなわち格差や貧困がまだまだ残っているからである。ブラジルはそれらを乗り越えることができるだろうか。前回の大統領だった時代に比べ世界もブラジルも多様化している。ルーラの手腕が問われている。

【読書案内】

ルーラ自身が書いた著作は筆者が調査した限りにおいてほとんどみつからなかったが、別の著者が書いたルーラの自叙伝は複数ある。Ted Goertzel の著作6もその一つである。また Denise Paraná の著作11は映画「ルーラ、ブラジルの息子」の原作になったものである。ルーラの生い立ちについてはルーラ協会（Instituto Lula）のホームページ22が参考になる。ルーラとのインタビューをもとに簡潔にルーラの人生や思想をまとめたDaniel Filmusの著作4は同時代のラテンアメリカの主要な左派系大統領についても収録されている。またルーラの言説を主要キーワードでまとめたAli Kamelの著書10も有益である。

ルーラや新しい組合主義や労働者党の結成の背景を知るうえで、ブラジルの軍政から民政へ、また民主化以降の歴史を知ることが不可欠である。Thomas Skidmoreの著書14、Santanaの論文13、また近年出版された『共和制ブラジルコレクション（*Coleção o Brasil Republicano*）』の第四巻と第五巻（2、3）が参考になる。日本語であれば15から21の文献が民主化の大きな流れや背景を理解することができる。

1 Dines, Alberto, Florestan Fennandes Jr. e Nelma Salomão [2000] *Histórias do poder: 100 anos de política no Brasil, vol.3 visões do Executivo*, São Paulo: Editora 34.

2 Ferreira, Jorge e Lucilia de Almeida Neves Delgado (org.) [2019] *O tempo do regime autoritário : ditadura militar e redemocratização (quarta república 1964-1985), Coleção o Brasil Republicano Vol.4*, Rio de Janeiro: Civilização Brasileira.

3 Ferreira, Jorge e Lucilia de Almeida Neves Delgado (orgs.) [2018] *O tempo da nova república : da transição democrática à crise política de 2016 (quinta república 1985-2016), Coleção o Brasil Republicano Vol.5*, Rio de Janeiro: Civilização Brasileira.

4 Filmus, Daniel (translated by Jabiu, Benjamin) [2017] *Presidential Voices of Latin America (revised edition)*, London: Critical, Cultural and Communications Press (Kindle).

5 French, John D. [2020] *Lula and His Politics of Cunning: From Metalworker to President of Brazil*, The University of North Carolina Press (Kindle).

6　Goertzel, Ted［2018］*Brazil's Lula: The Rise and the Fall of an Icon* (kindle). 出版地・出版社情報なし。

7　Goertzel, Ted and Paulo Roberto de Almeida［2015］*The Drama of Brazilian Politics: from 1814-2015* (kindle). 出版地・出版社情報なし。

8　Hall, Anthony［2006］"From Fome Zero to Bolsa Família: Social Policies and Poverty Alleviation," *Journal of Latin American Studies*, 38, pp.689-709.

9　Hunter, Wendy［2010］*The Transformation of the Worker's Party in Brazil, 1989-2009*, Cambridge: Cambridge University Press.

10　Kamel, Ali［2009］*Dicionário Lula: um presidente exposto por suas próprias palavras*, Rio de Janeiro: Nova Fronteira.

11　Paraná, Denise［2003］*Lula, o filho do Brasil*, São Paulo: Editora Fundação Perseu Abramo.

12　Reid, Michael［2015］*Brazil: The Troubled Rise of a Global Power*, New Haven and London: Yale University Press.

13　Santana, Marco Aurélio［1998］"O 'Novo' e o 'velho' sindicalismo: análise de um debate," *Revista de sociologia e politica*, 10/11, pp.19-35.

14　Skidmore, Thomas E.［1988］*The Politics of Military Rule in Brazil 1964–85*, New York and Oxford: Oxford University Press.

15　小池洋一［二〇一四］『社会自由主義国家――ブラジルの「第三の道」』（新評論）。

16　近田亮平［二〇〇八］「ブラジルのルーラ労働者党政権――経験と交渉調整型政治に基づく穏健化」遅野井茂雄、宇佐見耕一編『二一世紀ラテンアメリカの左派政権――虚像と実像』アジア経済研究所、二〇七～二三七頁。

17　――――［二〇一二］「ブラジルの『新しい労働運動』から誕生したＣＵＴの変遷」太田仁志編『新興国の新しい労働運動――南アフリカ、ブラジル、インド、中国』日本貿易振興機構アジア経済研究所、六九～九七頁。

18　住田育法［二〇一五］「ブラジルにおける民主主義と政治指導者のカリスマ性」『国際言語文化』創刊号、四三〜五六頁。
19　鈴木茂［二〇〇四］「ブラジルの社会運動と民主化――労働者党（ＰＴ）の結成をめぐって」松下洋、乗浩子編『［全面改訂版］ラテンアメリカ政治と社会』新評論、一一一〜一二八頁。
20　堀坂浩太郎［一九八七］『転換期のブラジル――民主化と経済再建』サイマル出版。
21　――――［一九八九］「〈展望〉ブラジルの新憲法発布と民主化」『ソフィア』（上智大学）六三五〜六四三頁。
22　ルーラ協会 Instituto Lula ウェブサイトのルーラ年表。https://institutolula.org/lula

（子安昭子）

コラム　ジルマ・ヴァナ・ルセフ
――世襲社会に阻まれた女性大統領

二〇一六年五月一二日、上院で弾劾法廷の開設が決定、テメル（Michel Temer）暫定政権が発足、第三六代大統領ジルマ・ヴァナ・ルセフ（Dilma Vana Rousseff　以下ジルマ）は一八〇日間の執務停止となった。一五年度予算に赤字が見込まれたため、政府が議会の承認なく、社会保障事業費を一時政府系金融機関に肩代わりさせたことは二〇〇〇年に導入した「財政責任法」（連邦、州、地方自治体の各政府に対して厳格な均衡財政を義務づけ、それに反した場合は罰則・罰金が科されるというもの）に反する行為であったとして、ジルマ大統領は弾劾されたのである。一九八八年憲法で粉飾予算は大統領の背任行為の一つと書かれているが、「予算の不正操作だけで大統領が辞職させられるのか」、そうした声が国内外にあったことも確かである。ジルマはこの日、「私はスイスの銀行に口座ももっていないし、賄賂は一度だって受け取ったことはない。高価なマンションももらっていない。犯してもいない罪のために五四〇〇万人の国民に正式に選ばれた大統領が職務から追放されるのはクーデター（ポルトガル語で golpe de estado）だ」と怒りをあらわにし、自らが受けた不当な扱いと断固闘う姿勢を見せた。

ジルマは一九四七年一二月一四日、ミナスジェライス州ベロオリゾンテで生まれた。ブルガリア移民で弁護士だった父親とブラジル人の母親に育てられ、バレリーナを夢見る少女ジルマは、ピアノを習い、フランス語を話すカトリック系の高校で教育を受けた。若い頃から社会主義にめざめ、軍事政権下のブラジルで、ミナスジェライス連邦大学の学生であったジルマは、ミナス出身の大学生が中心になって六七年に結成した極左武力組織「ブラジル解放部隊」（Comando de Libertação Nacional：COLINA）のメンバーとなり、二年後にはCOLINAが別の組織と合併し誕生した「パルマーレス革命武装部隊」（Vanguarda Armada Revolucionária Palmares）に入った。命を守るため、名前を変えながら活動をしていたという。こうした中でジルマは七〇年から七二年までの三年間、当局に逮捕・監禁、その際に軍や警察による厳しい拷問を受けている。

釈放後はリオグランデドスル州ポルトアレグレに生活拠点を移し、リオグランデドスル連邦大学経済学部の学生として勉学を再開した。一九七九年、軍政最後の大統領フィゲイレド（João Baptista Figueiredo）が、反体制活動家に対する恩赦や多党制への改編といった政治開放（ポルトガル語でアベルトゥーラ abertura）を進める中で、ジルマも政治活動を再開、ブリゾーラ（Leonel Brizola）元リオグランデドスル州知事を軸に結成された民主労働党（ＰＤＴ）に入党した。大統領になるまでジルマは主としてリオグランデドスル州やポルトアレグレ市行政に携わった。八六年から八八年までのポルトアレグレ市の財務局長、九一年から九三年まではリオグランデドスル州の経済統計財団総裁、九三年から九四年および九九年から二〇〇二年まではリオグランデドスル州の鉱山エネルギー通信長官を務めた。ジルマは政治家というより実務家であったといわれるゆえんはここにある。

ジルマとルーラのつながりは一九八九年の大統領選（の決選投票）でルーラを支持したことに始まる。その後二〇〇一年に労働者党（ＰＴ）に入党、〇二年にはルーラの大統領選挙キャンペーンに参加している。カルドーゾからルーラへの政権移行チームのメンバーでもあった。ルーラはジルマがリオグランデドスル州エネルギー通信長官であった当時、同州がエネルギー配給を回避できた数少ない州であったことに注目、政権一期目の鉱山エネルギー大臣起用につながった（〇三年から〇五年まで）。〇五年から一〇年までは大統領府文官長として、ルセフはルーラ政権の「ナンバー2」の存在であった。地方行政の実務家を経て大統領選に臨んだ新人政治家ジルマにとってお手本とすべきはルーラであり、一方ルーラの頭には、二期以上の再選が不可能なブラジルにおいて、ジルマを後継者として育て、四年後にポスト・ジルマとして再度自分が大統領に返り咲くことがあったともいわれている。こうしたルーラとジルマのつながりについては、Goertzel, Ted and Paulo Roberto de Almeida (eds.) [2015] *The Drama of Brazilian Politics: From 1815-2015*（電子書籍のみ）の第四章で詳細に書かれている。

ＰＴ出身の二人目の大統領として当初は政権支持率も安定していたが、風向きが変わったのが二〇一三年後半からであった。国際経済情勢の変化、一向に収まらない政治家や大企業による汚職、医療や教育の質の低下などに対して、すでに経済力をつけていた中間層を中心に不満が噴き出し、各地でデモが多発するようになったのである。そんな中でジルマは再選を賭けた一四年一〇月の大統領選の決選投票で、対立候補（ブラジル社会民主党ＰＳＤＢのアエシオ・ネーヴェス候補）とは票差わずか三四五万票余りで辛くも当選を果たした。

ジルマが苦しんだのは経済だけではなかった。ブラジルは世界でも有数の多党制の国である。二〇二二年五月時点で高等選挙裁判所（ＴＳＥ）に届け出ている政党は三二ある。ジルマ再選時でも二八であった。政党が分裂しているに等しい状況である。この結果、与党となる政党は多くの政党との連立が不可欠であり、大臣など政権の要職と引き換えに議会での支持を得る連合大統領制（ポルトガル語で presidencialismo de coalizão）の政治が行われている。ジルマもこうした政党分裂に悩まされた大統領であり、「国会で過半数を得るためには一二の政党から支持が必要だった」と当時を回顧する。冒頭で述べたようにジルマが最終的に弾劾されていく過程では、主要な連立相手であったブラジル民主運動党（ＰＭＤＢ）が土壇場で連立与党から離脱した。「ジルマはここまで」と見限ったのである。ＰＭＤＢは副大統領であったミシェル・テメルが所属する政党である。テメル自身もまた汚職の渦中にいる人物であった。ジルマは「こんなことは毎日だった。毎日が交渉であり、それが権力を得るための唯一の手段だった」と述べている。

ジルマ・ヴァナ・ルセフ
Brasília - DF, 10/02/2011. Presidenta Dilma Rousseff durante gravação no Palácio da Alvorada. Foto: Roberto Stuckert Filho/PR. Licensed under CC BY-SA 2.0

二〇一六年八月三一日、ジルマの弾劾が上院（議席数八一）の弾劾法廷において、有罪六一票、無罪二〇票によって決定した。採決の様子を伝えるテレビ中継をジルマは大統領官邸でルーラ元大統領と一緒にみていた。ルーラは涙を流しながら、そしてジルマはポップコーンを注文しながら。弾劾後のインタビューの中でジルマはこう述べている。「私がブラジル初の女性大統領でなかったら、弾劾されることはなかったかもしれない。保守主義と女嫌い（ポルトガル語で misoginia）、これが今のブラジルの議会なのだ」。

ジルマは大統領になるまで女性であることを自らアピールすることはなかった。それが大統領就任後、「女性大統領」や「ブラジルの母」といったイメージを全面に出すようになった。演説にもそれははっきりと表れている。後見人ルーラの戦略もあるが、男性政治家による旧体質な政治と日々格闘する中で、ジルマは女性の権利や男女平等の思想をより強く持つようになったといえよう。社会的公正や正義の尊重といった点からは、ジルマ政権一期目の二〇一二年に、軍政時代の人権侵害の実態を公的に調査する「真実委員会」が設置されたことも注目すべきである。軍政時代、自らも人権抑圧と闘ってきた人間ジルマの強い思いが表れている。

世界経済フォーラム（WEF）が発表するジェンダーギャップ指数（二〇二一年版）は経済、社会、教育、政治におけるジェンダー格差を調査したものである。ブラジルは政治面の女性のエンパワーメントは〇・一三八（〇は不平等、一は平等を表す）で、一五六か国中一〇八位である。ブラジル女性の政界進出はまだまだ進んでいない。それを阻んでいるのが、限られたエリートが家父長的に支配する構造、すなわち世襲社会の伝統である。ちなみに日本はさらに悪く〇・〇六一、一四七位とブラジル以上に女性の政治参加が難しい社会である。

（子安昭子）

第11章　もう一つの経済を求めて——パウル・シンジェルの連帯経済論

われわれが住む世界では、企業社会が繁栄する一方で、働く人々の多くが労働に見合う賃金をえられず、貧困と格差が広がっている。国家は、本来であれば税制や社会保障などを通じて所得の再分配をすることを役割としているが、現実にはトリクルダウンという詭弁を弄し真逆の政策をとっている。すなわち、市場競争に勝利するためとして、企業には規制緩和や税負担の軽減などの恩恵を与え、他方で働く人々には自己責任や自助を求め、社会保障の削減、雇用の柔軟化など進めている。こうした市場原理に基づくむき出しの競争は社会に著しい分断をもたらしている。

ブラジルにおいても一九八〇年代以降新自由主義に基づく開発が実行された。それは国家の強い介入に伴う輸入代替工業化の歪み、すなわち非効率な工業、財政不均衡、正規労働に有利な労働政策などを取り除くものであるが、市場に過度な信頼を置く経済自由化政策は、失業や非正規雇用を増大させ、貧困と格差を蔓延させた。国家そして市場原理による開発はともに失敗したのである。こうしたなかでブラジルでは不完全な国家と不完全な市場を組み合わせる開発の制度が模索されるとともに、国家や市場とは異なる経済セクターが注目されている。共同セクター、第三セクター、連帯経済などの名前で呼ばれる経済活動であり運動である。これらの新しいセクターは、国家や市場を含む多元的な経済の一つあるいはそれらのオ

パウル・シンジェル（二〇一〇年撮影）
O professor Paul Singer, durante a 2ª Conferência Nacional de Economia Solidária. Brasília, 2010
Photo by Antonio Cruz/ABr, licensed under CC BY 3.0 BR

ルタナティブ（代替）である。モノを生産しサービスを提供する主体、そして労働し収入を得る場は、企業や国家だけではないのである。

市場と国家、それぞれを絶対視する市場主義と国家主義に対抗して、オルタナティブな制度である連帯経済を理論化し、また運動を指導したのが、本章が扱うパウル・シンジェル（Paul Singer 1932–2018）である。シンジェルは、いまや唯一の経済体制となった資本主義と、なお残存する全体主義的な社会主義をともに否定し、自主管理社会主義を唱え、その重要な構成要素である協同組合などの連帯経済の必要性を説き、またそれを支援する運動を率い、公共政策の整備に努めた。

激動のヨーロッパからブラジルへ

パウル・シンジェルは一九三二年にユダヤ人家族のもとオーストリアのウイーンで生まれた。[*1] 母方の祖父母は現在はチェコ領であるマラヴィア出身の工員であった。パウルの母カロリーナは、第一次世界大戦中、装飾品の販売員として定期的にイタリアに渡り、帰りには家族のために食品を故郷に持ち帰るという年月を過ごした。大戦後ウイーンに戻ったカロリーナは元軍人と結婚し、ウイーン郊外の工場地帯エアラアで雑貨店を開いた。まもなくパウルが生まれたが、三四年に父親は突然病に倒れ亡くなった。こうした不幸にもかかわらず、幼年期は全体に幸福に溢れていた。しかし、平穏な生活はヒトラーの登場によって突然奪われた。シンジェルはヒトラーによって自分がユダヤ人であることを自覚した。ホロコーストの危険はまだ存在しなかったが、ユダヤ人への弾圧は次第に強化された。

ファシズムの脅威が迫るなかで、カロリーナは妹が住むブラジルに逃れることを決意する。

*1 シンジェルの個人史は特記する以外、Santos [2018]; Andrada e Esteves [2018] のほかシンジェルのウェブサイト（http://paulsinger.com.br/biografia/）などに依拠した。

パウル、母、祖母など家族六人での旅であった。一家は一九四〇年三月サントス港に降り立った。危機から逃れた安堵と将来への不安が交錯した。サンパウロでは叔母の家に寄宿した。家族内ではユダヤ人の伝統や習慣を維持したが、徐々にポルトガル語も習得し、ブラジル社会に溶け込んでいった。

第二次世界大戦の終結はファシズムの敗北と民主主義の勝利を意味するものでもあった。ブラジルでは一九四六年に新憲法が発布され政党の組織が自由化された。多感なシンジェルは民主主義、人権など政治問題に関心を寄せた。サンパウロではユダヤ人の青年組織DROR（ヘブライ語で自由を象徴する燕を意味）に参加した。DRORは四八年のイスラエル共和国の建国に合わせて組織されたもので、イスラエルに還りキブツ[*2]の創設を目指す運動である。シンジェルにとってDRORへの参加は、ユダヤ民族主義への共感よりは社会主義への関心からであった。イスラエル建国よりも、社会に貧困が溢れ数多くのユダヤ人が住むブラジルで、社会主義を建設することを生涯の目標として定めた。五四年にDRORを離脱し、ブラジルに帰化した。

労働組合運動から学術研究へ

帰化に先立って初等教育を終えたシンジェルは、サンパウロ州立ジェトゥリオ・ヴァルガス技術校（Etec Getúlio Vargas）に入学した。つまり将来の職業として技能労働者の道を選んだ。卒業後一九五三年にブラジル最大のエレベータ会社のアトラス（Atlas）に就職し、労働組合運動に身を投げた。組合運動が民主主義を目指す運動との認識からである。アトラスではストライキを組織し賃金引き上げ、労使協議会設立などを勝ち取った。こうして工場労働者の道を選んだシンジェルであったが、学問への欲求は抑えがたく、五六年にサンパウロ大学経済経

＊2　キブツ（Kibbutz）はヘブライ語で集団を意味し、自由、正義、平等、相互扶助の原則に従い経済社会生活を営む共同体である。ユダヤ教と社会主義の思想にもとづいて、生産手段は集団によって所有され、農業生産が共同で行われるだけでなく、消費生活、子供の保育・教育も集団で行われる。

営学部（FCEA―USP）に入学する。マルクス経済学を学ぶことを希望したが、FCEAは新古典派経済学によって支配されていた。そこでマルクスの著作を自習するとともに、統計学を教えていたデルフィン・ネット[*3]の指導を受け、また友人との勉強会によって、マルクス経済学の理解を深めた。六〇年にはFCEAの助教に就いた。

シンジェルが、幅広い知識を獲得する場として、一九五八年サンパウロ大学に設立されたマルクス・セミナー（Seminários Marx）あるいは資本論グループ（Grupo do Capital）と呼ばれる組織があった。セミナーには、哲学者ジアノッティ[*4]を幹事として、哲学、歴史学、社会学、経済学などを専攻、専門とする学生、研究者が多数参加した。その中にはカルドーゾ（第9章参照）、イアンニ[*5]、レヴィー[*6]など多彩な人物がいた。彼らは、教条主義的なマルクス主義を批判し、『資本論』を資本主義理解のための書と捉え、ブラジルの政治社会の特異性を究明しようとした。参加者は、マルクスの著作に限らず多様な分野の書を読み議論を交わしたが、その活動は六四年の軍事クーデターによって停止され、多くのメンバーが亡命を余儀なくされた。[*7]

軍政誕生に先立つ一九六三年にシンジェルは、サンパウロ大学哲学文学人文科学部（FFLCH）のフロレスタン・フェルナンデス（第3章参照）に請われて地域格差の調査に参加する。その経験は後の都市研究への道を開くとともに、学位論文『経済発展と都市化』にもつながった。六六年にはサンパウロ大学人口動態研究センター（Centro de Estudos de Dinâmica Populacional：CEDIP）に職をえたが、まもなくWHOの奨学金をえて米国プリンストン大学人口研究オフィス（Office of Population Research：OPR）で学んだ。二年後ブラジルに戻ったシンジェルは「人口動態と発展」の論文で教授資格を得て、サンパウロ大学に復職した。

こうして順調に研究、教育生活をスタートしたが、軍の政治支配の発生がそれを中断した。

＊3 Delfin Netto（1928–）サンパウロ大学経済経営学部（FCEA）で統計学、計量経済学を教えたが、より重要なのは行政での活動であり、とくに軍政時代に財務相（一九六七～七四）としてブラジルの高度成長に関わった。

＊4 José Arthur Giannotti（1930–）哲学者、サンパウロ大学哲学文学人文科学部（FFLCH）教授などを歴任。マルクス主義などに関する著書がある。

＊5 Octavio Ianni（1926–2004）ブラジルの社会学者。サンパウロ大学でフロレスタン・フェルナンデスに師事。CEBRAP（後述）創設者の一人。著書に『奴隷制と資本主義』神代修訳、大月書店、一九八一年（原著は一九七八年）などがある。

＊6 Michel Löwy（1938–）サンパウロ大学でフェルナンデスの指導のもとで社会学を学んだ。ソルボンヌ大学で学位を取得、フランスの国立科学研究所（Centre national de la recherche scientifique：CNRS）で社会学研究所長などを務めた。研究領域は、マルクス主義、ラテンアメリカの政治と宗教など広範囲にわたる。近年はエコ社会主義研究

一九六八年には軍政令第五号（ＡＩ−５）[*8]が発布され、社会運動が徹底して抑圧され、シンジェルは六九年にサンパウロ大学の職を追われた。これに対してシンジェルは、旧マルクス・セミナーのメンバーなどとともに、フォード財団の支援を受け、同じ年にブラジル分析企画センター（Centro Brasileiro de Análise e Planejamento：ＣＥＢＲＡＰ）を設立する。その目的は、大学に代わる研究センターを提供することであった。シンジェルのほか、オリベイラ[*9]、カルドーゾなど多彩な研究者が参加した[*10]。ＣＥＢＲＡＰは、サンパウロ社会学派[*11]の伝統を引き継いで、学際的で実証的な研究を重視した。研究領域は、社会変動、所得分配、市民社会、民主化など多岐にわたった。シンジェル自身は、所得水準と出生率、生産と雇用、女子労働、サービス経済などを研究課題とした。ＣＥＢＲＡＰは長きにわたる研究活動の場となった。

労働者党設立と連帯経済局長就任

一九七〇年代末から八〇年代はじめはブラジルにとってもシンジェルにとっても転機となる。軍政は、対外債務危機によって、また国際的な政治民主化のなかで、徐々に正統性を失っていった。七八年にはＡＩ−５が廃止され、翌年には恩赦法が公布されるとともに、政党設立が自由化された。恩赦法に伴いシンジェルはジアノッティとともに大学に戻った。政党結社の自由化は、政治家だけでなく労働者階級、知識層などによる政党設立の動きを促した。シンジェルが望んだのは民主主義を重視する社会主義政党であった。他方で知識層が主導する政党は受け入れ難いものであった。新しい政党は誰よりも広範な労働者のものでなければならなかった（Santos［2018］56）。

この時代には、ルーラ（第10章参照）が指導する金属労組（ＳＭＡＢＣ）を中心に、サンパウロ

に取り組んでいる。

＊7　マルクス・セミナーについては以下を参照。Schwarz, Roberto［1998］"Um seminário de Marx," *Novos Estudos*, No. 50, março, pp.99-114.

＊8　ＡＩ−５は、国会を閉鎖するとともに、議員資格のはく奪や政治的権利の停止、公務員の解雇や強制的な退職、メディアへの検閲などを強行した。公職追放の波は大学にも及び、多くの大学教員が職を失い、一部は海外に亡命した。

＊9　Francisco Maria Cavalcanti de Oliveira（1933–2019）ブラジルを代表する社会学者の一人。サンパウロ大学ＦＦＬＣＨ教授、ＣＥＢＲＡＰメンバーなどを歴任。ＰＴ設立に参加したが、ルーラが市場主義に接近するようになるとＰＴを離脱し、社会主義自由党（ＰＳＯＬ）設立を支援した。

＊10　その他、ベルキオ、イアンニ、カマルゴ（Cândido Procópio Ferreira de Camargo 1922–87）、ラムニエル（Bolívar Lamounier 1943–）などの社会学者、ウェフォルト（Francisco Correia Weffort 1937–2021）などの政治学者、ジアノッ

の工場地帯で頻繁にストが実行されるなど、労働運動が高揚した。労働組合は、一九四三年の統合労働法（ＣＬＴ）のもとでの官製の労働組合を批判し、労使の自主交渉を求める新組合主義（Novo Sindicalismo）を主張する一方で、労働者に限らず社会の底辺にある人々を動員する新しい政党の設立を模索していた。シンジェル、オリベイラ、アブラモ[*12]など社会主義政党を期待する人々は、労働組合との議論をつうじて、労働者党（ＰＴ）設立プロジェクトに参加する。プロジェクトには多様な思想をもつ人々が参集したが、公正で民主的な社会主義思想が根底にあった。シンジェルはルーラの要請に応じてＰＴの経済政策の立案に関わった。こうして八〇年にＰＴが設立された。

ＰＴは、経済自由化の過程で社会的に排除された人々を吸収し、労働者の党から市民の党へと性格を変えながら、支持基盤を広げていった。一九八八年のサンパウロ市長選ではエルンジーナ[*13]がＰＴ候補として出馬し、シンジェルは経済政策の参謀として参加し、当選すると企画長官となった。サンパウロはブラジル最大の都市であり、多くの都市問題に直面していた。シンジェルはそれらの問題に果敢に取り組む。最初の問題は前政権が残した財政赤字であった。多くの公共事業を整理し中止したが、その場合はコミュニティに出向き、住民に丁寧に説明した。市民との対話はシンジェルにとっても社会のニーズを知り、その解決法を見出す機会となった。

サンパウロ市企画長官の職を終えた後、シンジェルは研究者として、また行政職として新たなテーマ、すなわち連帯経済に取り組む。ＤＲＯＲでキブツ創設運動に関わってから、社会主義とは何かと問い続けてきた。『経済学を学ぶ』（Singer［1983］）に次いで出版された、『闘うユートピア――社会主義を再考する』（Singer［1998］）では社会革命について詳細に論じている。

ティなどの哲学者がいる。

＊11　サンパウロ社会学派（escola de sociologia de São Paulo）はフェルナンデスの指導のもと一九七〇年代に組織され、マルクス・セミナー同様、政治活動とは一線を画し、欧米の社会学を移入するとともに、ブラジルの人種、ジェンダー、社会階級、所得分配などについて実証的な研究を実施した。

＊12　Perseu Abramo（1929-96）ブラジルの新聞記者、*O Estado de São Paulo*, *Folha de São Paulo*などの有力紙で活動。ＰＴのシンクタンクであるペルセウ・アブラモ財団は彼の名を関したもの。

＊13　Luiza Erudina（1934-）政治家、二〇一六年以降ＰＳＯＬに所属。

＊14　ブラジルのカリタスは、一九五六年にＮＧＯの国際カリタスの一つとして設立され、カトリックの教義に基づき、あらゆる人々とりわけ社会的に排除された人々の保護と連帯する社会の

この書を書いた動機は、社会主義運動が衰弱化するなかで、社会主義を再定義し社会革命の可能性を探ることであった。社会主義については、その本質が生産と消費の民主的な組織にあり、生産者と消費者が自由に連携し、労働や投資の負担と利益、権利と義務を平等に分かち合うことにあるとした。その代表的な形態が生産および消費の協同組合や同様の組織である。これらの組織は、上からの偽りの権力の命令によってではなく、下からの運動によって設立されなければならないと考えた。

新たな社会主義の具体的な形態はブラジル社会における人々の実践のなかに見られた。シンジェルがまず注目したのは、カトリック教会とりわけ解放の神学（第6章参照）によるコミュニティ支援活動である。カリタス（Cáritas）[*14]はオルタナティブなコミュニティ・プロジェクト（Projetos Alternativos Comunitários：PACs）によって零細な農民への技術や販路拡大支援を行うなどして、ブラジルの連帯経済の先駆となった。一九九〇年代になると失業と貧困が深刻化するなかで、協同組合、回復企業、コミュニティバンクなどの組織や運動が数多く生まれ[*15]、労働組合、NGO、学会、宗教団体、地方政府など多様な組織が支援した。運動は、何よりも経済自由化に伴う経済困難のなかで人々が互いに協力し生き延びるための戦略であったが、それを受けて連帯経済に新たな経済の可能性を見出そうとする社会・政治運動が生まれた。シンジェルは六六年に『フォーリャ・デ・サンパウロ』紙（六月一一日）に「失業に対抗する連帯経済」という題名の論文を寄稿したが、それは連帯経済という用語がブラジルで使われた最初のものとなった[*16]。その後シンジェルは、連帯経済とその経済的背景について多くの書籍を著した。『グローバル化と失業――診断とオルタナティブ』（Singer［1998］）、『社会主義経済』（Singer e Machado［2000］）、『ブラジルの連帯経済――失業に対する自主管理という選択』（Singer e

建設を目的に活動している。

＊15　回復企業（empresa recuperada）あるいは回復工場（fábrica recuperada）は倒産した企業を労働者が引き受けて経営するもので、法的には協同組合の形態をとることが多い。コミュニティバンク（banco comunitário）は地域住民が設立し、零細な企業と消費者に資金を提供する。

＊16　連帯経済という用語を提案したのはエルンジーナ政権の副市長候補であったメルカダンテ（Aloízio Mercadante）であった。政権構想を議論するなかで、協同組合、社会通貨などの民衆の運動全体を表現する用語について、連帯経済という用語をシンジェルに提案したとされる。シンジェルは後日チリ人のラセット（Luiz Razeto）が連帯経済という用語を使っていることを知った（Santos［2018］68）。ラセットは一九八四年に『連帯の経済と民主的市場』で科学を基礎とする経済と倫理を基礎とする連帯を合わせた用語として連帯経済を使用した（幡谷則子「ラテンアメリカにおける連帯経済とは」幡谷［二〇一九］二七頁）。

Souza [2000]）、『連帯経済入門』（Singer [2002]）がその代表的なものである。

　連帯経済運動は二〇〇〇年代になると反市場主義、反グローバリズムの運動と結びついていった。〇一年にポルトアレグレで開催された世界社会フォーラム（World Social Forum：WSF）[*17]を契機にブラジル連帯経済作業グループ（Grupo de Trabalho Brasileiro de Economia Solidária）が組織され、〇三年にルーラPT政権が誕生すると、雇用労働省に国家連帯経済局（Secretária Nacional de Economia Solidária：SENAES）と国家連帯経済審議会（Conselho Nacional de Economia Solidária：CNES）が設立され、シンジェルがSENAESの初代局長に就任した。加えて連帯経済の代表組織と政府機関から構成され、連帯経済政策を議論し政府に提言する組織として、ブラジル連帯経済フォーラム（Fórum Brasileiro de Economia Solidária：FBES）が設立された。

　こうした連帯経済運動と連帯経済の制度化をみると、制度化に先立って民衆の自発的な活動が発生していることと、制度化にあたっては民衆の提案を取り入れていることがわかる。FBESはそれを代表していた。下からの改革はシンジェルが目指した社会革命のあり方だった。連帯経済は、シンジェルが発見し意義を与えたが、それは民衆の発明であり民衆によって実行されるものである。

　連帯経済基本法の制定はシンジェルの念願であった。PTは議員提案で何度も連邦議会に法案を提出したが、本会議での議決までに至らなかった。他方でFBESは憲法が定める人民発議[*18]を利用して法案の提出を試みた。ルーラを引き継いだルセフ（Dilma Vana Rousseff　コラム10参照）は、連帯経済基本法を政権の公約とし大統領となったが、二〇一六年に弾劾と罷免によって政権を追われた。クーデターとも言うべき政変劇によって政権に就いたテメルは、SENAESを部に格下げし、次いで一九年誕生したボルソナロ政権は、連帯経済の所管官庁

＊17　スイスのダボスで毎年開催される世界経済フォーラム（WEF）に対抗して公正、平等な社会を求める市民組織が参加する運動。「もう一つの世界は可能だ」がスローガン。二〇〇一年に第一回会合がブラジルのポルトアレグレで開催された。

＊18　一九八八年憲法は、少なくとも五州に分布し、かつ各州の選挙民の一〇分の三を下回らず、全国選挙民の最低一パーセントの署名をもって、法案を下院に提出できると定めている。

を新設した市民省の社会包摂・都市生産局に移管した。つまり連帯経済は、オルタナティブな経済ではなく、社会政策の一つとされたのである。同時にCNESの活動が停止された。

新自由主義的傾向が強まり、連帯経済政策が反故にされるなかで、二〇一八年四月シンジェルは静かに息をひきとった。享年八四歳であった。シンジェルは生前から連帯経済に多くの困難があることを自覚していた。連帯経済に参加する人々が、必ずしも連帯経済の意義を理解し行動するわけでないことも知っていた。新しい社会は、一気に達成するわけではなく、行きつ戻りつ実現するものだと考えていた。

集権的社会主義批判

それではシンジェルが求めた社会主義とは何か。一九九九年にルーラとカンジド[*19]は、社会主義と民主主義をテーマとする一連のセミナーを組織した。シンジェルはそこで社会主義とそれに至る途について報告した。『社会主義経済』(Singer [2000]) は報告をまとめたものである。そのなかでシンジェルは伝統的な社会主義や計画経済を批判し、自主管理社会主義を提案した。

シンジェルによれば、マルクスとエンゲルスは資本主義を厳しく批判したが、社会主義については期待を述べるにとどまり、その経済組織や社会的政治的秩序を明確にしなかった。商品生産はどのような組織に置き換えられるのか、生産手段が社会化され階級がなくなるなかで、どのように生産、流通、消費が行われるか。シンジェルによれば、科学的社会主義[*20]はこれらの質問に答えていない。

社会主義への移行をめぐってはボルシェビキ[*21]内部で議論と対立があった。ロシア革命を成

*19 Antonio Candido de Mello e Souza (1918-2017) 批評家、社会学者。主要著書に『ブラジル文学史 (*Formação da Literatura Brasileira*)』がある。労働者党を支援。

*20 オーウェンなど理想社会を想像した空想的社会主義に対して、生産力と生産関係の矛盾から資本主義社会の崩壊と社会主義の到来の必然性を明らかにしたものを科学的社会主義と言う。エンゲルスが命名。

*21 ロシア共産党の前身。レーニンのもと十月革命(ロシア革命)を指導した。

し遂げたレーニンは、労働者委員会による企業の管理が生産の再組織と生産性向上の障害になると反対し、国家による管理を主張した。他方で、労働組合運動家を中心とする「労働者反対派」[*22]は企業の労働組合による管理を主張した。労働者反対派はまた工場での政治が民主的に選ばれた委員会によって決定されるべきだと主張した。これらの主張はレーニンと政党に受け入れられることはなかった。

シンジェルはロシア、その後東欧などに広がったソ連型の集権的計画経済を批判する。計画経済は政党と官僚組織が支配する全体主義的な性格をもつ。意思決定はトップダウンでなされ、そこに参加するのは限られた人々である。上位の計画組織は、下部の組織の過剰な生産目標と、生産財（機械や原材料）の過少評価という問題に直面している。実際に生産が開始すると特定の生産財の不足が明らかになり、他では過剰な生産という問題を抱えることになる。不足する財では将来のために在庫を増やそうとする行動が事態をより悪化させる。もちろん不足は最終的には消費財の不足としても現れる。こうした不足の連鎖はコルナイ[*23]が「不足の経済学」として考察したものである。シンジェルはまた、計画経済では技術開発が政治目的化し、資本主義のように社会への波及効果をもたなかったと批判した（Singer［2000］32-33）。

他方で、資本主義もまた本質的な欠陥をもっている。資本主義を統制する原理は市場である。資本主義では、市場をつうじてあらゆる財やサービスが、価格をシグナルに取引される。計画経済のように中央で経済を統制する組織は存在しない。にもかかわらず経済が破綻せず生産と供給がなされるのは、市場を機能させる制度が事前に存在し、経済主体が完全情報をもとに合理的な行動をとると仮定されているからである。ワルラス[*24]は市場をオークション（競売）に喩える。すなわち、競売人は経済主体が入札で示した需要と供給に基づいて商品の価格を設定し、

＊22 「労働者反対派」は、ボルシェビキ内部で、労働組合の地位の向上、労働者民主主義の拡大、国家と党の官僚制化の阻止などを主張したグループ。後に小ブルジョア的反革命と関連づけられて攻撃された。

＊23 János Kornai（1928-） ハンガリー生まれの理論経済学者。数理経済学によって社会主義経済を研究し、集権的な計画経済の限界を示し、市場経済への移行を主張した。『不足の経済学』などの著書がある。

＊24 Marie Esprit Léon Walras（1834-1910） スイス生まれの経済学者。経済分析に数学的手法を取り入れ、限界概念で人々の合理的行動を説明し、自由な競争が行われればすべての財の需給が一致するという一般均衡理論を唱えた。

全体の需要と供給を一致させる。こうした競売はあらゆる財やサービスでも同時に行われ、その結果市場全体で需要と供給が一致する一般均衡が得られる。しかし、シンジェルによれば、ワルラスの市場理解は現実の資本主義をみれば素朴過ぎ、また誤りを含むものである。現実の市場は、時間という要素を考慮すれば、また競売人が存在しないことを踏まえれば、ワルラスが期待したような均衡に達しない。とりわけ、金融市場では、将来の予想が現在の取引を強く決定する。また投機的行動が広く見られる。金融市場のこうした性格は不確実性を高め、関係する経済主体の誤った行動を促し、景気の浮沈、物価の変動などをもたらす（Singer［2000］34-37）。

自主管理としての社会主義

社会は国家でも市場でもない経済の運営方式を必要としているのである。シンジェルによれば、それは民主的で参加主義的な社会主義経済である。新しい方式では、市民がそれぞれ異なる関心や見解をもちより、対立があれば交渉によって合意を、それができなければ多数決によって政治的に決定する。それは市場による調整を否定するものではない。経済の集権化を抑制し、分権的な行政を維持するには、市場の存在が不可欠である。社会主義経済の目的は、消費者の必要や選好をより良い形で満たすことと、労働を資本の支配から解き放ち人間らしいものにすることである。新しい社会主義経済では労働者も消費者も自由であり、経済の方向性について自らが意思決定をする（Singer［2000］37-38）。

民主的で参加的な社会主義は、その本質に沿って表現すれば、自主管理社会主義となろう。シンジェルはそのモデルを十九世紀のオーウェンやフーリエ[*25]などの空想的社会主義に求めた。自主管理社会主義概念は彼らの社会主義像を継承したものである。彼らは自由で平等なコ

＊25 Robert Owen（1771-1858）はイギリスの実業家、協同組合や労働組合運動の祖とされる。Francois Marie Charles Fourier（1772-1837）はフランスの哲学者、社会思想家。

ミュニティの創造をつうじた社会主義を追求した。その思想と挑戦はやがてロッチデール先駆者協同組合[*26]として結実し、その後ヨーロッパを中心に世界中で消費者、生産者、信用、労働などの分野で協同組合が次々に設立された。

世紀末の混乱のなかで協同組合運動は一時下火になったが、協同組合主義は消えることはなく、二十世紀初頭に復活を遂げた。労働者が自主管理する企業が多数現れた。自主管理は、ファシズムに対抗するスペイン市民革命、ポーランドなどでの政治運動のなかにも現れたが、それを社会主義体制のなかで制度化したのはユーゴスラヴィアのチトー政権であった。チトーは、一九四八年にスターリンとの関係を断絶すると、集権的なソ連型社会主義を批判し、計画と市場を結合した経済体制を提唱し、労働者自主管理を制度化していった。経済運営の分権化、企業の自主的な生産・販売・利潤配分などがその内容であった。シンジェルが自主管理社会主義としてもう一つ注目したのは、先に述べたイスラエルのキブツであった。それは生産、消費協同組合が構成するコミューンであり、土地などの生産手段は共有され、労働は選挙で選ばれた委員会によって組織、管理され、すべての意思決定は集団的になされた。シンジェルはまたスペインのモンドラゴン協同組合企業[*27]に自主管理社会主義を見た。モンドラゴンは、自主管理を実現するため、組合員の代表組織である社会委員会を設置した。

シンジェルは、これらの試みに自主管理社会主義の可能性を見る一方で、それらが一様に困難に直面したことを見逃していない（Singer［2000］43-44）。ユーゴスラヴィアはチトー以後民族紛争が激化し、連邦国家は分裂し、労働者自主管理の経験は忘れさられた。経済だけでなく社会生活をも共同で営むキブツは新しい世代から敬遠された。モンドラゴンでも、欧州連合内での競争に対応するため、意思決定の集権化、賃金労働者割合の増加、組合員間の報酬格差

＊26 Rochdale Pioneers Co-operative 英国ランカシャーのロッチデールで一八四四年に設立された消費組合で、協同組合の先駆とされる。組合運営の原則であるロッチデール原則はその後の協同組合活動の指針となった。

＊27 Corporación Mondragón バスク州モンドラゴンに基盤をおく労働者協同組合の集合体。最初の組合が設立されたのは一九五六年であるが、その起源はカトリック聖職者ホセ・マリア・アリスメンディアリエタが四三年に設立した技術学校であった。スペイン内戦による経済の疲弊、飢餓や貧困のなかで労働能力を涵養し、雇用の創造を目指した。その活動分野は、生産、小売、金融、保健、教育など多岐にわたる。

＊28 社会が必要とする財を生産するための組織の形態。資本主義では、労

の拡大などが見られるようになった。このような自主管理社会主義の困難や退行にもかかわらず、自主管理による協同組合活動は、イタリア、スペイン、カナダなどの先進国、多くの大衆が失業しているブラジルなどの途上国で確実に広がりを見せている。

資本主義ではもちろん資本主義的な生産様式[*28]が支配的ではあるが、現実には多様な生産様式が並存している。小規模な自営業、NGOなどである。それらは自主管理社会主義の萌芽である。シンジェルは、多様な生産様式が存在することは社会主義においても何ら変わらないとする。すなわちすべての市民は、他人の権利を損なわない限り、あらゆる形態で生産を組織できる。その場合重要なのは、企業が真の意味で社会主義的になるには、企業が自由意思に基づいて組織され行動することである（Singer［2000］47-48）。

このようなシンジェルの社会主義や社会革命観、多様な生産様式認識は、ローザ・ルクセンブルグ[*29]から影響を受けている。ブラジルではローザの思想はペドロサ[*30]によってはじめて紹介された。ペドロサは自らが編集人である『社会主義前衛（*Vanguarda Socialista*）』で一九四六年にローザの『ロシア革命論』を紹介し、シンジェルはそれによってローザを知った。ペドロサ、シンジェル、レヴィーがブラジル最初のルクセンブルグ主義者とされる。[*31]彼らがルクセンブルグ主義者になったのは、彼女が一貫して社会主義を求める一方で、革命が民衆の自然発生的な運動によって達成されるべきだと考えたからであった。ローザは、プロレタリアート独裁と前衛党論[*32]を厳しく批判し、革命後においても民主的自由が擁護されなければならないとした。

ローザの経済理論のなかでシンジェルが最も影響を受けたのは、第一次世界大戦直前の一九一三年に書かれた『資本蓄積論』であったが、そこでのシンジェルの関心は、『資本蓄積論』の主要なテーマである再生産様式でも、その矛盾の帰結である資本主義の自然崩壊でもな

働者が賃金と引き換えに、労働力を雇用主である資本家に売り、彼らの管理のもとで機械化された工場で働く。

＊29 Rosa Ruxemburgo（1871-1919）ポーランドに生まれドイツで活動したマルクス主義者、革命家。ロシア革命にあたって労働者の自然発生的な闘争を支持し、レーニンの集権主義的な指導を批判した。ドイツ革命への反動に抗して武装蜂起を起こすが、捕らえられ殺害された。

＊30 Mário Xavier de Andrade Pedrosa（1900-81）作家、ジャーナリスト。レーニン死後一国社会主義に対抗して世界革命を主張したトロツキーの第四インターナショナルをブラジルで指導した。

＊31 ローザ・ルクセンブルグの思想のブラジルでの受容については、Nascimento［2018］; Loureiro［2009］を参照。

＊32 レーニンが提示した社会主義革命論で、社会主義への移行においては労働者階級による国家権力の把握と、階級や大衆とは区別される党組織が指導する体制が必要だとした。

く、資本主義のもとでの多様な生産様式の並存であった。『資本蓄積論』は、世界市場論的な視点から資本の蓄積過程を考察し、資本主義の発展と崩壊を論じた。資本主義では不断に剰余価値が蓄積され、それを原資に生産が拡大していくが、生産の拡大とともに不断に増加する剰余価値は、最終的にどこで吸収されるのか。ローザはそれを非資本主義的な社会（端的にはアジア、アフリカなどの社会）に求めた。すなわち資本主義的な蓄積が実現するには、周囲に非資本主義的な社会の存在を必要とし、それによって資本主義は存続しうる。この第三者（非資本主義的な社会）をめぐる競争と対立こそが帝国主義である。そして第三者が存在しなくなったとき、資本主義は自動的に崩壊するとした。*33

こうしたローザの議論を受けてシンジェルは、資本主義が支配する世界にあっても、小農や工芸など資本主義とは異なる生産様式が存続しうるとした（Loureiro［2009］18）。シンジェルの理解は、ローザが異なる生産様式を見出したのが前資本主義社会であることを考えれば、曲解と言えなくもないが、ローザの議論から、資本主義にあっても連帯経済など他の生産様式が存続する可能性を見出したのである。

連帯経済論

それでは連帯経済とは何か。シンジェルは『連帯経済入門』のなかで、連帯経済と市場経済の違いを、連帯と競争、利益配分の方法、自主管理と外的管理という概念で対比し論じている。市場経済における競争は、価格低下によって消費者を利し淘汰によって優良な企業を成長させるなど利益があるが、不平等、格差など社会的不利益を生む。競争は連帯にとって代わられる必要がある。連帯経済では、資本は集団的に所有され、参加者には自由と平等な権利が

*33　ローザの『資本蓄積論』は、マルクスの再生産様式の批判を通じて、帝国主義の出現と資本主義の崩壊を論じた書である。マルクスの『資本論』第二巻によれば、生産物は過不足なく販売される。つまり生産それ自身が販路を作り出す。ところが第三巻では、生産力の無制限な拡張が社会的消費の限界に直面すると論じている。そこには矛盾が存在する。その理由は第二巻が需要の問題を無視しているからである。不断に増加する剰余価値は、最終的にどこで吸収されるのか。ローザはその捌け口を非資本主義的な社会に求めた。しかし、再生産様式は生産と消費の反復過程を図式化したものであり、そこに販路を持ち込むことは誤りとの批判がある。

与えられる。連帯経済ではメンバーは賃金ではなく分配金を受ける。分配金の配分は連帯経済のメンバー全員が参加する集会によって決定される。シンジェルによれば連帯経済と市場経済の最も大きな差は管理の方法である。市場経済における管理はヒエラルキーを伴うものであり、そこには命令する者と命令される者が存在する。これに対して連帯経済では民主的、集団的に管理される。自主管理が原則である。管理に関わる意思決定は、日常的な事柄について小規模な集会で、重要な決定について全体集会で決定される（Singer［2002］7-23）。

こうした理解を踏まえてシンジェルはSENAESの長として連帯経済支援のための制度を整備していった。支援には連帯経済を定義することが必要であった。そのため連帯経済を、既存の経済システムとりわけ市場とは異なる方法で、生存のために生産し、売り、買い、そして交換する経済行為であるとした。具体的な形態として協同組合、倒産した企業を労働者が引き受けて経営する回復企業、交換クラブ[*34]などを挙げた。連帯経済は脆弱な存在であり、経済力の非対称性から不利な取引条件を強いられる。そこで二〇〇六年にSENAES内に、生産から消費に至るすべての過程で公正取引を推進するため、国家公正連帯取引システム（Sistema Nacional do Comércio Justo e Solidária：SCJS）を設立した。もう一つシンジェルが心血を注いだの労働者協同組合法の制定である。労働者協同組合は組合員が自らの雇用と生活、そして尊厳を守るための組織であり、連帯経済を象徴するものであった。シンジェルの努力によって〇二年に労働者協同組合法が成立した[*35]。

連帯経済は、その組織内だけで、協力、平等などが実行されていても、それを連帯経済とは呼ばない。他の連帯経済との協力、連帯が必要である。連帯経済研究者のマンセは、連帯協働ネットワーク（Redes de Colaboração Solidária：RCS）という概念で、連帯経済間の連携の重要性

労働省の連帯経済セミナーのポスター。中央に自主管理の文字。その下に「労働者を解放するのは労働者自身の責務である」とのマルクスの言葉がある。
筆者撮影

＊34　交換クラブ（clube de troca）は人々がモノやサービスを持ち寄り交換する場であり、しばしば交換を容易にするためその地域だけで流通する地域通貨（moeda local）あるいは社会通貨（moeda social）を利用する。

＊35　労働者協同組合については、小池洋一「ブラジルの労働者協同組合――市場経済のオルタナティブになり得るか」幡谷［二〇一九］所収。

を強調している。ＲＣＳの基本原理は、自由な参加、公平、自主管理、分権化、地域主義などである。[*36] シンジェルもまた協同組合間の連携の必要性を指摘している。生産・消費協同組合の設立は市場を内部に取り込む方法であり、そのことによって生産基盤が強固になるとした（Singer［1998］122-123）

連帯経済には批判や残された課題がある。その一つは、それが資本主義のなかの経済あるいは運動に過ぎないというものである。ローザ・ルクセンブルグを共に学んだ哲学者レヴィーは、シンジェルへの追悼文で、深い敬意を示すとともに、二人の間には社会主義観において違いがあったと述懐している。すなわち社会主義を、レヴィーが民主的な計画経済と捉えたのに対し、シンジェルは市場経済における連帯経済と捉えた。[*37] つまりレヴィーから見れば、シンジェルの社会主義は混合経済であり、基本は資本主義だというのである。しかし、言うまでもなく、シンジェルは市場が経済全体を覆う資本主義を支持しているわけではない。連帯経済が広がり、労働者が自主管理する経済を追い求めた。

もう一つの批判は、連帯経済の運動が体制転換、すなわち資本主義から社会主義への体制移行を可能にするかという設問である。「正統派」マルクス主義者のカストロは、一八六四年にマルクスが起草した「国際労働者協会創立宣言」[*38]を引用し、シンジェルの期待する体制移行に懐疑を示す。宣言は、勤労大衆の解放において協同組合運動が果たす役割は重要であるが、その過大評価は慎む必要があるとした。地主や資本家は彼らの経済独占を維持するため、政治的特権を行使し、労働者の運動を妨害するからである。協同組合主義が労働者を救済するには、協同組合が国家を覆うまでになる必要があるが、そのためには労働者階級が政治的権力を握ることが不可欠であるとした。カストロはまた、シンジェルの言う異なる生産様式の並

＊36　Mance, Euclides André［2002］*A revolução das redes de colaboração solidária - aspectos econômico-filosóficos: complexidade e libertação*, Petrópolis: Editora Vozes.

＊37　https://blogdaboitempo.com.br/2018/04/20/paul-singer-1932-2018-socialista-solidario/（二〇二一年一〇月八日アクセス）.

＊38　一八六四年世界初の国際政治結社の創立にあたって、マルクスが起草し採択された宣言文。第一インターナショナル創立宣言。

存についても、資本主義に限らずそれに先行する経済においても、異なる生産様式は並存するが、新しい生産様式の普及によって過去のそれは淘汰されるのであり、共存は不可能であると批判した。*39 しかし、ブラジルのような途上国に限らず先進国においても、協同組合などの連帯経済は資本主義の発展の過程で存続し、また新たに組織されてきたこと、そして一九九〇年代以降に資本主義が隅ずみまで行きわたる経済グローバル化のなかでそれらが興隆した事実を確認する必要がある。「国際労働者協会創立宣言」は自助的な協同組合が局地的な存在にとどまる限りは、労働者の解放につながらないと批判したが、だからこそシンジェルはあらゆる機会で連帯経済設立に努力することと、連帯経済間の連携の重要性を強調したのである。

*39 Castro, Bárbara Geraldo de [2010] "O socialismo de Paul Singer e os limites de seu projeto político de economia solidária," *Org & Demo*, Marília: UNESP, 11 (2), jul/dez, pp.23-44.

未来社会に向かって

シンジェルはその生涯にわたって一貫して自由で民主的な社会主義を求めた。民主的な社会主義論は、剥き出しの利益追求によって労働者を劣悪な労働と生活条件におく資本主義への批判とともに、彼が幼年期に生きた母国オーストリアで経験したファシズムへの憎悪とソ連の社会主義への失望、これら二つの左右の全体主義への批判によって到達したものである。

シンジェルが求めた自由は、思想や言論の自由とともに、苦役や貧困からの自由であった。それは彼が労働者として生産現場で働き労働組合で運動した経験によるものかもしれない。一九六〇〜七〇年代にともに社会主義を学んだカルドーゾら研究者は、七九年に設立されたブラジル民主運動党（PMDB）に参加したが、シンジェルはそれを潔しとせず、社会の中心である労働者の解放という目標を掲げるPTに合流した。その後PMDB左派は八八年にブラジル社会民主党（PSDB）を設立し、九五年にカルドーゾが政権につくと、自由や公平を党是とし参加主義的な行政を試みたが、シンジェルから見ると、それは高踏的なものであり上から自由や公平を与える類のものであった。

シンジェルは、目先の利益を求める傾向が強い民衆に戸惑いながらも、彼らの知恵と行動に新しい社会の可能性を見た。民衆の運動は理論よりも豊饒であり、新しい社会を展望し具体化するうえで多くの情報を提供しうる。それが証明された舞台が世界社会フォーラム（ＷＳＦ）であった。そこでの対話や議論は、民衆が新しい社会を構想し行動するために必要な、知恵と連帯の場を提供した。それは研究者がその理論を豊かにし、為政者が政策を立案するための情報を提供した（Singer［2009］13）。

シンジェルは連帯経済に民主的な社会主義の具体的な姿を見た。それは野蛮な資本主義と、全体主義的な社会主義に対抗する経済であった。資本主義は、新自由主義が支配的になり経済グローバル化が進むなかで、より暴力的なものとなった。不断に労働条件を切り下げる底辺への競争が、社会の周辺に多くの貧困をもたらした。金融資本主義化が進み、金融が実体経済から遊離し、頻繁に経済を攪乱した。そしていま情報化が少数者への情報の独占をもたらし、さらに格差を広げようとしている。市場経済あるいは資本主義は、個人の自由を基盤としそれを保証するものであるが、同時に社会を粉々に分断し、個人に市場への隷従と自己責任を強いる。

それでは連帯経済は、その活動領域を広げ民主的な社会主義を実現することになるだろうか。現実の連帯経済はブラジルでは極めて脆弱な存在である。保有する資源は乏しく、市場は狭い範囲に限られている。大規模な生産と高度な技術を必要とする産業は連帯経済にとってハードルが高い。そうしたなかで連帯経済を支援する制度も新自由主義政権によって排除された。しかし、連帯経済に限らずあらゆる運動は、はじめから十全なものではない。実践を通じて鍛えられていくものである。連帯経済への懐疑や批判に対して、理論家であるとともに実践家であったシンジェルは、きっと次のように答えるであろう。新しい社会は、自然とやってくるものではなく、時代を生きる人々が作っていくものだと。

【読書案内】

シンジェルの著作は他分野にわたるが、以下本章に関わるものを挙げた。うち1は底辺からの社会変革を、2は経済グローバル化と雇用問題を論じたものである。3は5に収録された論文で、シンジェルの社会主義観がわかる。4は連帯経済の入門書である。6は連帯経済論の代表的な著作である。

1 Singer, Paul［1998a］*Uma utopia militante: repensando o socialismo*, Petrópolis: Vozes.

2 ――――［1998b］*Globalização e desemprego: diagnóstico e alternativas*, São Paulo: Editora Contexto.

3 ――――［2000］"Economia socialista," em Singer e Machado［2000］, pp.11-50.

4 ――――［2002］*Introdução à economia solidária*, São Paulo: Editora Fundação Perseu Abramo.

5 Singer, Paul e João Machado［2000］*Economia socialista*, São Paulo: Editora Fundação Perseu Abramo.

6 Singer, Paul e André Ricardo de Souza (orgs.)［2000］*A economia solidária no Brasil: autogestão como resposta ao desemprego*, São Paulo: Editora Contexto.

シンジェルの思想や実践を知るうえで重要な文献は以下である。うち12はシンジェルの逝去にあたって編まれたもので、それに収録されている11はシンジェルの生涯を、10はシンジェルの主要テーマと著作を紹介している。8はシンジェルを含めブラジルのローザ・ルクセンブルグ主義者へのインタビュー記事をまとめたものである。

7 Andrada, Cris e Egeu Esteves [2018] "Paul Singer: uma vida de luta e de trabalho pelo socialismo e pela participação democrática," *Estudos Avançados*, 32 (93), pp.373-399.
8 Loureiro, Isabel (org.) [2009] *Socialismo ou barbárie: Rosa Luxemburgo no Brasil*, 2ª edição, São Paulo: Fundação Rosa Luxemburgo.
9 Mantega, Guido e José Marcio Rego [1999] "Paul Singer (entrevista)," em Guido Mantega e José Marcio Rego, *Conversas com economistas brasileiros II*, São Paulo: Editora 34 Lda., pp.55-89.
10 Nascimento, Claudio [2018] "Paul Singer: uma tese e oito hipóteses sobre o socialismo/autogestão," em Santos e Nascimento [2018], pp.83-272.
11 Santos, Aline Mendonça dos [2018] "Paul Singer: uma vida por outra economia," em Santos e Nascimento [2018], pp.17-82.
12 Santos, Aline Mendonça dos e Claudio Nascimento [2018] *Paul Singer: democracia, economia e autogestão*, Marília-SP: Editora Lutas Anticapital.

最後に日本語で読める連帯経済に関する基本文献を挙げる。13はブラジルを含めラテンアメリカにおける連帯経済の理論と実践を紹介したものである。14は連帯経済について基本的な理論書である。

13 幡谷則子編［二〇一九］『ラテンアメリカの連帯経済――コモン・グッドの再生を求めて』上智大学出版。
14 ラヴィル、ジャン＝ルイ編［二〇一二］『連帯経済――その国際的射程』北島健一、鈴木岳、中野佳裕訳、生活書院。

（小池洋一）

―コラム― セバスチャン・サルガド――「生命のつながり」を撮る

飢餓や難民などをテーマに苦難を生きる人間の姿を崇高な写真で伝えるブラジル人写真家、セバスチャン・サルガド(Sebastião Salgado 1944–)。彼の作品世界とはじめて出会ったときの衝撃を今も昨日のことのようにありありと思い出すことができる。一九九五年、大阪の百貨店のミュージアムで見た展覧会「ワーカーズ」でのことだ。終焉を迎えつつあった大規模な肉体労働の世界を独特の濃淡の白黒表現で表す写真群を前にして、「これが写真の力か」と度肝を抜かれた。圧巻だったのは、ブラジルのアマゾン奥地にある金鉱セーラ・ペラーダ(Serra Pelada)で一攫千金を夢見るガリンペイロ(金の採掘者)を写した一連の写真だった。おびただしい数の人間が働き蟻の大群のごとく露天掘りの巨大な穴のなかでうごめいている。「こんな世界があるのか」と衝撃で体が激しく動揺する一方、不思議と心は生き生きと躍動していった。ぐいぐい写真の中に引き込まれて、言語にはなっていない秘められた声を写真に聴いた気がした。そういう非言語的な世界とのコミュニケーションがあることを、ぼくはそのとき初めて体験する。その瞬間、これぞサルガドの写真の真骨頂なのだと考えるようになるのであるが、何か行動を起こさずにはいられない衝動に突き動かされた。実際に翌年、その勢いにまかせて大学を休学し、ぼくはブラジルに渡ったのだった。

サンパウロでおよそ一年間、法律事務所の研修生として働き、滞在最後の一か月に休暇をもらい旅に出た。バスでブラジリアを経由してバイアへ。サルヴァドルでカーニバルを体験した後、ペルナンブコやピアウイ州のセルタン(ブラジル北東部の半乾燥地域の総称)を抜け、マラニャン州まで来た。州都サンルイスで鉄鉱石を運搬する鉄道があることを突きとめ、それに乗ってパラウアペバス(Parauapebas)というパラ州の辺境にある町を目指した。セーラ・ペラーダを自分の目で見るためだった。

セーラ・ペラーダはカラジャスと呼ばれる鉱山地帯の中にあることはわかっていた。ところが、現地に着いて、その一帯はリオドセ社(現在はヴァーレ社)という開発会社の管理下にあり、部外者の立ち入りはできないと知らされる。あきらめきれなかったぼくは、「セーラ・ペラーダを撮るために遥々日本から来た」と事務所に直談判した。特別に中を案内してもらうことになったのはよかったが、そこで見たのは、採掘を終えて殺風景なため池へと姿を変えたガリンポ（採掘所）だった。

「これだけの距離（約八〇〇〇キロ！）を移動してきたのに」とその一瞬はがっかりしたものの、すぐに「自分はまだ広い世界のほんの一角しか知らないのだ」という気持ちになった。目の前の光景にはげましを与えられ、その先にまなざしを向ける自分がそこにいた。未知の世界をカメラで切り開いていく！ そんな開眼の機会にみちびいてくれたのは、他ならぬサルガドだったと思っている。

東京都写真美術館での写真展「アフリカ〜生きとし生けるものの未来へ〜」の開催に合わせて来日したセバスチャン・サルガド
筆者撮影

繰り返される戦争、絶望的な貧困、蔓延する感染症。これらの苦しみや困難にうちひしがれる人びとはこの世界にあって最も弱い立場にあるはずだが、サルガドのレンズを通して可視化される像から伝わるのはむしろ人間のもつ強さであり、驚くべき生命力だったりする。人間を人間たらしめる精神のありようをギリギリで支える何かがそう思わせるのか。彼の写真を見るとそんなところに思考と想像が誘われるのは、サルガドのまなざしの根底に「生命のつながり」というかけがえのないものに対する礼節があるからだと思う。

人類が抱えている問題に国境などない。人間の大移動を記録した『エクソダス』で人為的な境界線でしきる考えに拘泥する人間社会の姿を浮き彫りにした後、サルガドは自然界の生きとし生けるものすべてのつながりの再生を願う『ジェネシス』にとりかかる。それを見ると、自分という存在も地球を包む生命のつながりの一片に過ぎないと気づかされる。それを豊かさだと感じられるかどうか。おおげさではなく、人類の、地球の未来はそこにかかっていると思う。

サルガドの自伝的な書として『わたしの土地から大地へ』（中野勉訳、河出書房新社、二〇一五年）が、日本語に翻訳された写真集として『人間の大地 労働――セバスティアン・サルガード写真集』（今福龍太訳、岩波書店、一九九四年）がある。

（渋谷敦志）

第12章　多国間主義の伝統を貫く――セルソ・アモリン

多国間主義（英語でマルティラテラリズム）とは「多数国が国際制度あるいは制度化されていない協議を通じて特定イシューに関する政策合意を形成しようとする行動様式」[*1]である。平たく言えば、一つのテーマについて複数の国で話し合ったり解決を目指しともに取り組んだりすることを指す概念である。第二次世界大戦の勃発を防げなかった反省の下に戦後設立された国際連合（国連）は多国間主義を通して様々な課題に取り組んできた。二〇二三年三月現在、正式加盟国は一九三か国。国連安全保障理事会（いわゆる安保理）は国連憲章が定めた六つの主要機関[*2]の一つとして、第二次世界大戦の戦勝五か国（米、英、仏、ロシア、中国）による常任理事国と二年ごとに入れ替わる非常任理事国一〇か国によって構成される。五つの常任理事国と一〇の非常任理事国という構造は一九六三年以降続く。非常任理事国にこれまで一一回選出され、日本とともに選出回数が最も多いのがブラジルである。二〇二二年一月からの二年間、通算一一回目となる非常任理事国を務めている。戦前の国際連盟の時代には、米国の国会での承認が遅れたことで、ブラジルのみが米州地域から参加していた時期があった。戦後の国連創設時には米国の支持のもと、ブラジルが常任理事国メンバーになる可能性もあった。

ブラジルは伝統的に多国間主義を尊重する国である。ブラジルの多国間外交の草分けはルイ・バルボーザ（Rui Barbosa de Oliveira　1849-1923）外相[*3]である。一九〇七年、ブラジルにとっ

セルソ・アモリン（二〇〇七年撮影）
O ministro das Relações Exteriores, Celso Amorim, fala sobre a convocação de uma reunião com embaixadores brasileiros na América do Sul. Photo by Marcello Casal Jr./ABr, licensed under CC BY 3.0 BR

＊1　川田侃、大畠英樹編［二〇〇三］『国際政治経済辞典　改訂版』東京書

て初めての国際会議となった第二回ハーグ平和会議[*4]においてバルボーザは、常設仲裁裁判所[*5]に関する議論の中で、大国の姿勢に異を唱え、国力の強弱に関わらず国家と国家は平等であることを強く主張したという（Amorim [2007]）。第二回ハーグ平和会議から一〇〇年にあたる二〇〇七年、バルボーザ外相へ敬意を表する演説を行ったのがセルソ・アモリン（Celso Luiz Nunes Amorim）である。「多国間主義（のルール）なくして多極体制はなし」――世界は多極化している。多国間主義もそれに見合った形にかわっていくべきである。ブラジルはもっと積極的に国際秩序にコミットすべきであり、そうできる立場にある。単独行動主義（ユニラテラリズム）を批判、先進国の利益が優先される多国間交渉の在り方は時代遅れであり改革されるべきだ、端的にいえば多極化時代の多国間主義であり、そうした国際関係のビジョンをもって二十一世紀ゼロ年代、ルーラ政権の外相としてブラジル外交をリードした「タフ・ネゴシエーター」がアモリンである。

ルーラ政権の外相になる以前から多彩なキャリアを重ねてきたアモリン。初めて外相になったのはイタマル・フランコ政権（一九九二年一二月～九四年一二月）であった。カルドーゾ政権（一九九五年～二〇〇二年）では国連大使や世界貿易機関（ＷＴＯ）大使、在英国ブラジル大使も務めた。ルーラ政権のあとのルセフ政権（二〇一一年～一六年五月）では防衛大臣（二〇一一年～一五年）でもあった。英語、フランス語が堪能で、米国の雑誌『フォーリン・ポリシー』では「世界で最も優れた外交官」と評されたこともある。[*6] 今も現役の政治家として、ブラジルの世界的地位の低下を招いたボルソナロ政権の内政・外交の失策を厳しく批判する。本稿では、ルーラ大統領と二人三脚で、「積極的かつ誇りをもって」（ポルトガル語で ativa e altiva）ブラジルをグローバル・プレーヤーの一角に押し上げたアモリンの外交思想を明らかにする。

籍、三一六頁。

＊2 総会、安全保障理事会、経済社会理事会、信託統治理事会、国際司法裁判所、国連事務局。

＊3 ブラジル近現代外交史上に名を遺す外交官の一人である。

＊4 国際紛争の平和的解決、戦時国際法の定式化、戦時における人道的立場の確保などについて合意に達した点で高く評価されている。川田侃、大畠英樹編［二〇〇三］『国際政治経済辞典 改訂版』東京書籍、六二三頁。

＊5 第一回ハーグ平和会議（一八九九年）で設置された常設国際仲裁法廷。第二回平和会議で改正された。

＊6 Rothkopf, David [2009] "The World's Best Foreign Minister," *Foreign Policy*, October 7.

＊7 父は Vincente Mateus Amorim、母は Beatriz Nunes Amorim（生没年は不明）。

＊8 Whelan, Carolyn [2004] "Brazil's Top Diplomat Fills out the Plot Line," *International Herald Tribune*, 4 de dezembro. 記事の収録は Mnistério das Relações Exteriores [2007] *Política Externa Brasi-*

生い立ちと経歴――キャリア外交官の道

アモリンは一九四二年六月三日、サンパウロ州サントスで生まれた。[*7] 六〇年代、学生運動に参加していたアモリンであるが、「変化を起こす理想的な方法は自らが政府に入ることであると思っていた」。[*8] 六五年に外交官養成学校リオ・ブランコ・インスティテュート（Instituto Rio Branco）を卒業し外務省（通称イタマラチ）に入省。外交官キャリアのスタートは外務省西欧課課長補佐であった。二年後の六七年にウィーン外交アカデミーにおいて国際関係論の学位（修士号）を取得、二等書記官に昇進、その一年後、ロンドンにあるブラジル大使館の総領事となった。七二年から七四年までワシントンにある米州機構（OAS）[*9]で勤務したのちブラジルに戻り七七年に参事官に昇進、外務省文化普及課の課長になった。

この後アモリンは少し変わったキャリアを積むことになる。一九七九年から八二年まで国営映画会社エンブラフィルム総裁に就任したのである。この間ゲーハ監督（Ruy Guerra 1931–）の映画「Os cafejestas（良心なき世代）」やヒルシュマン（Leon Hirszman 1937-87）監督らによる映画「Cinco Vezes Favela（五つのスラムのストーリー）」[*10]制作にかかわった。ヒルシュマンはシネマ・ノーヴォ（第18章を参照）を代表する人物の一人であり、ブラジル共産党（PCB）の活動家でもあった。アモリンがエンブラフィルム総裁を辞任したのは、ロベルト・ファリアス監督の映画「Pra frente Brasil（先に行け、ブラジル）」の予算を承認したためと言われている。なぜならばその映画には軍政時代の拷問シーンが含まれていたからである。[*11]

一九八〇年に公使に昇進、八二年にオランダのハーグにあるブラジル大使館に異動し、そこで八三年から八五年まで勤務した。帰国後、八五年から八七年まで、科学技術省の協力プログ

leira Vol.II *Discursos, artigos e entrevistas do Ministro Celso Amorim (2003-2006)*, Brasília: Ministério das Relações Exteriores, pp.297-300.

*9　正式名称はOrganization of the American States。一九五一年に発足した米州唯一の国際機関。正式加盟国は米国、カナダ、そしてキューバを除くラテンアメリカ・カリブの三三か国。日本は七三年にオブザーバー国になっている。主な活動は米州における平和と安全の維持、民主主義の擁護・促進、経済社会開発など。近年では各国で実施される選挙に監視活動などで重要な役割を果たしている。

*10　リオデジャネイロのファヴェーラ（スラム）の社会問題を扱った映画。映画は五つのストーリーで構成され、ヒルシュマンを含め異なる五人が映画監督を務めている。

*11　アモリンは青年時代から映画好きで「怒りの葡萄」（ジョン・スタインベックの小説を映画化したもの）やネルソン監督の「乾いた人生（Barren Lives）」をよく見ていたという。いずれも農地改革や農民と資本家との対立を

ラム特別顧問となり、八五年にブラジリアで開催されたラテンアメリカとカリブ諸国のための科学技術の活用に関する閣僚会議やウルグアイのプンタデルエステで開かれたGATT（関税及び貿易に関する一般協定）[＊12]閣僚会合に出席している。さらに米国やソ連（当時）との政府レベルの交渉（通商や科学技術分野）にも参加。八七年から八八年には科学技術省の国際関係担当特別局長となり、情報産業に関するラウンドテーブルに出席するため日本を訪問している。八九年には上級公使に昇進、引き続き科学技術分野の国際会議や委員会に頻繁に出席した。

アモリンの経歴をまとめたジェトゥリオ・ヴァルガス財団（FGV）の資料でも述べられているように、アモリンはサルネイ政権時代（一九八五年〜九〇年）集中的に外交交渉にかかわるようになったという。当時深刻度を増していた医薬品特許やコンピュータなど情報産業における米国との貿易摩擦を巡る交渉にも参加している（FGV CPDOC）。コロル政権（九〇年〜九二年）では九〇年から九一年まで外務省経済局長として、アルゼンチンとの経済統合や原子力政策について交渉、メルコスル（南米南部共同市場）設立を決めたアスンシオン条約締結（九一年）に向け、ブラジル側代表として交渉の取りまとめを行った。その後はブラジリアを離れ、九三年までジュネーブでGATTウルグアイラウンド[＊13]交渉にかかわった。

ブラジル外交を担う――イタマル・フランコ政権からルーラ政権へ

一九九三年七月、アモリンはイタマル・フランコ政権の外相に就任した。[＊14] 外相就任後初となる九三年九月の国連総会での演説は、アラウージョ・カストロ（Araújo Castro 1919–70）外相[＊15]が六三年九月に行った国連演説のスタイルを思わせるものであった。同外相は当時の世界を三つの「D」で始まる単語（軍縮［Disarmament］、脱植民地化［Decolonization］、発展［Development］）

描いたものである。

＊12「自由、無差別、多角主義」を原則とする貿易秩序の実現を目指す多国間条約。一九四八年一月一日発効。様々な通商問題について多国間協議と交渉のフォーラムを提供。この最も顕著な形態が八回に及ぶ多角的貿易交渉、いわゆる「ラウンド」である。八六年九月にウルグアイのプンタデルエステで開催された閣僚会議で八回目となる貿易交渉の開始が決定。これがウルグアイラウンドである。川田侃、大畠英樹編［二〇〇三］『国際政治経済辞典　改訂版』東京書籍、一三五頁。

＊13 注12を参照。

＊14 コロル政権からフランコ政権の移行期、外相は短いスパンで交代。一九九二年四月一三日から一〇月二日までラフェル（Celso Lafer　ノン・キャリア、ただし著名な政治学者）、その後ポルトガル語諸国共同体（CPLP）創始者のジョゼ・アパレシード・デ・オリベイラ（José Aparecido de Oliveira）が病気のため就任できず、カルドーゾ（ノンキャリア）が外相就任（九二年一〇月二日から九三年五月二〇日）、ラン

で表現、それらをブラジルの外交目標に掲げた。アモリンも同じく「民主主義」（Democracy）、「持続可能な発展」（Sustainable Development）そして「防衛」（Defense）という三つの「D」でブラジル外交の方向性を示した。つまり民主主義は民主化したブラジル（一九八八年憲法制定から五年を意識）を指し、持続可能な発展は九二年にブラジルで開催された国連地球環境サミット（通称リオサミット）を意味した。そして防衛は今後とも国家として取り組む課題であるとして取り上げたのである。[＊16] アモリンはまたイタマル・フランコ外交が国際平和へのコミットメントを重んじることを強調するとともに、民主主義、人権の尊重、経済発展はそれぞれ切り離せない、ともに達成すべき重要な目標であるとした。ブラジルが域内周辺国と一万七〇〇〇キロにわたって国境を接する国であるにもかかわらず、これまで大きな紛争もなく平和な関係を築いてきた歴史があることに言及、平和国家、内政不干渉といった今にも通じる外交理念を繰り返し述べたのである。

　イタマル・フランコ政権の重要な外交案件の一つは南米であった。メルコスルの制度的構造を定めた一九九四年一二月のオウロプレト議定書[＊17]の調印はアモリン外相のもとで行われた。その他の案件としてはモザンビークへの初となる国連平和維持活動（PKO）派遣、ポルトガル語諸国共同体（CPLP）[＊18]創設に向けた関係各国との交渉などがある。民主化後ブラジルの積極外交はカルドーゾ時代に始まったと考えられているが、とりわけ多国間協議への参加の幅が広がったのはイタマル・フランコ政権の時代である。人権、軍縮、核不拡散など民主化したブラジルの価値観を体現すべく、冷戦後のグローバル課題にブラジルもコミットの度合いを増していった（子安［二〇〇四］）。

　イタマル・フランコ政権はコロル大統領が汚職問題を理由に国会で弾劾され、辞職、その残

プレア（キャリア外交官）が二か月ほど暫定的に外相ポストに就いたのち、九三年七月二〇日にアモリンが就任し、九四年一二月までのフランコ政権の外相を務めた。

＊15　近現代ブラジル政治史に残る一〇人の著名な外交官の一人。ゴラール政権で外相を務めた。http://www.cursoserpientia.com.br（資料入手日二〇二二年二月二七日）.

＊16　Lopes, Dawisson Belém [2020] "De-westernization, Democratization, Disconnection: the Emergence of Brazil's Post Diplomatic Foreign Policy," *Global Affairs*, July11, pp.1-18. https://www.tandfonline.com/loi/rgaf20（入手日二〇二二年三月一六日）.

＊17　メルコスルの意思決定機構を制定するもので三つの機関で構成。共同市場理事会（CMC）、共同市場グループ（GMC）、貿易委員会（CCM）である。CMCは最高機関であり、加盟各国の外務大臣と経済大臣によって構成される。半年に一度首脳会議に合わせて会議を開催、GMCは執行機関。各国外務省、経済省、中央銀行の代表

任期間二年余りの任期であったが、アモリンはこの間外相として、国連を含む多国間外交、南米外交、南南外交に意欲的に取り組んだ。思想的にブラジル外務省は経済関連の省庁から「第三世界主義としばしば揶揄」[*19]されてきたが、この時期キャリア外交官のアモリンが外相を務めたことでブラジル外務省らしい外交であったといえよう。ネオリベラルな経済政策のコロル政権では対外関係もより先進国志向であり、いわば強くグローバリゼーションを意識した外交であった。アモリンは外交軸の民主化ともいうべく、ブラジル外交の軌道修正を試みたのである。こうした姿勢はのちのルーラ政権の外相時代により明示的となった。

一九九五年一月から始まるカルドーゾ政権ではアモリンは国連大使を務め、九八年から九九年の二年間、八回目となる非常任理事国[*20]としてブラジルの国連外交をリードした。この間国連ではコソボ紛争や中東和平問題が大きな議題であった。国連大使であったアモリンはこの時代、イスラエルのペレス首相と会談、その後ルーラ政権で中東問題にコミットした背景として「当時から中東諸国がブラジルに期待する声はあった」と述べている（dos Santos [2014] 203）。国連を離れた後は、WTO大使としてジュネーブに勤務、また二〇〇一年から〇二年までは英国大使も務めた。〇一年一一月にカタールのドーハで開催されたWTO第四回閣僚会議[*21]（通称ドーハ会議）には交渉団の代表の一人として参加している。

アモリンはこのあとルーラ政権八年間の外務大臣として、ギマランエス外務省事務総長（Samuel Pinheiro Guimarães 1939–）[*22]、そしてPT幹部の一人で特別顧問であったガルシア（Marco Aurélio Garcia 1941–2017）とともに外交の指揮を取った。ルーラとアモリンの出会いについて詳細は不明だが、想像するにアモリン自身も軍政時代に学生運動に参加し、また先述したように軍政による拷問シーンが描かれている映画の予算を巡って国営会社エンブラフィルム総裁

で構成。そしてCCMは一九九五年一二月に設立され、メルコスル全体の実施、運営機関である。外務省ウェブサイト「南米南部共同市場（メルコスール）」https://www.mofa.go.jp/mofaj/area/latinamerica/keizai/mercosur/index.html（入手日は二〇二二年五月一日）。

*18 ポルトガル語を公用語とする国家によって構成される国際組織。一九九六年七月に発足。ブラジル側で中心的な役割を果たしたのは在ポルトガル・ブラジル大使（当時）であったジョゼ・アパレシード・デ・オリベイラ。二〇二二年時点での加盟国は九か国（ポルトガル、ブラジル、アンゴラ、モザンビーク、サントメプリンシペ、カボベルデ、ギニアビサウ、東ティモール、赤道ギニア）。言語的かつ歴史的なつながりを基盤に政治経済文化など多面的な交流の場であるとともに、ブラジル外交の視点からすると南南協力の重要なパートナーである。

*19 堀坂浩太郎［一九九三］「中進国ブラジルの対外政策」細野昭雄、畑惠子編『ラテンアメリカの国際関係』新評論、二七七頁。

を辞したことなどから、民主化運動のリーダーで反軍政派のルーラと思想的に共鳴できるところはおおいにあったと思われる。ドキュメンタリー番組「ブラジルが世界を変える――ルーラ大統領の挑戦」(NHKBS)[*23]の中では親しみを込めて「あの人は組合の委員長で、闘士ですから」とルーラのこれまでの生き様を語っていた。アモリンとルーラの強い信頼関係は以下の言葉にも表れている。「ルーラのイメージやリーダーシップのおかげで(ブラジルは――筆者加筆)多くのことをなしとげることができた」[*24](下段写真参照)。

国連安保理改革に取り組む

第二次世界大戦後のブラジル外交を「自立」というキーワードで説明した外交研究のビジェバーニ(Tullo Vigevani)とセパルーニ(Gabriel Cepaluni)は、カルドーゾ政権の外交を「(国際的な会議や条約への)参加を通した自立」(autonomia pela participação)、続くルーラ政権の外交は「対外関係の多様化を通した自立」(autonomia pela diversificação)と定義づけた。[*25] どちらの政権も大統領が率先して外交を行う、いわゆる大統領外交という点では共通しているが、欧米など先進国志向が強かったカルドーゾ外交と比較した場合、ルーラ外交の特徴は、南米やアフリカなど南南外交をより積極的に行ったところに違いがある。実際ルーラ政権時代にアフリカや中東との関係は活発化した(カルドーゾは中東諸国には任期中訪問せず)。それはルーラ政権時代に新たに開設された在外公館の数や地域の広がりにも表れている。

カルドーゾ政権の外交が既存の多国間協議や国際条約により意欲的に参加することにとどまったのに対して、ルーラ政権では、現在ある国際システムが多極化する世界に合っていないとして、その改革を主張し行動を起こした点で両政権には違いがあった。それを表す事例

＊20 ブラジルが最初に非常任理事国に選出されたのは一九四六年~四七年。二回以降は次の通り：五一年~五二年、五四年~五五年、六三年~六四年、六七年~六八年、八八年~八九年、九三年~九四年、九八年~九九年、二〇〇四年~〇五年、一〇年~一一年、二二年~二三年。連続再選は禁止、そ

ルーラとアモリン(右側)
O presidente Luiz Inácio Lula da Silva e o ministro das Relações Exteriores, Celso Amorim Photo by Antonio Cruz/ABr, licensed under CC BY 3.0 BR

が国連安保理改革案の提出である。アモリンは今日の国際関係を「地下鉄の路線図」と表現した。地下鉄は複数の路線で成り立ち、いくつかの駅で交差する。国際関係も同じであり、国同士は様々な点（すなわち多国間交渉の場や国際機関など）で結びついている。国家と国家の関係はどこかに一つの中心があって、そこにすべての国が結びつく「ハブアンドスポーク」ではない。その一方で、国際システムそのものの民主化が遅れている。すなわちすべての国が国際システムに平等に参加し、発言ができているわけではない。グローバルガバナンスの現実をみると正統性、透明性、効率性が不足している。これがアモリンのいわんとすることであった（Amorim［2010］215）。

国連安保理改革を巡ってはこれまでも論議があったが、アモリンによれば、大きな高まりを見せたのは、二〇〇三年の第二次イラク戦争であった。国連安保理での議論なくイラク侵攻が開始したことは、安保理の権威が低下し、米国やその同盟国を中心としたユニラテラリズム（単独行動主義）を強めることにつながりかねないとして、国連安保理改革に向けた動きが活発になったのである（Amorim［2005］）。〇五年の国連創設六〇年の年に執筆した論考の中でアモリンはブラジルの立場を以下のようにまとめている。「安保理は途上国の意見を途上国自身が納得する形で表すことができる、公平かつインクルーシブな国際秩序に向けたビジョンを作り出せていない」（Amorim［2005］23）。こうした流れの中でブラジルは、〇四年にインド、ドイツ、日本とともにＧ４を結成、一年後の〇五年に改革案を提出するに至っている。Ｇ４改革案では具体的には現状の常任・非常任理事国構成メンバーすなわち五か国プラス一〇か国に加え、常任理事国六か国（アジア二か国、アフリカ二か国、ラテンアメリカ・カリブとその他一か国、西欧とその他一か国）および非常任理事国四か国（アフリカ、アジア、ラテンアメリカ・カリブ、東欧

れぞれの地域で選出され、国連総会で承認される手続きである。

＊21　閣僚会議はＷＴＯの最高意思決定機関。一九九六年にシンガポールで第一回閣僚会議が開催、ドーハで開かれた第四回閣僚会議では新ラウンドいわゆるドーハラウンドの開始が決定したことに加えて、ブラジルを含め途上国が強く望んでいた①欧米先進諸国の補助金問題、②医薬品の特許権保護問題、③反ダンピングなどＷＴＯの既存ルール問題の三点が新ラウンドで議題として盛り込まれたこともブラジルにとって大きな成果であった。詳細は子安［二〇〇四］。

＊22　二〇〇九年まで。その後は大統領府戦略事項担当庁長官を務めた。

＊23　二〇〇八年一一月一〇日に放映。もともとはカナダのテレビ局が制作したもので原題は *Le Monde Selon Lula*。

＊24　注8と同じ。

＊25　Vigevani, Tullo and Gabriel Cepaluni [2007] "A política externa do Lula da Silva: a estratégia da autonomia pela diversificação," *Contexto Internacional* 29 (2), julho-setembro, pp.273-335.

からそれぞれ一か国）、合計一〇か国を加えるというものであった。[*26] また安保理の拒否権については今後議論を行い、一五年以内（二〇〇五年時点で）に改正のための再検討を行うことを提案した。アモリンは「世界の政治地図はわずか数十年で大きく変わる。今とは異なる安保理メンバーの選出方法もあり得るだろう。たとえば地域にもとづいた方法である。今はまだそのときではないが」として、いずれ安保理を改正するか否か再検討する意義を説明した。一方で国連安保理改革の難しさも指摘した。重要なことは安保理改革を実施するか否かではなく、国連という組織が国際社会の利益につながっているかどうか、それを皆が考えることであると述べている（Amorim［2005］24）。

＊26　Ｇ４案は結果的に廃案になったが、Ｇ４は二〇二二年現在存続している。直近では国連創設七五年にあたる二〇年九月にオンラインによるＧ４諸国外相会合が開催されている。

南の国との連帯「世界の貿易地図を変える」

単独で米国やＥＵに対抗することはできないが、途上国や同じ地域の国々が集まることで我々は国際秩序にインパクトを与えることができる。グループを作ることで「交渉力」がさらに強まる、こうした考えのもとにルーラ政権の八年間に南の国々との外交の場が多数設けられた（Amorim［2004］、Amorim［2010］）。「インド・ブラジル・南アフリカ共和国（ＩＢＳＡ）対話フォーラム」はそうした取り組みの代表例である。二〇〇三年にフランス・エビアンで開催されたＧ８（先進八か国）首脳会議の拡大会合（アウトリーチ）に招待されたルーラ大統領、インドのシン首相、南アのムベキ大統領が会談を開いたことをきっかけとして、〇六年に正式にＩＢＳＡ対話フォーラムが発足した。

ブラジル、ロシア、インド、中国（のちに南アフリカも加入）によるＢＲＩＣＳも同様である。アモリンはＢＲＩＣＳやＩＢＳＡを「多極体制に向け直に新興諸国が協力するイニシアティブ」と定義づけ、両者には確かに違いはあるが共通性もあると指摘した。しばしばこうした新興諸国によるグループは既存の欧米中心の国際秩序に真っ向から反対し、それを壊そうとするものと警戒されるがそれは正しくない。アモリンは「ある一つの国の利益は、国際システムを守るというより広い利益につながっている」としてBRICSやIBSAの意義や立場を説明している。そのうえでこれら二つの枠組は「BRICSはよりプラグマティックなグループであるのに対して、IBSAはより人間らしさを尊重する。両方の立場が均衡することが大切」と述べた（Amorim [2013a]）。

ブラジルにとっては二〇〇九年にBRICSが首脳会議を始めるまではIBSAが新興国外交の軸であった。IBSAはアジア、ラテンアメリカ、アフリカの三つの大陸を代表する民主主義国家が集まり、人権や社会的包摂、持続可能な発展などの価値観を共有、また互いに多人種多民族多文化国家であることも三か国に通じる特徴である。人権の尊重という点に関して付け加えるとすれば、IBSAの三か国は歴史的にそれぞれ植民地支配（インド）、権威主義（ブラジル）、アパルトヘイト（南アフリカ）を経験してきたことをアモリンは強調する（Amorim [2011]）。IBSAの活動として世界の最貧国や内戦後の復興が必要な国々への支援を行うIBSA基金（正式名称は貧困や飢餓撲滅のためのIBSAファシリティ）がある。アモリンが〇六年のIBSA対話フォーラム発足時のスピーチの中で低所得国や最貧国がIBSA諸国の経験をどう活用できるか、世界に対してそうした事例を示すことを望んでいるとして、今後は「IBSA基金を南南協力の新しい象徴に変えることに挑戦する」と述べている（Amorim [2006]）。

アモリンによれば、このIBSA対話フォーラムがあったからこそ実現したのがWTOの貿易版G20であった（Amorim [2006]）。GATTにかわって一九九五年にスタートしたWTO

にブラジルは原加盟国として参加、先に述べたように、新しい交渉ラウンド、いわゆる「ドーハラウンド」の立ち上げに至った第四回閣僚会議（二〇〇一年）はブラジルにとって大きな収穫であった。ドーハに続く第五回閣僚会議が〇三年にメキシコのカンクンで開催され、その際にルーラ大統領の呼びかけで、欧米諸国の政府補助金の撤廃を求める途上国グループが結成された。実際は二二の途上国や新興国が集まったが、経済や金融に関する議論を行うG20（二〇か国・地域）を「金融版G20」と呼ぶのに対して、このWTOのほうを「貿易版G20」と分かりやすく対照的に呼ぶ。アモリンもこの貿易版G20を通して「世界の貿易地図を変える」をスローガンに、そのほかの途上国とともにカンクン会議では欧米諸国と同じテーブルについて交渉を行った（Amorim [2010]）。実際カンクン会議は結論が出ないまま交渉は打ち切られ終了となったが、途上国の利害を考慮することなく先進国主導のみでこうした国際通商交渉が進まないことを立証する場になったとアモリンは貿易版G20の意義を述べている（Amorim [2013b]）。*27

平和に関わる国（provedor de paz）

ブラジルが平和国家（um país pacífico）と言われる理由として、第二次世界大戦中イタリア戦線に兵士を派遣した以外に戦争と名がつくものに参加した経験がないこと、また先述したように域内周辺国との国境紛争がなかったこと、加えてブラジル以外のラテンアメリカの国々の国境紛争の仲介役となってきたこと（例えば、一九九〇年代のペルーとエクアドルの国境紛争）がしばしば言及される。ブラジル自身もそのことを誇りに思っており、現行憲法である八八年憲法の第一編「基本原則」第四条にもブラジルの国際関係の基本原則一〇項目の中に「内政不干渉」、「平和の擁護」、「紛争の平和的解決」と平和に関する言葉が並んでいる。

＊27　しかしながらWTO体制は二十一世紀の二〇年が過ぎた今日、その存在感が小さくなっていることは否めない。今日ではWTOよりも環太平洋パートナーシップ（TPP）や地域的な経済連携協定（RCEP）あるいはEUと日本のEPA（経済連携協定）など地域統合の動きがより活発になっている。

平和な国家であること以上に重要なのは平和のために必要なことを行う国家（um país de provedor de paz）になることである。アモリンによればそれは「大きな国際問題に対して積極的に関わっていくこと、そうした態度を示すこと、可能な範囲内で、紛争解決のために実質的に貢献できるように備えること」であり、ルーラ政権のもとでブラジルが積極的に国際問題にコミットすることを後押しした考え方であると述べている（Amorim［2013b］）。たとえば政情不安に加え、地震やハリケーンといった自然災害に見舞われたカリブ海の国ハイチに対して、ブラジルは「国連ハイチ安定化ミッション」（MINUSTAH）に参加、二〇〇四年から一七年までの一三年間にわたって、軍事要員として二六部隊、通算三万七〇〇〇人の軍人を派遣した（堀坂、子安、竹下［二〇一九］二二八頁）。

ブラジルが考える平和は域内を越え、世界を舞台にしていることを意味した。このprovedor de pazという表現はおもに中東問題へのブラジルのコミットメントを表す際に使われることが多い。ルーラ大統領が就任した二〇〇三年は三月に国連安保理の承認がないままイラクへの侵攻が勃発、ブラジルは米国による単独行動主義には反対の立場であった。ルーラ政権時代、中東やアフリカとの外交関係が活発になったことはすでに述べたが、単に外交パートナーを増やしていくということにとどまらず、ルーラ政権は中東地域を舞台に長く続くグローバルな問題すなわち中東和平協議に関わっていく、そうした意志をもって中東外交を行うようになった。先述のようにアモリンは一九九〇年代末、国連大使としてイスラエルのペレス首相と会っており、ルーラ政権で突然中東問題にコミットし始めたわけではないが、〇六年七月から八月のレバノンでの内戦で、当時ベイルートやベッカー高原に一万九〇〇〇人のブラジル人が住んでおり、八人が戦闘に巻き込まれ死亡したことはルーラ政権が中東問題にかかわる使命について考えるきっかけになった。アモリンは当時トルコでレバノンからの避難民の指揮やブラジルからの援助物資の到達状況の視察を行っており、「中東問題はブラジルにとっての問題であり、過去にブラジルが中東にどうかかわってきたかは関係なく、今ブラジルはこの地域（の問題）とともにあるべきである」と述べている（dos Santos［2014］204-205）。

中東和平問題に関しては、二〇〇七年一一月に米国ルイジアナ州アナポリスで国際会議が開かれ、先述したＩＢＳＡの三か国が招待され参加している。一九九一年のマドリードでの会議以来となる重要な中東和平に関する国際会議であった。イスラエル、パレスチナ双方が誠意ある二国間交渉を即時開始すること、二〇〇八年末までに両者間の和平条約の締結に向けあらゆる努力を尽くすことで合意に至った。非イスラム国であり、イスラエル・パレスチナ紛争と直接関係のないＩＢＳＡの国々が唯一招待された意義についてアモリンは「従来から関係する国々の古い視点で議論されてきた問題に対して、域外の途上国が貢献できる可能性を再認識できた」と述べている（dos Santos［2104］205）。[*28]

多極化が進む世界と多国間主義

一九九三年から二〇一〇年までインターアメリカンダイアログ会長[*29]であったピーター・ハキム（Peter Hakim）はアモリンについて「率直であるけれども、時として彼の言い分は癇に障る。ブラジルに対する思い入れがしばしば過剰な時がある」と語っている。[*30] 確かにアモリンやルーラの外交は小気味よく、心沸き立たせるものであるが、一方で理想が先行していると感じられることもある。中東外交の「平和に関わる国」という考え方は、ブラジルの八八年憲法（現行憲法）の「内政不干渉」の理念とどう折り合いをつけられるのか、疑問が残る。貿易版

＊28　二〇一〇年五月にブラジルがトルコとともにイランの核開発疑惑問題の解決に関与したことも同じ考え方であった。ブラジルとトルコが共同でイランを説得。イランが一二〇〇キロの低濃縮ウランをトルコに一か月以内に供出する代わりにイランの原子炉へ原子力燃料を供給するという提案を行った。最終的にはイランの返答がある前に米国を中心にイランに対する経済制裁が国連で決議され採択（ブラジルとトルコは経済制裁に反対）。アモリンは欧米諸国がなしえなかったイランの説得をトルコとブラジルが協力して達成できたことは今でも一つの紛争解決の事例として引用されていると述べている（Amorim［2013a］）。

＊29　二〇二二年時点ではインターアメリカンダイアログ名誉会長。

＊30　注8と同じ。

G20、国連安保理改革はいずれも具体的な成果は出せなかった。アモリンが進めようとした「積極的かつ誇りをもった」外交は、二十一世紀のゼロ年代、中国経済の躍進や資源価格の高騰などブラジルを取り巻く国際経済環境が好転し、力強さを発揮できた時代だったからこそ目指すことができたのかもしれない。

冷戦終結から三〇年近くが過ぎ、当初欧米の自由主義諸国家が描いていたグローバルな平和や民主化の実現とは程遠い状態に世界はある（とくに中国やロシアにおける）。米国と中国は経済や安全保障面で激しく対立し、アジアでは香港や台湾の人々の自由や民主主義に脅威を与えている中国の存在がある。その一方で世界は貿易やサプライチェーンなど経済面での対中依存が大きくなっている。ロシアはどうだろうか。いったんはG8（すなわちG7＋ロシア）が結成された。しかしながら二〇一四年、一方的にクリミアを併合したことで、ロシアはG8から除外され、世界は再びG7体制に戻ってしまった。「民主主義」対「強権主義」という構図は、今般のロシアによるウクライナ侵攻（二〇二二年二月二四日勃発）によってより明確となった。世界の様々な課題に多国間主義を通して取り組むはずの国連は十分な役割を果たすことができずにいる。

戦争や紛争はいつの時代においても人間の尊厳を脅かす。だからこそ外交は必要である。多国間主義の原則を守り、グローバルな平和に正面から向き合おうとしたアモリンの外交思想は今日の混沌とした世界に何らかの解を与えてくれるのではないだろうか。多極化が進み、単独行動主義はもとより西側、すなわち欧米が主導する多国間主義をよしとしない世界が広がっている。我々は今一度、ブラジルという南のミドルパワーの国から発せられたメッセージに耳を傾けるべきではないだろうか。

【読書案内】

アモリンの演説や国内外の雑誌や新聞に掲載されたインタビュー記事等はブラジル外務省や直属機関が書籍としてまとめている。アモリン本人のキャリアについても同様である。アモリン自身が執筆した論文や著作は多い。また「ルーラ外交」等で検索した資料からもアモリンが外相として携わった外交案件やその背景にある理念や思想を分析することができる。

Amorim, Celso [2004] "Concepts and Strategies for Diplomacy in the Lula Government," *Democracy, Strategy and Politics*, October/December, pp.40-47.

——— [2005] " A ONU aos 60," *Política Externa*, 40 (2), set-out-nov, pp.17-24.

——— [2006] "Discurso na cerimônia da abertura da reunião ministerial do fórum de diálogo Índia, Brasil e África do Sul (IBAS)," *Política externa brasileira vol II, Discursos, artigos e entrevistas do ministro Celso Amorim (2003-2006)* (Brasília, 2007), pp.71-73.

——— [2007] *A diplomacia multilateral do Brasil: um tributo a Rui Barbosa*, Brasília: Fundação Alexandre de Gusmão, Instituto de Pesquisa de Relações Internacionais.

——— [2010] "Brazilian Foreign Policy under President Lula (2003-2010): an Overview," *Revista Brasileira da Política Internacional*, 53 (Special Edition), pp.214-240.

——— [2013a] "Segurança internacional: novos desafios para o Brasil," *Contexto Internacional*, 35 (1), janeiro-junho, pp.287-311.

——— [2013b] *Brasil, um país provedor de paz (Brasília, 20 de setembro)*. https://www.gov.br/defesa/pt-br/arquivos/

——— [2017] *Acting Globally: Memoirs of Brazil's Assertive Foreign Policy*, London: Hamilton books.

アモリンの演説や生い立ちやキャリアについては以下の資料が参考になる。

Castro, Flávio Mendes de Oliveira e Francisco Mendes de Oliveira Castro［2009］*1808-2008 dois séculos de história da organização do itamaraty, volume 2 1979-2008*, Brasília: Fundação Alexandre de Gusmão.

CHDD História diplomática Celso Luiz Nunes Amorim — Português (Brasil) (www.gov.br).

FGV（Fundação Getulio Vargas）CPDOC www. cpdoc.fgv.br.

Ministério das Relações Exteriores［2007］*Política externa brasileira vol II, Discursos, artigos e entrevistas do ministro Celso Amorim (2003-2006)* (Brasília).

ルーラ政権の外交（イタマル・フランコやカルドーゾ政権時代の外交も含む）については以下の資料が参考になる。

dos Santos, Norma Breda［2014］"A política externa do governo Lula com relação ao conflito Israel- Palestina," *História* (São Paulo) 33 (3), julho-dezembro, pp.189-216.

Esteves, Paulo, Maria Gabrielsen Jumbert, and Benjamin de Carvalho［2019］*Status and the Rise of Brazil*, New York: Palgrave Macmillan.

子安昭子［二〇〇四］「積極外交への転換と多様化する交渉軸」堀坂浩太郎編『ブラジル新時代――変革の軌跡と労働者党政権の挑戦』勁草書房、一六一～一九〇頁。

子安昭子［二〇一三］「外交におけるグローバル・プレーヤーへの道」近田亮平編『躍動するブラジル――新しい変容と挑戦』アジア経済研究所、一四五～一六八頁。

堀坂浩太郎、子安昭子、竹下幸治郎［二〇一九］『現代ブラジル論――危機の実相と対応力』上智大学出版。

（子安昭子）

―コラム― イタマラチ独自の外交理念とエリートの養成

「イタマラチ」と呼ばれるブラジル外務省。帝政から共和制の時代にかわった一八八九年、リオデジャネイロ市内のイタマラチ伯爵（Os condes do Itamaraty）の邸宅、すなわちイタマラチ宮殿（Palácio do Itamaraty）は外務省庁舎となった。ここにイタマラチ宮殿が外務省を指す言葉となった所以がある。一九七〇年に外務省はブラジリアに移転、新設された外務省庁舎は建築家オスカー・ニーマイヤーが設計し、「弓の宮殿」（Palácio dos Arcos）と命名されたが、「イタマラチ宮殿」の名はそのまま残った。習慣的に「宮殿」はつけず、「イタマラチ」として外務省を呼ぶ。

イタマラチの組織は、外務大臣を頂点とし、外務総局の下に七つの局がおかれている。三つは地理区分にもとづくもので、米州局、中東・欧州・アフリカ局、アジア・太平洋・ロシア局となっている。残る四つはテーマで分かれている（貿易・経済関係、多国間関係、領事・協力・文化関係、行政管理関係）。ブラジルは国連に加盟する一九七の国および国際機関すべてと国交がある。二〇二一年六月現在、大使館は一三二、総領事館五一、領事事務所他が三三ある。

外務省はブラジルの省庁の中で唯一キャリアシステムが確立していることでも有名である。アモリン元外相もそうだったように、入省後、三等書記官、二等書記官、一等書記官、参事官（conselheiro）、公使（ministro de segunda classe）、上級公使（ministro de primeira classe）と昇進していくが、二等書記官から一等書記官に昇進するためには「外交官完成コース」（Curso de Aperfeiçoamento de Diplomatas：ＣＡＤ）というコースを、また参事官から公使にキャリアアップするためには、修士論文に匹敵する水準の論文提出を含む「高等研究コース」（Curso de Altos Estudos：ＣＡＥ）に合格する必要がある。在外公館では公使と上級公使が大使職に就くことができる。こうしてキャリアを積んだ外交官すなわちキャリア外交官が原則として外相ポストに就くが、例外もある（カルドーゾなど）。

ブラジルで外交官といわれるのは外交官養成機関リオ・ブランコ・インスティテュート（Instituto Rio Branco）を卒業した人びとである。名前にある「リオ・ブランコ」は一九〇二年から一二年まで外相を務め、周辺国との平和的な国境線画定や周辺国同士の仲裁に尽力したリオ・ブランコ男爵(本名はJosé Maria da Silva Paranhos Júnior 1845-1912)からとられたものである。平和主義や国家間協調といった普遍的な外交理念はリオ・ブランコ外相のもとで整備された。リオ・ブランコ男爵が「ブラジル外交の父」と呼ばれるのはこうした理由からである。ブラジル外交はイタマラチが担う、そうした使命感やプライドをもった外交プロフェッショナルを養成する機関がリオ・ブランコ・インスティテュートである。

他の省庁と同じく外務省もフランスの政治システムの影響を受けており、リオ・ブランコ・インスティテュートはグランゼコール(Grandes Écoles 技術官僚を養成するための高等教育機関)がモデルといわれる。入学試験はかなりの狭き門で、毎年の枠は三〇名程度、対する志願者はおよそ一〇〇〇名、三〇倍以上の難関を突破しなければならない。試験は三次まであり、内訳は一次試験が多肢選択問題(ポルトガル語、ブラジル史、世界史、国際政治、地理、英語、経済学、国際法)、二次試験は筆記試験で、ポルトガル語のエッセイ、文章読解、テキスト分析、英語のエッセイ、翻訳、要約が課される。そして三次試験も筆記試験で、受験科目はブラジル史、英語、地理、国際政治、国際法、経済学、英語、スペイン語である。

リオ・ブランコ男爵が二十世紀初頭に外相ポストを引き受けた際の条件は、外交は専門家集団である外務省が主導することであった。時の政治に左右されず歴史や伝統に裏打ちされた外交理念に一貫性を保てるようにという考えからである。一方でブラジルは大統領制の国であり、現行憲法である一九八八年憲法でも外交に関する大統領権限として「各国との外交関係の維持」、「国会の事後承認に従う二国間条約、多国間条約、国際行為を執り行うこと」と書かれている。大統領外交もまたブラジル外交の特徴の一つである。

カルドーゾ政権やルーラ政権時代は、イタマラチが外交アクターとして存在感を持っていた。多党制のブラジルで外交を行う上で、イタマラチが音頭をとることが必要であり、実際両政権の外交案件の多くはイタマラチが提案したものであった。とはいえ、この二つの政権は特異な例であったかもしれない。カルドーゾは外交官ではなかったが、外相経験者であった。国際的に著名な社会学者であり、グローバルな感覚にもたけていた。一方ルーラにはアモリンという強い味方がいた。大統領と外務省が二人三脚で行えた時代であったといえよう。

ルセフ政権以降は世界の中でブラジルの地位の低下が目立つようになり、イタマラチの役割も見えづらくなっている。グローバル化が進み、外交アジェンダも経済、通商、気候変動などますます多様性が増し、外務省以外の省庁との調整も必要になっている。ただ一つ言えることは、ブラジルは外交を重んじる国ということである。周辺国であろうとグローバルであろうと、紛争や対立を武力や威圧で解消させようという考えはなく、あくまで対話や調整、調停という外交の道を選択する。時代が変わってもそれは不変であり、イタマラチが守ってきた普遍的な外交理念なのである。

（子安昭子）

ブラジリアにあるイタマラチの建物

palácio em Brasília, sede do Ministério das Relações Exteriores, com efeito surrealista Photo by Lou Fernando, licensed under CC BY-SA 4.0

第Ⅲ部
社会運動を率いる

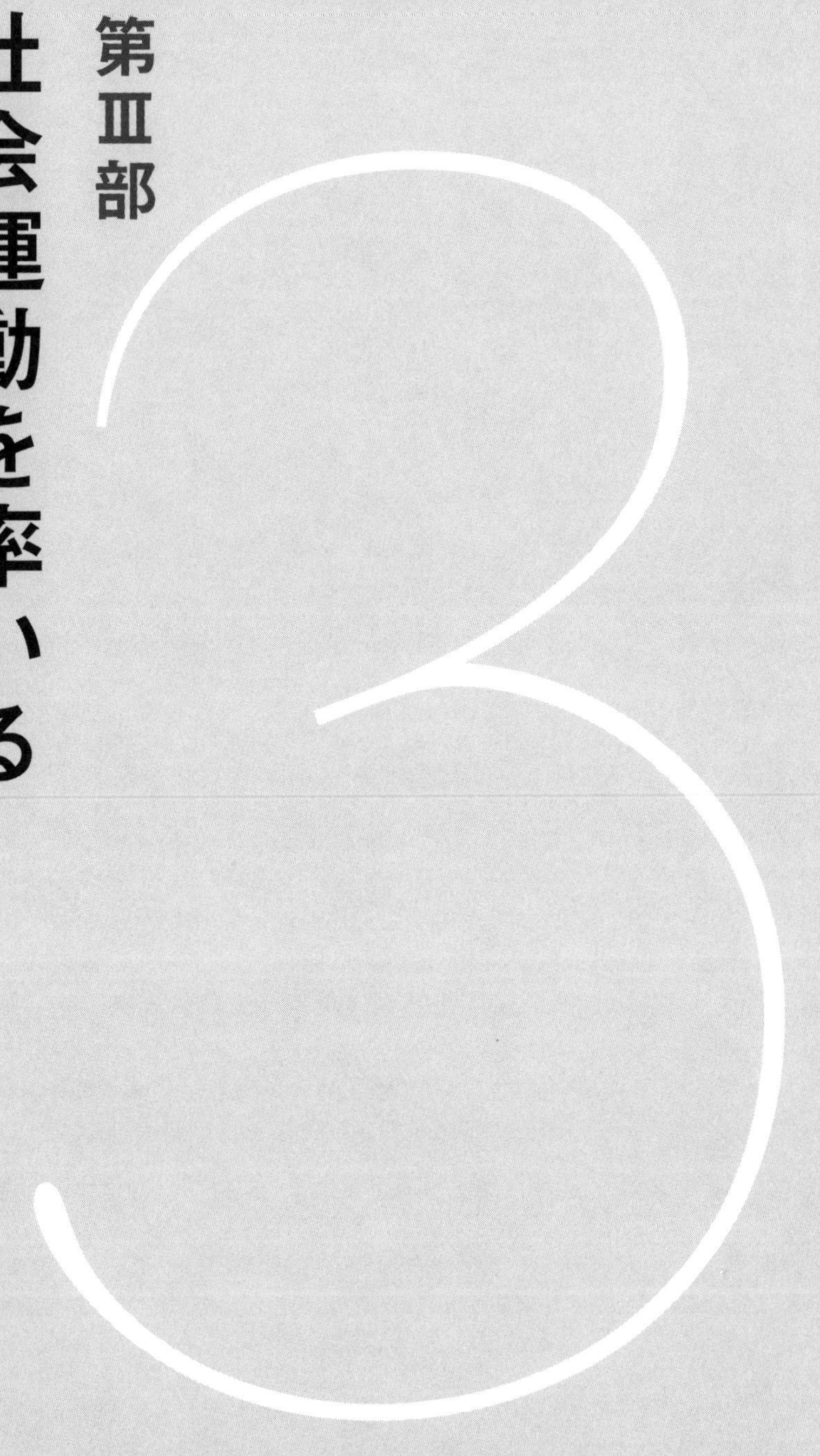

第13章　先住民族の命の源である森を守る——ラオニ・メトゥティレ

カヤポ民族（Kayapó）の大長老であるラオニ・メトゥティレ（Raoni Metyktire）[*1]は、民族数三〇五、人口およそ九〇万[*2]のブラジルの全先住民にとって、そびえ立つ精神的支柱であり続けてきた。推定九〇有余年の齢を超えていまなお先住民族の権利とアマゾンの森を守るために闘うその姿は、国内のみならず国際社会からも広く畏敬の念を集めている。受賞は逸したものの、二〇一九年と翌二〇年には連続してノーベル平和賞に推薦され、有力候補として名が挙げられた。

若き日にいわゆる文明社会に初めて触れたラオニの人生は、ブラジルの先住民族が植民地化以降にたどった五百余年の歴史そのものだ。アマゾンの森を守る闘いは、すなわち彼らの命と文化の源泉を守る闘いである。森は生存を支え、アニミズムを基層とする彼らの世界観に命を吹き込む存在だからだ。ブラジルにおいて社会的にも文化的にも圧倒的なマイノリティである先住民族は、どのように自らのアイデンティティを保持してきたのか。「未開の人」というレッテルは果たして正しいのだろうか。呪術的思考とは科学に劣り、また対立するものなのか。先住民族の生の思想を持つ最後の世代だといえるラオニの有り様がこの問いに答えてくれるだろう。

ラオニの言葉はとても簡素だ。生涯をかけて、ただひたすらに「森を守れ」と訴えてきた。

ラオニ・メトゥティレ（二〇〇七年、長野の森にて筆者撮影）

＊1　カヤポのうちメトゥティレと名乗る人のアルファベット表記は、大多数がMetuktireで、ごく少数がMetyktireである。ラオニは後者の綴りを使用している。

＊2　ブラジル地理統計院（IBGE）の二〇一〇年国勢調査によれば、同国の先住民族人口は八九万六九一七人、

ポルトガル語という母語ではない言語を使った意思の伝達は、ラオニにとっては大いにもどかしいものであり続けてきたに違いない。

三〇年以上におよぶ交友関係をラオニと結んできたＮＰＯ法人熱帯森林保護団体（Rainforest Foundation Japan：ＲＦＪ）代表の南研子は、「ラオニほど一切変わらない、時代にも世間にも染まらない人はいないかもしれない。ぶれない彼の言葉はシンプルだからこそ真実がある」と述懐する。一九八九年、ラオニはイギリスの歌手スティングと共にアマゾン熱帯林の保護を訴えて世界を巡った。この行脚をきっかけにラオニは、その存在を国際社会に深く刻みつけた。ツアー終盤には日本も訪れた。受け入れに携わった南は同年にＲＦＪを設立し、以来、アマゾン南部、シングー川[*3]の流域に暮らすカヤポのほか複数の民族の支援活動を続けている。

筆者は二〇〇七年と一四年にＲＦＪが主催したラオニ来日講演ツアーで通訳を務め、また一五年からは南の現地視察の旅に同行して熱帯林奥地の民族の村々に訪問を重ねてきた。稀有なこの経験をまじえつつ、ラオニというひとりの巨人の足跡と彼が体現するアマゾン先住民族の精神世界に迫ってみたい。

非先住民族社会とのファーストコンタクトを経て

一九三二年八月二〇日、ラオニはマトグロッソ州北東部のカヤポ民族の村、カポト（Kapoto）で生まれた。当時の彼らには誕生日の概念や西洋の暦はなく、この生年月日は後に身分証明書が作成された際の、あくまでも仮のものである。また先住民族は元来、姓を持たなかった。現在は名の後ろに民族名、またはそのサブグループ名を付けるのが一般的である。ラオニはこの名で世界的に知られるものの実名はロプニといい、カヤポの言葉でジャガーを意味する。

民族数は三〇五、言語数は二七四。先住民族が全人口に占める割合は〇・四七パーセントに過ぎない。

＊3　アマゾン川の主要な支流のひとつ。全長一八七〇キロ。マトグロッソ州に端を発して北上しながら流れ、パラ州のアマゾン川下流部に合流する。

名が表すそのままに、身の丈は優に一八〇センチを超え、胴回りはがっしりとたくましく威風堂々。鋭い眼光の中にも茶目っ気を秘めた、どこか飄々とした人柄が出会った人を魅了してやまない。

シングー川の流域は、広大なアマゾンのなかでも先住民族の伝統文化が未だ色濃く残る貴重な場所だ。カヤポ民族がブラジル社会との接触を受け入れたのは、ようやく一九五〇年代なかばのことであった。一方アマゾン川の本流域では、一五〇〇年にポルトガル人が南米大陸に初上陸してから一世紀にも満たないうちに、カトリック宣教師が最上流部の民族の集落にまで達している。

植民地化以前のブラジルの先住民族は、金属や文字を使わず、灌漑技術を伴うような農耕は行わず、王権や国家という制度とは無縁の社会を生きていた。青年の頃に非先住民社会と初めて接したラオニは、いわば新石器時代から現代に至るまでの人類数千年の歴史を駆け抜けてきた生き証人だといえるだろう。

ラオニが生きる精神世界はアマゾンという自然環境を源泉に抱く。彼の思考は直感的で、西洋的なロジックからは遠く自由だ。自書署名が必要とされる自身の名前を唯一の例外に、ラオニはいまも文字を持たない。自然に抱かれ、読む・書くから自由な地平に立つ思考は、文字という文化を得てしまった者たちの、また、自然との深いつながりを失った者たちのそれとは根本的な違いがあるのではないか。それは美術界でいうアール・ブリュット（生の美術）にもたとえられるかもしれない。

カヤポという民族名は近隣に暮らすトゥピ語族の民族による呼称であり、「サルに似た者」を意味する。カヤポは大柄で気性は激しく、勇壮豪胆な戦士として周辺の他の民族から大いに恐れられていた。ジェニパッポの実から採る黒い染料を全身に塗り、前髪を武士の月代のように剃り上げて戦闘に赴く姿が、攻め入れられる側の民族の目には森を群れで移動する黒く大きな獣のように映ったのかもしれない。

ジェ語族に属するカヤポは自らをメベンゴクレ（Mebêngôkre）と呼ぶ。「水の間の土地の人」を意味し、木立に覆われた丘陵地に小川が浅く谷筋を刻む土地に暮らす民であることを表している。ラオニは遠い祖先からの言い伝えだとして「われわれはいまのリオデジャネイロのあたりから移動しながらシングーまでやってきた民族だ」と語る。ただし、カヤポの名が記録に登場するのは十九世紀に入ってからだ。ブラジル中部、現在のゴイアス州からトカンチンス州にかけてのセラード（サバンナ）に多数の集団に分かれて存在していたとされ、カトリック宣教師による「カヤポには教化の試みは通用しない」との証言が残されている（Draldin [1997]）。

十九世紀以降、この地域では肉牛の牧場経営者らによる入植が進められ、先住民族に対する銃器の使用を伴う迫害が繰り広げられていた。他の民族が服従していくなかでカヤポは激しく抵抗し、いくつかの集団は死に絶え、生き延びた集団は西へ西へと逃げてシングー川流域の森にたどり着いた。現在のマトグロッソ州北部からパラ州南部にかけての地域である。しかし牧場主らによる迫害は、その地でも続いた。

ジャーナリストのノヴァエス*4が一九七九年にシングーを訪問して行なったインタビューで、ラオニは青年時代に体験した民族殺戮の記憶を語っている（Novaes [1985]）。その頃、ラオニは、やはり偉大な呪術師だった父の跡を継ぐため、ひとり森の奥で数年におよぶ修行の道に入っていた。ヘビに噛まれて全身に毒がまわり、夢と現のはざまで魂が体を離脱して宙を飛びながら、ある光景を見たという。眼下には、追われ、逃げ惑い、殺される同胞たちの姿

＊4 Washington Novaes（1934–2020）ブラジルのジャーナリスト。環境問題や先住民文化を主なテーマとし、オエスタード紙（*O Estado*）などでコラムを執筆。ドキュメンタリー「シングー——脅かされた大地」（Xingu: A Terra Ameaçada, 2007）などがある。

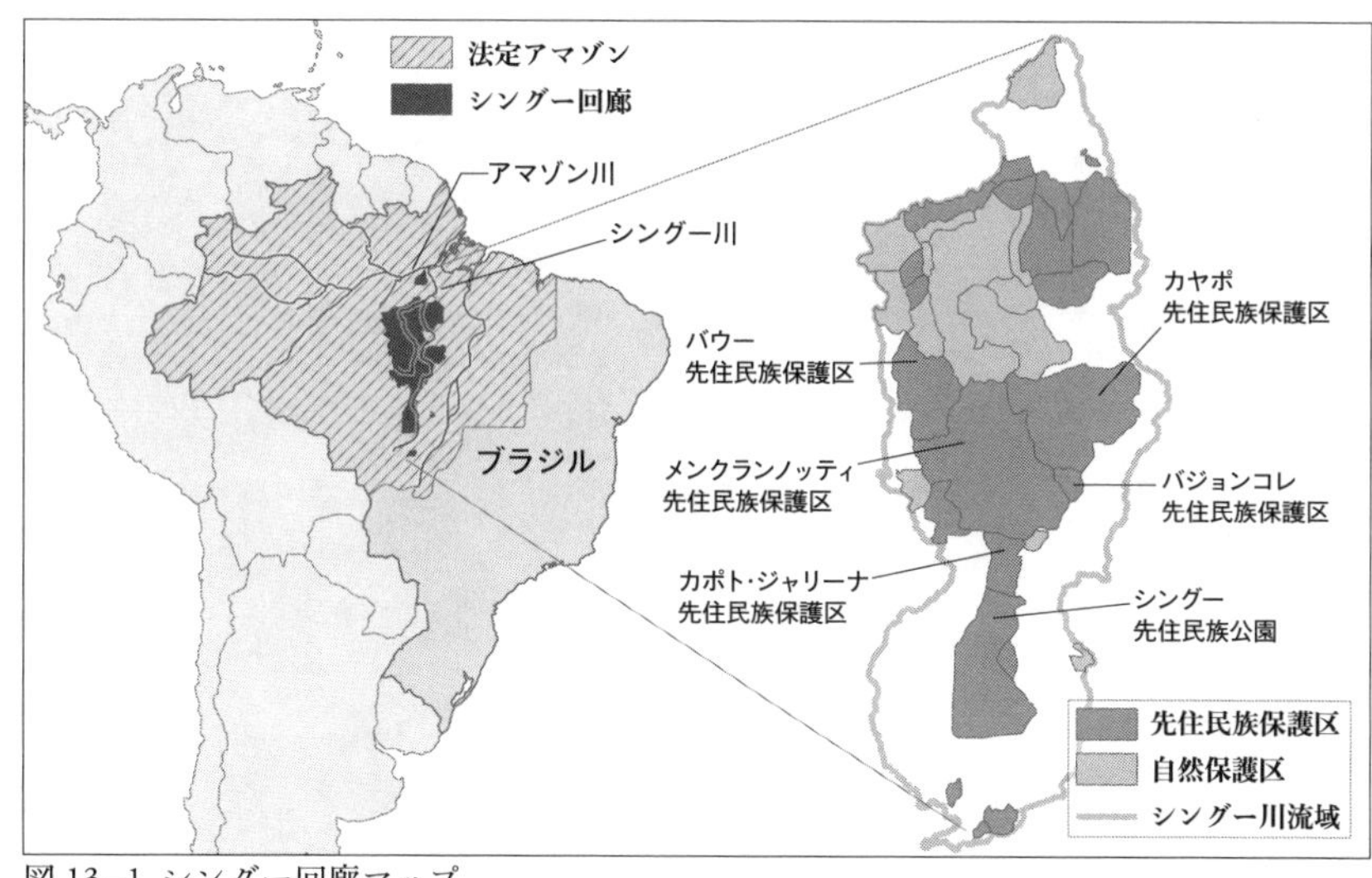

図 13–1 シングー回廊マップ

があった。村へ戻ったラオニは、それが近隣のカヤポに起きている事実であること、自身の村にも危機が迫っていることを知った。この時からラオニは、抵抗の長い道のりを歩むことになった。

カヤポ民族が初めて非先住民との接触を受け入れたのは一九五三年のことで、ブラジル政府が派遣したホンカドル・シングー探検隊との会遇だった。隊を率いたのはヴィラス＝ボアス家（Villas Boas）の三兄弟である。[*5] 三人の探検は四五年にマトグロッソ州南部のホンカドル山脈に始まり、州北部のシングー川源流部から下流方向へと北上しながら、さまざまな民族と接触を果たしていった。まつろわぬ民であったカヤポとの対話の試みは三年にもおよんだ。そして接触を受け入れて以降、ラオニは兄弟と長い友情を育むことになった。

政府によるアマゾン奥地探検は、ヴァ

＊5 オルランド（Orlando 1914–2002）、クラウジオ（Claudio 1916–98）、レオナルド（Leonardo 1918–61）。生涯にわたってシングー流域の先住民族の友であり続け、彼らの権利擁護に尽力した。兄弟の共著に Boas, Orlando e Cláudio Villas [1970] *XINGU os índios, seus mitos*, São Paulo: Edibolso. がある。

ルガス政権（一九三七〜四五年）が全体主義的な「新国家体制」の下で一九三八年に打ち出した「西への行進」によるものである。この事業の目的は、当時、未開の地とされた広大なアマゾンを開拓して入植を促進し、領土を名実ともに拡大することにあった。派遣された探検隊の多くは、当時のブラジル人が持ち、そしていまでも根強い蔑視観で先住民族を扱った。つまり、征伐と支配の対象としたのである。

シングー川流域の民族にとって幸運だったのは、ヴィラス＝ボアス兄弟が他の探検隊とは全く違う意識で彼らに向き合ったことだ。先住民族への敬意と、彼らの伝統文化の保存、その文化の源泉であるシングーの森の保護を兄弟は政府に強く訴えた。先住民族保護行政を担う当時の政府機関、先住民保護局（Serviço de Proteção aos Índios：ＳＰＩ）の初代長官を務めたカンジド・ロンドン[*6]や、同庁職員で人類学者のダルシー・リベイロ（第4章参照）もまた、保護の重要性を深く理解していた。一九六一年、彼らの尽力が実り、シングー上流域の二六四二ヘクタールの森が国の保護区に指定された。先住民族保護区としては国内初となるシングー先住民族公園の誕生である。

一方で、カヤポ民族が暮らすシングー中流域は入植者の侵入にさらされ続けた。ラオニはヴィラス＝ボアス兄弟からブラジルの公用語であるポルトガル語と非先住民社会がどのようなものかを学び取り、カヤポの土地の権利保障を訴える力とした。ジュセリーノ・クビシェッキ大統領（任期一九五六〜六一年）と面談を持つなど、政府への申し入れにも力を入れた。また、シングー上流域をはじめとするアマゾンの他の地域の民族リーダーを精力的に訪問して、先住の土地への権利意識を共通の課題として確認し合った。修得したポルトガル語が、言語が異なる民族間の対話を可能にした。そして、戦士として他の民族に恐れられていたカヤ

＊6 *Cândido Mariano da Silva Rondon*（1865-1958）陸軍将軍。先住民族への支援に尽力した。

ポならではのラオニの強さとカリスマ性が、異なる民族をまとめ上げる力となり、彼を全先住民族のリーダーへと押し上げていった。

開発で奪われた先住の土地を取り戻す

一九六〇年代以降のアマゾンでは開発の基盤となる道路建設が相次ぎ、なかでも七一年に完了した国道八〇号線[*7]の延伸工事はカヤポに大きな打撃を与えた。道路はシングー先住民族公園の北側境界線に並行して森林を切り裂きながら敷設され、沿道には船着場のあるシングー川畔近くまで牧場が進出していった。カヤポは土地を追われ、七五年には入植者が持ち込んだ麻疹が一帯に流行して多くの命が失われた。ラオニはカヤポの土地の返還を求め、道路の封鎖や渡船の占拠などの抵抗運動を指揮した。牧場主らとの激しい衝突により、一時は入植者側に死者が出る事態にまでおよんだ。

苦難の末に、マトグロッソ州内のカヤポの土地は一九八四年に土地境界画定（demarcação）と呼ばれる先住民族保護区の認定プロセスが開始されて、九一年に大統領の署名を経て正式認定に至った。シングー先住民族公園と道路を挟んだ北側、シングー中流域に広がる面積六三万五〇〇〇ヘクタールのカポト・ジャリーナ（Capoto Jarina）先住民族保護区である。認定プロセスの開始には、八三年に先住民として初めて国会に議席を得たシャバンチ（Xavante）民族のマリオ・ジュルーナ下院議員[*8]の尽力があった。なお、マリオは再選を果たせず、先住民の二人目の議員が国会に誕生するのは二〇一九年まで待たなければならなかった。[*9]

カヤポの土地は、カポト・ジャリーナに次いで、北側のパラ州南部でも保護区認定が進められていった。[*10] その結果、現在シングー川の上流部からアマゾン川との合流地点までの流域

＊7 首都ブラジリアを起点にゴイアス州とマトグロッソ州を東西につなぐ道路で、シングー川を越える部分に現在も橋はなく、川幅五三〇メートルの横断には車両渡船が使われている。後に管理がマトグロッソ州政府に移管されて州道三二二号線に改称された。

＊8 Mário Juruna（1942–2002） 任期は一九八三〜八七年。

＊9 ワピシャナ（Wapichana）民族の女性、ジョエニア・ワピシャナ（Joenia Wapichana 1973–）。先住民族で初めて弁護士資格を取得し、先住民族の全国組織であるブラジル先住民族連携（Articulação dos Povos Indígenas do Brasil：APIB）の顧問弁護士として活躍。二〇一八年の下院議員選挙で初当選を果たして一九年二月に就任した。

＊10 カヤポ（Kayapó 一九九一年に保護区に認定。三二八万ヘクタール）、メンクランノッティ（Menkragnoti 一九九三年、四九一万ヘクタール）、バジョンコレ（Badjônkôre 二〇〇三年、二二万ヘクタール）、バウー（Baú 二〇〇八年、一五四万ヘクタール）の各先住民族保護区である。

には、合計二一か所の先住民族保護区と一〇か所の自然保護区が、ひと続きの広大な森林を形成している。シングー回廊と呼ばれるこの森林帯は周囲を大豆や肉牛生産の大規模農業地帯に取り囲まれて、衛星写真で見るその姿は赤茶けた荒野の上に浮かぶ、まるで緑の孤島のようだ。そして毛細血管のような無数の川筋が広がる源流部は保護区の指定から除外された。いま、シングーのすべての流れは農牧場地帯に端を発して、回廊の森に農薬や化学肥料や生活排水の影響を持ち込んでいる。

ラオニ（二〇一八年、カポト・ジャリーナ先住民族保護区ピアラス村で筆者撮影）

新憲法策定に先住民族が果たした役割

先住民族の法的地位の変遷をたどると、ブラジル社会が彼らにどのような視線を投げかけ、そして彼らがどのようにしてそれに抵抗してきたかが見て取れる。一九一六年に制定された旧民法は、先住民族を制限行為能力者であると定めていた。つまり、自身の意思に基づいて判断する能力のない者と見做したのである。そしてブラジル社会への同化を前提に、彼らをいずれは滅びゆく民ととらえ、それまでは後見人である国家が庇護を与えるとされた。一〇年、後見人の任を負う政府機関として前述のＳＰＩが設置され、六七年にはこれに代わる新たな組織、国立先住民保護財団（Fundação Nacional do Índio：ＦＵＮＡＩ）が創設されて現在に至っている。

一九三四年施行の憲法では「森の人が恒久的に居住すると主張する土地の占有権は尊重される」と明記された。しかし占有権の確たる保障はなく、先住権への言及もなかった。その後、先住民族に初めて特化して整備された法令が、七三年の先住民族基本法である。しかし、これは旧民法にある制限行為能力者の規定を踏襲するもので、また、開発などに伴ってコミュニティを強制退去させることができるとされた。

一九六四年に始まった軍事政権は八五年に終焉を迎え、八八年に民主主義に基づく新憲法が施行された。先住民族は長らく求めてきた権利を、ここで初めて保障されることになった。それは先住の土地への権利、そして対等な人間としての尊厳と固有の文化の尊重である。

新憲法は、植民地化以前に暮らしていた人々をブラジルの先住民族であると初めて公式に認め、また伝統的に居住してきた土地に対して彼らが先住権と占有権を恒久的に持つと規定した。なお、そこでは、表土の利用と河川および湖沼がもたらす資源の利用に先住民族が排他的な権利を持つとされる。そして先住民族は独自の社会集団、習慣、言語、信仰、伝統を持つ人々であり、そのような固有文化を保持する権利があると認めた。

新憲法の制定過程は、長い軍政に苦しんだ市民の民主主義への渇望が反映されたものだった。一九八七年に国会議員全員を構成員に憲法制定会議が設置され、一年半におよんだ議論にはさまざまな市民セクターの意見が盛り込まれた。先住民族コミュニティもまた活発なロビー活動を行った。制定会議内には個別の議題ごとに草稿を起こすための委員会が設置された。先住民族にかかる条文は、黒人・先住民・障害者・マイノリティ委員会において討議され、ラオニが率いるカヤポ民族のリーダーたちは傍聴席を埋め尽くして議論に圧力をかけた。ラオニは委員会が設けた公聴会にも出席して議員らに強く訴えた。「あなたたちが来る前からわれわれはここにいた。われわれは森の民だ。われわれを、森を、殺すな。先住民族の土地への権利を認めろ」。そして「議論には現場を見る必要がある」とのラオニの要求を受けて、議員団によるカヤポの村の視察訪問が実行された。[*11]

制定会議には先住民自身の手による憲法草案も提出された。作成したのは、法整備を求め

＊11　下院憲法制定議会議事録（Diário da Assembléia Nacional Constituinte）一九八七年五月八日。

る先住民族の運動体として一九八〇年に結成された先住民族連合（União das Nações Indígenas：UNI）である。[*12] その中心メンバーでクレナック民族（Krenak）のリーダー、アイゥトン・クレナック[*13]が制定会議総会で行った演説は歴史に残るシーンとしていまも語り継がれている。

> われわれ先住民には固有の文化、生き方がある。物や金は持たなくとも、より弱い他者を尊重することを知っている。この広大なブラジルの開拓地の一ヘクタール、一ヘクタールが、先住民が流した血によって潤された土地でできている。そうやってあなたたちが得た発展の果実、あなたたちが握る経済という権力と貪欲な欲望、そして先住民族への無知が、われわれを危機にさらしている。憲法を作るあなたたちは、この事実にこれ以上加担してはならない。[*14]

手元に原稿を用意もせず、流暢なポルトガル語で語りかけるアイゥトンの言葉に、国会議場は静まりかえった。国家や民間組織による庇護の対象としてではない、自身の意思と言葉を持つひとりの対等な人間としての先住民の姿がそこにあった。クレナック民族は早くに土地を追われ、固有の言語を含む伝統文化はほとんど残されていない。アィウトンは成人後に先住民族としてのアイデンティティを再獲得した。非先住民と先住民、全く異なるふたつの世界を知り、非先住民のコンテキストを知り尽くした者だからこそ得た彼の言論の力であった。

憲法案は一九八八年九月二二日に制定会議で可決され、一〇月五日に公布・施行された。先住民族の権利を保障する条文はUNIが提出した草案を反映したものとなった。先住民族は憲法制定という、自身の運命を左右する場で歴史に重要な一ページを刻んだ。それは、直感

＊12　UNIはその役目を終えて一九八八年に解散した。

＊13　Ailton Krenak（1953-）ブラジル先住民の人権活動家、環境保護活動家、思想家、作家。UNIの設立に関わり、また全国各地の先住民族を訪ねその伝承や音楽を記録する文化保存活動に携わった。著書に『世界の終わりを先延ばしするためのアイディア』（国安真奈訳、中央公論新社、二〇二二年）などがある。

＊14　アイゥトンが出演するドキュメンタリー映画 *ÍNDIO CIDADÃO?* に演説の映像が収録されている（映画公式チャンネル https://www.youtube.com/watch?v=Ti1q9-eWtc8）。演説全文は下院憲法制定会議議事録を参照（Câmara dos Deputados, *Diário da Assembléia Nacional Constituinte*, 27 de janeiro de 1988）。

的で、たとえポルトガル語はつたなくても森に生きる民としての皮膚感覚から生まれるラオニの言葉と彼の圧倒的な存在感、そしてアイゥトンの言論の力とが両輪をなした成果だった。

憲法施行の翌年には、再び民族が力を結集させる大きな出来事があった。シングー川の最下流部、アマゾン川との合流地点の手前に巨大ダムを建設するという、ベロモンテ水力発電所計画が動き出したからだ。ラオニはシングー全流域の民族リーダーに呼びかけて、建設予定地のパラ州アルタミラ市内で計画撤回を求める抗議集会を率いた。詰めかけた群衆が事業主である国営企業エレトロノルテ社の代表団に抗議の声を上げて迫る姿は、メディアによって配信されて、問題を内外に知らしめた。その後、ラオニは冒頭に述べたワールドツアーに歌手のスティングと共に赴いて、世界各国でアマゾン保護を訴えた。これらの世界的な世論喚起が功を奏して、ベロモンテ計画は、いったん停止へと追い込まれた。

アルタミラの大集会は、数多くの民族が初めて一同に会することになった記念すべき出来事だった。目的のために異なる民族が結集して抵抗の声を上げる。それが内外の世論を動かし、権力の意思を覆す力になる。このアルタミラでの成功体験は、先住民族のその後の運動のあり方の指針となった。ラオニはいまも若い世代にこう語り続けている。「私が若い頃は民族間の争いがあった。しかし、そんな時代は終わった。我々は共通の敵に立ち向かっている。敵とは、森を破壊する者たちだ。民族の違いを超えて力を合わせよ。森を守れ」と。[*15]

二〇〇〇年代に入って、ベロモンテ計画は再び本格的に動き始めた。計画撤回を求める先住民族の声を無視して発電所は完成に至り、一六年から稼働を開始している。ラオニは、いまも差し止めを求める声を上げ続けている。

＊15 二〇一八年八月二〇日、カポト・ジャリーナ先住民族保護区ピアラス村で消防団員に語った言葉。森林火災を食い止めるために、かつては敵対していたカヤポとジュルーナの両民族が合同で消防団を組織している。活動を支援するＲＦＪの業務で筆者はこの場に立ち会った。

所有の概念を持たなかった社会

先住民族にとって土地への権利は、すなわち生存の権利そのものである。森は彼らにとって、生活のすべてを依拠する基盤だからだ。森は先住民に居場所を提供し、水と食料と薬草を、そして家屋や道具などの生活に必要な物資を作り出す素材のすべてを与えてくれる。重要なたんぱく源である川魚や野生の獣の肉もまた、水の流れを育む豊かな森があってこその恵みだ。ラオニが説く「森を守れ」は彼らの生存をかけた言葉であり、またそれは先住民族だけではなく、人類すべてにとって意味をなすメッセージであろう。

一九七八年にベルギーの映画監督、デュティーユ[*16]が制作したドキュメンタリー映画「ラオニ」[*17]に、重機がうなりを上げてカヤポの先住の地の森を押し潰していくシーンがある。その光景を怒りのこもった目で見つめながらラオニは、「森がなくなれば生き物は死に絶える。そうすれば私たち人間も生きてはいけない」とカメラの前で語っていた。

それから三〇年近くが過ぎた二〇〇七年の来日時のことだ。ラオニに「古い映像を見ました。何十年もあなたは同じことを訴え続けているのですね」と感想を述べると、悲しげな声が返ってきた。「難しい言葉は知らない。森を守れ。私が語れるのはこれだけだ」。私は慌てて「そうではない」と打ち消して、「あなたが何十年も同じことを訴え続けなければならない状況を私たちの社会は作り続けている。そのことの申し訳なさを伝えたかったのです」と謝罪せずにはいられなかった。

欲を肥大させてやまない、文明人と呼ばれる私たちとは対照的に、ブラジルの先住民族は所有の概念を持たなかった。物欲を一切示すことのないラオニは、その最後の世代と言えるかもしれない。ダイアモンド[*18]は『銃・病原菌・鉄』で、人類の文明の発祥地は主食となる穀物の

＊16 Jean-Pierre Dutilleux（1949-）映像作家、写真家、映画監督。デュティーユがスティングをラオニに引き合わせたことで八九年のワールドツアーが実現した。

＊17 原題は*Raoni*. 一九七八年制作。七九年のアカデミー賞ドキュメンタリー部門にノミネートされた。

＊18 Jared Mason Diamond（1937-）米国の進化生物学者。『銃・病原菌・鉄――1万3000年にわたる人類史の謎』（倉骨彰訳、草思社、二〇〇〇年）のほか、『文明崩壊――滅亡と存続の命運を分けるもの』などの著書がある。

野生種があった地域だとしている。発芽しやすく大量増殖が可能で、収穫後の長期貯蔵が容易であるという特長を持つ作物の栽培が発達した地域で、人類は文明を繁栄させた。貯蔵は所有の概念を生む。そして所有の多寡は格差をもたらし、物や技術力の集中は権威と権力構造を生み出す。そうやって古代の人間は王権を発明していった。

一方アマゾンでは、南米原産のキャッサバがいまでも先住民族の主食である。キャッサバは芋のままでの貯蔵には適さず、有毒の種類からはすり下ろして水で洗ってでんぷんを採り、無毒の種類はすり下ろしたものを乾煎りして荒い粉状にして保存する。作業には労力を要し、家族が一年間食べるだけの量が栽培・加工・貯蔵される。栽培は村の周囲の森を小規模に拓いた焼畑で行われる。木を倒して火を入れて灰を肥料に用いるもので、畑の場所は数年ごとに移動し、跡地にはやがて森林が再生して再び火が入れられる時を待つ。

アマゾンはもともと痩せた砂質の土壌である。森林の再生速度を超えて広範囲に破壊すれば、強い日光が有機物をすみやかに分解して、一帯を乾燥したサバンナへと荒廃させてしまう。このような荒廃をもたらすことのない先住民族の伝統的焼畑は、アマゾン熱帯林という脆弱な自然環境に最も適した持続可能な農業技術だといえるだろう。先住民族が数千年にわたってアマゾンで営んできた農業、狩猟、漁労、採集を基礎とする暮らしに、「足るを知る」の姿を見る思いがする。

星の運行が示す焼畑の農事暦と「具体の科学」

自然にすべてを依拠する暮らしは、取り巻く自然に対する観察眼を研ぎ澄ませ、自然と人とのつながりを濃密に紡ぎ出す。星の運行を農作業の目安とする先住民族の習慣は、その一例である。キャッサバの焼畑栽培の農事暦は、乾季後半の六月から八月にかけて、畑にする場所の木立の伐倒から始まる。倒した木はひと月以上放置して乾燥させた後に火入れを行う。灰で覆われた焼け跡に苗を植え付けるのは一〇月、雨季の雨が到来する頃だ。翌年四月まで続く雨季の間に成長した芋は、六月から九月にかけて順次、収穫・加工される。一連のプロセスのなかで最も重要なのが焼畑の準備と火入れだが、カヤポ民族には、これにまつわる伝説がある。長老のヨバウ・メトゥティレ（Yobal Metuktire）から聞き取った話を補足整理して紹介したい。*19

アマゾン地方の天空では、プレアデス星団は五月に地平線の下に沈み、六月に再び夜空に帰ってくる。これは、死と再生を繰り返す生命のサイクルを表している。星々が身を隠すのは、地下で畑の土をおこしながら再生の準備をするためだ。星々が隠れるちょうどこの時期、森にはポルトガル語で木切り虫（corta-pau　学名 Hoplistonychus bondari）と呼ばれる大型のカミキリムシの一種が現れる。木切り虫には細い木の幹や枝をかじって切り落とす習性があり、これによって木立の伐倒の時期の到来を人に告げる。木切り虫の体表を飾る白と黒の微細な斑点模様は星々であり、この生き物がプレアデスの使者だということを示している。

この言い伝えを聞いた後日、カヤポの人々と村の近くの森を歩いた。林床に、特徴的な歯跡が付いた木枝が散らばって落ちているのを見た。こうして木切り虫は、「次は人間の番だ。私のように働け。焼畑の準備を始めよ」と教訓を与えてくれるのである。

たとえ所や環境は違っていても、大地に根差した人の暮らしには共通する感覚意識がある。ラオニの来日時に、筆者が住む千葉県南部で山村の古老たちと交流する機会を持ったが、まるで旧知の友のように話がはずんでいたのが印象的だった。日が昇るとともに畑に出てひと働

*19　二〇一六年八月二五日、カポト・ジャリーナ先住民族保護区ピアラス村にて、推定年齢七〇代前半（当時）のヨバウ長老から筆者が聞き取った。

きする日々の繰り返しや、巡る季節に応じた農の営み、日常にハレの空間を生み出す祭りの楽しみなど、共鳴し合う会話を楽しむラオニをそばで見守りながら、彼もまたひとりの百姓であることを強く感じたのだった。

大地に生きる人の知恵は自然の精緻な観察に根差している。観察し、経験に照らし合わせて分析し、そこに何らかの意味や関連性を見出して、知恵として記憶に留めていくのだ。そして文字を持たなかった人々は、獲得した知恵を物語に乗せて次の世代へと語り継いできた。先住民族が認識する世界の姿は呪術的であり神話的だが、認識の手法そのものは科学という営為に通底すると感じる。

レヴィ＝ストロース[*20]は『野生の思考』で、神話的思考＝呪術を野生の思考、または具体の科学と呼んで説明している（Lévi-Strauss［1962］）。ありあわせの道具材料を用いて有用物を作り出す職人の手仕事（ブリコラージュ＝器用仕事）のように、神話的思考もまた、雑多な要素からなる知的な器用仕事の一形式であるとレヴィ＝ストロースは考えた。神話的思考も科学と同様に類推と比較を重ねて作業がなされるものであり、その意味で科学的でありうるとした。プレアデス星団と木切り虫と焼畑をめぐるカヤポ民族の神話的思考は、まさにレヴィ＝ストロースの言う「呪術は科学の隠喩的表現とでも言うべきもの」を示している。レヴィ＝ストロースは呪術を、技術や科学の発達の前段階に位置する一段劣ったものとは見なかった。呪術と科学を、人間の認識の二様式として並置したのである。

ラオニは薬草の深い知識を持つ治療者であり、呪術師だが、その思考は柔軟だ。彼は現代社会の標準医療を否定しない。ラオニにとって呪術と標準医療は二項対立の存在ではなく、レヴィ＝ストロースが語るように並置されるものである。ラオニは「白人（非先住民の意）社会が

＊20 Claude Lévi-Strauss（1908–2009）
フランスの社会人類学者、民族学者。

もたらした病には、私たちの薬草で治せないものがある」と語り、先住民族を対象とする公的医療サービスの拡充を政府に求め続けている。*21 人間が求めるものの根本が健康と幸福であるならば、それを満たす手段に優劣はないことをラオニは教えてくれる。筆者はそこに一種の合理的思考を見出すのである。

対極にあるアニミズムとキリスト教

ラオニは来日中に、いくつものカヤポの伝説を語ってくれた。人や獣や精霊たちが次々と立ち現れては消え、たくさんの登場人物が織りなす話の描写は過剰なまでに詳細で、それはまるで目的も行き先も知らされない旅のようだった。長大な物語を生き生きと語るラオニのようすは、宙にあるスクリーンに映し出される映像をそのまま説明して聞かせてくれているようにも見えた。文字を持たない人々の口承文化の要は、記憶能力ではなく、語るたびに何度もその物語の世界を生き直すことのできる能力なのかもしれないと思えた。

お返しに語った日本の八百万のカミガミの物語や妖怪たちの滑稽な話を、ラオニは愉快そうに楽しんでいた。自然の要素のなかに魂を見出すというアニミズムの世界観を、彼らと私たちは文化の基層に共通して持っている。ラオニは「精霊たちの物語を語り伝えよ。そうすれば、おまえたちは強くいられる」と何度も繰り返した。筆者はそれを「自然との関係の結び方を忘れるな」という教えだと理解した。同時にラオニは、キリスト教会による文化的侵略をとても怖れていた。先住民族のアイデンティティの根幹に影響を及ぼし、コミュニティを弱体化させる脅威として受け止めているからだ。

十六世紀はじめに始まったヨーロッパ人による植民地化は、カトリック宣教師の活動と共

*21 新型コロナ禍においてブラジルではワクチン接種が二〇二一年一月に開始したが、先住民族社会は先住民を接種の最優先対象とするよう政府に求める運動を展開してこれを実現させた。同時に先住民の集落では、森で採取した種々の薬草を使う伝統医療が予防と治療に活躍した。先住民族の医療事情については下郷［二〇一七］を参照。

にあった。冒頭でも述べたように、初上陸から一世紀にも満たないうちに宣教師たちは、アマゾン本流の最上流部の先住民族の集落にまで到達している。宇宙の創造主たる唯一絶対の神を戴く宗教は、アニミズムの世界観とは対極にある。レヴィ＝ストロースは『野生の思考』で、宗教とは自然法則の人間化、つまり自然の擬人化であり、呪術とは人間行動の自然化、つまり人間の擬自然化だと述べている。これは平たく言うなら、神が創造した自然を神が選んだ人間が管理するという世界観と、人間も自然の一部として他のすべてと同列に連なるという世界観との対比であり、筆者は前者の世界観を人間中心主義だと理解している。

ブラジルでは近年、福音派プロテスタントの勢力拡大が著しい。[*22] 福音派のなかでもラオニら先住民族リーダーが特に警戒するのは、原理主義的な色彩の濃い教会だ。これらは政界の右派勢力と結びつきながら活発な教化活動を展開している。なかには米国に本部を置くある教団のように、世界の先住民族や少数民族の教化を専門とする組織もあり、ブラジルでも一九五〇年代に活動を開始している。

一九八八年に先住民族の固有の文化の尊重を規定する憲法が施行されて以降は、保護区内における教化活動は禁止されたが、この原則は厳守されておらず、慈善活動等の名目で宣教者がコミュニティに入る例は後を絶たない。また、固有の文化への介入を禁ずる原則を回避する手法による教化活動も盛んだ。これは先住民を個別に勧誘して保護区の外で教化し、牧師として養成した後に保護区に帰して布教を実践させるというものである。先住民が自身の信仰の元、自身のコミュニティで宗教活動を行うのは自由だからだ。

ブラジルの先住民族社会は全国に二七四の言語を擁するが、布教には個々の民族語に翻訳した聖書が取り入れられている。話者の人口がおよそ六〇〇〇人であるカヤポの言語も例外

＊22　十九世紀末まで国民のほぼ全体を占めていたカトリックは二〇二〇年のダータフォリャ（Datafolha）の調査によれば全国民の五〇パーセントまで数を減らし、かわって福音派が三一パーセントに伸びている（"Cara típica do evangélico brasileiro é feminina e negra, aponta Datafolha," *Folha de São Paulo*, https://www1.folha.uol.com.br/poder/2020/01/cara-tipica-do-evangelico-brasileiro-e-feminina-e-negra-aponta-datafolha.shtml, 13 de janeiro de 2020）。

ではなく、カヤポ語版の聖書が既に存在する。

宣教者による文化的侵略がもたらす影響

厳格な原理主義をとる福音派教会の場合は、コミュニティへの影響はより深刻である。彼らは先住民族の伝統文化を根底から破壊する。悪魔的な行いだとして呪術や伝統の祭りや歌や踊りを禁止し、森は邪悪な場所だと説き、性におおらかな文化を否定して禁欲を指導する。各地の民族の歴史や文化を記録する活動を行う民間組織、イコレン（Ikorê）の代表でジャーナリストのアンジェラ・パピアーニ（Angela Pappiani 1955–）から、ある民族をめぐるエピソードを聞いた。[*23]

アマゾン南西部のロンドニア州に暮らすパイテー・スルイ（Paiter Suruí）民族は、一九六九年に非白人社会との初接触を受け入れた。政府探検隊に同行していた福音派宣教師は、その後、すみやかにコミュニティ内に教会を設置して教化を進めた。当時のことをパピアーニに語った長老は、「以前は祭りをやっていた。これは罪だ。だから死んだら罰として地獄に落ちる」と震えながら涙を流したという。邪悪な場所だとされる森を忌避すれば、自給自足は崩壊する。そうなれば食料をはじめとする生活の必需品は教会の施しに頼るか、金銭で近隣の町から調達してこなければならない。パピアーニによれば、パイテー・スルイの集落の中には現金収入の必要に迫られた結果、木材業者の保護区侵入を受け入れて、高級木材の違法伐採からわずかばかりのマージンを得ているところもあるのだという。

福音派教会を支持基盤に持つボルソナロ政権は、先住民族の権利擁護を担う政府機関、ＦＵＮＡＩの長官や要職に福音派の牧師を次々と登用してきた。二〇二〇年二月には、

＊23　二〇一五年七月二四日、パピアーニのサンパウロの自宅でインタビューを行った。パピアーニがパイテー・スルイ民族の歴史を長老らから聞き書きした本に Pappiani, Angela [2016] *Histórias do começo e do fim do mundo, O contato do povo Paiter Suruí*, São Paulo: Ikorê. がある。

ＦＵＮＡＩのイゾラド部門の責任者に前述の米国に本部を置く教団で活動経験のある牧師を任命した。イゾラド（isolado）とは孤立民を意味し、文明社会との接触が未だ行われていない先住民族を指す。イゾラド人口が多い地域は金などの地下資源や森林資源が豊富である。全国の先住民族リーダーたちは、この任命は宗教で精神を支配して開発を容易にしようという企てだとして強く批判し、解任要求を突きつけた。抗議運動が繰り広げられた結果、責任者は九か月後に辞任に追い込まれた。

福音派であれカトリックであれ、キリスト教宣教者と接触した経験を持つ先住民が共通して述懐する言葉がある。「あなたたちは別の名前で呼んでいるだけで、それは同じひとつの神だ」と説く教えである。それぞれの民族には自然界に居る無数の精霊たちのなかでも最も偉大な精霊をめぐる伝説がある。世界を作り、その民族を生み出した大いなる精霊の物語である。宣教者はそれを「創造主たる神はひとつ。呼び名が違うだけだ」と説き明かして、デウス（Deus ポルトガル語によるキリスト教の神）への信仰に導く。

「呼び名が違うだけ」というこの宗教多元主義の概念を、宗教哲学者ヒック[*24]は『神は多くの名前を持つ』で詳細に述べている。世界のどの宗教にも至高の存在があり、これを信仰して礼拝するのは、それらの神が人類全体のひとつの神にほかならないという真理を示すというものである。このヒックの主張には、大英帝国時代のイギリスがインド亜大陸をはじめ、世界に多数の植民地を有していたという時代背景がある。宗教多元主義の概念は、異教徒を帝国というひとつの社会に統合していくのに必要な異文化理解の方法でもあったのだろう。もとより、キリスト教、イスラム教、ユダヤ教は、名前こそ違えども同じ神を信仰する宗教である。

カトリック教会は、現在は先住民族に対して多文化主義をとる。先住民族への暴力と支配

＊24 John Hick（1922-2012）イギリスの宗教哲学者、神学者。宗教多元主義を主張。おもな著書に『神は多くの名前を持つ』（間瀬啓允訳、岩波書店、一九八六年）、『宗教多元主義』（間瀬啓允訳、法蔵館、一九九〇年）がある。

と収奪そのものだった植民地化に加担したという歴史への反省を踏まえてのものだ。ただしこの多文化主義は、デウスを讃えて祈りを捧げる心を音楽や踊りなどの民族文化を用いて表現するのを尊重するという、あくまでキリスト教の枠内の考えである。

十八世紀にイエズス会は、現在のブラジル、アルゼンチン、パラグアイの国境地帯にひらいた伝道所群を舞台に、グアラニー民族とともに理想郷の建設を試みたことがある。宣教師はグアラニーの人々に読み書きや伝道所の自給自足を支える農業、織物や木工などの手工芸の技術を教えた。しかし、植民地の領土争いの勃発を機に、一七六七年にイエズス会が南米大陸から追放されたことで、この理想郷は崩壊した。

イエズス会が築いたという理想郷を、当時の、そして現代のグアラニーの人々はどう評価していた／いるのだろうか。それを知る一助となる論考をグァラニー・ンビア民族の若手リーダーであるダビ・カライ・ポピグァ（David Karai Popygua 1988-）が『野蛮な「文明化」に対するグアラニーの抵抗』（Corrêa et al.［2020］）に著している。ダビは祖先から語り継がれてきたという民族の歴史の記憶をこのように綴る。「イエズス会の布教が始まった時、グアラニーの一部は教会に従い、残りの人々は森の奥へと逃げた。従った者たちは厳しく箝口令（かんこう）を敷いて森の奥の同胞たちの存在を教会から隠し通した。グアラニーは他の民族とは違って戦闘を好まない。面従腹背に徹するのが、民族存続のためのグアラニーの戦略である」。民族の伝承に触れて、いわゆる正史が語ることのない歴史の別の面を垣間見せられた。

自然との関係の結び方を学び直す道標として

先住民族にとって祖先は過去の人物であるだけでなく、常にかたわらにいて導いてくれる存在である。ラオニは「祖先たちの魂が語りかけてくる。そして生きるのに必要なことを教えてくれる」と言う。「祖先の魂は永遠に存在し続けるのですか」と問うと、「いつかは風の精霊になる。そしていつも私たちのそばでそよいでいるのだよ」と教えてくれた。年齢に比してかくしゃくとしたラオニだが、ここ数年は「祖先たちの魂が夢に現れて、いつでも迎えに行けると言っている」と語り、若い世代へ今生で伝えおくべきことを伝えなければと強く意識しているように見受けられる。

二〇二〇年一月にラオニは全国の民族に呼びかけて、カポト・ジャリーナ先住民族保護区のピアラス村で大規模な集会を開いた。環境保護とマイノリティの人権擁護に大きく逆行するボルソナロ政権に対抗するため、連帯を強化するのが目的だった。総勢六〇〇人の参加者には、先住民四五民族のほかに採集民[*25]と呼ばれる入植者の姿もあった。ラオニは全国採集民委員会代表のアンジェラ・メンデス（Angela Mendes 1969–）[*26]と森の民アライアンス（Aliança dos Povos da Floresta）という同盟を結び、森の恵みで生きる先住民族と採集民が連帯して抵抗運動を行うことを誓い合った。

ピアラス集会では、数多くの女性リーダーが議論をリードする姿が耳目を集めた。先住民族の全国組織であるブラジル先住民族連携（Articulação dos Povos Indígenas do Brasil：APIB）代表（当時）のソニア・グァジャジャラ（Sônia Guajajara 1974–）はそのひとりである。ソニアはラオニの連帯の言葉に呼応して、「先住民族、採集民、キロンボーラ（逃亡奴隷にルーツを持つ農村コミュニティの人々）、女性、LGBT、都市貧困地域の人々、皆の連帯が政治状況を打開する鍵だ」[*27]と力強く語った。先住民族社会では、まつりごとは伝統的に男の仕事とされてきたが、新たな世代の新たなあり方を後押しするラオニの柔軟な思考が現れていた。

＊25 天然林の恵みに依拠した生活を営む人々で、アマゾン地方ではパラナッツなどの木の実や天然ゴムの採集を生業としている。

＊26 シコ・メンデス（第15章参照）の娘であるアンジェラは暗殺された父が生前果たせなかった夢を、時を超えてラオニと実現した。

＊27 "Raoni e filha de Chico Mendes anunciam aliança contra 'retrocessos' de Bolsonaro," *Folha de São Paulo*, 15 de janeiro de 2020.

四日間続いた集会はピアラス宣言（Manifesto do Piaraçu）の発布で幕を閉じた。宣言には連帯の決意のほかに、先住民族の諸権利を保障する憲法の規定の遵守や、開発計画にあたって、影響を受ける先住民族との事前協議の実施を定めるＩＬＯ（国際労働機関）第一六九号条約の遵守を政府に求める文言などが盛り込まれた。そして、アマゾンを守り続けてきた先住民族としての強い自負が、このように高らかに謳い上げられている。

われわれは森の守り人であり、森そのものである。われわれは森のすべての生物と命を共にしている。生産のために破壊は必要ではない。真の豊かさは金では買えない。われわれは多様性に満ちた命の豊かさを守るすべを知る民だ。われわれが先人たちから受け継ぎ、守ってきた命の森を存続させよ。[*28]

気候変動や未知の病原体の出現が地球と人類に脅威を与えるいま、私たちは自然との関係の結び方を学び直す必要に迫られている。先住民族の思想と生き方は、その道標のひとつとなるはずだ。ラオニが生涯をかけて訴え続けてきた「命の森を守れ」という教えは、彼がいつか風の精霊となるその日を超えて、その先の世代へと受け継がれていくだろう。

*28　ＩＳＡ（Instituto Socio Ambiental）ウェブサイト https://site-antigo.socioambiental.org/sites/blog.socioambiental.org/files/nsa/arquivos/manifesto_do_piaracu_jan_2020.pdf.

【読書案内】

ラオニ自身のインタビュー記事がほとんど存在しないなかで Novaes［1985］は、ラオニの生の言葉を伝える数少ない記録である。国家を挙げたアマゾン開発の下で民族の土地が脅かされていく一九七〇年代に、壮年期にあったラオニの怒りと焦燥感が伝わってくる。本書はシングー流域をボートで川伝いに移動した旅が日記形式で記されている。シングーは現在でもアマゾンの秘境と言える場所だが、よりアクセスに困難を極めた時代の描写が生々しい。NPO法人熱帯森林保護団体代表の南の著作には、八九年に来日したラオニとの出会いから始まったシングーの民との長い交流が綴られている。この地域に貨幣経済がまだほとんど入っていなかった九〇年初めの頃の伝統集落の描写が貴重だ。

レヴィ＝ストロースが描き出す思索には共感が深い。「野生の思考」を持つ人々に対して、私たちは往々にして自らの理想や幻想を投影しがちだ。しかし本書は緻密な観察眼と思考で書き手の一方的な主観を排している。このような姿勢は文化の違う他者や権力不均衡な他者との関わりにおいて重要である。歴史評価に限らず、何らかの評価という行為には、当事者の視点や証言を欠いてはならないことをCorrêaらの論文が強く示唆している。

Cunha, Manuela Carneiro da (org.)［1992］*História dos índios no Brasil*, São Paulo: Companhia das Letras.

Corrêa, Jessica Aparecida, David Karaí Popygua e Bernadete Aparecida C. Castro［2000］“A resistência guarani contra a barbárie da “civilização: a busca pelo Tekoa Porã”, *Conexão Política* (Universidade Federal do Piauí), 9 (1), pp.11-29.

Draldin, Odair［1997］*Cayapó e Panará: luta e sobrevivência um povo Jê no Brasil Central*, Campinas: Editora da UNICAMP.

Lévi-Strauss, Claude［1962］*La Pensee sauvage*, Paris: Plon（レヴィ＝ストロース『野生の思考』大橋保夫訳、みすず書房、一九七六年）.

Novaes, Washington［1985］*Xingu uma flecha no coração*, São Paulo: Editora Brasiliense.

NPO法人熱帯森林保護団体［二〇〇七］「ラオニ来日講演特集」『会報おっこらい』四一号、熱帯森林保護団体。

―――［二〇一七］「ラオニ来日講演特集」『会報あぱっさ』一二号、熱帯森林保護団体（https://rainforestjp.com/ctrl/wp-content/uploads/2019/01/no.12_2014.12_01.pdf, https://rainforestjp.com/ctrl/wp-content/uploads/2019/01/no.12_2014.12_02.pdf）。

下郷さとみ［二〇一五］「大長老ラオーニが日本で伝えたこととは。」『ソトコト』一九〇号、木楽舎、一〇二～一〇三頁。

―――［二〇一七］「先住民の現在と主体的で持続可能な未来」小池洋一、田村梨花編『抵抗と創造の森アマゾン――持続的な開発と民衆の運動』現代企画室、一二五～一五四頁。

南研子［二〇〇〇］『アマゾン、インディオからの伝言』ほんの木。

―――［二〇〇六］『アマゾン、森の精霊からの声』ほんの木。

次の四つは先住民族に関する情報が得られるインターネット上のデータベースである。

Câmara dos Deputados, *Portal da constituição cidadã*（https://www2.camara.leg.br/atividade-legislativa/legislacao/Constituicoes_Brasileiras/constituicao-cidada）憲法制定会議の全記録を収蔵。議事録も全文閲覧できる。

Instituto Socioambiental（ＩＳＡ）, *Povos Indígenas no Brasil*（https://pib.socioambiental.org/）ブラジルの全先住民族について歴史や文化などを民族別に詳細に解説している。

Instituto Socioambiental（ＩＳＡ）, *Terras Indígenas no Brasil*（https://terrasindigenas.org.br/）ブラジル全国の先住民族の土地について保護区認定途上にあるものも含めて個別に詳細に解説している。

Ribeiro, Eduardo, *Biblioteca Digital Curt Nimuendajú*（http://www.etnolinguistica.org/）在野の人類学者が運営する先住民族に関するリポジトリ。入手困難な古い書籍や学会誌などを収録している。

（下郷さとみ）

コラム 先住民社会とフェミニズム

先住民族による運動シーンで近年めざましいのが女性たちの活躍だ。伝統的に共同体のまつりごとは男性の役割とされ、対外的な運動もこれまで男性がリードしてきたが、取り巻く環境や状況の変化に沿って先住民族社会のジェンダー意識もまた変容をとげつつある。民族組織の代表に女性が就く例や、しきたりを超えて集落のリーダーに女性が選ばれる例も見受けられるようになってきた。

例えば、二〇二一年、パラ州にあるカヤポ先住民族保護区のクレニェジャン村（Krenhedjà）では、オエ・パイアカン・カヤポ（Ô-é Paiakan Kaiapó 1988–）が村人の多数決で村長（むらおさ）に選出された。カヤポ民族では初の女性の長（おさ）の誕生である。一八年の下院議員選挙で初当選したジョエニア・ワピシャナ（第13章注9）を先駆けに、先住民女性は国政の場へも進出を始めている。

ジョエニアが政界転身前に顧問弁護士として活躍した先住民族の全国組織ＡＰＩＢ（第13章注9）は、二〇一三年から二二年八月までソニア・グァジャジャラ（第13章三一三頁）が代表を務めてきた。二二年五月には、アマゾンの森と先住民族の権利を守る長年の運動とカリスマ性が評価されて、米国ＴＩＭＥ誌「世界で最も影響力のある一〇〇人」に選出されている。

ソニアは同年一〇月の選挙で再選を狙うジョエニアと並んで下院での議席獲得を目指し、オエもまたマイアゥ・カヤポ（Maial Kayapó）の名前で同選挙に挑んだ。ジョエニアとオエは議席を得られなかったが、ソニアともうひとり、やはりＡＰＩＢの女性リーダーであるセリア・シャクリアバ（ミナスジェライス州のシャクリアバ民族）が当選を果たした。

この女性の躍進に勢いを与えたできごとが、ＡＰＩＢの女性リーダーたちが二〇一九年八月九日～一三日にブラジリアで実現させた第一回先住民族女性マーチだった。全国からおよそ一〇〇民族、三〇〇〇人が公園で野営しながら討論や文化行事、関連省庁や国会、連邦最高裁判所への申し入れなどを展開し、最終日は野営地から国会前広場までの四キロの道のりを全員で行進した。筆者は全期間に立ち会って彼女たちの力強さに圧倒された。

ＡＰＩＢ自身は組織創設前年の二〇〇四年以来、毎年四月にブラジリアで「自由の大地キャンプ」（Acampamento Terra Livre）と題する数日間の大集会を主催している。では、なぜそれとは

第1回先住民族女性マーチを歩むワタタカル（左から2人目、2019年、筆者撮影）

別に、あえて女性たちだけによるアクションなのか。主催メンバーのひとりでヤワラピチ民族（Yawalapiti）のワタタカル・ヤワラピチ（Watatakalu Yawalapiti 1981-）が、筆者の問いに明解に答えてくれた（二〇一九年八月一三日のインタビューによる）。

男性がリードする集会では、いつも民族間で主導権の取り合いや面子の張り合いが起こる。でも私たちは違う。共通の目的でひとつになれる。森の乾燥化が進んでいる。川の水が減った。魚が捕れなくなってきた。今日、子どもたちに食べさせるものがない。どうすればいい？　そんな周囲の森林破壊が引き起こす影響を私たちは日々、肌で感じている。男性たちと比べてポルトガル語はつたないかもしれないけれど、肌感覚から生まれる私たちの言葉には、人を、社会を動かす力があると信じている。

実は会場では、同行してきた男性家族の姿も多く見られた。最終日は、暑い日差しの下を行進する妻に飲み水を手渡したり風を送ったりして甲斐甲斐しく気働きする夫たちの姿があった。先住民族の集落で生活を共にすると、彼らの伝統社会の性別役割分業が、両性間の優劣や支配・被支配関係を意味するわけではないことに気づく。マーチ会期中の討論会では、「両性間の優劣の概念は植民地主義の悪しき遺産だ」という意見も出され、その鋭い批評に感銘を受けた。

先住民族社会の伝統的な役割分業とは、過酷な自然環境の中で生をつなぎ、自給自足の暮らしをうまく回していくための一種の生活の知恵だったのかもしれない。そこに、ある種の合理主義を見る思いがする。そして、伝統とは人の営みや経験の積み重なりなのだとすれば、それは社会環境の変化に応じて移り変わっていくのが自然だろう。たくましく、しなやかに自身の内と社会に変化を生み出していく先住民女性たちの姿が、とてもまぶしく感じられた。

（下郷さとみ）

第14章　黒人の真の解放を求めて――アブディアス・ナシメント

かつてブラジルは、世界の多くの地域が抱えてきた異人種間の差別や対立のない、人種的調和が成り立っている稀有な国だと長らく考えられていた。これを「人種民主主義（democracia racial）」と呼び、ブラジル社会の「特質」とみなす考え方は、二十世紀のブラジルに大きな影響を与えた思潮の一つであった。しかし、二十世紀終盤以降、「人種民主主義」はブラジル社会の現実とかけ離れていることがあきらかにされ、こんにちでは神話であったとする評価が定まっている。

ところが、その権威が失墜する四半世紀ほども前から、「人種民主主義」論に敢然と異を唱えていた一人の黒人がいた。それが本章でとりあげるアブディアス・ナシメント（Abdias Nascimento 1914–2011）その人にほかならない。アブディアスはいくつもの顔を持つ。劇作家・俳優、ジャーナリスト、大学教員、画家、政治家、詩人と、その経歴はじつに多彩である。だが、それらのどれよりもまず、彼は黒人運動家であった。アブディアスが生涯をかけて追い求めたものをひと言でいうなら、ブラジル黒人の真の解放ということになる。そしておそらく、役者として舞台に立っていたときであれ、教鞭を執っていたときであれ、絵筆を握っていたときであれ、意図していたものは同じであったにちがいない。

ブラジルでは一八八八年の奴隷制廃止により、黒人たちはそれ以外のブラジル人と法制度

晩年のアブディアス・ナシメント（二〇〇六年）
Abdias do Nascimento, ex-senador pelo Rio de Janeiro (1997-99) Photo by Ricardo Stuckert/PR, licensed under CC BY 3.0 BR

上はなんら変わりのない地位を得た。しかしながら、学もなければ手に職もない、なんらかの生業を始めるための元手もない元奴隷の黒人たちゆえに、国からの支援でもないかぎりは、暮らし向きが急によくなるはずもない。くわえて、奴隷制は廃止されても、黒人に対する因習的な偏見・差別は依然残り続け、黒人たちをブラジル社会の底辺に押しとどめておく重しとなった。二十世紀に入ると、黒人のあいだからは、奴隷制廃止は自分たちの本当の意味での解放をもたらしはしなかったとして、真の解放を求める黒人運動が浮上してくる。アブディアスは、その黎明期から二十世紀末以降に一定の成果をみるまで一貫して黒人運動に携わってきた、他には類をみない生き証人であった。そしてそれ以上に、その物怖じせぬ批判と、黒人の解放という大義のために闘う不屈の姿勢が、アブディアスをブラジル黒人運動家の代表的存在として内外に認知させたといえるだろう。

本章では、アブディアスの遍歴を簡単に追った上で、ブラジル黒人の置かれてきた状況についての洞察と、その苦境を乗り越える道筋についての提言を整理して提示する。そして、彼の思想が与えた影響を確認し、さらにいまの時代にその思想がいかなる意義を持ちうるのか、どういった問題点を内包しているのか、考えてみたい。

黒人運動家の誕生――黒人意識の目覚めと黒人劇団による実験

アブディアスは一九一四年、サンパウロ州北部のミナスジェライス州と接する地方都市フランカで貧しい黒人家庭に生まれた。初等学校では、年末のパーティーで生徒たちがおこなう劇や詩の朗読といった出し物への出演を熱望していたものの、結局一度もメンバーには選ばれないという悔しさを味わっている。のちに、これが彼にとっての人種差別の原体験であったと認識することになる。

働きながら苦学の末、初等学校と夜間の会計学校を終えると、彼は一六歳で州都サンパウロに出て陸軍に入隊する。その一方で、ブラジル黒人運動ではじめて大衆の動員を実現したブラジル黒人戦線（Frente Negra Brasileira）[*1]の一員ともなったが、このときはまだ無名の存在であった。あるとき、酒場の入店に際し人種差別的な対応を受けたことで乱闘騒ぎを起こし、逮捕されてしまう。

これにより除隊処分を受けると、アブディアスは当時の首都であったリオデジャネイロに移り住む。ここで彼は、アフロ・ブラジル宗教のテレイロに通ったり[*2]、エスコーラ・デ・サンバを訪れるなど[*3]、それまで経験したことのなかったアフロ・ブラジル文化の世界に触れ、黒人としてのアイデンティティ形成の過程で影響を受けたという。一方で、彼は大学で経済学の課程を終え、銀行員としての職を得るに至った。しかし、それもほどなく辞し、今度は友人たちと気ままな南米周遊の旅に出る。

途中訪れたペルーの首都リマで、アブディアスは人生の重要な転機となる経験をした。たまたま観た演劇『皇帝ジョーンズ』で、顔を黒く塗った白人俳優が主人公の黒人役を演じていたのである。それをまのあたりにした彼は突如、強い衝撃とともに、それまでに体験してきた数々の理不尽な扱いの意味合いを悟ったのだという。

彼は強い決意を胸にリオデジャネイロへと戻り、一九四四年、数人の仲間とともに黒人実験劇場（Teatro Experimental do Negro：TEN）を立ち上げる。その狙いとは、黒人の俳優が従来は割り当てられてこなかった主役や主要な役を演じることで、黒人のなかに自尊心を生み出すことであった。また、教育程度の総じて低い黒人大衆に対しては効果の薄い演説や文書

＊1　ブラジル黒人運動史上、最大規模の組織。会員数は二万人を超えていたともいわれる。一九三一年、サンパウロ市に創設され、その後支部を各地に拡げていった。そうしたさなか、ヴァルガス独裁体制の成立により突如、活動停止に追い込まれ、わずか六年あまりという短命に終わった。
＊2　アフロ・ブラジル宗教の儀礼場。またはそこを拠点とする寺院（団体）の総称。
＊3　カーニバルのパレードでサンバのパフォーマンスをおこなうことを主たる活動とする地域文化団体。

に代えて、演劇で黒人意識の確立をはたらきかけるという意図もあったという。黒人大衆をさらに惹きつけるため、劇の題材としてアフロ・ブラジル文化を取り入れもした（Nascimento [1966]）。

こうした「心理・社会学的実験」と並行し、アブディアスの主宰するTENは政治や社会の領域における活動も展開した。事実上の機関誌として『キロンボ』（*Quilombo* [2003]）を発行し（一九四八～五〇年）、黒人にまつわるさまざまなニュースや論説を掲載した。また、一九五〇年の第一回ブラジル黒人会議（1º Congresso do Negro Brasleiro）など、黒人運動家や識者を集め、黒人をめぐる諸問題について議論する会合を何度か開催してもいる。またTENは、哲学者カミュ[*4]のブラジル訪問をきっかけに、彼と関係のあったフランスの黒人文芸誌『プレザンス・アフリケーヌ』（*Présence Africaine*）との交流も深め、後述するネグリチュード（Négritude）[*5]の概念を受容していくことにもなる。

「反抗する黒人」の飽くなき闘い――国際舞台での活動を経て黒人政治家へ

TENの活動はさまざまな理由から一九五〇年代終盤以降は低迷に向かう。ブラジルの政治情勢もまた、六四年の軍事クーデターにより軍政へと突入し、ヴァルガス独裁体制の終焉以来続いてきた民主政治に幕が下ろされるという大きな変動を迎える。そうしたなか、アブディアスは主張の力点を白人支配層や国家に対する批判へとシフトさせつつも、その言論は萎縮するどころか、ますます忌憚のないものとなっていく。

そうした変化の表れた最初の論考が、一九六六年の「第一回世界黒人芸術祭への公開状」である（Nascimento [1981]）。これはセネガルで開催される同芸術祭に向け、ブラジルの公式代表

＊4 Albert Camus（1935–60） フランス領アルジェリア出身の哲学者、小説家。数々の作品を通して、人間をとりまく不条理と、それと向き合う反抗を描いた。一九四九年にブラジルを訪問した際、アブディアスら黒人実験劇場と交流を持った。五一年の随筆『反抗的人間』はアブディアスの思想にも大きな影響を与えた。

＊5 一九三〇年代にパリで、アフリカやカリブの仏領植民地出身の黒人留学生たちによってはじめられた文学運動が、その中心に据えた概念。ほころびを露呈しはじめた西欧近代文明に対するアンチテーゼを意図しつつ、黒人種特有の精神的価値、美的価値を提起、称賛し、ヨーロッパ文化への同化拒否の姿勢を示した。四七年に創刊された『プレザンス・アフリケーヌ』は、この運動の推進母体となった。

団が組織される際、参加を希望していたTENが外されたことについてブラジル政府を糾弾する内容のものであった。代表団に選ばれたカポエイラのグループやサンバの歌手らは、アブディアスにとっては商品化され、エキゾチックな民俗芸能と化してしまったアフロ・ブラジル文化の象徴なのであって、「ネグリチュードの世界文明への貢献を知らしめる」目的の芸術祭にはふさわしくないと彼は考えていたのである（Nascimento［1981］99-100）。

二年後の一九六八年に発表された「反抗する黒人」（Nascimento［1982］）と「証言」（Nascimento［1968］）もあわせ、これら三篇の文書・論考には、七〇年代に体系化される彼の主張、すなわち「人種民主主義」論の虚偽性の暴露、人種主義に黒人が蝕まれゆく実態の告発、その元凶たる白人支配層と政府の糾弾などが、断片的で直情的な吐露のかたちで予示されている。

人種問題という「タブー」に臆することなく挑んだアブディアスは、軍政当局に目をつけられ、一九六八年、米国へと亡命を余儀なくされる。七一年にはニューヨーク州立大学バッファロー校に招聘され、以後は同校の教員をつとめるかたわら、七四年の第六回パン・アフリカ会議（The Sixth Pan-African Congress）をはじめ、黒人を主題とする数々の国際会議にも参加し、各国の黒人運動家たちやアフリカ人の政治指導者たちとの交流も深めていく。七七年にナイジェリアで開催された第二回世界黒人・アフリカ芸術文化祭（Second World Black and African Festival of Arts and Culture：FESTAC77）では、予定されていた講演を理由もあかされぬまま取り消されてしまうが、国際コロキアムにオブザーバーとして参加し、ブラジル代表団の提示した「人種民主主義」的ブラジル像を厳しく批判した。このときキャンセルされた講演の原稿は、後述するように、すぐに出版され（Nascimento［2016］）、アブディアスの代表作となる。

この直後、ブラジルの軍政が政治開放へと本格的に舵を切ると、アブディアスは民主化後を見据えて動きはじめる。一九八〇年に黒人解放の道筋を提起した「キロンビズモ」（Nascimento [2019a]）を発表するとともに、議員として政界入りすることを視野に翌八一年にはブラジルへの完全帰国を果たす。八二年の連邦下院議員選挙に出馬して当選を果たすと、連邦下院議員（八三〜八六年）、ついで連邦上院議員（九一〜九二年および九七〜九九年）をつとめ、政治の場から黒人の境遇改善に尽力した。二十一世紀に入ってからも、ユネスコによる人種主義との闘いへの貢献を称える一回限りのトゥサン・ルヴェルチュール賞（二〇〇四年）をはじめ、彼の功績に対する顕彰、その活動を回顧する企画などがあいついだが、二〇一一年、アブディアスは反骨精神に満ちあふれた九七年間の生涯についに幕を下ろしたのであった。

思想の成熟過程（一）——白人知識人との交流を通じた「人種民主主義」の模索

アブディアスの思想は、彼が主導的立場の一人としてブラジル黒人運動の表舞台に登場した当初から、体系的で深みのあるものに練り上がっていたわけではない。一九四〇年代後半から五〇年代にかけてのＴＥＮを中心にした活動には試行錯誤の跡がうかがえる一方、六〇年代後半に発表された文書・論考には、荒削りながら彼の基本姿勢が決然としたかたちで打ち出されている。彼の思想が成熟していくさまを追ってみよう。

『キロンボ』創刊号の冒頭、アブディアスは、ブラジルにおける人種差別は（黒人運動によるでっち上げでも被害妄想でもなく）「現実の問題なのだ」と明言する。その上で、同誌の闘いは「われわれの権利を否定する者たちにのみ向けられるのではなく、黒人同胞に向け、生活と文化に対する自分たちの権利」[*6]を自覚させるものでもあるとする。つまり、奴隷制廃止により黒人が他のブラジル人と変わらぬ市民権を得たといっても、それは単に法の上の話にすぎず、現

＊6 Nascimento, Abdias [1948] "Nós," *Quilombo*, nº1, 9 de dezembro.

＊7 "Nosso programa," *Quilombo*, nº1, 9 de dezembro de 1948.

＊8 Nascimento, Abdias [1948] "Nós," *Quilombo*, nº1, 9 de dezembro.

＊9 Alberto Guerreiro Ramos（1915–82）バイア州出身の黒人の学者（社会

実には市民権が十分に行使されるには至っていないのが実情で、その障害となっているのが、黒人に対する人種差別と黒人自身の自信・主体性の欠如だというのである。

「生活と文化」とあるが、より具体的には『キロンボ』が掲げる綱領の冒頭部分に、「社会、文化、教育、政治、経済などあらゆる分野（における黒人の地位向上）」[*7]（括弧内引用者。以下もすべて同様）と示されている。そのための具体的な方策として、中高等教育における黒人学生の国費奨学生としての採用、人種差別を犯罪と規定する法律の制定といった目標が綱領には掲げられたほか、既存政党から選挙に立候補するかたちで政治への進出も試みられた。文化については、（ヨーロッパ由来の文化を基層とする主流文化に対し）アフリカに由来する固有性への言及もみられるが、むしろ（白人が支配的である主流社会への）統合の方が強調されていることは、以下の言明からもあきらかである。「われわれが唱えるのは、黒人政治などでは毛頭なく、他のあらゆる国民と同等の度合いで（国民生活に）参画するブラジル人になりたいという黒人の熱望なのだ」[*8]。

『キロンボ』は「人種民主主義」と題した連載コラムを設け、内外の識者たちによるブラジルもしくは世界の人種に関する論説を毎号、代わる代わる掲載した。執筆者には、ＴＥＮと親しかったゲレイロ・ラモス[*9]のような黒人も、「人種民主主義」[*10]概念の生みの親であるフレイレ（Gilberto Freyre　第2章参照）や、それに共感を示したラモスといった白人も含まれ、人種にまつわる幅広いトピックや多様な意見を紹介するフォーラムのような場であった。アブディアスは、黒人問題と関わりの深い白人の知識人や政治家を巻き込むかたちで、黒人の周縁化を解消しつつブラジル社会へと統合する必要性について、国民的な合意の形成を目指していたようにみえる。実際、同時期にアブディアスがゲレイロ・ラモス、カルネイロ[*11]という黒人知識人と

学・行政学）、政治家。人種間関係のみならず、ブラジルの社会、経済、政治について幅広く論じた。一九五〇～六〇年代には大統領補佐官を務め、六三年には連邦下院議員となるも、六四年の軍事クーデターにともない政治的権利を剥奪される。六六年、米国に亡命し、南カリフォルニア大学教授に就任。

＊10 Arthur Ramos de Araújo Pereira（1903-49）　アラゴアス州出身の学者。バイア州の法医学医を務めた後、人類学、民俗学へと転じ、二十世紀前半におけるブラジル黒人研究の権威の一人となる。一九四六年にブラジル大学（現リオデジャネイロ連邦大学）の人類学教授に就任。四九年、ユネスコの社会科学局長に招聘されパリに渡るも、在任わずか数か月で心疾患により客死。

＊11 Edison de Souza Carneiro（1912-72）　バイア州出身の黒人民俗学者。在野にあってアフロ・ブラジル宗教の研究における調査協力者として、またみずから研究者としても、傑出した存在となる。一九三〇年代末にリオデジャネイロに移ると、ブラジル民衆文化の研究を主体とした。

連名で主催した第一回全国黒人会議には、ラモス、コスタ・ピント[*12]、ノゲイラ[*13]など多くの白人たちも参加していた。

思想の成熟過程（二）——白人知識人および「人種民主主義」との決別

しかし、一九六〇年代後半になるとアブディアスの主張はトーンが一変し、白人支配層に対する糾弾・対決が前面に押し出されてくる。変化が端的に表れているのは、「人種民主主義」概念の扱いである。四〇年代後半から五〇年代にかけては、白人主流社会にも広く支持されていた「人種民主主義」という多人種融合・多文化混淆の概念について、（現状認識とはけっして認められないものの）取り組み次第で将来的に実質化しうるモデルとしては肯定的に言及していた。ところが、六〇年代後半からは一転、「疑わしい人種民主主義」（Nascimento［1981］102）、「似非人種民主主義」（Nascimento［1982］73）、「人種民主主義と呼ばれているペテン」（Nascimento［1968］22）など、現実にある人種差別や人種間の格差を隠蔽するものとして、ほぼ否定的な論じ方となっていく。

転換点に位置づけられる一九六〇年代に発表された論考のうち一篇のタイトルがいみくじも示すように、アブディアスの主張が「反抗」的な論調へと転じたのは、いったいなぜだったのか。その原因になったとされるのは、前述の第一回全国黒人会議に端を発する白人知識人たちとの軋轢である。同会議の最終宣言を採択するにあたり、白人を中心とする学者たちは、自分たちだけで事前に用意しておいた独自の「宣言」も抱き合わせにしようと画策した（Nascimento［1982］389-400）。結果的には失敗に終わったものの、アブディアスらＴＥＮの黒人運動家たちが不信感を募らせたことは、事の経緯とともに「反抗する黒人」の冒頭にも綴られ

＊12 Luiz de Aguiar Costa Pinto（1920-2002）バイア州出身の学者。ブラジル大学で社会科学を修めた後、同大学社会学教授に就任。ラモスに請われ、ユネスコがブラジルで一九五〇年代前半に実施した人種間関係の調査プロジェクトに加わる。リオデジャネイロを調査地にした研究の成果を『リオデジャネイロの黒人（*O negro no Rio de Janeiro*）』として刊行。

＊13 Hamilton de Lacerda Nogueira（1897-1981）リオデジャネイロ州出身の医師、学者、政治家。医師として勤務後、リオデジャネイロ大学等で衛生学教授を務める。一九四六年、連邦上院議員となり、アブディアスら黒人実験劇場の理解者、後援者として、その意向を人種差別禁止法案提出のかたちで立法の場に仲介した。その後、連邦下院議員も務める。

ている（Nascimento［1982］59-62）。

一方、黒人研究が人種間の憎悪や対立につながらないよう釘を刺す趣旨の「宣言」を、学者たちが強引に採択させようとした背景には、TENの黒人運動家たちがネグリチュードの影響を受け始めていたことへの危惧があった。黒人性や黒人の文化的価値という、個別の人種集団の固有性を想定する概念は、多人種・多文化の混淆にブラジルというネイションの形成をみてとる立場からすれば、容認しがたいものだったのであろう。とりわけコスタ・ピントとカルネイロの二人は、ネグリチュードに対し容赦のない攻撃を浴びせた（Nascimento［1982］98-99）。

しかし、アブディアスにいわせれば、学者たちが念頭に置いている統合は、「強制的な白色化、[*14] すなわち（白人に飲み込まれるかたちでの）黒人とネグリチュードの消滅」にほかならない。「われわれが説く非人種主義的統合はそれとは別物」であり、「黒人に対し、そのアフリカというルーツを尊重したまま、経済的、政治的、文化的、社会的上昇の真の機会を拡げていく」（傍点引用者。以下もすべて同様）ことなのだとする（Nascimento［1982］100）。この後、一九七〇年代に入ると、アブディアスはネグリチュードという語そのものはさほど用いなくなった。しかしながら、それが含意していたヨーロッパ由来の文化・価値の追従から自立し、黒人が自尊心を回復するためのよすがとなすという哲学は、円熟期を迎えた彼の思想を確実に方向づけていた。

ブラジル黒人の直面してきた状況に対する洞察——隠蔽された人種主義がもたらす「ジェノサイド」

一九六〇年代後半の文書・論考で示された、ブラジル黒人をとりまく状況とその影響に関

黒人実験劇場で活動していた頃のアブディアス
Abdias do Nascimento Source: Correio da Manhã Fund, Public domain / Arquivo Nacional Collection

＊14 ブラジル政府は十九世紀後半以降、ヨーロッパ移民を招致する政策をとり、大量の白人移民が流入した。この移民政策をはじめとする様々な手段により、支配層がブラジルの住民の多くを占める有色人を「希釈」し、全体として白人に近づけていこうと目論んでいると考える立場から、そうした思想や動きは「白色化」と批判的に形容された。

するいくつかの視点や認識を体系的にまとめて論じたものが、『ブラジル黒人のジェノサイド』(Nascimento [2016]) である。これは、七七年のFESTAC77においてアブディアスがおこなう予定だった公開講演の原稿をもとにした論考である。講演原稿が運営当局により却下されたため、講演は実現に至らなかったものの、FESTAC77開催国のナイジェリアにて英語で出版(七七年)され、日の目をみた。[*15] 翌七八年にはブラジルでポルトガル語版が刊行されている。

ここでのアブディアスの議論の中心は、二十世紀前半に彼自身を含む黒人運動がそうであったように、単に人種差別の具体的事例や、政治、経済、社会、文化などにおいて黒人の進出がわずかであるといった概況から、ブラジルにも人種主義が存在すると訴えることではもはやない。人種主義的心性が人びとのあいだにどのようなかたちで根を下ろし、それが黒人に対してどのように作用し、それらを「人種民主主義」論がいかに隠蔽してきたかという構造的側面の方に注意を向け、洞察を深めていく。ここにアブディアスの進境がみてとれる。

ごく単純化していうなら、『ブラジル黒人のジェノサイド』の要点は次の通りである。ブラジル社会を「人種民主主義」的であると判断する「根拠」が複数挙げられてきたが、それらはどれもじつは現実を歪曲した神話にすぎない。その影に隠れるかたちで実際に進行してきたのは、人種主義思想を背景とする白色化を通じた黒人種と黒人文化の抹殺(ジェノサイド)であった。まさに、この著作の副題「覆い隠された人種主義の過程」そのものである。そして、「人種民主主義」論という神話が創りだされ、その一方で人種主義が衰えることなく生き続けるという倒錯した状況を現出させたのは、ブラジルでも大きな影響力を保持しているヨーロッパ由来の「科学」(者)であると糾弾するのである。

*15 英語版のタイトルは、『ブラジルの人種民主主義――神話か、現実か』であった。

アブディアス自身による表現も交えながら、もう少し具体的にみていこう。人種間の混血、奴隷により持ち込まれたアフリカ由来の文化の受容とヨーロッパ由来の文化との混淆は、しばしばブラジルの白人に人種偏見がなかった証左とされる。たとえば、「白人男性が黒人女性とのあいだの健全な性的交渉に進んで乗りだし」(Nascimento [2016] 74) たことはその一つであるが、それは「黒人女性に対する性的搾取」にほかならないとアブディアスは断ずる。同様に、「ブラジル社会においてアフリカ文化の痕跡が存続していること」は「主人と奴隷のあいだの友好的で和やかな関係」(Nascimento [2016] 66) の証しなどではなく、奴隷の労働生産性を維持するため息抜きの機会を与えるという[16]「主人による社会的統制」(Nascimento [2016] 68-69) 戦略の結果であるにすぎないという。

「当代無比の残酷なジェノサイドが張りめぐらす、偽装され、巧妙でパターナリスティックな網の目のなかで、ブラジルの黒人が急速に消滅させられつつある」ことこそ、「具体的な事実」(Nascimento [2016] 115) なのだとアブディアスは危機感をもって訴える。すなわち、政府はヨーロッパからのみ移民を大量に導入して国民の白色化を企み (Nascimento [2016] 83-87)、労働市場における人種差別を経験的に知っている黒人は、社会経済的上昇を求めて黒人だと自認することを避け (Nascimento [2016] 90)、「支配的な白人社会」はアフリカ由来の文化を「民俗学的な好奇の対象にすぎぬ」(Nascimento [2016] 144) ものとみなし、「その生命力あふれる要素を骨抜きにし」(Nascimento [2016] 146) て、黒人という人種集団も、その文化もまるごと絶滅へとおいやられていくのである。

これらすべてをもたらしている元凶は、アブディアスによれば、白人 (的価値) が黒人 (的価値) に優越するという人種主義であり、ひいては西洋由来の「科学」である。それというのも、

＊16　主人は奴隷たちに休息日を与え、音楽や踊りなどアフリカ起源の様々な文化的実践を許容するケースも多かったとされる。だがそれは、あくまでも奴隷たちが英気を養うことを期待してのことであって、主人が奴隷たちに寛容であったからではけっしてない。アブディアスはバスティード (注20参照) の論を根拠として引用している。

ブラジルが達成した独立は形式的なものにすぎず、「そのメンタリティや文化は（ヨーロッパに）従属的で植民地化されたまま」（Nascimento［2016］82）だからである。それを「人種民主主義」論で偽装することに学者たちが躍起になったのも、やはり人種主義におかされていた彼らにとって、自国が有色人種を多数抱えているというコンプレックスを、表面上は「人種間の平等という国家の威信」（Nascimento［2016］47-48）へと変換してくれるものだからであった。

アブディアスは、この論考を「ブラジル社会の人種的な傲慢、思い上がりと長年、さまざまな形態・方法で対峙してきた告発に対するわれわれの寄与」であると位置づけ、こう締めくくる。「沈黙を貫くことは、アフリカ系ブラジル人に対し不公正と病的なサディズムをともなって遂行されてきた、この犯罪的なジェノサイドを是認し、支持することに等しい」（Nascimento［2016］170）。

ブラジル黒人の解放の道筋――キロンビズモ

ブラジル黒人が直面してきたさまざまな構造的圧力についての洞察がかなり踏み込んだものであるのに比べると、『ブラジル黒人のジェノサイド』が巻末で掲げている提言はどこか控えめに感じられる。ブラジル政府を相手に求める、不公正な人種間関係の是正や、その不利益を被ってきた黒人の境遇を改善するための一連の方策は、その四半世紀以上前に第一回ブラジル黒人会議が提起したものから際立った変化はみられていない。提言に先立つ前提の一つとして、「『白人的な』ブラジル人を変質させ、その文化の人種主義的な基礎を根絶するような革命（中略）の即時実現は現実的でないことに鑑み」（Nascimento［2016］171）とあるが、こうした認識がその理由だったのかもしれない。

しかし、ブラジルの軍政から民主化への移行が決定的になったと判断したからなのか、それから五年と経たぬうちに、アブディアスはブラジルという国のありようを根本的に変革する方向性を提起する。それが一九八〇年に発表された「キロンビズモ」(Nascimento [2019a])である。この論考のもう一つの重要性は、副題に「著者からその兄弟たるブラジル黒人たちへの提言」と掲げられているように[*17]、黒人同胞に向け意識改革を呼びかけ、行動規範を示すメッセージを含んでいる点である。『ブラジル黒人のジェノサイド』は、関係各国からの公式代表団が集うFESTAC77での講演を前提にしていた以上、自然なことではあったものの、黒人に対し訴えるという観点は希薄であった。

キロンボとは、奴隷制期の米州各地で数多く出現した逃亡奴隷による共同体のブラジルにおける呼称である。アブディアスは、黒人の真の解放を実現する鍵にキロンビズモ(キロンボ精神)を位置づけ、それに基づいた黒人たちの生き方と国家のありようが必要であると説く。解放の具体的な道筋を、国家体制の根本的な変革まで含めて提案している点で、この論考は彼の思想が到達した頂点であると考えてよいだろう。

彼はブラジルにおける黒人の歴史を振り返り、ブラジル開発の最大の功労者であるとともに、人口の上でも多数者となってきたにもかかわらず、少数者たる白人から平等に扱われてはこなかったとする。「権力、福祉、富を白人に独占され」た(Nascimento [2019a] 279)厳しい状況のなかで、「黒人は自身の生存を守りぬき、存在を保証する必要に迫られてきた」(Nascimento [2019a] 281)が、その対応の典型をアブディアスはキロンボにみいだす。そのうえで、その「隷属、搾取、暴力を拒絶」し、「自由を実践するとともに自分たち自身の歴史を切り開いていく」姿勢は、カトリックの黒人信徒会、テレイロ、アフォシェ[*18]、エスコーラ・デ・サンバな

＊17 ブラジルにおける初版(一九八〇年)。第三版からは削除されている。

＊18 カーニバルのパレードに参加する団体の一種で、アフロ・ブラジル宗教と関わりの深いもの。

ど、他の黒人によるアソシエーションにも共通するものだと指摘する（Nascimento［2019a］281-282）。こうした「アフリカ系ブラジル人の営為をキロンビズモと名付け」、自分たちの経験に根ざしているだけに黒人も共感を寄せやすいものだと主張するのである（Nascimento［2019a］282）。

アブディアスはさらに進んでいう。

> 直面する諸問題の広範さと根深さに気づいている黒人は、支配的な資本主義＝ブルジョア社会とそれに付随する確立された中産階級の枠内で、職や市民権に関するちょっとした要求が実現したくらいでは、彼らの反対が終わりはしないことを知っている。黒人は、現行のシステムもしくは構造のあらゆる構成要素を廃絶せねばならないとすでに承知しているのである。（中略）
>
> 黒人には、公正、平等、あらゆる人類の尊重、自由に根ざした社会の確立という集団的計画がある。それは、経済的搾取と人種主義が不可能となるような性質の社会であり、（黒人のように）この国でさまざまなものを剥奪されてきた人びとにより確立される真正なる民主主義である。彼らは、（軍政以前の）旧態依然としたタイプ・形態の政治・社会・経済的制度の単なる回復などに関心はない。現行の構造の根本的な変革なしには実現しえない黒人の全面的で決定的な解放を、それらは先延ばしするのみだからだ。（中略）
>
> キロンボは友愛に基づく自由な集合体、団結、共生、生存の共同体を意味する。繰り返すが、キロンボの社会は経済平等主義の点で、人類の、そして社会政治的な進歩の一つの段階を表しているのだ（Nascimento［2019a］287-290）。

＊19 キロンビズモの原則・目的の一つとして、「共同体・協同組合主義を基礎とする経済」が提起されている（Nascimento［2019］305）。

＊20 Roger Bastide（1898–1974）フランス出身の学者（社会学・人類学）。一九三八年、サンパウロ大学の社会学教授を務めていたレヴィ＝ストロースの後任にと請われ、ブラジルに渡る。ブラジル社会、とりわけ黒人およびアフロ・ブラジル宗教を研究対象とし、数々の著作を発表した。五四年にフランスに帰国してからはソルボンヌ大学教授を務めた。

＊21 Anani Dzidzienyo（1941–2020）ガーナ出身の学者。高校卒業後、米国、英国の大学に学び、ブラジル黒人の研究をはじめる。一九七一年に国際人権NGOマイノリティ・ライツ・グループのレポートの一つとして「ブラジル社会における黒人の地位」を刊行。七三年からは米国ブラウン大学教授を務めた。

＊22 Thomas Elliot Skidmore（1932–2016）米国出身の学者（政治学・歴史学）。オックスフォード大学で哲学、ハーヴァード大学で欧州史を学んだ

このようにアブディアスは、軍政の終焉を見据え、国家の次なるありようを黒人の解放の観点から提起している。その革新的な体制[*19]を構想するにあたっても、彼はキロンボをモデルに据えるのである。

アブディアスの思想の意義と影響

『ブラジル黒人のジェノサイド』と「キロンビズモ」で提示された数々の解釈や着想は、かならずしもアブディアス自身のオリジナルというわけではない。前者に序文を寄せているフェルナンデス（第3章参照）をはじめ、ゲレイロ・ラモス、バスティード[*20]、ジジエンヨ[*21]、スキッドモア[*22]、アサンテ[*23]、ファノン[*24]など、人種や国籍を問わず、並みいる専門家たちの見識を参照するかたちでアブディアスは自身の主張を展開している。

しかし、視点の独自性や議論の斬新さにおいて物足りないことは、学術的評価を割り引くことはあったとしても、これら著作の価値をいささかも低めることはない。「学者が自身の研究について実践しているかのごとく常日ごろ言明するように、自己を超越して客観的な視点に立つことは私にはできないし、しようとも思わない。（中略）ブラジル社会という全体的な文脈のなかで私自身が経験すること、私が属する民族・文化的集団にもたらされる状況からしか、私の存在を制約し、私を規定する現実をみてとることはできない」との表明からもうかがえるように、彼の主張は基本的に当事者としての「考察、論評、批判、結論をまじえた証言」（Nascimento [2016] 47）なのである。その意図するところは、「人種民主主義」論の虚構性と、人種主義により「ジェノサイド」を迫られている黒人の実態を、真実味をもって広く知らしめ、

後、ブラジル研究へと転ずる。一九七四年、ブラジルにおける人種とネイションに関する思想を論じた著作 *Black into White* を刊行。ウィスコンシン大学マディソン校、ブラウン大学で教鞭をとった。

＊23 Molefi Kete Asante（1942–）アフリカ系アメリカ人の学者（アフリカ系アメリカ人研究・アフリカ研究）。カリフォルニア大学ロサンゼルス校ではコミュニケーション学を修め、博士号を取得。アフロセントリズムを提唱。ニューヨーク州立大学バッファロー校では同僚教員となったアブディアスに大きな影響を与えた。一九八四年よりテンプル大学教授。

＊24 Frantz Omar Fanon（1925–61）仏領マルティニーク出身の黒人精神科医、思想家。第二次大戦後、フランスに渡って精神医学を学び精神科医となる。一九五二年、人種差別の心理を分析した『黒い皮膚・白い仮面』を発表。その後、植民地だったアルジェリアに赴任し、反植民地運動に共感。植民地支配の暴力性をあばいた『地に呪われたる者』を著した。

その打開のための方向性を提起することにほかならない。そうした役割を果たしうる価値であれば、アブディアスの論考は十分に有していたといえるだろう。

その影響がまっさきに現れたのは、当然のことながら黒人運動である。一九七八年に結成された黒人統一運動（Movimento Negro Unificado）の憲章では、ブラジル黒人をとりまく状況として、「黒人の人種的、政治的、経済的、社会的、文化的周縁化」や「人種民主主義の神話」が挙げられ、目標の一つに「黒人文化の復権とその商品化、民俗化、歪曲の根絶」が掲げられるなど、[*25]アブディアスの問題意識が反映されている。また、彼が黒人を主題にした国際会議や国際シンポジウムの場で、ブラジルの「人種民主主義」的イメージの嘘をあばき、黒人の直面する現実をたびたび訴えてきたことの意義も忘れてはならない。それが各国の対ブラジル外交に直接影響を及ぼすことはなかったが、少なくとも学界においては人種差別のない国と楽観的にとらえるような傾向を逆転させることに貢献したことはまちがいない。

ブラジル国家のありようについていうなら、一九八五年の民主化を機にアブディアスが構想したような革新的な体制が樹立されることはなかった。しかし、このあと述べるように、彼が提起してきた黒人の地位向上のためのさまざまな方策のいくつかは、数十年の時を経て政策として結実することとなる。

*25 Gonzalez, Lélia e Carlos Hasenbalg [1982] *Lugar de negro*, Rio de Janneiro: Marco Zero, pp.65-66.

こんにちにおける評価（一）——問題の本質を見据えた妥協なき姿勢

二十世紀末以降、ブラジルの黒人をとりまく状況には一定の変化がみられてきた。冒頭で触れたような「人種民主主義」論の失墜はもちろんのこと、一九九五年には現職大統領カルドーゾ（第9章参照）がブラジルにおける人種差別の存在を前提に、その撲滅のための方策を検討するとの声明を出した。二十一世紀に入ると、ブラジル黒人の歴史と文化を初・中等教育のカリキュラムに盛り込むことが定められ、公立大学入試や国家公務員採用において黒人を対象に含む割当制が導入された。黒人の閣僚や政治家の数も増えつつある。

だが、アブディアスが暴き出した「黒人のジェノサイド」の過程に対し、それらの変化はどれほど有効な歯止めとなっているだろうか。たとえば黒人公職者の増加は、黒人たちにみずからの人種の自認を促すような契機となっているのか。ブラジル社会における黒人の正当な位置づけについて学ぶ機会を得た子どもたちは、黒人にまつわる偏見やヨーロッパ由来の「主流文化」への同化圧力から自由でいられるのか。黒人の地位向上のための諸政策は、けっして意義の小さいものではないが、かといって過剰な期待はできないことも想像にたやすい。その意味で、アブディアスの発したメッセージの数々はこんにちもなお色あせてはいない。

アブディアス同様、黒人議員の草分けであるパイン（Paulo Paim）はあるとき、自身の姿勢を先鋭的だとは思わないのかとアブディアスに尋ねたという。パインは人種平等法（二〇一〇年）の立案者として、その成立のため連邦議会において幾度も妥協を余儀なくされた経験があったからであろう。アブディアスはこう答えたという。「そう、私は先鋭的だ。社会のためを願うなら、諸問題にその根本から立ち向かわなければならない。それらを本当に解決するためには、うわべにとどまっていてはだめなんだ」[*26]。社会の現実を肌で感じてきた運動家ならではの、問題の本質を見抜く眼力をそこにはかいまみることができる。

こんにちにおける評価（二）――人種的帰属意識の過激な「煽動家」か？

アブディアスの思想に対する批判のなかで、もっとも目につくのは、それが黒人の人種的帰

＊26 Nascimento, Senador Abdias [2021] "uma vida dedicada à luta contra o racismo," *Arquivo S*, 7 de maio.

属意識を（不必要に）煽り立てている（racialismo）とするものである。それは（人種が白人と黒人とに二分され、その境界が自明である）米国流の発想なのであって、ブラジルにはなじまない、という表現が用いられることも少なくない。この種の非難は、アブディアスのみならずブラジル黒人運動全体に対して、二十世紀初頭の草創期からこんにちに至るまで一貫して向けられてきた。

かつて「人種民主主義」論への信仰が盤石だった時代には、ブラジルにはありもしない人種問題をわざわざつくり出すようなものだとして強い拒否反応が示された。人種差別の存在が認知されるようになった二十世紀末以降は、より根源的な論議を巻き起こすかたちの異議となっている。すなわち、人種的帰属意識が比較的希薄であるがゆえに、異人種間で混血や文化の共有が進んでいるのがブラジル社会の「よさ」、もしくは現実であるととらえ、人種的帰属意識をいたずらに強調することはそれを台無しにする、もしくはそれにそぐわないとする見方である。二十一世紀に入ってからの人種割当制をめぐる論争においても、これは反対派の主要な論拠の一つとなっている。

アブディアスが、少なくとも一九六〇年代以降、人種的帰属意識確立の必要性をブラジル黒人の真の解放のための鍵として主張してきたことはたしかである。だが、それはブラジル社会に対し、否定的な影響を本当にもたらすのであろうか。批判者たちが危惧する社会のありようとは、たとえば、人種集団ごとに分断され、互いに対する敵対意識が高まり、暴力的な対立が頻発するようなイメージかもしれない。だが、人種に起因する差別や暴力といった具体的な事象など、何らかのきっかけもなしに、対立や争いが生じるものであろうか。アブディアスが懸念していたのはむしろ、黒人としての帰属意識が確立されていない（確立を阻害されてきた）ことで、そうした事象が人種差別として認知されにくくなる、あるいはそれに対抗する有効な手立てを欠くことになってしまうことの方である。ブラジル黒人の解放という観点からつねに考えるアブディアスと、かならずしもそうでない批判者とのあいだには立脚点のずれがあることも多い。

ブラジル黒人運動をたびたび批判し、アブディアスをその「グル」と形容する論客リゼリオ[*27]は、大学入試における割当制導入を定めた法律制定から一〇年目にあたり、見直しの検討も予定されている二〇二二年を迎えると、早々に大手新聞紙上で自説を展開し、当該新聞の編集部までも二分する大論争を引き起こした。ただ、彼は「それがたとえ過去に汚名を着せられたことに対する怒りの反発としてであったとしても、人種本質主義に基づく主張であるなら（黒人種）優越主義的指向を抑制するのは容易でない[*28]」とする一方で、自身も存在を認めている人種差別の撲滅に向けたオルタナティブを示してはいない。かといって、目指すべき多人種社会の具体的な構想を提示しているわけでもなく、反論としてはやや説得力に欠けるといわざるをえない。

一方、アブディアスが唱え、こんにちの黒人運動に受け継がれている主張は、黒人大衆の動員をなしえているであろうか。現状でいうなら、否といわざるをえないだろう。アブディアスの思想の真価は、むしろこちらの観点の方からこそ厳しく問われるべきなのかもしれない。単に方法上の問題なのか、それとも方向性そのものが適切でないのか。前者について思い起こされるのは、かつてTENで追求した黒人劇による実験である。アブディアスの主張の向けられる相手が、黒人大衆よりも支配層や国家の方に大きく傾いていったことで、このプロジェクトは未完のまま立ち消えとなってしまった。だが、こんにちの黒人運動がエリート主

＊27 Antonio Risério（1953-） バイア州出身の随筆家、在野の人類学者。バイアの文化や歴史、ブラジルの人種といった主題に関する著書、新聞への寄稿が多数ある。黒人運動や人種割当制には一貫して否定的な立場から発言をおこない、しばしば論議を呼んでいる。

＊28 Risério, Antonio [2022] "Racismo de negros contra brancos ganha força com identitarismo," *Folha de São Paulo*, 16 de janeiro.

義的な性格を脱し切れていない現状を踏まえるなら、黒人大衆にとって身近なアフロ・ブラジル文化をとりいれることにより、彼らの心理的覚醒を促そうという野心的な試みには、いまだ参考にすべき点も多いように思われる。「黒人のジェノサイド」やキロンビズモの影に隠れがちではあるが、アブディアスがTENに込めた意図とそこで実践した手法にも、いまあらためて光があてられてもよいのではないだろうか。

【読書案内】

アブディアス本人の手になる（論考を含む）出版物としては、以下がその主要なものである。彼の思想を知るには、代表作である1、2は必須である。3に収録されている2以外の各論考も、それらと同時期のものである。4、5、6は1～3の原形ともいうべき、転換点の論考・文書である。7はTENに込められた意図を論じているもの、9には黒人の境遇改善に向けたアプローチについて試行錯誤している段階の主張がみてとれる。8は連邦上院議員時の法案や発言の記録である。増補改訂とともに版を重ねている文献については、執筆に際し参照したその時点での最新版の刊行年に続き、括弧内に初版の刊行年を示してある。

なお、4～9はIPEAFROのウェブサイト（https://ipeafro.org.br/）にて閲覧が可能である。

1 Nascimento, Abdias［2016（1978）］*O genocídio do negro brasileiro: processo de um racismo mascarado*, 3ª ed., São Paulo: Perspectiva（英語版："Racial Democracy" in Brazil: Myth or Reality?, 2nd Ed., Ibadan: Sketch Publishing, 1977）.

2 ――［2019（1980）a］"O quilombismo" em Abdias Nascimento, *O quilombismo: documentos*

de uma militância pan-africanista, 3ª ed., São Paulo: Perspectiva; Rio de Janeiro: Ipeafro.（英語版：“Quilombismo: An Afro-Brazilian Political Alternative,” *Journal of Black Studies*, 11 (2), (Dec.): pp.141-178.）

3 ――――［2019（1980）b］*O quilombismo: documentos de uma militância pan-africanista*, 3ª ed., São Paulo: Perspectiva; Rio de Janeiro: Ipeafro（英語版：*Brazil, Mixture or Massacre?: Essays in the Genocide of a Black People*, 2nd Ed., Dover, Massachusetts: The Majority Press, 1989 [1979]）.

4 ――――［1982（1968）］“O negro revoltado” em Abdias do Nascimento (org.), *O negro revoltado*, 2ª ed., Rio de Janeiro: Nova Fronteira: pp.57-108.

5 ――――［1981（1966）］“Carta aberta ao Primeiro Festival Mundial das Artes Negras” em *Sitiado em Lagos: autodefesa de um negro acossado pelo racismo*, Rio de Janeiro: Nova Fronteira, pp.93-106.

6 ――――［1968］“Testemunho” e “Depoimentos”, *Cadernos Brasileiros*, 47: pp.3-7 e pp.21-23.

7 Nascimento, Abdias do［1966（1949）］“Espírito e fisionomia do Teatro Experimental do Negro” em *Teatro Experimental do Negro, Testemunhos*, Rio de Janeiro: Edições GRD: pp.78-81.

8 Nascimento, Gabinete do Senador Abdias［1997–98］*THOTH: escriba dos deuses: pensamento dos povos africanos e afrodescendentes*, v.1-6.

9 *Quilombo: vida, problemas e aspirações do negro*［2003（1948–50）］Edição fac-similar do jornal dirigido por Abdias do Nascimento, São Paulo: Fundação de Apoio à Universidade de São Paulo; Editora 34.

次にアブディアスの思想や活動、あるいはその周辺的状況を論じたものとしては、以下を薦めたい。15はアブディアスの思想をアフリカ志向の観点から論じたもの、11、12、13では彼の活動の軌跡を追うことができる。10、14は本章の議論とも関連の深い、ブラジルにおける人種集団のありように関するものである。

10 Guimarães, Antonio Sérgio Alfredo［2004］“Intelectuais negros e formas de integração nacional,” *Estudos Avançados*,18 (50), pp.271-284.（https://www.scielo.br/j/ea/a/WYP8RVmB8xjQsz6ZG6S5Ttd/?lang=pt）

11 Nascimento, Elisa Larkin [2014] *Abdias Nascimento: grandes vultos que honraram o senado*, Brasília: Senado Federal, Coordenação de Edições Técnicas (https://www2.senado.leg.br/bdsf/item/id/508140).

12 Semog, Ele e Abdias Nascimento [2006] *Abdias Nascimento: o griot e as muralhas*, Rio de Janeiro: Pallas.

13 鈴木茂［二〇一一］「『人種デモクラシー』への反逆――アブディアス・ド・ナシメントと黒人実験劇場（TEN）」真島一郎編『二〇世紀〈アフリカ〉の個体形成――南北アメリカ・カリブ・アフリカからの問い』平凡社、一三九～一六二頁。

14 古谷嘉章［二〇一八］「アフロ・ブラジレイロ――人々と文化の交錯」『アメリカス研究』第二三号（一一月）一七五～一八三頁（http://www.tenri-u.ac.jp/tngai/americas/journal/23/）。

15 矢澤達宏［二〇一九］『ブラジル黒人運動とアフリカ――ブラック・ディアスポラが父祖の地に向けてきたまなざし』慶應義塾大学出版会。

（矢澤達宏）

コラム　人間としての黒人の探求――ベアトリス・ナシメント

ナイジェリアで第二回世界黒人アフリカ芸術祭（FESTAC77）が開催され、黒人の置かれた厳しい現実をよそに、アフリカ文化を受け入れた「寛大さ」を自画自賛したブラジル代表団のおめでたい講演に対し、亡命中のアブディアスが痛烈な一撃を見舞った一九七七年。この年、ブラジル国内ではもう一人のナシメントが、数十人ほどの聴衆ながら熱気を帯びた大学の一教室で、この国における黒人の扱われ方の不当性を訴えた。「黒人はブラジルにおいて人間として認められたことなどなかった」。

ベアトリス・ナシメント（Maria Beatriz Nascimento 1942-95）の講演は、サンパウロ大学で「黒人の一五日間（Qinzena do Negro）」と銘打って開催された黒人研究のイベントのなかの一企画であった。ベアトリスは一九四二年、北東部セルジッペ州アラカジュに生まれ、七歳のとき家族とともにリオデジャネイロ市に出た。名門リオデジャネイロ連邦大学（UFRJ）で歴史学を学んだ後、七〇年代なかばにはいくつかの黒人研究／運動団体の立ち上げに関わり、人種や黒人に関する論考や記事を雑誌・新聞に寄稿するなど、いまだ軍政下にあった黒人運動において存在感を示すようになっていた。「黒人の一五日間」での講演の様子は、彼女がナレーション（原稿と語り）を担当し、七〇～八〇年代の黒人運動を描いたドキュメンタリー映画「オリ（Ôri）」（八九年、Raquel Gerber 監督）に収められている。

ベアトリスはアブディアスの一世代下（血縁関係もない）だが、共通点は多い。ともに黒人運動家と研究者両方の顔を持ち、キロンボ（逃亡奴隷の共同体）に重要な意味をみいだし、アフリカとのつながりを論じた。ただ、アブディアスはキロンボの黒人自身による解放の実践という面を重視したが、ベアトリスは黒人の主体的な生というより広い文脈のなかにその価値を位置づける。「逃亡とは、自分を他人の所有物だとは認めない人間の最初の行為なのだ」（「オリ」）という言明は象徴的である。

ベアトリスは前述の講演のなかで、自身の問題意識の発端をこう表現している。「大学に入ってもっともショックだったのは、ひたすら続く奴隷についての学びだった。まるで私たち黒人はこの国で、ただ奴隷労働力として、農園・採鉱の労働力としてのみ存在してきたかのように」。そして、こう強調する。「もっとも重要なのは、まさしく黒人を人間として認めることなのだ」と。黒人の人間性の回復を、彼女はキロンボの真の姿をあきらかにすることを通じて成し遂げようとしたのである。

ただ、彼女はキロンボを黒人（アフリカ的世界）のみに属する排他的空間として安易に措定しない。それは黒人のアフリカ文化と先住民文化の融合したものであり、また白人のヨーロッパ文化との接触がそれへの反作用として生み出したものでもある。それこそが真のブラジル文化なのだとベアトリスは宣言する。「わたしは大西洋のたまもの」（「オリ」）という印象的な語りは、この三つの世界の邂逅という壮大な視座を念頭に置いている。奴隷貿易、農園からの逃亡、自分たち自身の土地の探求――移動を黒人の歴史的経験の特徴ととらえるベアトリスは、のちにギルロイ（Paul Gilroy）が提起する「ブラック・アトランティック」を先取りしているといっても過言でない。

ラッツが編者となり2021年に刊行されたベアトリスの著作集（Nascimento, Beatriz［2021］*Uma história feita por mãos negras*, org. Alex Rats, Rio de Janeiro: Zahar.）

「黒人の一五日間」に参加した後、ベアトリスは大学院で歴史学を専攻し、アンゴラでの現地調査もおこなうなど、起源から現代に至るまでのキロンボの歴史的変遷の研究を本格化させていく。一九八〇年代なかばに公立学校の歴史教員となる一方、九〇年代に入ると大学院に入り直し、研究のあらたな地平を切り開こうとしていた。しかし、その矢先の九五年、DVについてベアトリスに相談していた友人の交際相手が放った凶弾に倒れた。五二歳での早すぎる死であった。

二十一世紀に入り、ベアトリスの再評価が進んでいる。彼女の議論・思想についてのラッツによる論考と、彼女が生前発表した論文・記事の主要なものの再録とを組み合わせた『わたしは大西洋のたまもの』（Ratts, Alex［2006］*Eu sou atlântica*, São Paulo: Instituto Kuanza e Imprensa Oficial do Estado de São Paulo.）の刊行を皮切りに、作品集、著作集の出版が相次いでいる。また、二〇二一年、二二年と名誉博士号が授与されるなど、時代がようやくこの黒人女性の革新性に追いついてきたかのようである。

（矢澤達宏）

第15章　抵抗運動から社会環境保護主義へ——シコ・メンデスとマリナ・シルヴァ

環境問題の構造は、地域限定的な被害者と加害者の二項対立から、グローバル市場を通じた複雑な相互作用へと変化してきた。無数の間接的な主体の関与の結果に生じる現代の環境問題は、一人一人の責任意識を希薄にするがゆえ行動変化に結びつきにくい。これに対するアクションとして様々なレベルの環境運動がうまれ、日々多くのメッセージが発信されている。その中でも近年プレゼンスを増しているのが、環境問題によって生存や生活を脅かされる当事者の民衆である。

民衆が自分たちの声を世界に届け、社会を動かすことができると気付いた契機のひとつは、一九八〇年代にアマゾン熱帯林から世界の舞台へと出現したあるゴム採取人の男性と、それに続く一人の女性の社会的躍進であった。シコ・メンデス（Chico Mendes 1944–88）は労働組合の黎明期に運動を率いたアマゾンのゴム採取人で、暗殺によって終わった人生の終盤には国際的に知られる環境保護活動家となった。マリナ・シルヴァ（Marina Silva 1958–）は森林破壊への抵抗活動にシコとともに参加し、環境大臣に登用されたルーラ（第10章参照）政権では抜本的な環境政策を講じてアマゾン森林面積減少率を劇的に低下させた。

かつてブラジルでは、環境問題——それは多くの場合社会問題でもある——の影響に対して最も脆弱な人々は、窮状を訴える術を持たなかった。しかし現在、ブラジルの環境運動は大き

シコ・メンデス
Chico Mendes at his home in Xapuri, Acre, Brazil, in July of 1988. Photo by Miranda Smith, Miranda Productions, Inc., licensed under CC BY-SA 3.0

マリナ・シルヴァ
Marina Silva em junho de 2018. Photo by Sir. Leo Cabral, licensed under CC BY 2.0

く変容し、市民の声を環境政策に反映するシステムが形成されている。ブラジル環境運動の源流はどこあるのか。民衆の声が届く世界を実現するため、パイオニアたちはどんな道を切り開いてきたのか。本章ではゴム採取人にして環境活動家であったシコとマリナ、そして彼らの仲間たちの活動について紹介し、彼らがブラジルおよび世界の環境運動にどのような影響を与えたか、および活動の源流となった理念や価値観について考察する。

ゴム採取人たち

シコとマリナについて紹介する前に、ブラジル社会におけるゴム採取人という存在について知らねばなるまい。ブラジルは独立後も、欧州諸国への労働力と資源の供給国という、本質的に植民地と変わらぬ立場であり続けた。そのため、欧州との交易に便利な大西洋岸が集中的に発展し、熱帯雨林や乾燥地の広がる内陸部は長らく開発から置き去りにされた。アマゾンの利用価値が初めて発見されるのは十九世紀後半、森に自生するパラゴムノキ（*Hevea Brasiliensis*）[*1]を傷つけ染み出す白い樹液、ゴム原料のラテックスによってであった。産業革命下において、電気の絶縁体や自動車産業のタイヤの原料として理想的な材料であったゴムは世界的需要が高く、一八七〇年代には一大ゴム景気がアマゾンを席巻する。

ゴム景気の間にアマゾンから産出されたラテックスによる利益は一兆ドルに上ったが（レヴキン［一九九二］）、ゴム産業もまた生産者を債務で管理する搾取構造の上に成り立っていた。ラテックスの採取は森に自生するゴムノキを徒歩で巡回して回収するため生産性が低く、資本家たちがより高い収益を上げるために、労働力は極限まで搾り取る必要があった。労働力として確保されたのは、飢饉に苦しんでいた北東部の貧困層だったが、彼らを待ち受けていたのはマラ

＊1　パラゴムノキはブラジルでも集約的栽培が試みられたが、密植されると糸状菌による根の腐敗が広がるため、ゴムノキを巡回して樹液を集める昔ながらの方法に頼らざるを得なかった。

リアを始めとする感染症や、アヴィアメント（aviamento）[*2]と呼ばれる終わりなき前借金負債制度という新たな苦難であった（Rodrigues [2007]）。

二十世紀初旬には、アジアでのゴムプランテーションの成功でアマゾンのゴム産業は急速に衰退する。第二次世界大戦時にはまたもや北東部の人々が年金支給に釣られて送り込まれたが、戦争が終わると旨味をなくしたアマゾンのゴム産業からはパトロンや仲買人が姿を消し、森の奥深くで採取人たちだけが約束された年金も給付されぬまま、国内用のゴムやブラジルナッツを集めて細々と暮らし続けた。

シコとマリナが生まれたアクレ州は、ボリビアと国境を接するブラジルアマゾンの最奥に位置する。ブラジルには、アクレ州が森しかない辺境の地であることを風刺する「アクレは存在しない　O Acre não existe」というピアーダ（冗談）がある。アクレの地理的周縁性を風刺したこのピアーダはしかし、アクレの人々が置かれてきた社会的周縁性をも暗示している。前借金に縛られ、人もまばらな密林から脱出することも叶わず、ゴムには既に彼らが信じる価値がないことも知らぬまま、採取人たちは実直にゴム採取を続けた。社会に忘れ去られ声を上げることさえ知らぬ彼らは、森の外の人々にとって存在しないと同じ「存在せぬ人々」だったのである。

シコ・メンデスの生い立ち

シコは一九四四年にアクレ州のボリビアに近い町、シャプリ（Xapri）に生まれた。彼の祖父は北東部セアラ州からアクレ州にやって来たゴム労働移民であり、シコも彼の父親も、子供のころから父親についてゴム採取に歩いた。ゴム採取人たちは文字が読めないのが普通であっ

＊2　採取人たちは仲介者からの旅費の前借を始まりに、ゴム採取の道具や日用品、食料、ゴム採取の小道の維持費を、法外な値段で仲介者や地域を管理するパトロンに支払わねばならない一方、ゴムの売り先の自由や自給作物の栽培など、労働者が有利になる行動はことごとく禁止されていた。

たなか、シコは小さなころから父親に文字を教えるようせがみ、簡単な読み書きや計算を身に着けた（レヴキン［一九九二］）。当時、学校を設置することはほとんどの採取林で禁止され、多くの採取人たちは森の外の世界を知ることはなかった。識字や計算能力を奪うことはラテックスの買い取り価格や借金残額をだますのに好都合だっただけではなく、自分たちが置かれる搾取の境遇を客観視する力を奪い、抵抗の芽生えを積むことに繋がったためである。

森の中に生まれたシコという小さな抵抗の芽生えは、革命ゲリラに参加して政府軍に追われ採取人に身をやつしていたタヴォラ（Távora）将校[*3]との出会いによって大きく成長する。ある日通りすがりに立ち寄ったタヴォラの知性に強烈に惹かれたシコは、歩いて三時間かかるタヴォラの自宅で毎週末に読み書きを教わる約束を取り付ける。タヴォラはすぐにシコが読み書きに留まる人物ではないことを見抜き、外の世界から俯瞰することで社会と自分たちの状況を批判的に見ることを教えた。二人の教室は海外のラジオや新聞の政治欄を教材に、世界における共産主義と資本主義の勢力図や、ブラジルの政治状況についての議論の場となった（レヴキン［一九九二］）。当時、先進国からブラジルへの援助の多くが、政治家や富裕層の懐に入る一方、その返済にあてるコモディティ生産のため民衆の労働力が搾取されていた。シコは、一部富裕層が独占した利益返済のために、貧困層が搾取される構造の中に自分たちがいる理不尽さに気が付いた。また森の外ではブラジルを本当に愛し、変革を起こそうとしている人々が闘っていることに強く心を動かされる（メンデス［一九九一］）。

人生の失意の中でタヴォラはシコの前から姿を消すが、その前にもうすぐ組織されるであろう労働組合がシコの最初の活動の場となることを予言した。シコ自身も後に「彼が私に本当に教えたかったことは識字ではなかった」と語ったように、改革に敗れ森に逃げ落ちたタヴォ

＊3　Euclides Fernando Távora（生年不詳）富裕層支配社会に抵抗したプレステス大尉とともに革命ゲリラに参加し、政府軍に追われた将校であった。シコとタヴォラの出会いの時期については、シコ自身は一九六二年一八歳の時と言っている（Mendes［1989］）が、周囲の人々によるともっと早い時期であったという証言が多く、シコをよく知るおじのジョアキンは一九五六年、シコが一二歳の時であったと言っている（レヴキン［一九九二］一二二頁）。タヴォラは寡婦の愛人との仲違いや病などに行き詰まり一九六五年あたりにカショエイラから姿を消し、亡くなったといわれている（レヴキン［一九九二］一三八頁）。

ラにとってシコは、自分が成し得なかった変革を託した希望であった。

採取人たちの団結

一九三七年、軍事政権がアマゾン開発戦略を掲げた。ヨーロッパに匹敵する面積が生産に供されれば、ブラジルは経済大国になることも夢ではない。六〇年代、シコの青年期は、アマゾンに通じる初の幹線道路である国道一五三号の開通やアマゾン開発庁（ＳＵＤＡＭ）設置など、アマゾン開発の黎明期と重なる。その時期、シコは採取林の地主に対して前渡金制度の改善を要求するとともに、仲間にはラテックスの自由売買を呼びかけ、彼にとって最初となる社会変革運動を起こした。

一九七〇年代にはアマゾンを東西に貫くアマゾン横断道路国道二三〇号が開通し、アマゾンの奥地へと開発が本格化していく。七四年に発表されたポラマゾニア計画（ＰＯＬＡＭＡＺÔＮＩＡ）[*4]では、アマゾン開発の手段は農地改革から民間資本による開発推進へと大きく舵を切り、政府は開発に付随して破格の条件を発表する（Rodrigues [2007]）。これに惹きつけられた南部の投機家や牧場主たちはアマゾンの土地を手に入れようとやっきになり、採取林の地主たちは利益の出なくなったゴム林を喜んで売り払った。

採取人たちがゴムやナッツを採取していた森は、投機家や牧場主の手に渡ると、効率のよい事業である牧場に転換するため伐採され焼き払われる。採取人たちは時には銃で脅され家を焼かれ、抵抗する術もなく森を後にするしかなかった。一九七六年、ある採取林に武装した二七人の採取人たちが蜂起して集まり、伐採業者らを追い出した。これが初めてのエンパッチ（empate）[*5]と呼ばれる抵抗運動であった。エンパッチは各地で自然発生的に生じ成功を収め

＊4　アマゾン農牧鉱業拠点計画（ＳＵＤＡＭ）の指導の下、民間企業による大規模開発によって高速道路から面的に開発を広げた。企業はアマゾンの土地を開発利用すると融資や助成金、アマゾン開発以外の事業の税制優遇が受けられた。投機家や南部から来た牧畜業者らが求めたのは土地からの生産による収益ではなく、土地を保持しているという名目であった。アマゾン開発の経緯については宝福則子［一九九四］「アマゾンの熱帯林破壊について」『小樽商科大学人文研究』八八巻、二一三〜二三六頁が詳しい。

＊5　エンパッチの原意は「引き分け」「手打ち」であり、大人数で伐採地に赴いて伐採を妨害する。伐採業者は多くの場合はただの雇われ人であり、エンパッチに抗う動機がなかったため説得は容易で、エンパッチは次々に成功した。

たが、大規模開発の波に抗して運動を続けるには相応の大きな力になることが必要であった。
アヴィアメントに代わる新たな脅威である森林伐採に対して、団結の必要性を感じていたシコは、アクレ初の労働組合設立に参加する。シコは採取人仲間の家を訪ね歩き、団結して闘う必要性を語った。当初は興味を示さなかった採取人たちも、状況の悪化に従い次々と立ち上がっていった。一九七七年のブラジレイア労働組合の設立大会には一〇〇〇人を超える採取人たちが集結し、アクレ州の採取人組合会員は翌年には三万人を超えた。しかし、採取人たちの団結は牧場主たちの怒りを増幅させ、運動組織の指導者や教会の人々への報復を呼んだ。その犠牲者の一人がシコの朋友でありブラジレイア労働組合のリーダー、ピニェイロであった。[*6]
ピニェイロ喪失による痛手は深く、統率力を失った抵抗運動は停滞した。シコはこの経験によって、運動を続けるために必要なのは、一人の強いリーダーシップではなく、刈り取られても絶えない草の根のように裾野を広げ、多くの人々が参加することだと確信した。この時期のシコは、ブラジル民主運動（MDB）や労働者党（PT）[*7]から出馬した議員の活動に失望し、抵抗運動の協力先を政治以外の教会組織に見出していく。この頃に出会った貧困者救済と社会変革を掲げるラテンアメリカ発祥のキリスト教の一派「解放の神学」[*8]と協力し、パウロ・フレイレ（第5章参照）の思想を取り入れたキリスト教基礎共同体（CEBs）でエンパッチの呼びかけを行った。教会組織の後ろ盾によって、エンパッチの大規模化、組織化が可能になり、抵抗運動は強化された。
抵抗運動の広がりは男性に留まらなかった。エンパッチの最前線には女性や子供たちも参加し、シコは女性の発言やリーダーシップをサポートするよう組合員を促した（メンデス［一九九一］、Hildebrandt［2001］）。エンパッチに参加した数多くの強い意志を持った女性たちの

＊6 Wilson de Souza Pinheiro（1933-80）一九七二年、ピニェイロは三〇〇人の採取人を引き連れ、ボカドアクレで占拠者を脅していた農場主が送った暗殺者たちを追い払い、強化する抵抗を危惧した農場主らが送った暗殺者に撃たれた（メンデス［一九九一］）。
＊7 開放政策によって一九七九年に生まれた労働者層を支持基盤とする左派政党。詳細は本書第10章参照。MDBに失望したシコはPTに対しても「労働者が政治家に力をつけてやると、その政治家は今度は労働者の敵を守る側に回るのです」（メンデス［一九九一］六六頁）と語っている。
＊8 軍により政治的活動が禁止されていた一九七〇年代、ひるまずに活動できたカトリック教会を基点に多くの草の根組織が生まれた。解放の神学はフレイレの思想と共鳴し、キリスト教基礎共同体での読書会を通して、基本的人権という概念の根付きと女性の政治への関心を高める役割も果たした（Shanley et al.［2018］）。解放の神学の詳細は第6章参照。

一人が、のちに労働者党ルーラ政権下で環境大臣となるマリナ・シルヴァである。

マリナ・シルヴァの生い立ち

アクレ州都リオブランコから七〇キロメートルの距離にある採取林に家族と住んでいた一六歳のマリナは、度重なるマラリア感染と肝炎、水銀中毒のせい[*9]で二年間も臥していた。このままではマラリアで亡くなった兄弟たちのように死を待つのみだと思った彼女は、町で治療を受け勉強して修道女になりたい、と勇気を出して父親に懇願した。母を亡くした大家族にとって最年長のマリナを外に出すことは打撃であったが、父はゴムの売上金を持たせてマリナをリオブランコへ送り出した。一九七四年のことであった（Cesar [2012]）。

マリナは健康が回復してくると、家政婦として働きながら小学校に通い始めた。彼女はたった二週間で読み書きを身に着け、三か月で初等教育過程を修了する。その頃、マリナはCEBsに参加し始める。自らの可能性が教育で開かれるのを実感しつつあった彼女にとってCEBsの影響は絶大であった。一九歳の時、マリナは修道院の廊下でシコらによる農村運動教室のポスターを見つける（Cesar [2012]）。シコは採取人たちの抵抗運動を紹介し、それが解放の神学の精神の実践であることを語った。マリナの非凡さに感心したシコは彼女をシャプリへ誘い、労働組合の広報誌を定期的に送るようになる。自らも採取人として貧困に苦しみ、死に脅えた経験のある彼女は、社会変革への行動に目覚めていく。

抵抗運動に参加するようになったマリナは、エンパッチやブラジレイアの労働組合設立に加わるうちに、修道女になり祈りを捧げるよりも、志を同じくする仲間と社会正義を求めることこそ進むべき道であると感じるようになった。修道女になる一か月前、彼女は修道院に

＊9　金の採掘で水銀に金を吸着させる方法がとられる。流出した水銀が水や魚を通して人の体内に取り込まれ、深刻な健康被害を生じる。鉱山開発は森林伐採と並ぶアマゾン環境問題のひとつである。

エンパッチを率いるマリナ・シルヴァ。アクレ州シャプリ、一九八六年。
Empate Bourdon-Xapuri (1986) Photo by Marina Silva, licensed under CC BY 2.0

尼僧への道を捨てることを申し入れた。マリナは最初の結婚での子育てと大学を両立しつつ、エンパッチの統率やシコの政治キャンペーン、ＰＴや労働者統一本部（ＣＵＴ）アクレ支部の設立などに尽力した。シコが森の採取人たちの家を回り、マリナはリオブランコの街頭で熱帯林の重要性を説いて採取人たちに団結を訴えた（Hildebrandt［2001］）。森の奥で死の恐怖に怯えていた物静かな少女は、正義を求める闘いの中で、自信と知性を備えた発言を恐れない女性に変化していた。

外部者との連携と環境保護思想

一九八〇年代初頭のアクレには、軍事独裁政権から逃れてきた活動家や科学者たちが集まっており、シャブリの労働組合委員長に就いていたシコと彼らの間には、自然に交流が生まれた。とくに人類学者のアレグレッティ（Mary Allegretti）[*10]、イギリスから来た政治学者のグロス（Tony Gross）[*11]は採取人らの活動に共感し、援助をとりつけるなど大きな力となった。シコらは彼らとともに、生産組合の自律的運営に必要な教育や組織化を支援するプロジェクト・セリンゲイロを立ち上げた。ゴムやナッツの売上金は組合員に配分され、利益は学校の運営費を十分に賄うことができた。地主や仲買人による搾取がなければ、自立するに十分な収益が森から得られることが判明したのである（レヴキン［一九九二］）。プロジェクトの学校の卒業生が教師になり、学校は次々に作られていった。抵抗活動を広めて草の根を強靭化するという目的は大成功であった。

軍事政権が弱体化した民政化前の一九八〇年代半ば、農地改革の機運の高まりは農場主らを土地確保へ駆り立て、採取人や先住民たちを脅かした。のちに国立宇宙研究所（ＩＮＰＡ）

＊10　ブラジリア大学の学生だったアレグレッティは採取林に滞在したことでシコと出会い、その後、人権の専門家としてＮＧＯアマゾン研究所（Instituto de Estudos Amazônicos）を立ち上げ採取人らの抵抗活動を支援する。

＊11　イギリス出身の政治学者でその後ＯＸＦＡＭのブラジルアマゾン担当になり、先住民や採取人の活動支援を行った。現在は環境問題のコンサルタントとして森林破壊、生物多様性、気候変動問題に取り組んでいる。

の研究者らは、サルネイによる民主政権が確定した八五年を境に森林消失面積が倍増していたことを発表している（レヴキン［一九九二］二九四頁）。NGOの環境ロビイストになったアレグレッティは、シコにゴム採取人による全国大会を首都で開催し、政府に圧力をかけることを提案する。この大会開催の援助先を探していたアレグレッティは、国道三六四号開通[*12]への米州開発銀行（IDB）[*13]の援助を停止させようとしてアメリカで環境ロビイスト活動を行っていたリッチ（Bruce Rich）とシュウォーツマン（Stephan Schwarzman）[*14]と知り合う。彼らは、ポロノロエステ計画（POLONOLOESTE）[*15]への世界銀行の融資を停止させるため、世論を動かす戦術を探していた。そうして出会った両者は、環境保護運動家にとっては大規模開発へのオルタナティブとして森林の持続的利用が、採取人たちにとっては自然保護という大義が、お互いの目的達成に有利になることに気づく（レヴキン［一九九二］）。シコたちは抵抗運動に環境保護という思想を取り入れ、採取人たちの運動は森林保護者としての側面を強調するようになった。アマゾンの生態系の保護は、長年相互の利益をめぐって対立関係にあった先住民との共同戦線においても、共通の目的意識として共有される役割を果たした（Löwy［2015］）。運動を通して、森に暮らす人々の権利に対する正義を求めることが、環境保護そのものにつながることが広く理解されたのだった。

一九八五年、森からやってきた一〇〇人以上の採取人たちがブラジリア大学に集結し、政府の役人を交えたゴム採取人全国大会が開催された。この大会でゴム採取人全国評議会（CNS）が結成され、政府に対する開発政策や社会政策などの六三の要求が最終声明として提出された。アマゾンの森林に暮らす採取人たちの存在や、彼らが面している土地問題と森林破壊の現状は広く知られることになった。大会では、ゴムやナッツの採取という影響の少ない森林

＊12　ロンドニア州のポルトヴェーリョとリオブランコを結ぶことを計画した幹線道路。

＊13　多国間開発銀行（MDBs）のひとつで、中南米・カリブ加盟諸国の開発を目的として一九五九年に設立。MDBsのうち全世界を対象とするのが世界銀行。

＊14　当時、リッチは環境問題専門の弁護士として、シュウォーツマンは熱帯林環境問題の専門家として、MDBsの開発援助による環境破壊を阻止する活動を行っていた。現在米国拠点の環境NGO環境防衛基金（Environmental Defense Fund）に所属。

＊15　北西部拠点計画。途上国開発援助を行うMDBsから多額の融資を受け、ほとんどが舗装に費やされ無計画な入植と大規模開発による森林破壊を招く原因となった。シコの訴えによって融資が中止されることになり、開発援助における環境配慮の重要性に一石を投げかける事件となった。註4宝福［一九九四］参照。

利用が、森林伐採と土地利用転換による開発に代わる持続的な開発であることが主張された。そして、環境保護と土地改革を兼ね備えた画期的な制度として「採取用保護区」(reserva extrativista)が提案されたのだった。

国際的名声と国内の無関心

イギリスの環境ドキュメンタリー制作者のカウエル(Adrian Cowell)は、エンパッチの写真を新聞で発表し、採取人たちの闘いを国際世論から支援した。支援者たちはシコをワシントンのIDBの年次総会へ送り、アマゾンの環境問題の現状を当事者として訴えさせることで、シコの環境運動の舞台は世界へと広がった。一九八六年、ワシントンへ行ったシコたちは、ドナー国であるアメリカの有力議員に働きかけ、ポロノロエステ計画への出資を停止させる抗議文をIDBへ送らせることに成功する。また、シコはカウエルたちの推薦によって国連環境計画やベターワールド協会から、世界的に評価される賞を受けた。これによってシコは名声を手にした環境活動家として、世界の銀行や政府機関と対峙できる存在になった。

採取人たちのアマゾン熱帯林を守る活動は、世界的な支持と注目を受け強化された。しかし、国際的にはアマゾン環境保護運動のシンボルとなったシコも、ブラジル国内では開発派の勢力や牧場主らの地方民主同盟(UDR)[*16]から憎しみを一身に受ける反逆者だった。その頃アクレでは、エンパッチに手を焼いた地主が、殺人や麻薬取引などの噂の絶えないアルヴェス一家に、カショエイラという大きな採取林を譲渡した。採取人たちはカショエイラに集結し強力なエンパッチを行った。アルヴェス一味の暴力による犠牲がでたものの、シコは報復を主張する仲間たちを説得して非暴力を貫いた。彼は、暴力を用いることで運動の正当性が損な

*16 一九八五年に牧場主らが組織した地域民主連合。多くの牧場主たちがUDRと結託し土地改革の指導者たちを暗殺したといわれている(レヴキン[一九九二])。この組織は表向きには政治的イデオロギーと無関係を主張する親睦組織であったが、実際には土地改革の主体である小農を暴力で弾圧する目的を持った過激な保守組織であった。

われ、味方につけた国際世論が失われれば目的の達成が難しくなることを危惧した。

そして外国人環境活動家たちのロビー活動が実り、アメリカからの出資停止を恐れたIDBは遂に、融資条件であった環境保護プログラム実行までの融資停止をブラジル政府に通告する。この融資条件である環境保護への取り組みを満たすためには、採取人たちが提唱する採取保護林は絶好のプランであった。ブラジル政府はアルヴェスからカショエイラを買い上げ、初の採取保護区として指定することにした。保護区を指定する法律は、マリナらCNSの協力によって採取人の意見を取り入れて作られたものだった。

採取人たちの勝利はアルヴェスのプライドを傷つけた。町にはシコの予告殺人のチラシが撒かれ、暗殺人が町を徘徊してシコを挑発した。シコや周囲の人びとは、知事や連邦警察に必死に協力を求めたが、世界的な環境活動家もアクレでは一介の労働者であり、シコの危機の訴えを真剣に顧みる者はいなかった。結局は有力者の誰もが、採取人たちの正義よりも、牧場主たちの保護者または傍観者であることを選んだ。シコはこの時初めて、非暴力を捨てて武装するとともに、アマゾンの環境よりも採取人命の方が軽視される理不尽さに対し強い怒りを露わにした（レヴキン［一九九二］三二五頁）。一九八八年一二月二二日、シコはクリスマス前に予告通り、アルヴェスが送った暗殺者によって自宅の庭で命を奪われた。

シコ・メンデス。一九八八年七月、アクレ州シャプリの自宅裏庭で。五か月後の一二月にこの裏庭で水浴びに出たところを襲撃され暗殺された。

Chico Mendes in the back yard of his home in Xapuri, Acre, Brazil, in July of 1988. Photo by Miranda Smith, Miranda Productions, Inc., licensed under CC BY-SA 3.0

政治家マリナ・シルヴァとブラジル環境政策スキームの確立

シコは政治の世界に失望していたが、社会変革のためには政治の関与が重要であることを理解していた。採取用保護区を定めるにも法律を作る政府の協力が必要になる。マリナも、持続的な森林利用とアマゾンの人々の生活改善には、民衆運動や市民組織だけではなく政府の力が必要であることを実感していた。そのためには、既得利権を保護する利己的な政治家ではなく、社会正義実現のために行動する政治家が必要であった。マリナは政治の世界への進出を決意する。

一九八八年、リオブランコ市の評議員に出馬したマリナは、森を追い出されリオブランコに流れついた先住民や採取人を相手に、この苦境は農場主をアマゾンに呼び込んだ政策に原因があり、状況を変えるには政府を変えなくてはいけないことや、採取活動によって生活を十分に支えられるだけの収入を上げることが可能であるという研究結果を演説した。彼女の真摯さと客観性は人々の心を動かし、マリナは当選する。マリナはアクレの人々の意識を変革した。もはやアクレの人々は主人（あるじ）に受け身で従う人間ではない。アクレの多くの貧しい人たちが都市のようなインフラではなく、持続的な開発を求めるようになった（Hildebrandt [2001]）。

マリナは一九九〇年には州議会議員に選出される。シコの活躍によって注目されたブラジルは、九二年の国連環境開発会議（リオ地球会議）の舞台となった。森林減少への取り組みに対する世界からのプレッシャーを受け、ブラジルの環境NGOや先住民団体、労働組合など多様な社会運動組織が集い、プレフォーラムが行われた。この機会はブラジルの様々な環境・社会運動組織間のつながりを生み、集合行動によって環境政策に市民の意見を反映させる力を与えた。この過程を通して、ブラジルの環境政策の特徴である、市民団体が政府と対立ではなく環境政策の策定に関与していく仕組みが出来上がる（Alonso and Maciel [2010]、舛方[二〇二二]）。

一九九四年、マリナは最高得票で連邦上院議員に当選する。議会では環境保護と持続的開発や生物資源と伝統的知識の保護を訴え、生物多様性の法案を提案した。また、彼女は上院に当選した初めての非富裕者層出身者として、周縁で生じている暴力、先住民の虐殺や土地からの追放を世間に知らせた。マリナは立て続けに国際的な環境賞を受賞し、世界で著名な環境保護政治家となった。

二〇〇三年に大統領に就いたPTのルーラ政権は、市民社会の指導者たちを積極的に登用した（Nunes and Peña [2015]）。環境大臣に抜擢されたマリナは、環境市民団体とともに森林減少阻止に必要な政策を策定した。アマゾン地域の森林減少の防止・管理のための行動計画（PPCDAm）では、周縁部の違法森林伐採取り締まりのための衛星監視システムの導入や不法伐採の厳罰化、保護区域の拡大、各州の森林保護プラン策定などに取り組んだ。これらは絶大な効果を発揮し、アマゾン熱帯林は〇五年から一一年にかけて、森林面積減少率五〇パーセント減を達成して世界中を驚かせた。何よりも、森林減少は低下したにも関わらず大豆および食肉生産量は成長を続けたのである。[*17]

マリナは、持続性を中心に置いた政策転換を、環境問題だけではなく社会、経済、政治などの分野にも貫いた。彼女はブラジルが、環境・社会・人権においてより広く社会正義を実現し、世界をけん引する模範となることを望んだのである。

*17 Nepstad, Daniel et al. [2014] "Slowing Amazon deforestation through public policy and interventions in beef and soy supply chains," *Science*, 344 (6188), pp.1118-1123.

活動の技法から生まれた非暴力と女性参加

ここからシコとマリナ、そして彼らを取り巻く人々の活動を支えた思想について整理する。シコやマリナの環境保護運動には、いくつかの共通した態度があった。これは思索から生まれた思想というよりは、彼らが活動を通して獲得した行動理念と呼ぶことがふさわしい。ひとつは、敵対する相手であっても否定せずに相手の意見を聞き、共に進める道を模索しようとした対話の姿勢である。マリナはこの多様性受容における教育の役割を指摘している（Hildebrandt [2001]）。他者との連帯においては、価値観が違うもの同士による譲歩を伴う関係が必要になる。教育を通して外界の多様な価値観を知ることは、自分の価値観が唯一でないことを受け入れる経験を与える。これは採取人らと先住民や環境活動家、また市民団体や政府などと協力関係構築と連帯において重要になった。シコにとってはタヴォラが重要な役割を果たし、マリナにとってはＣＥＢsと解放の神学での学びがそれとなった。団結して世界を変えていくために教育が必要だという考えは、プロジェクト・セリンゲイロへと結びついていった。

また、ゴム採取人の抵抗活動において象徴的な非暴力の抵抗は、経験によってシコが学んだ戦略から生まれている（メンデス［一九九二］）。ピニェイロの暗殺事件が起こった時、実行犯に報復をした採取人たちは、警察によって拷問にかけられた。暴力に対する報復は報復を呼び、組織の弱体化につながった。シコは、暴力に頼らず抵抗活動を強化するための活路を、権力によって歪められない外部からの注目に見出した。また、もう一つピニェイロの死によって学んだことは、リーダーシップの集中は、それが損失した場合に組織の活動を停滞させるということであった。シコは、抵抗活動の強化と長期化には、広く内外の人びとの賛同と参加が必要だと考えるようになった。これらはシコが外部の多くの人々と協力をし、外部の世界に状況を訴える行動へとつながっていく。

次に挙げられるのが、ジェンダーの公平な活躍の機会である。初期のエンパッチへのリクルートでは、ＣＥＢsの聖書教育が土台として機能していたため女性の勧誘が容易であった。また、解放の神学の精神に則ったＣＥＢsは男女平等をうたい、女性の社会変化を起こす力を評価していたため、女性の抵抗運動への参加推進につながった。活動を広く強固にしていく過程で先住民と採取人らが連帯したように、シコは女性も必要な力であると考え、女性の積極的な発言やリーダーシップが当然に受け入れられる環境を作り上げた。マリナのみならず、多くの女性たちがシコとともに、または違う場所で同じ目的のために立ち上がり、ブラジルの農村運動を率いる指導者となった（Shanley et al.［2018］）。

社会環境保護主義と環境政策決定プロセスへの市民参加

社会環境保護主義は、ブラジルで生まれ北欧諸国で主流となった、環境問題と社会問題の解決を共に追及する環境思想である。[*18] ブラジルにおけるこの思想形成と発展には、シコら採取人たちの大規模開発に対する抵抗活動の歴史が深く関与した。そしてこの思想は、国内外の多様な民衆運動、そしてマリナと市民団体の協力による政策へのコミットメントを可能にしたブラジル環境運動の発展に影響を与えた。

シコやマリナらの環境運動に一貫するのは、自然環境保護だけではなく、自然にも人に対しても搾取のない社会の実現を求める点である。死を目前にしたシコの慟哭は、環境保護が人権や人の命よりも重視されることへの怒りであった。彼らは自分たちが抱える問題がすべて、利己的な利益追求のために人間や自然を蔑ろにする傲慢さから生じているものであることを突き止めた。人間から搾取するシステムは、自然からも収奪する価値観を持つ。環境と社会の両方に対して公正な社会の追及には、自分以外の他者や環境を尊重し、自らの所有を手放すことを厭わない、私利を脱却した価値観が必要になる。

初期の採取人たちの抵抗運動の中でのエコロジー思想は、世界の注目をアマゾンに向けさせるための手段であって目的ではなかった。採取人と先住民や環境活動家たちが協力を始め

＊18 Hochstetler, Kathryn and Margaret E. Keck［2007］*Greening Brazil*, Duke University Press.

た時、採取人の目的は居住権の保証であり、協力関係は目的達成のためと考えていた。だがやがて、採取人が森林伐採を阻止することも、先住民の権利を守り文化を尊重することも、環境破壊を防止して世界人類の未来を守ることも、すべては同じ社会正義の実現に集約されることを理解した。採取人らの理解を支えたのは、彼らが森に生活する中で経験的に得てきた自然の摂理への理解だったのではないか。森を構成する命の一部として生態系に結び付き、森の恵みを受け、自然に影響を与える意味を理解する。この自然の一部としての自己への観察は、短絡的な利己主義が不可逆的な破壊へつながることを理解させた。

シコらはまた国家や世界に向けて、環境保護の文脈から開発に対する資本主義経済の物質主義的価値観の見直しを迫った。シコは採取人と牧場主の問題は個別の問題ではなく、資本主義経済の歪んだ配分によって、さまざまなレベルやスケールで発現する普遍的な問題であることを指摘している（メンデス［一九九二］）。彼らがゴム採取林でおかれた債務労働の構造と同じく、ブラジルは先進国からの融資返済にがんじがらめになった一次生産供給国であった。先進国の援助が与えたダムや鉱山や技術は、民衆の幸せや生活向上を奪いこそすれ、もたらすことはなかった。マリナは「本当の幸せは人や自然が無理なく人生の意味を満たすことで、所持することではない。消費の目的が所有することになっていて、それが人生を満たすものではないことが問題。この道を進むと人類は破滅に向かう」（Hildebrandt［2001］94）と指摘している。

ブラジルの環境政策は、新興国にありがちな環境破壊大国のイメージとは裏腹に、策定プロセスに市民団体が関与する民主的なプロトコルが確立している（Boucher［2014］、舛方［二〇二二］）。シコの国際的な森林保護活動とその死は、リオサミット開催のきっかけとなって社会運動組織と環境運動組織のつながりを生み、ブラジルを市民参加の環境政策の国へと発展させたと同時に、環境運動を世界的なものにした。マリナが環境大臣として市民団体と取り組んだ政策による森林減少対策の成功は、官僚的政策から脱却すれば環境政策は十分に効力を持ち得ることを世界に証明した。

森林伐採への抵抗運動から始まった採取人たちの闘いは、環境と人権の社会的正義を求める闘いへと変化した。それは抑圧者の利益を損なうものであったため、常に脅迫や暴力の対象となった。死や暴力の恐怖にも打ち勝ち、活動を続ける彼らの勇気はどこから生まれたのだろう。自然の美しさと生命が破壊されること、人が搾取され苦しい労働と貧困に耐える生涯を送らなくてはいけない理不尽さに強い悲しみを覚え、それを変えたいと願う気持ちではなかったか。シコとマリナの環境活動には、根底に流れる「自然と生命への深い愛情」があった。

連帯による環境と人権への支持

シコらの環境運動が突き付けたように、グローバル資本主義経済の物質主義の価値観は、遠く見えない一次生産地の自然や人権を収奪し破壊しうる。それに対する意識喚起の声が、最も逼迫する当事者である民衆から出るのは自然なことである。植民地であり債務国であり新興国であるブラジルには、その役割を持つ当事者たちがたくさん存在してきた。アマゾン奥地のゴム採取人たちが命を懸けた運動は、世界中の当事者たちの勇気と行動を喚起し、世界に「社会正義ある世界を実現するために、私たちはどのような価値観を持つべきか」と問う。

注意すべきは、声を上げる当事者の増加は状況の好転に直結していないことである。ブラジルではシコ以降も、毎年土地改革にかかわる多くの人々の命が奪われている。シコが命を懸けてアマゾンの森の非暴力の闘いを世界に知らしめてから三〇年以上がたつ。世界の注目や世論は暴力の抑止に役立つが、世界的に有名になったシコの危機が地元では顧みられなかったように、受動的な世論には限界がある。多くの人々は自分の消費の結果が、どこかの誰かの命をかけた戦いを生んでいるとは夢にも思わない。社会正義を実現しようとする人々の命を守るには、世論と外部からの視線から、真剣な行動へ移行する必要がある。

では、私たちは何を行動の模範とすればよいのか。社会環境主義とともにブラジルで培われたものに連帯経済がある。連帯（Solidarity）は、自分の利益のために協力する連携と異なり、社会や環境が良くなることを利益ととらえ、時には自分の利益を手放す必要も受け入れる。非暴力の闘いには、集会・デモ・購入ボイコットなど私たちにできることも、シコが抵抗運動においてこだわり続けた非暴力の闘いの方法である。非暴力の闘いの成功は、指導者が受動的な民衆を動かすのではなく、多くの自覚した民衆の参加によって達成されるものである。私たちが真に連帯し闘いの当事者のひとりとなるためには、能動的な強い意志による自己の変革が必須になる。

社会正義ある環境と人の未来を目指して

変革の例として、シコらの活動は当事者として既にいくつかの選択肢を示している。採取用保護林はコミュニティフォレストのひとつであり、話し合いと参加者の総意によって運用が決められる。採取用保護林は、自然の姿を変えなくても開発が可能であることを示し、効率を追うことの是非を問うた。森林と人の暮らしを破壊してまで利益を出して追い求めるものは、人生を豊かにする価値のあるものなのか。開発の目的は人を豊かにすることであるはずだが、開発は人を豊かにしたのか。

マリナの環境大臣時代に達成された森林伐採率減少で重要なのは、伐採率減少のみではなく、それが経済成長と不法な土地利用や労働搾取のない、社会正義の進歩とともに実現したことである。技術革新や新しい農法を導入することで、農地を広げるよりも高いコストではあるが、経済成長が可能なことを示した。私たちが生活スタイルや消費の向こう側にある環境問題と人権のために何を選択すれば良いか、オルタナティブは既にできている。それを実装できるかどうかはコミットメントの問題である。

一九九〇年代以降の森林伐採は、政策ではなく自由市場の経済動向によって左右されるプロセスに入った。二〇〇四年から一一年までの森林面積減少率の低下のほぼ半分が五〇〇ヘクタール以上の大規模な所有地で起こっており、一〇〇ヘクタール以下の小規模な農地では一二パーセントしかなかった。[*19] 持続可能な調達計画を求め企業への圧力を与えることは、森林面積減少に効果的である。[*20] 現在、EU諸国は不法な森林伐採が関与するコモディティの輸入禁止制度が検討され、アメリカでも同様の法案が挙げられている。

利己的な利益の追求が根底にあれば、環境から収奪する価値観のあるところには必ず人に対する搾取が生まれる。債務労働制度は今も、バナナやカカオ契約農家への肥料代等の前貸しや、移民が労働する際の仲介業者への雇用手数料など、一次産業で経済効率を上げるために利用されている。日本では技能実習生制度も実質的に債務労働の側面を持つ。環境への影響だけではなく、人権にとっての正義もサプライチェーンで注視しなくてはならない。すでに一九九二年のリオ地球サミットで、セヴァン・スズキは環境と社会と経済の分かちがたい関係から環境問題をアラートする演説を行っているが、いまだに社会環境主義の考え方はまだ多くの社会で十分に理解されているとは言い難い。SDGsのビジョンには社会環境主義思想

＊19 Godar, Jabier, Toby A. Gardner, Jorge E. Tizado and Pablo Pacheco [2014] "Actor-specific contributions to the deforestation slowdown in the Brazilian Amazon," *Proceedings of the National Academy of Sciences*, 111 (43), pp.15591-15596.

＊20 Boucher, Dough [2014] "How Brazil has dramatically reduced Tropical deforestation," *Solutions*, 5 (2), pp.66-75.

があるが、理解されなければ形骸化し環境ウォッシュを生み出す仕組みになる恐れもある。

資本主義から社会正義ある社会を実現するためのパラダイムシフトはどのように実現されるのか、新しい価値観を広めるには何が必要なのか。森林居住者たちは自然への理解が、社会問題と環境問題の関連性の理解を可能にした。自然と分断された都市住民はどうすれば理解できるか。これに応えない限り、私たちの市場経済での役割は農場主と同じ側に立つ。シコが、採取人たちが命をかけて私たち外部者に伝え、求めたものは何か。私たちは当事者たちの声に対して知る・見守る段階から、能動的な選択と行動へのシフトを求められている。

【読書案内】

Mendes, Chico e Grzybowski, Cândido［1989］*O testament do Homem da Floresta: Chico Mendes por ele mesmo*, Rio de Janeiro: Fase（メンデス、シコ［一九九一］『アマゾンの戦争――熱帯雨林を守る森の民』トニー・グロス編、神崎牧子訳、現代企画室）.

Alonso, Angela and Maciel, Débora［2010］"From Protest to Professionalization: Brazilian Environmental Activism After Rio-92," *Journal of Environment and Development*, 19 (3), pp.300-317.

Cesar, Marilia de Camargo［2012］*Marina: A vida por uma causa*, São Paulo: Editora Mundo Cristão.

Hildebrandt, Ziporah［2001］*MARINA SILVA: Defending Rainforest Communities in Brazil*, New York: Feminist Press.

舛方周一郎［二〇二三］『つながりと選択の環境政治学』晃洋書房。

Löwy, Michael［2015］*Ecosocialism: A Radical Alternative to Capitalist Catastrophe*, Chicago: Haymarket Books（レヴィー、ミシェル［二〇二〇］『エコロジー社会主義――気候破局へのラディカルな挑戦』

寺本勉訳、柘植書房新社).
Nunes, João and Alejandro Milciades Peña [2015] "Marina Silva and the rise of sustainability in Brazil," *Environmental Policies*, DOI:10.1080/09644016.2015.1008682.
Shanley, Patricia, Fatima Cristina Da Silva, Trilby MacDonald and Murilo da Serra Silva [2018] "Women in the wake: expanding the legacy of Chico Mendes in Brazil's environmental movement," *Desenvolvimento e Meio Ambiente*, 48, pp.140-163.
Revkin, Andrew [1990] *The Burning Season: The Murder of Chico Mendes and the Fight for the Amazon Rainforest*, New York: Harper Collins (レヴキン、アンドリュー[一九九二]『熱帯雨林の死――シコ・メンデスとアマゾンの闘い』矢沢聖子訳、早川書房).
Rodrigues, Gomercindo [2007] *Walking the forest with Chico Mendes: Struggle for justice in the Amazon*, edited and translated by Rabben, Linda, Austin: University of Texas Press.
Souza, Márcio [2005] *A luta de cada um*, São Paulo: Instituto Callis.

シコ・メンデスに関する文献は二冊の日本語訳の書籍が出版されている。メンデス[一九九一]は暗殺される直前のシコのインタビューから構成されたもので、シコ自身の言葉で半生や彼を取り巻く状況が語られ人柄が伝わる。レヴキン[一九九二]は環境ジャーナリストのレヴキンの詳細な取材によるドキュメンタリーであり、当時のアマゾン熱帯林を取り巻くブラジルや世界情勢の理解が深まる。英語ではマリナ・シルヴァの近年の活躍も含んだ Shanley et al. [2018] がシコからの女性の環境運動参加の流れを説明している。Cesar [2012] はポルトガル語だが、マリナの半生を瑞々しく描いておりお勧めである。ブラジルの環境運動については舛方[二〇二二]が第二章でその変遷を考察している。

(石丸香苗)

―コラム― フラヴィア・アマデウ――デザインで世界を変える

ブラジリア在住のデザイナー、フラヴィア・アマデウ（Flavia Amadeu 1978-）は、アマゾン地域の環境とコミュニティの生活・文化を守るための活動を行っている社会起業家でもある。ブラジルでは社会問題解決や社会包摂のために活動するソーシャルデザイナー、特に社会的に脆弱な人々や先住民コミュニティの工芸活動を支援するデザイナーが注目されているが、アマデウもその一人である。先住民の伝統文化であるゴム工芸を通したアマデウの取り組みは多岐にわたっている。

ブラジリア大学でデザインの勉強をしていたアマデウがアマゾンの問題に取り組むきっかけとなったのは、修士課程の「アート&テクノロジープロジェクト」で出会った、同大学化学ラボの「アマゾンのゴム生産と工芸生産のためのテクノロジープロジェクト」である。自然資源の経済的活用から環境保全を実現するという生産型環境保全のあり方を模索し、アマゾン熱帯雨林を守るための非木材（魚、種子、果物、自然オイル、ゴムなど）製品の開発に取り組んでいた。そのラボが開発したのが、ゴムの木の樹液を様々な色彩のシートに加工するセミ・アートファクト・ラバーシート（FSA）と呼ばれる、簡易かつ環境面に配慮した生産手法で、工芸制作に適していた。アマデウは二〇〇四年からこのラボと連携し、ワークショップを通して、現地コミュニティでFSA手法の技術移転をはじめた。また、コミュニティ自身がゴム製品を開発したり、起業できるようにデザインの知識やノウハウを提供している。デザインの力でコミュニティが作るゴム製品も、文化的価値の高い売れる製品に変わっていく。さらに、アマデウは現地で加工されたラバーシートをコミュニティから適正価格で継続的に購入し、そのラバーシートを使って、自身がデザインしたオーガニックジュエリーやバッグなどを生産している。製品は Flavia Amadeu ブランドのウェブサイトでもオンライン販売されており、現地での活動も紹介されている。取り組みは世界自然保護基金（WWF）やシコ・メンデス（第15章参照）ゆかりのNGOなどとも連携しながら展開され、美術館での展示からSNSまで様々なチャンネルを利用した情報発信にも力を入れている。アマデウの活動は、現地コミュニティにとって、収入の増加、環境保全、伝統文化の回復、自然素材の活用促進、創造性の開発や地域文化活動の活性化などにつながり、都市部と農村の交流・連携、伝統文化・地域自然素材の評価、倫理的消費の促進、最終的には持続可能性にかなった価値観やライフスタイルへの転換を進めるものとなっている。

このような活動と並行して、アマデウは英国のロンドン・カレッジ・オブ・ファッション博士課程において、アマゾン地域を事例としたソーシャルイノベーションやデザインと工芸の共生をテーマにした研究を行い、博士論文「デザイナー・地域生産者間のケイパビリティとインタラクションに関する考察——アマゾン熱帯雨林のゴムの素材性を通して」にまとめている。学術的なアプローチは、活動の意義を再確認し、それ以後の取り組みを補強することにもつながっている。修士課程で出会ったシコ・メンデスの思想と運動は、博士課程の研究でさらに深く知ることになった。デザインを通して自分の進むべき道を見つけたアマデウは、アマゾン地域との交流・連携においてすでに一八年（二〇二二年時点）の経験を持っている。国内外のファッション企業がブラジルの天然素材を活用できるようにするため、AMADEU-Amazonian Materials & Design United（アマゾンの素材とデザインの連合）という会社を立ち上げ、アマゾン地域をはじめとする様々な天然素材とその知見を提供・供給するBtoB（企業から企業への製品・サービスの提供）戦略を実施するようになった。現在も国内外の展示会、エコファッションウィークへの参加、オンラインでの講座、アーティストとの連携、各種受賞など、活動の舞台を広げている。

Flavia Amadeu ブランドのウェブサイト flaviaamadeu.com.br
AMADEU-Amazonian Materials & Design United のウェブサイト www.amadeumaterials.com

（鈴木美和子）

フラヴィア・アマデウ
Photo by Renata Mosaner

第16章　開かれた空間による連帯が政治を動かす——シコ・ウィッタケル

一九九〇年代以降、経済のグローバル化により多国籍企業が「帝国」として君臨し、世界のあらゆる地域において社会階層間の格差が拡大し、環境問題を含むさまざまな社会的課題が深刻化し続けている。新自由主義的改革を推し進める国家の政治システムのなかで民主主義が形骸化していることを批判、告発し、社会の現状を変える力として、市民社会による社会運動が高揚している。ウォール街占拠運動、[*1]反レイシズム運動、#MeToo運動[*2]など、倫理的で公正な社会構築を目指し、真の民主主義社会を求める市民自身による運動が、国境を超えて連帯する動きを見せている。日本でも、東日本大震災と福島原発事故を契機に社会運動への関心が強まり、多くの実践が試みられた。そのなかには原発に反対する運動もあるし、被災地への支援や被災地内での共助の運動もある。反原発運動は六〇年代にピークを迎えた反公害運動を引き継ぐものであるが、広範の市民による支援活動は新しいものであった。

本章で紹介するシコ・ウィッタケル（Francisco Whitaker Ferreira　通称Chico Whitaker　1931-）は、日本の原発事故に深い関心をよせ、原発の廃棄の必要性を世界に発信してきた。しかしそれは彼の運動の一つに過ぎない。ウィッタケルは、ブラジル社会が歴史的、構造的にもつ不平等、差別や偏見、それらの背景にある権威的・エリート中心主義の政治体制を批判し、また経済のグローバル化によって悪化した社会格差や環境問題の解決に向けて、住民や市民と連帯し、草

シコ・ウィッタケル（二〇一四年撮影）
Chico Whitaker, Brazilian architect, politician and social activist Photo by Heinrich-Böll-Stifung, licensed under CC BY-SA 2.0

＊1　Occupy Wall Street　二〇一一年秋から一二年早春までニューヨーク市ズコッティ公園を中心に展開した抗議運動。

＊2　「#MeToo」をつけて性暴力の告発をオンライン上に投稿する行動をもとに二〇一七年以降展開された運動。

の根からの変革を試みてきた。彼が歩んだ道はブラジルの民主主義運動そのものである。

ウィッタケルが関わってきた活動のなかでも特筆すべきは、社会運動を「世界社会フォーラム」（詳細は後述）というグローバルな連帯として実現し、その活動を通して、多様性を尊重する社会構築を可能にするための鍵は「開かれた空間（espaço aberto）としての議論の場」にあると実証したことにある。資本主義によって奪われてきた民衆の自由な議論の空間の創造は、市場経済至上主義がもたらす分断と破壊とは異なるオルタナティブな社会を求める世界中の人々への重要な指針となった。

ウィッタケルは、社会を豊かにした功績に対して贈られる、「もう一つのノーベル賞」とも呼ばれるライト・ライブリフッド賞（Right Livelihood Award）[*3]を二〇〇六年に受賞し、一二年には持続可能な社会構築に貢献した「世界のエンリッチ・リスト」[*4]に名を連ねている。

「都市開発」が伝えたブラジルにおける格差の現実

ブラジルの社会運動において重要な歴史を刻んできたウィッタケルであるが、彼自身がはじめに自分の生業として選んだのは建築家であった。一九三一年、サンパウロ州サンカルロス市に生まれ、サンパウロ大学で建築都市学を専攻した。学生の頃からカトリック学生連盟（A Juventude Universitária Católica：ＪＵＣ）に所属し、五三年から五四年には代表を務めていた。カトリック教会の全国組織であるブラジル全国司教協議会（Conferência Nacional dos Bispos do Brasil：ＣＮＢＢ）の創設は五二年であるから、ウィッタケルはブラジルにおいて「解放の神学」の思想が育ちつつある時代に、学生としてカトリック・アクションの影響を受けていたこと[*5]になる。ウィッタケルの前のＪＵＣ代表でありその後朋友となる下院議員サンパイオにもこ

*3 毎年一二月、ストックホルム（スウェーデン）で表彰式が行われる。他のブラジル人受賞者に、ジョゼ・ルッツェンベルガー（José Lutzenberger 環境活動家）、土地なし農民運動／土地司牧協会、レオナルド・ボフ（第6章参照）、アーウィン・クロイトラー（Erwin Kräuter カトリック司祭）、ダヴィ・コペナワ（Davi Kopenawa 先住民ヤノマミ族リーダー）がいる。日本の受賞者は脱原子力運動の高木仁三郎（一九九七年）、生活クラブ（八九年）。

*4 The (En)Rich List 二〇一二年にポスト成長研究所（Post Growth Institute 米国オレゴン）により発表された。ブラジル人受賞者はほかにパウロ・フレイレ（第5章参照）、シコ・メンデス（第15章参照）がいる。

の活動を通して出会っている。
学生時代JUCの活動にかかわったことは、その後のウィッタケルの人生に深く影響している。そのひとつが、フランス人ドミニコ会司祭のルブレ神父[*6]の思想との出会いである。ルブレは、開発計画立案において住民の生活の正確な実地調査を何よりも重要視し、政府開発プログラムを真に地域発展につながるものとするための調査方法を実践していた人物である。彼が一九四七年ブラジルに設立した社会複合応用分析研究所（以下SAGMACS）[*7]は、各地の都市開発の専門機関として機能していた。[*8] SAGMACSのメンバーの多くはJUC出身者であり、ウィッタケルもSAGMACSにインターンとして入り、卒業後そのまま設計士として所属し、サンパウロ市の都市計画事業に関わることになる。
SAGMACSの仕事は、開発計画のプロセスにおいて、従来の「都市計画」では組み込まれなかった専門知識の学際的な調査研究、つまり複数の専門領域から問題の所在を明らかにすることを目指すものであった。特筆すべきは、その地に暮らす住民の生活水準と暮らしのニーズを正確に調査することで、人々の経済的現実を分析し、そしてその調査のプロセスにこれまで関わってこなかった人々の参加を重要視するという性格をもっていたことであった。官僚主導の「伝統的」な調査では、住民に必要な計画は実現しないことを、サンパウロ州、ミナスジェライス州、パラナ州などの現場で経験した。同時にそうしたルブレの思想の実践がプロジェクト実施において直面する困難にも遭遇した。建築家としての人生を歩みながら、ブラジル都市部の抱える貧困、不平等、格差の問題に直面し、社会的課題の解決に「人々の参加」が重要であるという認識はより深まっていった。一九六二年、すでにサンパウロ州やサンパウロ市のアクション・プランなどに関わり活動していたサンパイオが下院議員になり、ゴ

*5 Plínio de Arruda Sampaio（1930–2014）一九六二年にはキリスト教民主党から下院議員となる。労働者党（PT）結党の一員となるが、二〇〇五年に離党し、同年社会自由党（PSOL）を結党し、一〇年には党首として大統領選挙に出馬した。

*6 Louis-Joseph Lebret（1897–1966）フランスの漁村における調査から、人々の生活水準と経済的現実を開発／発展のニーズ分析に用いる学際的調査研究を重んじた。一九四一年に「経済と人間（Économie et humanisme）」研究所を設立し、ブラジルをはじめとする多くの途上国の開発プロジェクトにかかわった開発倫理学の先駆者のひとり。

*7 A Sociedade para Análise Gráfica e Mecanográfica Aplicada aos Complexos Sociais サンパウロを中心に都市開発における経済学、社会学、工学、地学、建築学の学際的調査研究を担った。

*8 Lucas R. Cestaro [2009] *A SAGMACS e o estudo da "Estrutura urbana da aglomeração paulistana,"* Dissertação, Escola de Engenharia de São Carlos da Universidade de São Palulo.

ラール政権下で農地改革担当官になると、翌年ウィッタケルは農地改革庁（SUPRA）の計画局長に指名される。

軍政と亡命、帰国と民主憲法起草

一九六四年の軍事クーデターにより、ゴラール政権下の活動家は逮捕されるか亡命の道を強いられた。ウィッタケルも同様に逮捕されたが、釈放後、六二年にはじまる第二バチカン公会議の決議をCNBBの方針に反映させる第一回共同司牧計画（Plano de Pastoral de Conjunto）[*9]作成の顧問を務め、軍事独裁政権に反対する立場をとった。しかしその活動も束の間、六六年には妻と四人の子どもとともにフランスに亡命する。フランスでは、ルブレが五八年に設立した国際教育開発研究所（Institut international de recherche et de formation éducation et développement）など複数の研究機関で都市開発に関する講義を担当し、ユネスコにコンサルタントとして勤務した。七〇年、アジェンデ時代のチリに移動し、国連ラテンアメリカ経済委員会（CEPAL）で働くが、七三年のピノチェト独裁政権の煽りを受けて、再びフランスに戻ることになる。CNBBの関連組織「支配からの克服をめざす社会連合（For a Society Overcoming Dominations）」などの活動に参加しながら、八一年、約一五年間の亡命生活に終止符を打ち、ブラジルに帰国する。

帰国後、アルンス枢機卿（コラム6参照）のもと、CNBBサンパウロ大司教区の顧問となる。また、サンパウロ失業者連帯協会（Associação Paulista de Solidariedade no Desemprego）の設立にも協力した。一九八五年、民政移管への動きのなか、憲法草案への市民参加を要求すべく生まれた憲法制定サンパウロ人民会議（Plenário pró-participação popular）の設立に関わる。この

＊9　この策定のため、ウィッタケルは一九六五年にローマに渡り、ルブレ本人に出会っている。

＊10　少なくとも五州に分布し、選挙民の一〇分の三を下回らず、かつ全国の選挙民の最低一パーセントにより署名された法案を下院に提出できる（六一条第二項）（矢谷通朗［一九九一］「１９８８年ブ

会議は、憲法制定議会を求める運動の大きな拠点となり、人民発議[*10]の原則を憲法策定に盛り込むことを可能にした。具体的には三万人以上の署名を集めた憲法案、人民修正案（emenda popular）が憲法起草の手続の一部に含められることになった。最終的に提出された人民修正案は一二二件にのぼり、そのうち八三が承認され、その署名数は一二〇〇万におよぶものとなった。[*11]ウィッタケルは「ブラジル各地の州から人々が押し寄せ、署名を集めた法案の山積みの紙の束がどんどんブラジリアの議会に持ち込まれる様は、実に壮観であり、人々の政治参加を実感する瞬間だった」と述べている。[*12]八八年一〇月五日、約二年という長期間の審議を経て、初の民主憲法である一九八八年憲法が制定された。[*13]代表制民主主義のみならず、直接民主主義の手段として、第一四条に「人民主権」が明記された人民発議に関する項目が含められたことは大きな成果であった。

政治の外から政治を変える

一九八八年憲法制定を経験したウィッタケルは、人民修正案提出の経緯から、民衆は主権者として政治を動かすことができる、ようやくブラジルがその時代を迎えたと手応えを感じ、「この民衆参加の原則が、州そして自治体レベルでも出現することが重要」[*14]として、憲法制定人民会議で活動を共にしていたスプリシー[*15]とともに労働者党（Partido dos Trabalhadores：ＰＴ　第10章参照）所属のサンパウロ市議会議員に選出される。第一期目は、エルンジーナ（Luiza Erundina 1934–）市長（ＰＴ）の補佐をつとめ、九〇年には民主主義と人権の尊重を謳うサンパウロ市組織法（Lei Orgânica do Município de São Paulo）の制定に深くかかわり、[*16]市政に民主化の風穴を開ける努力に勤しんだ。九二年に再選されるが、この市議会議員の経験を通してウィッタケルは、

ラジル連邦共和国憲法の制定について」『ブラジル連邦共和国憲法――１９８８年』アジア経済研究所、一五頁）。

＊11 Lopes, Julio Aurelio Vianna [2018] *A carta da democracia: a construção da ordem de 1988*, Rio de Janeiro: Edição do autor, p.40.

＊12 ブラジル下院（Câmara dos Deputados）オフィシャルサイト「憲法制定三〇年：シコ・ウィッタケルの証言（30 anos da Constituição: depoimento de Chico Whitaker）」www.youtube.com/watch?v=-ooLC7A9wwc（二〇二一年一一月四日アクセス）

＊13 ただし最終的には旧来の保守勢力の影響を受けて修正される部分も少なくなかった（矢谷［一九九一］一三〜一四頁）。

＊14 *Folha de São Paulo*, 1 de fevereiro de 1988.

＊15 Eduardo Matarazzo Suplicy（1941–）経済学者、左派政治家。サンパウロ市議会議員、連邦下院議員などを歴任。ＰＴ党員。

＊16 ウィッタケルは法制定の報告官（三人）のうち一人を務めた。

ブラジルの政界に深く根を下ろし真の民主化を妨げている深刻な障壁としての政治腐敗の現状を、身をもって体験することとなる。

一九九三年一一月、サンパウロ市議会議員五六人が不正に歳費を受け取っていたことが明らかになる。月々の総額が一〇万ドルに上る大規模な不正の告発は、三人の住民による訴えに端を発するが、議長に財政の明瞭な開示を要求したのはウィッタケルであった。[*17] 彼自身は不明瞭な歳費に疑問を抱き、起訴が起こる前にすべて返金していた。[*18] また、九三年から市長となったマルフ（改革進歩党）[*19] 政権下では、議決を得ずに市の財産が民間企業に譲渡されている事実が明らかとなり、彼は一議員として告訴に加わった。[*20]

「政治家」となり、政治の内部の「仕組み」を実感した経験は、彼のその後の人生の方向性を決定づけた。「権力の外に出て、市民社会を強化する仕事をしよう」、そしてこれからは、「市民社会のなかでの教育を行なおう」（ウィッタケル［二〇一〇］一七〇頁）という意思のもと、一九九六年に市議会議員を辞職した。自分自身の行動の場として政治の舞台ではなく市民社会の空間を選び、そこから政治を変える決意を抱き、活動の拠点をＣＮＢＢの関連組織「ブラジル正義と平和委員会（Comissão Brasileira Justiça e Paz：ＣＢＪＰ）」に移し、事務局長として活動を開始する。

政治汚職の根幹をなす政治家による収賄行為の蔓延は、政治家としての人生経験を経たウィッタケル自身が取り組む重要なテーマとなる。一九九四年、彼は『詐欺師を追い払う思想』（Whitaker［1994］）を出版し、ＣＢＪＰのイニシアティブで「選挙汚職撲滅キャンペーン」（Campanha “Combatendo a corrupção eleitoral”）を始動し、政治汚職に厳罰を与える法案を、憲法第一四条の人民発議として議会に提案するための活動に従事する。それは、「票買い」つまり有

＊17 *Folha de São Paulo*, 13 de janeiro de 1994.

＊18 有罪判決が出たのは一七年後の二〇一一年のことであった。結果として五五人の元市議会議員が計五三〇万レアルの返還を求められた（*O Estado de São Paulo*, 11 de fevereiro de 2011）。

＊19 Paulo Maluf（1931–）Partido Progressista Reformador. 中道右派。現在の進歩党。

＊20 *Folha de São Paulo*, 30 de desembro de 1994.

＊21 Lei Nº 9.840, de 28 de setembro de 1999. Lei da corrupção eleitoral; Lei de compra de voto この前年の一九九八年、八八年憲法の国民主権の原則を実際に施行できるようにするため、人民発議

権者に金銭的便宜を与えて投票数を獲得する、ブラジルのコロネリズムに由来する「伝統的な」汚職を罰する法律であった。全国のCNBB支部、ブラジル弁護士協会（Ordem dos Advogados do Brasil）など二〇以上の組織が協力し、九七年、人民発議に必要な一〇〇万超の署名を集め、九七年の選挙法（法律第九五〇四号）に追記する形で、九九年に「収賄禁止法」の法案が承認された（法律第九八四〇号）。[*21]

この一連の運動は、八八年憲法により保障された直接民主主義制度を履行するには、多様な社会運動、市民団体が連携し合い、ひとつの目標に向かって協力することが必須条件であり、そしてその動きさえあれば法律を変え、政治文化の民主化に向けてブラジルは前進できることを明らかにした。すなわち「人々の力で社会を変えることができる」実践例となったのである。

連帯のための空間を創る——世界社会フォーラム

ブラジル国内の政治文化への挑戦と時を同じくして、新自由主義に基づく経済のグローバル化が社会を大きく歪めつつあった状況についてもウィッタケルは注視していた。一九九〇年代後半にはすでに「反グローバリズム運動」が世界各地で生まれていたが、資本主義に対抗するだけの運動から、オルタナティブを提示する社会運動のあり方が模索されていた。後に、ウィッタケルの社会活動の代名詞となる「世界社会フォーラム」[*22]の概念が生まれたのは、「収賄禁止法」法案承認の翌年のことである。

二〇〇〇年一月、ブラジル人企業家で、企業の社会的責任への意識を高める組織を設立していたグラジェウ[*23]は、当時パリにいたウィッタケルに「われわれは、ダボスの世界経済フォーラムにはっきりと対抗する、世界社会フォーラムという名前の会議を開くべきではないか」と相

法案（Lei de iniciativa popular）が提出され、それは九八年、カルドーゾ政権で法令化された（法律第九七〇九号）。

＊22「世界社会フォーラム」については邦語でも数多くの書籍（フィッシャー、ポニア編［二〇〇三］、センほか編［二〇〇五］、ウィッタケル［二〇一〇］、上智大学グローバル・コンサーン研究所、国際基督教大学社会科学研究所共編［二〇一〇］）がある。本章で述べている発足時のエピソードについては田村［二〇一二］を参照。

＊23 Oded Grajew（1944–）　イスラエル、テルアビブ生まれ。ポーランドに移民し、一九五七年にブラジルへ移住。七二年玩具会社（Grow Jogos e Brinquedos）設立後、八〇年代後半から子どもの権利保護運動に関わり、九八年にInstituto Ethos（企業倫理研究所）設立。グラジェウは二〇〇三年、ルーラ政権での特別補佐官として企業との調整役を務めたが、同年に離職した。シティズンシップのための企業家のアソシエーション（CIVES）、「私たちのサンパウロ・ネットワーク（Rede Nossa São Paulo）」設立代表。

談する。彼は、市場経済至上主義を「単一思考」ととらえ、ダボス会議が世界の全ての決定権を持つ機関として君臨する現状に疑問を感じていた（ウィッタケル［二〇一〇］）。世界が資本主義を中心に回りはじめ、多国籍企業への富と権力の集中がさらに激しさを増す現状を問題視していたウィッタケルは、グラジェウとともにフランスのル・モンド・ディプロマティーク誌編集長でATTAC[*24]代表であったカッセン（Bernard Cassen 1937-）に会いに行く。一九九八年、多国間投資協定が公式に提案された時、ル・モンド・ディプロマティーク誌がこの協定の不条理性を暴露したことがきっかけで抗議運動がおこり、フランスが協定交渉を取りやめたこと、ATTACの活動がその成果に貢献していたことを知っていて、社会運動が市場主義の暴挙を制御できる事実を実感していた頃でもあった（Whitaker [2006]）。

カッセンはそのアイデアに賛同し、ダボス会議と同日開催にすることでその意図が明確になるとした。開催地についても、南の国から生み出されるという象徴的意味を持たせるために、ブラジルで実施すべきだとして、当時住民参加型予算の取り組みで著名な都市であったポルトアレグレでの開催を提案した。グラジェウとウィッタケルはブラジルに戻り、国内の八つの市民社会組織[*25]の協力と、開催候補地のポルトアレグレ市とその所在州であるリオグランデドスル州の両政府[*26]の後援を取り付け、翌年一月の開催に向けて準備を進めた。同年六月、国連社会開発特別総会のNGO部会のために世界の社会運動組織が集まったジュネーブで、二〇〇一年一月の世界社会フォーラムの開催をアピールした。

こうして世界社会フォーラムは、新自由主義が支配する世界を拒否し、人間、環境、社会が最優先とされる「もう一つの社会は可能だ！」というスローガンのもと、世界の無数の市民社会組織が集まる祭典となった。予想では二五〇〇人程度と見積もられていた参加者は、ラテ

＊24 Association for the Taxation of Financial Transactions for the Aid of Citizens 新自由主義的グローバリゼーションに対抗し、世界の貧困問題の解決のための為替取引税の導入を目指す組織。一九九八年設立。www.attac.org/

＊25 ブラジルNGO協会（ABONG）、ATTACブラジル、CBJP、CIVES、労働者統一本部（CUT）、ブラジル社会経済分析研究所（IBASE コラム16参照）、社会正義研究所（Center for Global Justice：CGJ）、土地なし農民運動（MST コラム9参照）。

＊26 当時は市長、州知事ともに労働者党であったが、開催の主催はあくまで市民社会組織であり、州政府と市政府は後援という立場での参加を提案した結果、認められた（Whitaker [2006]）。二〇〇三年から州政府はPMDB政権となったが、同年および〇五年もポルトアレグレで世界大会が開催されている。

ンアメリカのみならず、ヨーロッパ、北米、アジア、アフリカから訪れた二万人に上った。翌年の参加者は五万人、その翌年は一〇万人と参加者数は激増し、年一回の大会のほかに地域別・テーマ別フォーラムも開催されるようになった。二〇〇三年に初のアジア社会フォーラムがインドのハイデラバードで開催されたことが契機となり、〇四年は初めて世界大会がブラジル以外の場所、インドのムンバイで開催され、約一二万人が参加した。翌年は再びポルトアレグレでの開催となり、参加者は大会史上最大数の一五万人に上った。

二〇〇一年以降、国境を越えてあらゆる種類の市民社会組織を有機的につなぐ存在として、世界社会フォーラムはこれまでになくオルタナティブを可視化するものとなった。七五歳の時に受賞した〇六年のライト・ライブリフッド賞も、これまでの地球規模の社会的課題の解決への功労を称えるものであった。しかしウィッタケルはその後も、グローバルにそしてローカルに、社会正義のための挑戦を続けている。

『世界社会フォーラムの挑戦』(Whitaker [2005]) はスペイン語、イタリア語、フランス語、英語など複数の言語に翻訳された。

「開かれた空間」に託される社会運動の連帯の可能性

社会を変えるためにウィッタケルがこれまで行動してきた思想を端的に示す言葉として、社会正義、連帯、ネットワーク、そして空間といった概念が思い起こされる。ことに空間は、「世界社会フォーラムは空間か、運動か」という、フォーラムの存在意義の議論において常に注目されるキーワードである。この論争はフォーラム設立時から存在しており、二〇〇一年第一回大会後に国際評議会で定められた憲章では「世界社会フォーラムは、新自由主義、資本主義やあらゆる形態の帝国主義に反対し、人類の間の、ならびに人間と地球の間を豊かに結びつける、グローバル社会を建設するために行動する市民社会のグループや運動体による、思慮深い考察、思想の民主的な討議、さまざまな提案の作成、経験の自由な交換、ならびに効果的な活動を行うためにつながりあうための、開かれた集いの場である」とし、さらに「世界社会フォーラムの諸会合が、世界社会フォーラム全体を代表して審議を行うことはない。(中略)フォーラム全体としての確立した立場であると認識させることを目的とした提起や宣言について、全体としての採決を求めてはならない。(中略)参加する諸団体や運動による相互関係や行動についての唯一の方向性が設定されることはない」[*27]と明示されている。しかし、リーマンショック後、資本主義が破綻を見せた今この時こそ世界社会フォーラムとして市民社会側、社会運動側からの具体的な宣言を強く求めるべきだという主張が再燃した。

ウィッタケルの主張は「フォーラムは空間であり続けるべき」と、憲章そのものに一貫していた。彼はフォーラムを運動そのものではなく、新自由主義による経済の世界的支配に対する「闘いに資するべくつくりだされた道具」であり、「資本の支配に対抗する闘いにおいて私たちが用いることのできる、最も重要な手段のひとつ」として捉え、「世界を変えるために闘う者たちの結節点を増やし、連携を構築するひとつの過程」であるとする(ウィッタケル[二〇一〇]三三一〜三五頁)。ウィッタケルの主張は、人が人として生きるために必要とされるアレント[*28]の公共的空間の思想、そして合意形成のためのコミュニケーション的行為を可能にするハーバーマス[*29]の生活世界の思想と軌を一にする。

フォーラムが空間でなければならない理由を、彼は「広場」という表現を用いて説明する(ウィッタケル[二〇〇五])。広場は、多少の起伏はあっても、水平的な空間である。公的な場所で、持ち主はいない。一般に開かれた空間で、すべての人が訪れることができる。建築家として空間の重要性を認識していたウィッタケルにとって、フォーラムが広場=空間であること

*27 世界社会フォーラム原則憲章一および六(フィッシャー、ポニア[二〇〇三]四四三〜四四四頁)。いずれも傍点は筆者。

*28 ハンナ・アレント(Hannah Arendt 1906–75) 政治学者。ユダヤ系ドイツ人として生まれ、ナチス政権後アメリカに亡命。全体主義国家の形成を解明し、個々の自由が尊重される複数性を持つ公共的空間が政治的行動に不可欠であると論じた。

*29 ユルゲン・ハーバーマス(Jürgen Habermas 1929–) ドイツの社会学者。公共圏で展開される対話的理性としてのコミュニケーション的行為が合意を可能とする空間を生活世界と説き、政治や経済によるシステムがその領域を植民地化しているとした。第二世代フランクフルト学派の代表者。

は絶対条件である。空間だからこそ、すべての組織が「ネットワーク＝水平的関係性」に基づいて関係を構築することができる。[*30]すべての人に開かれ、誰もがそれぞれの立場を超えて自分の意見を自由に述べることができる場所が確保されていること、それこそがフォーラムの基本原則である「多様性の尊重」に結びつくのだと、明快に論じている。

ウィッタケルは、「すべての人々を包み込んで活気づけ、そして様々な運動の闘いに対する分断を打ち破ること、つまり、われわれは同じ闘いのなかにいる多数派であるという事実」（ウィタケル［二〇〇五］一六〇頁）を「広場の恩恵」と説くが、この思想は「複数の価値の間での言説の空間としての公共的空間」[*31]における社会的連帯の実現の可能性を示唆してはいないだろうか。

もちろんウィッタケルは、空間さえ準備すれば水平的な関係性が担保されると考えている訳ではない。しかしその原則として、水平的関係性によって広場に集まる多様な市民社会組織がゆるやかなネットワークでつながることで、そこで展開される議論は権力関係を伴わない討議を可能にすると考えている。異なる立場や意見がぶつかり合うなかで何らかの答えを見出す過程を、ウィッタケルは都市開発プロジェクトの場、カトリック教会の内部、亡命中に属した国際的組織といったさまざまな場所で経験してきたに違いない。[*32]だからこそ、それが簡単ではないと身をもって理解しており、パウロ・フレイレ（第5章参照）の対話的関係性によって、多様性の尊重と相互理解が深まり、新たなオルタナティブが生まれることに期待を抱く。ウィッタケルはネットワークの精神を「自分がこれをやらねばならない」という信念と、異なる機能を果たす者どうしの共同責任の仕組みと呼ぶ（ウィッタケル［二〇一〇］一七一頁）。一つの組織のなかだけではなく、国境を越えたさまざまな立場の人との対話と連帯から「もう

＊30 ただし、フォーラムを市民社会の議論の場所とするため、憲章では政党、政府、国際機関は自主セッションを行うことはできないとしている。ただし市民社会組織のメンバーが上記の組織に属することは妨げていない。

＊31 齋藤純一［二〇〇〇］『公共性』岩波書店、一〇三頁。齋藤は本書でアレントの思想を軸として資本主義的社会における公共性をめぐる問題を多様な視点から解読し、公共性のもつ複数の次元を認識する重要性について論じている。

＊32 亡命生活でフランスやチリなど国際組織で働いた経験も、ウィッタケルの連帯への感覚を醸成した。特に、チリからフランスに戻り、CNBBが舵取りをした「支配からの克服をめざす社会連合」の学習会の企画に携わって、あらゆる形態の抑圧に対抗する一〇〇を超える国々の人々との交流を深めた（Whitaker［2006］）ことは、世界の市民社会組織の有する多様性の認識を深める経験となったと考えられる。

ひとつの世界」が生まれ、それが強い力をもつということに確信を得ている。世界社会フォーラムという空間を世界のすべての人々のために創ることは、その場を、社会正義を実現する、民主主義のための教育を実践する場にしていると言い換えることもできるだろう。

その意味で、フォーラムの意思決定プロセスを多数決ではなくコンセンサス型にしていることも重要である。具体的な主義や主張をまとめようとすると、必ず権力関係が生まれ、フレイレのいう「被抑圧者が抑圧者になってしまう危険性」がフォーラムそのものを「台無し」にしてしまう（ウィッタケル［二〇一〇］三五頁）。世界社会フォーラムという大きな舞台の内部に生まれがちな、そうした無意識な動きを抑止するためにも、開かれた空間において十分な討議が行われることが重要視されなければならない。たとえ意見が食い違っても相手の意見を聞き、理解する態度が醸成されることは、「政治的行為の文化水準での革命」を可能にするプロセスであると考えている（ウィッタケル［二〇一〇］四〇頁）。

政治の民主化への挑戦

ウィッタケルが挑戦し続けているもうひとつの行動は、ブラジルを社会正義のある国とするために、政治そのものを真に民主的なものとする試みである。彼は、自身のライフワークの根底にある「解放の神学」の思想について、「真の宗教、特にキリスト教は、貧しい人々のために働き、彼らの権利のために闘い、持っている人による持っていない人の搾取に反対することを意味する」（Whitaker［2006］）と述べる。その信念に基づき、ブラジル社会を世界社会フォーラムで求められている姿に変えるには、自らが辞した政治の世界を清廉潔白なものにすることから始める必要があった。そしてそれは民主主義の手法で実践される必要があった。

一九八八年憲法の策定に関わり、九九年の法改正で政治汚職に社会正義の倫理を求めた運動は、その後も継続される。ウィッタケルは、市議会議員の不正歳費受け取り事件が発覚する一年前の九二年、代表制民主主義の原点に立ち戻り、議員当事者に対して自分の使命を再確認させる書籍として『市議会議員とは何か』(Whitaker [1992]) を出版している。政治を目指す人間に対し、自己利益を求めるのではなく、社会変革のために自分が何をするか意識させ、同時に有権者に対し、議員の本来の役割を認識させ、投票行動に責任を持つことを主張した。市議会議員としての経験を踏まえてウィッタケルが最も伝えたかったことが凝縮されている。[*33]

CBJP代表、そして世界社会フォーラムの国際評議員として世界を駆け抜ける傍ら、二〇〇六年、PTから離党する。PTはすでに設立当初の原則に誠実な組織ではなくなったと判断したことが理由の一つとされる(Whitaker [2006])。PTは政権を得てから、ウィッタケルが批判し続けているさまざまな「政治内の問題」に取り込まれるようになり、結党当初から長年闘ってきた手段そのものを使うようになってきた[*34]ことに対し、「絶望するのではなく、それを確認した上で、そこから出て、そのものを批判する活動が必要」と、活動の軸を社会運動に戻すことを選択した。[*35] 一九九六年に「政治家」という肩書を捨てることを決心したウィッタケルの一〇年後のPT離党は、さらに自分の闘いの場が市民社会であることを意味づけるものとなった。

一九九九年の法改正の後、ウィッタケルは本格的に汚職撲滅を目指す活動を開始する。二〇〇〇年にトランスペアレンシー・ブラジル(Transparência Brasil)、〇六年には法律第九八四〇号の適用を市民社会の視点で監視することを目的とする選挙汚職撲滅運動(以下MCCE)[*36]の設立に関わった。MCCE代表のレイス裁判官は、〇六年にジェトゥリオ・ヴァ

*33 Brasiliense社による初歩シリーズ(Coleção Primeiros Passos 一九八〇年より出版)の第二六五巻として出版された。二〇〇八年に改訂版が出版され、一七年に電子化されている。

*34 おそらく、汚職を普遍的な存在として扱う文化に飲み込まれたことを意味していたと考えられる。

*35 SWI swissinfo.ch "O arquiteto do Fórum Social Mundial (世界社会フォーラムの建築家)," 13 de outubro de 2007 https://www.swissinfo.ch/por/o-arquiteto-do-f%C3%B3rum-social-mundial/6192752 (二〇二一年一一月五日アクセス).

*36 Movimento de Combate à Corrupção Eleitoral 主な参加組織にブラジル弁護士協会、ブラジル選挙促進判事協会(Abramppe)、CNBB、CUTなどがある。

ルガス財団[*37]から法律第九八四〇号の可決の経緯を記した書籍[*38]を出版し、ウィッタケルは序文を寄稿している。

ブラジルの政界に浸透していた悪しき政治文化に倫理を求める時代が到来し、MCCEは、収賄罪で有罪となった被選挙人の公民権の剥奪をさらに厳格なものとする法案の提出を目的とする活動を始めた。二〇〇七年、MCCEは法律第九八四〇号により有罪となった政治家の一覧データを発表した。法律第九八四〇号が施行された翌年の〇〇年から〇六年まで、該当者は全国で六二三人、係争中の政治家も一八人いるとした。[*39] 全国から六〇の組織が協力団体として名を連ね、MCCEは汚職の罪に問われた被選挙人の刑期を終えた後八年間の公民権の剥奪を法制化するための人民発議を準備した。署名は約一年の期間で一三〇万人分集まり、一〇年六月四日、補足法第一三五号「フィッシャ・リンパ法(Lei da Ficha Limpa　クリーンレコード法)」として定められた。これにより、政治汚職で有罪になった場合、刑期を終えた後の公民権停止期間は三年から八年に延長された。

ウィッタケルが長期的に関わってきた政治を変える社会運動の目的は明確である。フィッシャ・リンパ法でいえば、民主主義を実現するために、憲法を土台として、汚職撲滅の法律を作り、政治家の本来の仕事を自覚させ、政治における倫理観を醸成させることにあった。ウィッタケルはフィッシャ・リンパ法成立に際し、議会の空気が変わってきたと指摘する。[*40] 多くの議員が法案に賛同したからだ。それは一〇年前とは明らかに違う反応であったと述べる。社会運動の継続が政治を変えることができるもうひとつの成果をウィッタケルは実感したと感じられる。

しかしながら、真の民主化を可能にするには、政界の内部を変革するだけではなく、政治の

＊37　Fundação Getulio Vargas　一九四四年設立の高等教育機関付属の研究所。

＊38　Reis, Marlon Jacinto [2006] *Uso eleitoral da máquina administrativa e captação ilícita de sufrágio*（行政組織の選挙利用と投票の不正獲得）, FGV.

＊39　ブラジル判事協会（Associação dos Magistrados Brasileiros）ウェブサイト、二〇〇七年一〇月三日記事（https://www.amb.com.br/mcce-lanca-pesquisa-com-mapa-das-cassacoes-de-politicos-por-corrupcao-eleitoral-em-todo-o-pais/）より（二〇二一年一一月四日アクセス）。

＊40　Jornal de Brasília, "Entrevista com Chico Whitaker, idealizador da Ficha Limpa," 3 de outubro de 2010　https://jornaldebrasilia.com.br/noticias/politica-e-poder/entrevista-com-chico-whitaker-idealizador-da-ficha-limpa/（二〇二一年一一月四日アクセス）.

＊41　毎年更新される「不平等マップ（Mapa da desigualdade）」「市民監視白書（Observatório Cidadão）」「子ども生活白書（Observatório da Primeira Infância）」「サンパウロ市福祉指標（Indicadores de Referência de Bem-estar do Município:

主権者の意識も変えなければならない。ウィッタケルはＭＣＣＥの活動を通して国の政治の変革に尽力したが、自分の足元も忘れていない。二〇〇七年、サンパウロ市民による行政監視活動組織「私たちのサンパウロ・ネットワーク（A Rede Nossa São Paulo：ＲＮＳＰ）」[＊41]の創設に加わった。顧問はグラジェウが務め、複数のセクターの連携による官民協働の市民社会組織として、公正、民主的、持続可能なサンパウロを目指す行動のつながりを促進し、政府に社会的課題への取り組みを要求することを目的とし、サンパウロ市における社会問題を可視化する調査研究と政府へのアドボカシーを行っている。ＲＮＳＰは無党派で、組織がテーマとしているのは不平等の撲滅、人権の促進、行政の社会的コントロール、予算使途の透明性、環境保護などである。

二〇一一年、八〇歳のウィッタケルは衝撃とともに、新たな課題に向き合うことになる。三月一一日に日本を襲った東日本大震災における福島第一原子力発電所で起きたメルトダウンから、彼の関心はリオデジャネイロ州アングラドスレイスにある建設中の一基を含む三基の原子力発電所[＊42]の中止を求める反核運動に集約された。原発のないブラジル連合（Coalizão por um País Livre de Usinas Nucleares）を立ち上げ、同年設立されたブラジル反核アーティキュレーション（Articulação Anti-Nuclear Brasileira）、ブラジル被爆者平和協会、セシウム一三七被害者協会（Associação de Vítimas do Césio 137）[＊43]といった核の脅威に立ち向かう国内の関連組織と連携し、さらに世界社会フォーラムのつながりをいかして、一六年三月に福島、東京で「反核世界社会フォーラム」の開催を提案した。[＊44]日本人活動家を含め、各国に存在する反核、反原発運動がつながり「国境を超えて連帯する変革主体」（小川［二〇二〇］一五七頁）がネットワークを作るだけでなく、「つながり」という連帯を意識することが必要であるとウィッタケルは述べている。

ＩＲＢＥＭ）」「サンパウロで生きる（Viver em SP）」など数多くの調査が実施されている。https://www.nossasaopaulo.org.br/

＊42　そのほかペルナンブコ州など北東部を含む四基の原発建設計画がある。

＊43　一九八七年、ゴイアニアで廃院となった放射線治療医院からセシウム一三七線源が持ち出され、廃品回収業者の作業場で解体され、セシウム一三七による広範な環境放射能汚染と多数の人々の被ばくが生じた事件の被害者組織。被害者数は四人の死亡者を含む二四九人（国立研究開発法人日本原子力研究開発機構「ブラジル国ゴイアニア放射線治療研究所からのセシウム１３７盗難による放射線被ばく事故」『原子力百科事典ＡＴＯＭＩＣＡ』https://atomica.jaea.go.jp/data/detail/dat_detail_09-03-02-04.html（二〇二一年一一月五日アクセス）.

＊44　核エネルギーに関するテーマ別世界社会フォーラム（Thematic World Social Forum on Nuclears　日本での正式名称は「核と被ばくをなくす世界社会フォーラム」）の国際的連携については

政治を変えるための不断の行動

二〇一九年、ウィッタケルは八八歳の誕生日を迎える記念としてYoutubeチャンネルを開設した。[*45] その目的は、動画配信という手法を用いて、原子力発電の危険性と反核運動についての情報共有にある。ウィッタケルの行動はいつも「よりよい社会を創るために自分ができること」につながっている。万一事故が起きれば何世代にもわたりその地域を破壊し尽くす原発開発をブラジル政府に撤回させることが目標であるが、その運動が世界的連帯をもつことは、ブラジルだけではなく地球全体の危機的な社会的課題に対抗する動きに確実につながっている。ウィッタケルの行動は、地域、国、世界という幅広い視野を持ち、さまざまな角度から、同じ課題に立ち向かうことの重要性を説いている。人々の命と暮らしを脅かす全ての権力に対して、民主主義の手法を使って闘うことを決してあきらめない。しかしそれは一人で実現できるものではない。社会を創っている人々がみな同じ目標を見据えて行動する、そのための運動、働きかけをウィッタケルは不断に行っている。

二〇一八年の大統領選で、極右派のボルソナロ（Jair Messias Bolsonaro 1955–）が有力候補になる形勢に対し、「新しい国会キャンペーン」[*46]と題するシンポジウムが開催された。パネリストであったウィッタケルは、大統領選と同様に議員選挙も重要であることを改めて主張した。[*47] 議員、つまり国会の成員は立法権そのものであり、彼らを選ぶのは私たち市民であること、市民が行政組織に対し責任を問い、同時に自らが政治の主権者であることを意識させるこうした動きは、他の地域にも広がっている。

二〇二〇年以降、ボルソナロ政権におけるコロナ禍対応の責任追及についても行動を続け

小川［二〇二〇］が詳しい。本フォーラム開催へのウィッタケルの行動についても紹介されている。

*45 https://www.youtube.com/c/chicowhitaker88 Youtubeチャンネル紹介動画の冒頭で、「日本は八八歳を米寿として祝うが、私はこの動画配信チャンネルの開設で祝おうと思う」と話している。

*46 「新しい国会は必要であり、可能である。それは投票によって実現する！」キャンペーン（Campanha "Um Novo Congresso é Necessário e Possível: Vai Ser Pelo Voto!"）。Instituto Ethosが中心となって呼びかけ、ウィッタケルも発起人のひとりとなった。シンポジウムは二〇一八年三月六日開催。

*47 RNSPウェブサイト、二〇一八年四月二六日記事。

*48 民主主義のための裁判官協会、ブラジル弁護士協会、文化人の運動組織（Movimento 342 Artes）、権利を守る会（Grupo Prerrogativas）、Covid-19被害者家族協会（Associação de Vítimas e Familiares das Vítimas da Covid-19: AVICO）、その他NGOとの共同行動。

ている。二一年一〇月の時点で約六〇万人のブラジル人が死亡する世界でも最悪の状況を引き起こした失政に対し、弾劾裁判という形ではなく、大統領を含む関係者の犯罪行為を告発し、連邦最高裁判所による有罪判決をもってこの失策の責任をとらせることを目的とした「検察庁よ、告発せよ（Ó Ministério Público, denuncia já!）」運動[48]に積極的に関与している。死者が一〇万人を超えた二〇二〇年八月、ウィッタケルはチェコスロバキアの民主化を率いたハヴェル[49]の著作にある「力なき者」という表現になぞらえて、「力なき者たちこそ本当の力を持っている」[50]と説き、「今ある状況を『仕方がないこと』と思ってはいけない」[51]と力強く語った。

二〇〇六年、ライト・ライブリフッド賞の授賞式で、彼は冒頭に「誰もが世界を変えたいと思っている。必要なのは、連帯のための方法と機会を増幅させることだ」と述べている。ウィッタケルはいつ何時もこの姿勢を変えない。同じ願いを持つ仲間たちとつながりながら[52]、社会正義が蹂躙されている政治状況を変えるために、政治倫理のために行動し、主権者教育につながる空間に、いつも彼はいる。ブラジルで、世界で、民主主義を実質的なものとする彼の闘いはまだ続いている。

【読書案内】

ウィッタケルの著書のうち、初期の出版物はＳＡＧＭＡＣＳでの都市開発に関するもので、2の序文はパウロ・フレイレ（第5章参照）による。3は民主的選挙によって選ばれた市議会議員の役割と責任の重要性を論じ、4は政治汚職の根絶に正面から挑戦するもので、ともに政治体制内部の真の民

WHOの指針を聞き入れなかったことにより国内に甚大な死者、感染による後遺症を抱える被害者を出したことを理由として、ボルソナロ大統領の正式な捜査を要求する起訴状を二〇二一年一月二六日に司法長官と検察庁に提出した。同年一〇月二六日、上院の議会調査委員会で承認されている。

＊49 ヴァーツラフ・ハヴェル（Václav Havel 1936–2011） ビロード革命を率いたチェコスロバキアの劇作家、大統領。ウィッタケルが「力なき者（sem poder）」という表現を引用した著書は Havel, Václav [1979] *Moc bezmocných*, Praha: Edice Petlice（『力なき者たちの力』阿部賢一訳、人文書院、二〇一九年）。

＊50 Carta Capital, Covid-19 e mortes evitáveis: qual o poder dos "sem poder?" https://www.cartacapital.com.br/opiniao/covid-19-e-mortes-evitaveis-qual-o-poder-dos-sem-poder/, 18 de agosto de 2020（二〇二一年一一月五日アクセス）.

＊51 O Candeeiro 主催オンラインイベント「Luto e Luta（哀悼と闘争）19A」での発言。https://www.youtube.com/watch?v=UzbOxDjJhJg, 20 de agosto de 2021（二

主化に向けられた論考と言える。世界社会フォーラムの存在意義を論じた5は英語、スペイン語、イタリア語、ドイツ語など複数の言語で出版されている。序文はウィッタケルとともに世界社会フォーラムの創設者であるグラジェウ（注23参照）による。6は英語版（初版はインド、翌年に米国New York: Zed Booksで出版）。7は福島原発事故後に編纂され、ブラジルにおける反原発運動の重要性を論じている。ブラジルキリスト教会全国協議会（CONIC）発行の8は、編者を務めている。

邦訳には、世界社会フォーラムの関連書籍がある。10は東京で開催された著書と同タイトルのシンポジウム（二〇〇九年一一月二九日、於上智大学）におけるウィッタケルの講演録であり、もう一人の登壇者でATTAC創設にかかわったアギトン（Christophe Aguiton）や日本の社会運動家を交えた質疑応答も収録されている。

1 Whitaker, Francisco Ferreira [1966] *Condições de vida e planejamento físico*, Rio de Janeiro: FGV.
2 ——— [1979] *Planejamento sim e não*, Rio de Janeiro: Paz e Terra.
3 ——— [1992] *O que é vereador?*, Coleção Primeiros Passos 265, São Paulo: Brasiliense.
4 ——— [1994] *Idéias para acabar com os picaretas*, São Paulo: Paz e Terra.
5 ——— [2005] *Desafio do Fórum Social Mundial: um modo de ver*, São Paulo: Loyola.
6 ——— [2006] *Towards a New Politics: What Future for the World Social Forum?*, Delhi: Vasudhaiva Kutumbakam Publication.
7 Whitaker, Chico (org.) [2012] *Por um Brasil livre de usinas nucleares: por que e como resistir ao lobby nuclear*, São Paulo: Paulinas.
8 Conselho Nacional de Igrejas Cristãs do Brasil [2007] *Desigualdade no Brasil deve e pode ser superada?: relatório sobre a dignidade humana e a paz no Brasil 2005-2007*, São Paulo: Olho d'Água.
9 ウィタケル、チコ［二〇〇五］「開かれた空間としての世界社会フォーラム」ジャイ・センほか編

〇二一年一一月五日アクセス).

＊52 学生時代からの朋友で、家族ぐるみで深い親交のあったサンパイオの存在は、ウィッタケルの活動を支えてくれていた（"Minha caminhada com o mestre Plínio（プリニオ師匠との道程）," 6 de agosto de 2014 https://cidadesparaquem.org/blog/2014/8/6/l99rhm1q92d5wko-ae0apvbtivx67ue）。この手記は、サンパイオが他界した時、ウィッタケルの息子のジョアン・セッテ・ウィッタケル（João Sette Whitaker サンパウロ建築都市学科教員）がブログ「何の／誰のためのまち？」（cidades para que(m)?）に掲載したもの。ウィッタケルは社会運動、サンパイオは政界で、ともに「公正な社会を創るための政治的行動」という同じ目標を目指した仲間であった。

『世界社会フォーラム――帝国への挑戦』作品社、一五四～一六七頁。

10　ウィッタケル、シコ［二〇一〇］「世界社会フォーラム――新自由主義に抗し、『夢物語ではないもうひとつの世界』に向けて闘う者たちの連携構築の過程」上智大学グローバル・コンサーン研究所、国際基督教大学社会科学研究所共編『グローバル化に対抗する運動ともうひとつの世界の可能性――いかに繋がり、いかに変えるか』上智大学出版、三一～五七頁。

11　フィッシャー、ウィリアム・F、トーマス・ポニア編［二〇〇三］『もうひとつの世界は可能だ――世界社会フォーラムとグローバル化への民衆のオルタナティブ』加藤哲郎監訳、日本経済評論社。

12　小川晃弘［二〇二〇］「フクシマ発で核を考える――国境を越えて連帯する『反核世界社会フォーラム』」後藤康夫、後藤宣代編『21世紀の新しい社会運動とフクシマ――立ち上がった人たちの潜勢力』八朔社、四六～六三頁。

13　田村梨花［二〇二一］「草の根から世界を変える――ブラジルの社会運動と世界社会フォーラムにみる国際的連帯」畑惠子、浦部浩之編『ラテンアメリカ　地球規模課題の実践』新評論、八一～一〇二頁。

（田村梨花）

―コラム― ベチンニョ――ブラジルの参加型民主主義の夢想と実現

ベチンニョ（Betinho 本名 Herbert José de Souza エルベルト・ジョゼ・ジ・ソウザ 1935-97）はブラジル軍事独裁政権からの民主化運動のシンボルとなり、民主化運動から反飢餓運動へと発展させた提唱者・思想家であり、活動家である。軍事独裁政権による弾圧によって一九七一年に海外亡命を余儀なくされるが、軍政末期、MPB（Música Popular Brasileira ブラジルポピュラー音楽）の歌手エリス・ヘジーナが歌う彼の帰国を待ち望む曲が大流行し、七九年に大衆が熱狂的に待ち受けるブラジルに帰国、その後もブラジル民主化運動の中心に彼の姿は常にあった。この時代を生きたブラジル人であればその名を知らない人はいないほど強い影響力を持っている。

少年時代は結核のために隔離生活を余儀なくされたが、治癒を確信し、読書に明け暮れる時を過ごした。結核の治療薬によって病を克服し、外に出ることが許されると、たちまち読書で得た知識を生かして、カトリック青年運動のリーダーとなった。ミナスジェライス連邦大学経済科学学部卒業後、ジョアン・ゴラール政権で教育省顧問となり、農地改革などブラジルの社会改革に向けた活動を行うことになったが、一九六四年の軍事クーデターにより政権は崩壊し、彼は地下活動を強いられる。七一年にチリに亡命し、アジェンデ政権に顧問となるも、七三年のピノチェトのクーデターによりカナダに亡命し、その後メキシコに移った。

一九七九年にブラジルに帰国すると、社会を民主化するためには情報を民主化しなければならないとして、その活動を担うブラジル社会経済分析研究所（Instituto Brasileiro de Análises Sociais e Econômicas：IBASE）を創設した。IBASEは政府の政策分析や出版だけでなく、ビデオ制作、ラジオ局、ブラジル初のインターネットプロバイダでもあるAlterNexを持つマルチメディアを駆使した情報民主化の活動を行う、世界でも稀なブラジルを代表するNGOとなった。ベチンニョは情報民主主義の必要性をブラジル社会に訴え続け、ブラジルの各界に大きな影響力を与えることになった。

彼の名を不朽のものとしたのは一九九三年に始まった反飢餓運動だろう（正式名称は「飢餓に反対する生命のためのキャンペーン」）。民主主義と貧困は両立しえないとして、民主化運動の当然の帰結として反飢餓運動の必要を主張したのである。

　運動のあり方も彼の民主主義思想を体現したものであった。通常、全国的な大きな運動を作るためには本部を作り、全国に号令をしようとするだろう。しかし、彼はそのやり方を否定し、すべての地区でチームを結成することを呼びかけた。そのチームが自分たちで何をすべきか考え、さまざまなチームがお互いにつながり、相談し、解決策を模索することを提案した。そのよびかけに応えて、ファヴェーラ（スラム）の人びともチームを作り、自分たちより貧しい人たちの支援策を実行し始めたのだ。人びとの主体性を信じているからこそ、この呼びかけが可能となり、また実際に人びとはベチンニョの呼びかけに応えた。人びとの主体性を尊重し、徹底した参加型民主主義に基づく運動のあり方は世界にも驚きを持って受け止められた。

　この運動はブラジル人の七割がなんらかの形で関わる巨大なものとなった。そのユニークな運動ゆえにベチンニョはノーベル平和賞の候補ともなった。この草の根運動は後の労働者党政権の飢餓ゼロ政策にも生かされ、ブラジルの参加型民主主義の輝かしいページをその歴史に付け加えることになった。

　ベチンニョは一九八六年に血友病治療からエイズに感染し、九七年に他界するまで毎日がエイズとの闘いであった。毎朝、生きていられていることを祝福する日々だった。しかし、自身の闘病に留まらず、エイズ差別とも闘い、エイズ患者の権利を求める運動団体を立ち上げ、運動を担った。人生全体でブラジルの民主主義の探求を体現した人であったと言えるだろう。


（印鑰智哉）

ＩＢＡＳＥウェブサイト（ポルトガル語、英語、スペイン語）
https://ibase.br/

政治運動関係者だけでなく、芸術家や宗教関係者からも深い尊敬を集めたベチンニョ
Herbert José de Sousa　Photo by Ibasenarede, licensed under CC BY-SA 2.0

第Ⅳ部
多文化を編む

第17章　人間の本性とブラジルの人と社会を描く――マシャード・ジ・アシス

二〇〇八年九月二九日、ブラジル文学アカデミーで、マシャード・ジ・アシス（Machado de Assis）没後一〇〇周年の記念式典が当時のルーラ大統領臨席のもとで執り行われた。一国の大統領が出席したことがブラジルにおけるマシャード・ジ・アシスの存在の大きさを物語っている。その年はまさにマシャード尽くしの年だった。ブラジル文学アカデミーはもちろん大学、高校、文化センター、書店、博物館など至るところで展覧会やシンポジウムや講演会が開かれ、リオデジャネイロでは地下鉄のカリオカ駅構内でまでマシャード展が開催された。新聞や雑誌で特集が組まれ、作品や研究書など多くの出版物が刊行され、映画祭、ドラマ化、舞台化、ゆかりのある地のツアー化などあらゆる形で記念行事が催された。宝くじにまで写真が登場したのは驚きだった。その動きは年を越え、二〇〇九年のリオのカーニバルに参加したエスコーラ・ジ・サンバの「モシダージ・インデペンデンチ・ジ・パドレ・ミゲル（Mocidade Independente de Padre Miguel）」がパレードのテーマのひとつに選んだ。まさにマシャード現象といえるものだった。

マシャードはだれもが認めるブラジルを代表する作家である。国外でも評価は高く、米国を代表する作家のひとりで社会運動家でもあるスーザン・ソンタグは「ラテンアメリカが輩出したもっとも偉大な作家」だとしている。[*1] マシャードの文学は前期と後期に分けられ、評価が

マシャード・ジ・アシス（一八九六年頃）

＊1 Sontag, Sousan [2003] *Where the Stress Falls*, London: Vintage, 2003: 39.

高いのは後期の作品群で、もし前期で活動を終えていたら、彼の名前は文学史に残っていないと言われる。その後期の最初を飾るのが『ブラス・クーバスの死後の回想（*Memórias Póstumas de Brás Cubas*）』（一八八一年）で、この風変わりで奇抜な小説は発刊時に大きな衝撃を与えた。その反響は当時ばかりではない。ブラジルの文学そのものに変革を与え、その影響は現代に至るまで続いている。

マシャードはブラス・クーバスに「作品そのものがすべてである」[*2]と語らせているが、作家とその文学を知るには作品を知るに限る。本章では主として『ブラス・クーバスの死後の回想』を軸にマシャード文学のさわりを見ていきたい。

＊2　マシャード「読者へ」『ブラス・クーバスの死後の回想』（マシャード［二〇〇八］［二〇一二］）

生い立ち

マシャードは一八三九年六月二一日にリオデジャネイロの中心街近くの港湾地区に位置するリヴラメントの丘で生まれた。父親フランシスコ・ジョゼ・ジ・アシスは解放奴隷の親を持つ白人と黒人の混血ムラートの塗装職人で、母親のマリア・レオポルジーナ・マシャード・ジ・アシスは、ポルトガルのアソーレス諸島のサンミゲル島からの移民だった。その時代では珍しく二人とも読み書きができ、このことはマシャードにとって大きな幸運だった。当時のリヴラメントの丘は元上院議員ベント・バホーゾ・ペレイラの未亡人の屋敷で、母がそこで働いていたことから、一家はそれと引き換えに住まいを与えられる「アグレガード」という立場で暮らしていた。屋敷には一五歳までいたが、それまでのことはほとんどわかっていない。記録がないという以上に、本人が身の上を語ることを極力避けたためである。初等教育を受けたかどうかも定かではない。家族運に恵まれず、四五年に二歳違いの妹をはしかで、四九年には母

＊3　本名はFrancisco de Paula Brito（1809-61）。現リオデジャネイロ州出身。

親を結核で亡くしている。その後父親は一八五四年に混血ムラータのマリア・イネスと再婚し、サンクリストヴァンに引っ越した。マシャードもそのときに屋敷を出ている。

奴隷制度が敷かれていたため基本的に主人と奴隷の二層に厳然と分かれていた当時のブラジル社会で、マシャード一家がアグレガードという身分だったことには重要な意味がある。奴隷ではないその立場だからこそ支配層に近づき社会上昇を果たせた一方、その立場だったからこそ支配層におもねながら生き抜くことを強いられた。その微妙な立ち位置には測り知れない苦労があったはずである。アグレガードは、マシャードの文学において人間の本性と権力構造を探究するための重要なテーマのひとつであり、幼少期のこの体験は人間社会の不条理と不平等性を考えるうえで重要な文学上の素材となった。

マシャードの最初の発表作品とされるのは一八五四年に『貧しき者たちの新聞』に掲載された詩「D.P.J.A. 婦人へのソネット」で、その頃のマシャードは王立ポルトガル図書館に通い、アルメイダ・ガレ、カスティーリョ、アレシャンドレ・エルクラーノ、カミーロ・カステーロ・ブランコなどポルトガル人作家の作品やフランス文学を渉猟していたと言われる。

文学の道へ

一八五五年にはパウラ・ブリット[*3]の書店に通い、同人誌『リオのマーモット（*Marmota Fluminense*）』に参加し、詩「彼女（Ela）」を発表した。一八五八年からはブリットの書店で校正を担当し始めるが、その前には王立印刷所でも印刷工としても働いていたようだ。ブリットの店は知識人のたまり場で、そこにはジョアキン・マヌエル・ジ・マセード[*4]やジョゼ・ジ・アレンカール[*5]など当時の著名な作家らが常連として通っており、マシャードはそこの同人会「ペタロ

詩人、作家、ジャーナリスト、翻訳家、戯曲家として幅広い執筆活動をする傍ら書店を経営していた。やはりマシャードと同じようにアフリカ系の混血だった。

＊4 Joaquim Manuel de Macedo（1820-82）現リオデジャネイロ州出身。ロマン主義作家でジャーナリストとしても活躍したブラジルの小説の創始者の一人。一八四四年に出版された処女作『モレーナ（褐色肌）の少女（*A moreninha*）』が成功し、ブラジルの小説の礎を築き、多くの新聞小説を残している。

＊5 José de Alencar（1829-77）現セアラ州出身。ブラジルロマン主義を代表する作家。ジャーナリスト、政治家、弁護士でもあり、下院議員と法務大臣を務めた。ブラジルの歴史、風俗、地方、都市、など幅広いテーマで小説を書き、とくにインディオをヒーローに仕立て描いたインディアニズモ小説の『イラセーマ』、『グアラニー』は代表作である。ブラジルの小説の確立と国民文学の創設に多大な貢献をしたことから「ブラジル文学の家長（patriarca）」とも呼ばれる。

ジー会（Sociedade Petalótica　虚言会）」にも参画し、ここで得た知遇は一生の宝となった。

このころマシャードはジャーナリズムの世界にも入る。主要紙のひとつ『商業新聞（*Correio Mercantil*）』で校閲を担当する傍ら『鏡（*O Espelho*）』など新聞や雑誌に執筆し始め、その後『リオデジャネイロ日誌（*Diário do Rio de Janeiro*）』、『絵入り週間（*Semana Ilustrada*）』、『家族新聞（*Jornal das Famílias*）』など数々の紙誌でコラムを担当し、活発な執筆活動を展開した。当時のマシャードはまだ社会の進歩と国民を啓発する芸術の力を信じ、国の発展のために邁進するいわば国士であった。

とりわけ信じたのが演劇の力で、一八六〇年代前半は演劇界でも活躍する。フランスの戯曲の翻訳のほか演劇批評も行ない、自らも戯曲を執筆した。六五年までに一〇篇の戯曲を発表し、そのうち四篇が翻訳である。しかしマシャードの作品は上演するより書斎で読むほうがふさわしいと評され、それを受け容れてかその後は翻訳に力を入れ、六八年までに翻訳した戯曲は八編にのぼり好評を得た。

一八六七年、マシャードは政府広報（Diário official）の発行担当部補佐の公務に就き、新聞社の職を離れた。このころにはすでにリオで名が知られるようになっており、バラ勲章〔騎士〕（Cavaleiro da Ordem da Rosa）を受勲している。

一八六九年末、マシャードは、カロリーナ・アウグスタ・シャヴィエール・ジ・ノヴァイスと結婚する。カロリーナは、マシャードの友人でポルトガル出身の詩人ファウスチーノ・シャヴィエール・ジ・ノヴァイスの妹で、兄の看病のためにリオに渡ってきていた。アフリカ系の混血であることで家族の反対を乗り越えての結婚だった。カロリーナは教養のある女性で、マシャードにポルトガルやイギリスの文学を紹介したほか、文章の推敲にも協力したと言われる。

一八六〇年代半ば、活躍の場は次第に演劇界から文学へと移る。六三年から雑誌『家族新聞』に短編を執筆し始め、好評を得て七八年まで七〇編以上が掲載されている。これに有力な編集人ガルニエが目を留め、六四年に詩集『さなぎ(*Crisálidas*)』が刊行され、ポルトガルでも好評を得た。その後も続いたガルニエとの縁により詩集『蛾(*Falenas*)』、最初の短編集『リオの短編集(*Contos fluminenses*)』、最初の長編小説『復活(*Ressurreição*)』が出版された。マシャードはすでにジョゼ・ジ・アレンカールと並ぶブラジル文壇を代表する存在になっていた。七三年には農業・商業・公共事業省に職を得て経済的にも安定を得る。その後は省庁改編による中断はあったが、亡くなる三か月前に健康上の理由で離職するまで、公務の傍ら文筆活動を続けることになる。

転機、そして文豪へ

一八七〇年代以降は、小説が一番向いていることを自覚し、マシャードの文学は小説が中心となる。七四年には『手と手袋(*A mão e a luva*)』、七六年には『エレーナ(*Helena*)』、七八年には『ヤヤ・ガルシア(*Iaiá Garcia*)』と立て続けに長編小説が発表されたが、直後にマシャードは大きな節目を迎える。担当した土地法改正の激務が祟ってか腸や目を患ったほか、頻繁にてんかんの発作を発症するようになった。発作は結婚後から現われていたが、その瞬間をマシャードは他人に目撃されるのをひどく嫌い、予兆があるとカロリーナにそれを伝え、他人がいるときは即座に隔離してもらっていたという。マシャードには吃音もあり、この二つの障害はマシャードの文学に少なからず影響を与えたと言われる。衝撃の『ブラス・クーバスの死後の回想』が雑誌『ヘヴィスタ・ブラジレイラ（*Revista brasileira*）』に連載され始めたのは、『ヤヤ・ガルシア』の発表からわずか二年後の八〇年三月である（本として出版されたのは八一年）。この二年のあいだにマシャードの文学の作風は劇的な変化を遂げ、彼の文学の最大の特徴と言ってもよい悲観と諦観が色濃く表われるようになる。健康が快復してもなお発狂への恐怖がマシャードの頭には常にあったといい（Secchin et al. [1998] 26）、狂気はマシャードの文学の重要なテーマのひとつとして、代表的な短編「精神科医」（八一年に発表、翌年に短編集『ばらばらの紙（*Papéis avulsos*）』に収録）や三大傑作のひとつとされる長編『キンカス・ボルバ（*Quincas Borba*）』（九一年）でも扱われている。

一八七〇年代以降のブラジルでは共和主義や奴隷制廃止運動が高まり、帝政は存続の危機にあった。マシャードが奴隷制度廃止運動に直接参画することはなかったが、実は公務において奴隷制廃止に至るプロセスの中で実務に関わっている。七六年に配属された農務局で七一年に制定された「出生自由法」の適用に関する業務を担当したのである。農場主らの理不尽な訴えも退けて公正な措置をとり、自分と同じルーツを持つ人々の自由の獲得に尽力したという（Chalhoub [2003]）。マシャードの文学にはロマン主義期の作家らとは違い、ブラジルの自然や風俗が絵画的に描きこまれておらず、また直接的な社会的メッセージもないことから、同時期や二十世紀前半にはヨーロッパ文学に迎合しているとの批判も浴びた。しかし実際にはブラジルの人や社会が巧みに描きこまれていることは後述のとおりである。また自らのアフリカのルーツを隠し、奴隷制廃止運動に積極的に関わらなかったことも非難の対象となったが、権力を持つ白人と最低限の人権すら守られない黒人との対比が綴られた短編「母親対父親（"Pai contra mãe"）」や、有名無実の奴隷制廃止のプロセスへの批判が巧妙に描き込まれている『メモリアル・ジ・アイレス（*Memorial de Aires*）』（一九〇八年）などの作品を見れば、その批判が不当であることがわかる。

共和政移行については懐疑心を隠さず、『エサウとヤコブ（*Esaú e Jacó*）』の、ある男性の登場人物クストジオの店の看板のエピソードにはそれが明確に表われている。共和国政府の拠点となるリオデジャネイロ市南部にあるカテッチ地区で菓子店を経営するクストジオが、共和政に移行したのを機に、看板をこれまでの帝政を意味する「インペリオ」から共和政を意味する「ヘプブリカ」にいったんは作り替えるが、政府への懐疑心からそれをやめて店名を「クストジオ」とするのである。政体は単なる看板の付け替えという辛辣な諷刺である。

一八九七年、ブラジル文学アカデミーが創設され、マシャードは初代会長に就任し、文字通りブラジルの文壇の頂点に立った。九九年には『集められたページ（*Páginas recolhidas*）』と『ドン・カズムッホ（*Dom Casmurro*）』が刊行された。

一九〇四年、三五年連れ添った最愛の妻が死去する。カロリーナの死の打撃は大きく、その後マシャードはめっきり外出が減ったという。遺作となった『メモリアル・ジ・アイレス』に登場する仲睦まじい老夫妻の妻カルモは、カロリーナが念頭にあったともいわれる。その出版から二か月後の〇八年九月二九日、リオデジャネイロ市南部にあるコズミヴェーリョ地区の自宅で息を引き取った。死を覚悟し、告解をするかと訊かれ、マシャードはこのように答えたという。「それはしたくない。すれば偽善になってしまう」（Secchin et al.［1998］29）。人間と同様、マシャードはもはや神も信じてはいなかった。

マシャードの文学

マシャードの文学は、先述したように一般的に『ブラス・クーバスの死後の回想』を境に次の二期に分けられる。まずは一八七八年に発表された『ヤヤ・ガルシア』までのロマン主義的な要素を残す習作期、そして独自の作風を獲得した『ブラス・クーバスの死後の回想』以降の成熟期である。ブラジルの文学史では、一八三六年を始まりとされているロマン主義に続き、八一年のマシャードの『ブラス・クーバスの死後の回想』の出版を以て写実主義が始まったとするものが多い。だが、現実の社会を客観的な描写によってあるがままに捉えようとするその文学様式が、死者の語り手がアイロニーを多用して語る『ブラス・クーバスの死後の回想』にそのまま当てはまらないことは明らかで、そもそもマシャードの文学そのものが既成の文芸思潮で語れないことは定説になっている。むしろマシャードの文学の特徴、とりわけ『ブラス・クーバスの死後の回想』に見られる、文字の書体や大きさを変えたり絵のように配したりすることで視覚に訴えるテクストを多用する斬新的な文学的手法や、後述するような二項対立の相対化などの特徴は近代主義を先取りしている。またブラジルの文学で言えば、それまで熱帯の自然や風景を織り込むことでブラジルらしさを打ち出し国民文学を創出しようとしていた傾向に異を唱え、深い人間洞察とその時代のブラジルの人と社会を描く作風は、当時としては革新的であった。『ブラス・クーバスの死後の回想』にはそうしたマシャードの文学の特徴が凝縮されている。本章ではこれらの特徴の中でも特に人間と社会の洞察を取り上げる。

『ブラス・クーバスの死後の回想』の主人公ブラス・クーバスは六〇歳代半ばに心気症の特効薬の開発を思い立ち、それに打ち込むあまり健康管理をおろそかにし、肺炎をこじらせて死んでしまう。だがなんと死んだ後に作家になり、[*6] 自らの人生を振り返って語ったというのが

＊6　この作品の第一章に「私は死者になった作家ではなく、作家となった死者」という有名な一文はそのことを言っている。

この回想記である。とはいえ、彼が語った人生はまったく自慢できるものではなく、大臣になりたかったがなれず、結婚を望んだ時期もあったができず、結局はある女性と道ならぬ関係になっただけで、それも大してドラマチックな展開もなく、七年ほど関係が続いた後、スキャンダルにもならず別れた。大まかなストーリーを言えばこうなる。

これを読んだだけでもこの小説の奇想天外の度合いがわかるだろう。これこそがこの作品の特徴で、読者の常識的な期待を裏切る非-常識的な小説なのである。ここに紹介した筋だけでも少なくとも二つの非-常識がある。ひとつは死んでから作家になったこと（通常の感覚では死んでから作家になって本を書くなどあり得ない）、もうひとつは筋だけ追ってもまったく面白くもなんともない話である点である。現代でこそ筋を重視しない小説は珍しくないが、当時は筋が明確で、涙や笑いを誘う起伏豊かな波乱万丈の新聞小説が主流だったことを補足しておこう。ある批評家は「『ブラス・クーバスの死後の回想』は小説か？」という文で始まる書評を寄せた。それに対しマシャードは、第四版の序文でブラス・クーバスの口を借りてこう答えている。「これは、ある人にとってはそうだが、ある人にとってはそうではない」（マシャード［二〇一二］六頁）。つまりこの作品は「小説」でありながら「非-小説」でもあり、このことをはじめとして、さまざまな非-常識を絶え間なく突きつけ、常識と非-常識の揺らぎを読者に体験させることで人間と社会の実態を暴く。またこの相対性こそが後世の作家らに多大な影響を与え、今日のブラジル文学をも形作る大きな要素のひとつになっている。

人間不信と悲観主義

この小説には金銭拾得の場面が二つ出てくる。ひとつは、ブラス・クーバスが舞踏会から帰宅したときに門の前で金貨をみつけ拾ったときで、このとき彼は、着服してよいか良心と葛藤の結果、警察に届けた。もう一度は海岸で五コントという大金の入った包みを拾ったときで、このときは着服し銀行に預けた。このように彼は金銭の拾得という同じ行為に対し正反対の行動に出たわけだが、いったいなぜだったのか。たしかに金額の差は大きく、それも無視できない理由であっただろう。だが、金貨を拾ったときにはどうしても警察に届けなければならない理由があった。それは前日の晩に、いまは人妻となっている元婚約者のヴィルジリアと舞踏会で再会し、恍惚とワルツを踊り、いい感触を得ていたからだった。人妻相手にそのような気持ちを抱いたことに後ろめたさを感じたために、悪行を善行で相殺する必要があったのである。面白いのはブラス・クーバスが人間のこうした心の動きに「窓の等価性の法則」と命名している点である。つまり「ある窓が閉まっていたら代わりに別の窓を開けることで、道徳が継続的に良心の風通しをできるようにする」（マシャード［二〇一二］二〇七頁）のが人間の心の理というわけである。だが、ここからわかることはブラス・クーバスの善行の裏には善ならぬものが潜んでいたことであり、すなわち善行は非‐善行だということである。

通常私たちは善と悪、美と醜、正と不正、聖と俗というように、対概念を正反対のものとして捉えて物事を理解したり語ったりする。しかし善行は、一見表に現われた姿がそう見えているだけで、もとをただせば私たちのエゴ[*7]である。この小説の核ともいえる有名な第七章「精神錯乱」で、死を直前にしたブラス・クーバスが朦朧とした意識の中で出会った「自然、あるいはナトゥレーザ」はこう言っている。「エゴイズムね。わたしには、それ以外の掟はない」（マシャード［二〇一二］四四頁）。考えてみれば善悪は、人間社会が（勝手に）作り上げた概念であり制度であって、自然界にあるのはエゴ、ただそれだけなのである。それが都合と必要性に

＊7　ここでは「エゴ」を、本能的な欲望をコントロールしながら満たすための現実的な行動をするあり方という意味で用いる。

よって善になったり悪になったり姿を変える。「悪徳も多くのばあい、美徳の肥やしになる」（マシャード［二〇一二］二八六頁）。マシャードは人間と、醜い本性と擬装で成り立つ人間社会の実態を情け容赦なく暴く。極度な人間不信と人間社会に対する悲観主義は、この作品に限らずマシャード文学の特徴である。

暴かれる社会の矛盾

もうひとつ別のエピソードを見てみよう。ブラス・クーバスはヴィルジリアとの婚約中、郊外の別荘でとても純真で汚れない美しい女性エウジェニアと知り合った。心惹かれ、女性のほうも初めての経験で、夢中になってしまうが、その女性は出自がよくなく、足が悪かった。ブラス・クーバスは天秤にかける。婚約者のヴィルジリアは美しく有力な政治家の娘で、結婚すれば政治家としての華々しいキャリアが開ける。ブラス・クーバスは実利的に考えてそちらを選ぶのだが、それならばエウジェニアに期待を持たせなければよいものを、彼は一週間彼女をもてあそび、初接吻を奪うのである。しかもそれを平然と書き、さらにその章に「下りぬ者は幸いなり」という題名をつけるのである（第三三章、マシャード［二〇一二］一五五頁）。言うまでもなくこれは新約聖書にある山上の説教の「心の貧しい者は幸いである」のパロディである。山上の説教は、キリスト教のもっとも重要な説教のひとつとされ、キリスト教として在るべき姿が説かれている。ここで言う「貧しい」とは金銭的な貧しさではなく、心の貧しさ、すなわち謙虚であらねばならないということである。ところがその題名がついた章で読者に提示されるのはキリスト教徒の模範とは正反対のブラス・クーバスの言動である。これを読んだ読者には何が起こるだろうか。

パロディとは「故意に場違いのものに置き換えることで、原典に内在する二重性や矛盾を暴露する仮面」[*8]である。聖書の教えとブラス・クーバスの行動が並べられることで、人間社会が必ずしも聖書の教えどおりはいかないことが示される。キリスト教が説くことは理想だが、現実は必ずしもそうではない。パロディはキリスト教の矛盾を浮き彫りにし、その時点で聖書、そしてキリスト教の教えは非‐絶対化される。当時、キリスト教は国教であり、ブラジル社会では絶対的な価値統制力を持っていた。しかし現実を見ればどうか。神の前で平等を説く教会や聖職者までが奴隷を所有する現実があった。マシャードはその矛盾を、パロディを通して突いたのである。

しかしパロディには原典を無きものにはしないという性質があることは重要である。パロディは原典の次元をずらして滑稽化し、既存の価値観の絶対性を問いはするが、原典は否定しない。なぜなら原典がなければ、パロディ自体が機能しないため、原典とパロディの共存がパロディの成立条件となるからである。したがってここでキリスト教は完全否定されているわけではない。だがその絶対性は覆され、相対化されている。キリスト教的側面と非‐キリスト教的側面も併せ持つ現実社会が示されているのである。

『ブラス・クーバスの死後の回想』では聖書ばかりでなく、エラスムスやパスカルやヴォルテールといったヨーロッパの古典、理想の恋を語る恋愛小説、フランスから導入した自由・平等思想もパロディの標的になっている。たとえばこの作品と次作の『キンカス・ボルバ』にでてくる風変わりな似非思想「ウマニチズモ（Humanitismo）」は実証主義のパロディだと言われる。そして名称からも想像がつくように人文主義や人道主義に対する批判もこめられている。ブラジルは十九世紀の近代化の過程で自由・平等思想を取り入れたが、それと並行して奴隷

＊8 Santana, Affonso Romano de [2008] *Paródia, paráfrase e cia*, São Paulo: Ática: 29.

制度を存続させていた。そんなブラジル社会は矛盾だらけだったはずだ。

ところで先ほどブラス・クーバスが人間の心の動きに「窓の等価性の法則」と命名したことを紹介したが、これもヨーロッパ伝来の思想を相対化するためのいわば科学のパロディとも考えられるだろう。十九世紀は科学が急速に勢力を拡大した時代で、一種の制度として価値の創出に絶大な力を持つようになっていた。ブラジルでも進化論、決定論、実証主義、人種主義などの科学的合理主義がヨーロッパから積極的に導入された。アフリカから連れてこられた奴隷が人口の多くを占め、混血が進んでいたブラジルでは、これらの思想をもとに人種の優劣が真剣に議論された。とりわけ白人至上主義を掲げて、黒人との混血が文明の退化を招くとしたゴビノーの理論[*9]はブラジル社会に深刻な影を落としていた。人種主義はアフリカにルーツをもつマシャードにとって看過できないものだっただろう。科学は自然の中から何度やっても決まって繰り返し起こる同一性を見いだして法則化する学問で、たった一度しか起きないことに対しては無力だ。それにもかかわらず人間を科学で語り、決め込もうとする風潮にマシャードは批判的だった。心を法則化することに代表されるシニシズムが交じり合うユーモアもマシャード文学の特徴のひとつである。

*9 ジョゼフ・アルテュール・ド・ゴビノー(Joseph Arthur Comte de Gobineau 1816–82) 十九世紀のフランスの思想家で、黒人などその他の人種に対する白人の優越性を主張し、混血化は文明の没落を招くと説いた。

ブラジル社会を映し出す文体

もうひとつ『ブラス・クーバスの死後の回想』の特徴として挙げられるのがユニークな文体である。文体の特異性はブラス・クーバス本人も意識し、次のように書いている。

わたしの本とわたしの文体は、まるで千鳥足。右へ行ったり左へ行ったり、歩いたかと思えば立ち止まり、ぶつぶつつぶやき、唸り、大笑いをし、天を脅して、滑って倒れ落ちる……（マシャード［二〇一二］二七二頁）。

この文体には多くの研究者が注目したが、とりわけ重要なものにシュヴァルツのものがある。彼はそれに「流動性／気まぐれ（volubilidade）」という言葉をあて、変幻自在に態度を変え、一貫性を無視して勝手気ままに話を進めるブラス・クーバスの語り口が、当時のブラジル社会の支配階級の思考ないしは行動様式を反映していると指摘した（Secchin et al.［1998］48-69）。独立後のブラジルは近代国家の体裁を整えるべくヨーロッパに倣い近代的社会づくりに邁進したが、ポルトガル王室の皇子ペドロを戴いて帝国として独立したために、植民地時代の支配層がそのまま横滑りし、旧い体制が維持された。このため本来ならば賃金労働者を前提としない奴隷制度が残されたまま、賃金労働者を前提とする資本主義社会への移行が図られた。支配階級の人々は奴隷を所有したまま西洋からの自由主義や平等主義の思想を輸入することとなり、こうしてブラジル社会は、西洋的な観点から考えれば両立不可能なはずの近代と前近代（非-近代）の二つの体制を同時に抱える二重構造をもつに至った。そして支配階級の人々は、都合と必要性に応じてこれらを臨機応変に使い分けた。現に十九世紀のブラジルには法が法として機能しない現実があった。奴隷貿易は一八三一年に全面的に禁止されたはずだったが、それは奴隷制度廃止に圧力をかける「イギリスへの見せかけの法」として実際には空文化した。実際に規範が非-規範になり、非-規範が規範になることが十分あり得る社会だったのである。

『ブラス・クーバスの死後の回想』に描かれているブラジルの姿は、道徳にしろ、規範にしろ、制度にしろ、宗教にしろ、思想にしろ、芸術にしろ、文学にしろ、社会的慣習にしろ、常にヨーロッパ伝来のものを追いかけては、そこから外れる土着のブラジルも維持し使い分けながら切り抜けていったプロセスでもある。これはホベルト・ダマッタ[*10]やアントニオ・カンジド[*11]が論じる秩序（ordem）と脱‐秩序（desordem）間の揺らぎに通じると考えられる。念のため申し添えておけば、desordemという言葉はしばしば日本語で「無秩序」と理解されるが、「無秩序」と「脱‐秩序」は全く異なる。「無秩序」は文字通り秩序を持たないことを意味するが、「脱‐秩序」の場合、秩序は存在している。存在しているが、それと同時に秩序を逸脱（度外視・超越）する領域も併存しているということである。

ブラス・クーバスは近代国家ブラジルのアレゴリー（寓意）としての側面も持ち合わせ、その文体にはヨーロッパと非‐ヨーロッパの揺らぎの中で形成されていったブラジルの歩みが反映されている。実はこのリズムが現代のブラジルにも濃淡の違いはあれ受け継がれており、またブラジルの文化事象を考えるうえでも重要だと筆者は考えている。

マシャードの文学作品は次頁の表のとおりである（新聞掲載のクロニカや評論などを除く）。

現代とマシャード・ジ・アシス

歴史にタラレバはないと言われるが、もしマシャード・ジ・アシスがいなかったら、ブラジル文学の様相はまったく異なっていたにちがいない。おそらく現代のブラジルの作家でマシャードの影響を受けていないか、まったく意識したことはない人はいないのではないか。ダウカスタギネは「ブラス・クーバスは我々の文化を汚染した（contaminou）。もはやそこには確実性はひとつもなく、我々をいかなる真実にも導いてくれる人はだれもいない」と述べている。[*12] ブラジルの現代の文学を読むと、その多くに「秩序」⇄「脱‐秩序」の構図が見いだされ、結末が宙づ

*10 Damatta, Roberto [1984] *Carnavais, malandro e herói*s, Rio de janeiro: Rocco.

*11 Candido, Antonio [1993] "Dialética da malandragem," em *O discurso e a cidade*, São Paulo: Duas Cidades.

*12 Dalcastagnè, Regina [2000] "Herdeiros de Machado de Assis: personagens do romance brasileiro atual," em *Estudos de Literatura Brasileira Contemporânea*, no 6, Brasília, abril: 19.

表 17–1 マシャードの文学作品群

作品名（日本語）	作品名（原語）	出版年	形式
前期：1864 ～ 78 年			
『さなぎ』	*Crisálidas*	1864	詩集
『リオの短編集』	*Contos Fluminenses*	1870	短編集
『蛾』	*Falenas*	1870	詩集
『復活』	*Ressurreição*	1872	長編
『真夜中の短編集』	*História da meia-noite*	1873	短編集
『手と手袋』	*A Mão e a luva*	1874	長編
『アメリカーナス』	*Americanas*	1875	詩集
『エレーナ』	*Helena*	1876	長編
『ヤヤ・ガルシア』	*Iaiá Garcia*	1878	長編
後期：1880 ～ 1908 年			
『ブラス・クーバスの死後の回想』	*MemóriasPóstumas de Brás Cubas*	1881*	長編
『ばらばらの紙』	*Papéis avulsos*	1882	短編集
『日付のない物語』	*Histórias sem data*	1884	短編集
『キンカス・ボルバ』	*Quincas Borba*	1891	長編
『ドン・カズムッホ』	*Dom Casmurro*	1899	長編
『さまざまな短編』	*Várias histórias*	1896	短編集
『集められたページ』	*Páginas recolhidas*	1899	短編集
『西洋人』**	*Ocidentais*	1901	詩集
『エサウとヤコブ』	*Esaú e Jacó*	1904	長編
『古い家の遺物』	*Relíquias da casa velha*	1906	短編、詩など
『メモリアル・ジ・アイレス』	*Memorial de Aires*	1908	長編

＊　雑誌に掲載されたのは 1880 年。

＊＊ *Crisálidas, Falenas, Americanas* と合わせ詩全集として出版。

〔出所〕筆者作成

りにされる曖昧な終わり方をするものが多い印象を受ける。また双子や二人の兄弟や姉妹が登場し、対照的な性格が設定されていたり、ひとつのものを取り合う筋が用意されたりしているものが少なくない。これもマシャード以降のブラジルの文学の伝統なのではないか。

またもうひとつ最近マシャードが新たに重要性を獲得した領域がある。アフロブラジル文学である。二十一世紀に入ってアフリカ系の作家の活躍がめざましい。何を以てブラジルの黒人文学あるいはアフロブラジル文学に分類するかは研究者のあいだで必ずしも一致はしていないが、黒人の視点から書かれていることが重要であることに異議を唱える人はいないだろう。マシャードは自らのルーツである「アフリカ性」を明らかにして文学を発表したわけではないが、これまで見てきたような既定の秩序に縛られない発想は、非支配者層、しかも人種差別が横行する社会において、アフリカにルーツを持つ出自だったからこそ持ち得たものだろう。その意味で近年ブラジルの黒人作家らがあげ始めた声はマシャードの系譜を引くともいえるだろう。一昨年、「本当のマシャード・ジ・アシス・キャンペーン」というプロジェクトが話題になった。一般に出回っているマシャードの写真は「白人化」されたものであるとして、「歴史的過ちを修正するためのプロジェクト」を興し、デスマスクなどの資料を使って黒人の顔だちを復元させたのである。写真は手持ちの本に貼れるように、「正誤表」としてシールの形で配布された。

冒頭で紹介したマシャードの没後一〇〇周年の記念式典は、実はポルトガル語正書法への署名式と重ねられた。これはマシャードの文学の意義を考えるうえで重要な事実である。なぜならこれによりマシャードはもはやブラジル文学の代表にとどまらず、ポルトガル語圏文学の代表として立場を付与されたとも受け取れるからである。

【読書案内】

マシャード・ジ・アシスの作品は一九三七年に初めて全集としてW・M・ジャクソン社により三一巻にまとめられたが、不正確で原本に不忠実な個所も多いとされている。その後、マシャードの作品は五八年に公有化されたのと同時に、マシャード・ジ・アシス委員会（Comissão Machado de Assis）が結成され、校訂本の編纂が開始した。だがそれは現時点で未完である。五九年にはアギラール社が三巻本の全集を刊行したが、所収作品を生前に発表された文学作品に限定したため、クロニカなど重要なテクストが除外された。マシャード没後一〇〇周年の二〇〇八年にアギラール社はそれらを加えた増補版を四巻本で刊行し、さらに一五年には新正書法に改め、活字も大きくしたワイド版が出版されている。また現在は、オンラインによる校訂版の策定が進められている。

Machado de Assis [2015] *Obra completa em quatro volumes*, 3. ed. org. de Auizio Leite, Ana Lima Cecílio, Heloisa Jahn, São Paulo: Editora Nova Aguilar.

マシャード・ジ・アシス［二〇〇八］『ブラス・クーバスの死後の回想』伊藤奈希砂訳、国際語学社。

――［二〇一二］『ブラス・クーバスの死後の回想』武田千香訳、光文社古典新訳文庫。

――［二〇〇二］『ドン・カズムーロ』伊藤奈希砂訳、彩流社。

――［二〇一四］『ドン・カズムッホ』武田千香訳、光文社古典新訳文庫。

――［一九八二］『マシャード短編集』高橋都彦訳、大学書林。

――［一九八五］『学校物語　他四篇』古野菊生訳、大学書林。

MACHADIANA ELETRÔNICA https://periodicos.ufes.br/machadiana

武田千香［二〇一三］『千鳥足の弁証法――マシャード文学から読み解くブラジル世界』東京外国語大学出版会。

マシャードの文学の入門書としては以下の本が参考になる。

Bosi, Alfredo [2002] *Folha explica Machado de Assis*, São Paulo: Publifolha.

Secchin, Antonio Carlos, José Maurício Gomes de Almeida, Ronaldes de Melo e Souza (org.)［1998］*Machado de Assis: Uma revisão*, Rio de Janeiro: In-Fólio.
Teixeira, Ivan［1988］*Apresentação de Machado de Assis* (Universidade hoje), São Paulo: Martins Fontes.

マシャードの生涯およびその文学の全体像を知るためには以下が参考になる。

Caderno de literatura brasileira: Machado de Assis［2008］Rio de Janeiro-São Paulo-Poço de Caldas: Instituto Moreira Salles.

マシャードの文学の歴史および社会学的な視点からの研究には以下の書籍が参考になる。

Chaloub, Sidney［2003］*Machado de Assis: historiador*, São Paulo: Editora Schwarz.
Faoro, Raimundo［2001］*Machado de Assis: a pirâmide e o trapézio*, São Paulo: Globo.
Gledson, John［1986］*Machado de Assis: Ficção e história*, Rio de Janeiro: Paz e Terra.
――――［1991］*Machado de Assis: impostura e realismo: uma reinterpretação de Dom Casmurro* (tradução Fernando Py), São Paulo: Companhia das Letras.
Schwarz, Roberto［2000］*Ao vencedor as batatas*, São Paulo: Duas Cidades; Ed. 34.
――――［2000］*Um mestre na periferia do capitalismo: Machado de Assis*, São Paulo: Duas Cidades; Ed. 34.

（武田千香）

コラム　モデルニズモ文学と黒人

生前にブラジルの奴隷制の終焉を見たマシャード・ジ・アシスはムラート（白人と黒人の混血者）であったが、半世紀のちのモデルニズモを代表する詩人マリオ・ジ・アンドラージ（Mário de Andrade 1893–1945）もまた、ムラートであった。二十世紀前半に展開されたモデルニズモ（近代主義）は、革新的な芸術表現の追求を通し、ブラジル文学史上でもとくに「ブラジルとは何か」が問われた時代であった。それではモデルニズモ文学と黒人、その文化との関係はどのようなものか。

マリオをはじめ、食人主義を率いたオズワルド・ジ・アンドラージ（Oswald de Andrade 1890–1954 同姓だが血縁関係はない）や、より国粋主義的なカシアーノ・ヒカルド（Cassiano Ricardo 1895–1974）など、近代主義を掲げた作家・詩人たちの多くは、西洋文化に相対するための「ブラジルらしさ」を象徴するものとして、インディオや黒人、その文化をモデルとして作品に取り入れた。

黒人（文化）の描写について、いくつか例を見てみよう。マリオ作の『マクナイーマ（*Macunaíma: o herói sem nenhum caráter*）』（一九二八年）の主人公はインディオだが、生まれた時の彼の肌は「真っ黒」で黒人の外見である。物語ではアフロ・ブラジル宗教の儀式「マクンバ」など、黒人文化にまつわるモチーフがふんだんに盛り込まれている。北東部の地域主義作家の筆頭ジョルジ・アマード（Jorge Amado 1912–2001）の『ジュビアバー（*Jubiabá*）』（一九三五年）もまた、アフロ系出自の文化や宗教的世界観の中に、黒人の主人公バルドゥイーノの劇的な成功譚が描かれている。オズワルドの食人運動に与した詩人ハウル・ボッピ（Raul Bopp 1898–1984）の『ウルクンゴ（*Urucungo*）』（一九三三年）には、自らのルーツとして遠い「アフリカ」に望郷の念を抱く黒人たちと、彼らの織りなす世界が幻想的な筆致でもって描かれる。同じく北東部出身のジョルジ・ジ・リーマ（Jorge de Lima 1893–1953）の『黒人詩集（*Poemas negros*）』（一九四七年）では、黒人（文化）にまつわるさまざまな詩が詠まれているが、とりわけ、農園主を誘惑する黒人奴隷娘の官能性を描く「黒人娘のフロー（Essa negra Fulô）」（初出は一九二八年）が有名だ。これらの創作の背景には、当時の人類学分野への世界的な関心の高まりがあり、作者たちはアフロ系文化の民族学研究の成果を盛り込んだのである。

しかしこうした描写に対し、後世の一部の黒人文学研究者は、黒人（文化）のステレオタイプ化だと非難する。それぞれの作品のテーマは、当時のブラジルにおける黒人や黒人文化に対する共感や親しみ、その価値を認める見方が生まれていったことの証左ともいえる。一方で、奴隷制という悲惨な過去を背負い、解放されたのちにも身分の低い立場へと押し込められる「かわいそうな」黒人を描く同情的まなざしは、当事者性を欠くようにも見える。

作品の書き手にしても、伝統的に評価されてきたモデルニズモ文学の担い手の多くは白人であった（少なくとも、そうみなされてきた）。そもそも当時読み書きのできる人口が少ない中、知識人層のエリートが担う作家の世界で、黒人が活躍することは稀であった。同時期にはリーノ・ゲージス（Lino Guedes 1897–1951）などの黒人詩人も輩出されているが、彼らは時代を代表する作家としては列せられていない。

研究者らが指摘するように、ブラジル文学は長い間、黒人（文化）を描くことはあっても、彼らの実際の声を無視する白人中心主義の土壌にあった。黒人の詩人や作家の「主体的な語り」の場が本当に現れるのは、一九八〇年代以降のことであるという。したがい、モデルニズモ文学は伝統的なブラジル文学の系譜においては「古典」だが、黒人文学研究の分野においては、「白人たち」が体よく黒人を単なるモチーフとして消費し、文化的に収奪してきた歴史に連なるものとして評価されているのである。

二〇二二年現在、ブラジル文学における黒人のプレゼンスは高まりを見せ、状況が大きく変わっている。ブラジル出版界の最高権威にあたるジャブチ賞（Prêmio Jabuti）では、二〇年の長編小説部門にイタマール・ヴィエイラ・ジュニオール（Itamar Vieira Junior 1979–）の『まがった鋤（*Torto Arado*）』（二〇一九

『まがった鋤（*Torto Arado*）』（2019）表紙

年）が、二一年にジェファソン・テノーリオ（Jeferson Tenório 1977-）の『皮膚の内側（*Avesso da Pele*）』（二〇二〇年）が選出された。折しもモデルニズモは一〇〇周年を迎えたが、近年ではムラートであったマリオに「黒人」的な主体性を見出そうとする研究もあり、これまでの評価の仕方にも変化の兆しが現れている。

（菊池豪人）

第18章　シネマ・ノーヴォの旗手——ネルソン・ペレイラ・ドス・サントス

一九二八年、サンパウロに生まれたネルソン・ペレイラ・ドス・サントス（Nelson Pereira dos Santos）は、サンパウロ大学法学部に学び、ジャーナリスト、映画評論家、助監督を経て、リオデジャネイロのスラムを舞台にした五五年の「リオ40度（Rio, 40 Graus）」[*1]で長編監督デビューを飾った。この映画は後に、シネマ・ノーヴォの先駆的作品とみなされるようになった。シネマ・ノーヴォとは、五〇年代にサンパウロを中心とした映画会社を生み出した国家主義を厳然と否定・批判しているとはいえ、その運動が否定し反対したのは、スタジオ・システムという映画撮影法に対してであった。そしてラテンアメリカ全体に広がった革新的な映画撮影法を掲げた運動でもあったことを強調しておく必要がある。

一九六三年、長年の念願だったグラシリアーノ・ラモス[*2]原作「乾いた人生（Vidas Secas）」の映画化を実現し、翌年のカンヌ国際映画祭で世界に衝撃を与え、グラウベル・ローシャ[*3]の「黒い神と白い悪魔（Deus e o Diabo na Terra do Sol）」とともに、シネマ・ノーヴォを代表する作品として国際的な評価を得た。軍事政権下、政治的寓話に満ちた作品を通して表現に磨きをかけた。映画製作に手をかけ始めた国営企業のエンブラフィルム（Embrafilme）の援助金を得るようになり、政治開放が始まった七四年以降はブラジル民衆の精神的アイデンティティに踏み込む新たな大衆映画を模索するなか、七四年の「オグンのお守り（O Amuleto de Ogum）」、七七年の「奇

一九七一年、「非常にクレイジーな村」撮影中のネルソン・ペレイラ・ドス・サントス
Nélson Pereira dos Santos (1971) Public domain / Arquivo Nacional Collection

＊1　作品の邦題は、日本で公開された作品はそのタイトル、未公開作品に関

蹟の家（Tenda dos Milagres）」、八四年の「監獄の記憶（Memórias do Cárcere）」などの作品を発表し続けた。そして九〇年に国営企業の民営化に伴い、ブラジル映画界の柱になっていたエンブラフィルムが閉鎖され、始まったブラジル映画危機の時代にも、ネルソン・ペレイラ・ドス・サントスは再び自主的な映画上映網を組織するとともに、作品の製作とリリースをし続けた。フィクションの長編作品以外に、長編ドキュメンタリーおよびテレビドキュメンタリーの監督としても活躍した。さらに映画監督になったときから長編作品だけではなく、短編作品の製作にも力を入れ続けた。

作品のテーマは様々であるが、ブラジル社会を読み解く上で欠かせない作品が多いことは間違いない。ブラジル文学作品を映画化した作品、ブラジル下層階級の生活をテーマにしている作品、さらにはブラジル史を寓話的に振り返る作品やブラジル人を支える宗教的精神的な世界をテーマにしている作品である。そしてブラジル思想家のジルベルト・フレイレ（第2章参照）とセルジオ・ブアルケ・デ・オランダ（第1章参照）およびブラジル音楽を代表する作曲家のトム・ジョビン[*4]についてのドキュメンタリーも制作した。長年大学で後進の指導にあたるなど、多くの映画監督に影響を与えた。

誕生から監督になるまで

サンパウロの奥地からサンパウロへ移った仕立屋の父親とイタリア系の母親の間の四人目の子供としてネルソン・ペレイラ・ドス・サントス（以下ネルソン）は一九二八年一〇月二二日、サンパウロに生まれた。

下位中産階級出身のため、子供の時からネルソンはブラジル社会における変化の影響を受

しては執筆者の訳である。

＊2 Graciliano Ramos（1892–1953）ブラジル現代文学を代表する小説家である。

＊3 Glauber Rocha（1938–83）ブラジルの映画監督、映画評論家、脚本家である。シネマ・ノーヴォのもう一人の旗手である。

＊4 Tom Jobim（1927–94）ブラジルの作曲家、編曲家、歌手である。ボサノヴァの旗手の一人である。

けた。一九二九年の世界恐慌、三〇年の革命および一五年続いたヴァルガス政権の影響を受けながら、サントス一家は生きるため必死に働いた。それを見ながら育ったネルソンが自分の作品にその階級の描写を多くしたことは、その階級出身であったからこそ上手くできたに違いない。

一九九五年のインタビュー（O'Grady［1995］17-22）でネルソン自身の思想について聞かれた際に、まず両親の育て方について、このように強調した「非常に明確な考え方をもった母からキリスト教だけが全てではないイタリア文化の多くの影響を受けた。日常生活においては、宗教的な考え方は存在しなかった。父もそうであった。父は少人数の家族出身の孤独な男の子で、孤児になってからフリーメーソンとして育てられた。そのため、私と兄弟は、広い思考の自由を持った。思考においての体系化はなかったが、人間としての行動に関してのルールはあった。宗教的な説明が含まれていない人間の行動に対しての実用的なアプローチと言えるだろう。父はファシズムとその傾向の全てに敵対心を持っていた人物であった」。

両親が映画好きであったため、子供の時から映画館に連れていかれ、映画のことに非常に興味を持った。そして先の説明のように育てられたネルソンは、子供の時から正義感が強い人間で、ヴァルガス時代にもかかわらず中学校において自分の思想に反対する考え方を受け入れず、何回も教師や学校と対立した。その時、ヴァルガス時代に批判を受けて捕まったグラシリアーノ・ラモスとジョルジ・アマード[*5]の作品と出会い、その文学者二人に共感し始めた。その共感は監督になったあとはさらに開花し、様々な作品を誕生させた。

一九四一年にネルソンは州立のルーズベルト大統領高校に入学した。ネルソンの高校時代においては、非合法であった共産党は活動していた。そこでネルソンは共産主義思想と出会

＊5 Jorge Amado（1912–2001）ブラジル現代文学を代表する作家である。海外において、もっとも有名なブラジルの小説家である。

い、四五年に共産党に入党し、ヴァルガス政権に反対する活動に参加し始めた。その活動のため、一六歳の時に捕まり、ヴァルガス政権秘密警察の警察署でネルソンは二日間を過ごした。解放後は、なおさらファシズムに対しての批判が強くなった。ヴァルガス政権が終焉を迎えた後、共産党は合法化され、ネルソンは党員として様々な活動ができるようになった。

一九四七年に、ネルソンはサンパウロ大学法学部に入学した。大学においては、ネルソンはますます政治的な活動に参加した。インタビューを受けた際、ネルソン自身はその活動について次のように振り返った。「共産党の公共活動に参加することは多くの若者にとってごく普通だった。その時代のある傾向だった」(O'Grady [1995] 17-22)。大学時代に共産党の活動によってネルソンは何回も捕まったが、その活動を継続した。その活動の中心は、法学部学内で出版された共産党新聞(*Hoje*)の文学評論および映画評論の担当者としての執筆だった。弁護士になるつもりはなかったが、ネルソンが卒業まで勉強を続けた理由は、彼が弁護士になることが父の夢であったからである。卒業する前に映画について勉強するため、パリにあった高等映画学院(IDHEC)[*6]に向かった。しかしながら資金不足、兵役義務および婚約者が妊娠した知らせを受け、二か月足らずでブラジルに帰国した。

一九四八年、共産党は再び非合法になったため、多くの党員が亡命した。パリで二か月過ごしたのちに、帰国したネルソンは、兵役に就きながら大学に復帰し、結婚した。そして家族を扶養するため、ジャーナリストとして仕事をし始めた。その多忙な生活の中で、五〇年に共産党文化委員会に注文された短編映画を製作することになった。その作品はベルリン青年祭に参加するための作品で、題名は「青春(Juventude)」(日本未公開)であった。

ネルソンの監督として処女作の内容は、サンパウロのある工場で苦労する子供および農村

＊6 Institut des Hautes Études Cinématographiques かつて存在したフランスの映画学校である。一九五〇年代から六〇年代にかけて世界において、もっとも有名な映画学校であった。

地域での子供の葬式であった。残念ながら、この作品の唯一のコピーは、ベルリンに送られ戻らなかった。それにもかかわらず、ネルソンはこの作品を通して編集作業を覚え、その後の監督としてのキャリアに影響を与えたと振り返ったこともある。(Salem [1996] 72)

一九五一年、ネルソンは大学を卒業するが、共産党のためのもう一本の短編作品を製作した。しかしその作品のコピーも残っていない。その経験を生かそうと思ったネルソンは同年に助監督として活躍し始めた。さらに五二年、助監督の仕事のためサンパウロからリオデジャネイロに移った。

「リオ40度」とシネマ・ノーヴォとしての先駆者

助監督の経験を経て、ネルソンは監督としての初の長編作品を完成させるために資金活動をし始めた。結果として、自分と五九人の友人およびその作品に参加する七六人の技術者などから集まった資金によって作品の撮影を行うことができた。作品を制作するための資金を集めるそのシステムはネルソンの作品だけではなく、それ以降、シネマ・ノーヴォの他の監督たちの作品を支えることが頻繁にあった。

プロの俳優とスラム街に住んでいた多くの一般人が交じって撮影された「リオ40度」は、内容が簡単で優しさにあふれている一方で痛烈な物語になっている。リオデジャネイロのとても暑いある日曜日に、スラム街に住んでいるピーナッツ売りの黒人の子供の五人を追いかけるそれぞれの物語を交えた構成になっている。一つ目の物語は、黒人の子供の一人と彼のペットであるヤモリが公園で受ける残酷な運命の話である。二つ目の物語は、コパカバーナビーチにピーナッツを売りに行った母が、病気になっている一人の黒人の子供とビーチで遊んでいるブルジョワ恋人同士との対立の話である。三つ目の物語は、マラカナンスタジアムで国内サッカー決勝戦中にブラジルサッカーの裏の現実に迫る話である。四つ目の物語は、ポンヂアスーカルにおいてピーナッツを売りに行った一人の黒人子供とその売り場をコントロールしているチンピラとの対立の話である。最後の物語は、リオデジャネイロのサントスドゥモン空港に到着した、ブラジル奥地の町で汚職をしている政治ボスの話である。作品の結末に近づくにつれ、それぞれの物語が絡み合い、スラム街から映す映像をカメラアップしてスラム街からリオデジャネイロの全面を映し、作品が終わる。

作品におけるドキュメンタリー的な表現方法は、もちろんイタリアのネオレアリズモ[*7]の影響を感じさせる。そして「リオ40度」がロッセリーニ[*8]の一九四五年の「無防備都市（Roma città aperta）」およびデ・シーカ[*9]の四六年の「靴みがき（Sciuscià）」に似ているというように分析されている論文もある（Fabris［1994］91-147）。しかしそれらの作品より最も感覚が近い作品はブニュエル[*10]の五〇年の「忘れられた人々（Los olvidados）」だと思われる。なぜなら両作品ともラテンアメリカにおける格差社会に伴う不平等をリアルにかつ残酷に映しているだけではなく、スラム街の住民の清廉および連帯を共産主義的に分析している。しかしネルソンが見せている格差社会に対するイメージは、ブニュエルのイメージより楽観的である。なぜなら「リオ40度」が残すメッセージにはこの格差社会が変化する可能性が込められており、スラム街の住民の連帯により彼らの生活を良くすることできるというメッセージである。

ネルソンが取った撮影方法が当時のブラジルにおいては、革新的で撮影スタジオから飛び出し、一般人をフィルムのなかに映し込むことでまさしく彼をシネマ・ノーヴォの先駆者にした。一九六三年にグラウベル・ローシャが「リオ40度」についてこのように分析した。「庶

＊7　イタリアにおいて、一九四〇年代から五〇年代にかけて特に映画と文学の分野で盛んになった潮流である。

＊8　Roberto Rossellini（1906–77）　イタリアのネオレアリズモの代表的な映画監督である。

＊9　Vittorio De Sica（1901–74）　イタリアのネオレアリズモのもう一人の代表的な映画監督である。

＊10　Luis Buñuel（1900–83）　スペインの代表的な映画監督である。メキシコおよびフランスでも活躍した。

民のための作品であり、庶民に庶民を見せてくれる作品である。ボトムアップからの意図は革命的だった。アイディアは明らかで、物語は簡単で、作品のリズム感は都市の繁雑を表現できた。カメラが情熱的に都市における矛盾、貧困および悲劇を映している。演出はシャープにできた監督によるものであった」(Miranda [1990] 300)。この作品が五六年のカルロヴィ・ヴァリ国際映画祭[*11]に出品され、ネルソンは若い監督に与えられる賞を獲得した。

「リオ40度」から「乾いた人生」までの間

次の代表的な作品である「乾いた人生」の製作を始めるまでの間、ネルソンは四本の長編作品に関わった。一つ目の作品は、生きるために自分自身が作詞・作曲したサンバの著作権を他の人に売るしかない貧しい黒人のサンバ作曲者の物語である一九五七年の「リオ北区物語(Rio, Zona Norte)」(日本未公開)である。五八年にネルソンは、サンパウロで製作されたシネマ・ノーヴォの唯一の作品だと言っても過言ではないロベルト・サントス(Roberto Santos)監督の「結婚式(O Grande Momento)」(日本未公開)にプロデューサーとして関わった。

しかし客から人気を得られなかったそれぞれの作品のあとにネルソンを待っていたのは借金ばかりであった。家族を養うため、ネルソンは再び新聞記者として働くことにした。それでも映画製作に戻りたかったネルソンは、北東部の干ばつについてのドキュメンタリーを制作する仕事を新聞社から受けた。皮肉にも、一九六〇年に北東部へ向かったネルソンとその撮影クルーを待ち受けていた天候は、現地には珍しい嵐による洪水だった。ドキュメンタリーの撮影および「乾いた人生」を撮ることも考えたネルソンはその両方を諦め、別の作品を撮ることにした。その作品とは、西部劇の影響を受けた六一年の「赤い木々(Mandacaru Verme-

*11 チェコの都市であるカルロヴィ・ヴァリで行う国際映画祭で、一九四六年にスタートした。冷戦時代に東欧共産主義政権の中で最も有名で評判高い国際映画祭であった。

lho)」（日本未公開）である。

再び人気を得なかった作品を製作したネルソンが次に監督として関わった作品はネオレアリズモ的なアプローチの作品でもなく、シネマ・ノーヴォのアプローチの作品でもなかった。一九六三年にブラジルで観客動員数を最も集めた一つの作品である「ボーカ・ジ・オーロ——リオの有名なマフィアボス（Boca de Ouro）」（日本未公開）は、演劇作家のネルソン・ロドリゲス[*12]作品の映画化である。

「乾いた人生」とシネマ・ノーヴォの代表的な監督

グラシリアーノ・ラモス原作「乾いた人生」の物語は、干ばつのために難民生活を強いられたファビアノ家および愛犬のバレーイアが北東部のセルタン[*13]に生きる希望を探す物語である。暑い奥地を彷徨う家族がようやく見つけた農場での生活も、地主階級のボスからの横暴からは逃れない家族の運命が続く。そして最後まで希望が見つからない物語である。原作と同じように映画にも、セルタンに住む人々の孤独および社会的孤立を描写するために役の間のダイアログがほとんど存在しない。そして少ない会話のシーンに存在するダイアログでは短く簡単な言葉しか使われず、あたかもつぶやきのようになっている。その社会的孤立をさらに上手く描写するため、サウンドトラックは使用されていない。唯一使用されている「音楽」は、ブラジルの奥地によく見られる牛車の音である。

初めて小説を映画化したネルソンがその経験について次のように述べた。「小説を映画にすることは連鎖ではなく、大きな発見ができるヒントである。それらのヒント、つまり小説の構造とエッセンスを活かすことが僕に原作者の世界を歪めないヒントを見つける大きな刺激を

＊12 Nelson Rodrigues（1912-80） ブラジルを代表する劇作家である。さらに、ジャーナリスト、小説家およびスポーツコメンテーターとしても活躍した。

＊13 セルタン（sertão）とは、ブラジルの北東部にある周期的に干ばつの影響を受ける地域である。

与える」(Salem［1996］181)。別のインタビューを受けた際にネルソンが「乾いた人生」の映画化について、このように述べている。「もちろん僕がブラジルおよび自分自身を理解するために助けてくれたブラジル作家のことをとても誇りに思う。彼らが別々の時代に生き、別々の表現方法の天才であり、僕の頭から離れなかった。もしかすると僕が彼らの作品は映画を通してさらに世界に広めることを選んだのは、彼らが僕に与えた知識に対する恩返しかもしれない」(Sadlier［2012］153)。

　このような考え方を持ったネルソンは確かに原作の基本を守った。小説の構造を映画作品として観客が追いかけるため編集はしたが、それでも、映画作品は小説に沿っている。「乾いた人生」はシネマ・ノーヴォの傑作のひとつであることに違いはないが、撮影方法に関してはシネマ・ノーヴォのリアルな撮り方だけではなく、ネルソンが以下に述べる五つの工夫を加えたことで、この作品はさらに優れたものになった。

　一つ目は、先に述べた音楽を使用しなかったことである。二つ目は、北東部のカウボーイである主人公ファビアノ(Fabiano)をジョーン・フォード[*14]監督のように大きな空とコントラストすることによって大作のヒーローにする撮影方法である。三つ目は、祭りのシーンの撮り方とその編集である。村の祭りに訪れたファビアノ家に様々な困難が現れる。それらの困難(バレーイアが見つからない、トイレの場所がわからない、ファビアノが不当に捕まり暴力を受けるなど)と、祭りを楽しんでいる村そしてその祭りの中で殺される牛のイメージを、農民の苦しみにたとえてメッセージを送ろうとする編集がエイゼンシュテイン[*15]の一九二五年の「ストライキ(Strayka)」のそれを思い出させる。その鋭い編集により、この作品が、映画の中に描写される四〇年代に起こった干ばつの物語を超え、永遠に続くブラジル農民の苦しみを表すことを可

＊14 John Ford (1894–1973) ハリウッド映画の西部劇の代表的な監督である。

＊15 Sergei Eisenstein (1898–1948) ソビエト映画の代表的な監督である。

能にしたと言っても過言ではない。

　四つ目は、先の編集方法とも関連しているが、原作のようにダイアログを少なくした効果である。それに伴い、農民の悩みが上手く表現できただけでなく、作品自体が内気なモノローグになった。農民にとって土地が全てであり、都市に移ったとしても自分たちは都市から何も良いファクターがもらえないという永遠の移民の姿を素晴らしく描写することができた。五つ目は、撮影監督のルイス・カルロス・バヘット[*16]が選んだ太陽の光の撮り方である。作品を撮り始めた時にネルソンはガブリエル・フィゲロア[*17]の光と影のコントラストの撮り方のように進めようと思った。しかしバヘットが提案した方法は革新的だった。それが、セルタンの太陽の強度を実際に見せるために撮影するときにフィルターを外す提案であった。その方法を選んだネルソンとバヘットのその撮影方法によって、「乾いた人生」に表れる太陽の光は実にリアルで、観客にもその残酷な強度が上手く伝わるのである。その結果、北東部の農民にとって干ばつは「地獄」であることを素晴らしく描写している。

　この作品は、シネマ・ノーヴォの多くの作品と同様に観客からは人気を得ることができなかったが、評論家から絶賛された。カンヌ国際映画祭に出品され、メインの賞を獲得することはできなかったが、他の様々な賞を得た。五年後に米国でリリースされた時には、「乾いた人生」は米国の評論家からも絶賛され、米国におけるブラジルのシネマ・ノーヴォの存在を広めることになった。

その他のシネマ・ノーヴォの作品

「乾いた人生」で成功を収めたにもかかわらず、家族を養うためにネルソンはその後ジャー

＊16　Luiz Carlos Barreto（1928–）ブラジル映画の撮影監督、脚本家とプロデューサーである。

＊17　Gabriel Figueroa（1907–97）メキシコ映画の代表的な撮影監督である。特に光と影の撮り方が世界中で有名で、メキシコ映画黄金期を支えた一つのファクターだった。

ナリストとしてジョルナル・ド・ブラジル（Jornal do Brasil）という新聞社に戻った。その新聞社の仕事として一九六五年に短編作品のドキュメンタリーを二本撮った。しかし同年、ジャーナリストとしての仕事を完全に離れ、ブラジリア大学マスメディア学部の教授になった。しかしリオデジャネイロを離れたくなかったネルソンは、ブラジリアに引っ越さず、リオデジャネイロから大学に通った。そのことでネルソンは、大学局や学生たちと何回も口論になった。にもかかわらず、ネルソンの授業を受け、のちに映画制作に関わった学生も多くいる。授業の一環としてネルソンと何人かの学生がブラジリア文化財団[*18]および教育映画国立学院[*19]と協定を結んだ。そして学生とともに短編作品を二本作った。

一九六四年四月一日に軍部によるクーデターから発足した軍事政権の圧力が徐々に強くなり、ブラジリア大学からネルソンを含む一五名の教員が解雇された。解雇を受けて、ネルソンは再び長編作品の撮影に戻ることとした。しかし軍事政権下であるため、ネルソンが撮ったシネマ・ノーヴォの残りの作品が政権の検閲と闘うことになった。検閲から逃れるため、シネマ・ノーヴォの他の監督と同じようにネルソンが撮った作品はリアリティを見せるよりも比喩的なアレゴリーになっていった。その時代の初の長編作品は、軍事クーデター後のリオデジャネイロの上流階級の生活をコメディータッチで描いている六七年の「復讐者（El Justicero）」（日本未公開）である。

この作品もネルソンがブラジリア大学の多くの学生と撮った作品であり、また経験が浅い俳優にもチャンスが与えられた作品であったことから、ブラジル映画に大いに貢献した作品であるともいえる。しかしほとんどのブラジル人はその作品を見たことがないということも事実である。その時期に、米国で上映され話題となった「乾いた人生」の影響を受け、ネ

＊18 Fundação Cultural de Brasília　かつて連邦地区政府（ブラジリア）における文化全般を支援する財団であった。一九九九年に連邦地区政府文化庁の一部になった。

＊19 Instituto Nacional do Cinema Educativo　かつてブラジル文部省下で教育的な映画を製作する役割を果たした学院であった。軍政の時に閉鎖された。

ルソンは米国国務省から招待され、米国で二か月過ごした。ブラジルに帰国したネルソンがギレールメ・ジ・フィゲイレド[*20]の短編小説を基にした作品を撮ることになった。それが一九六八年の「愛への渇望（Fome de amor: Você nunca tomou banho de sol inteiramente nua?）」（日本未公開）である。

一九六八年五月からネルソンはリオデジャネイロ州ニテロイにあるフルミネンセ連邦大学芸術学部の教員として仕事し始める。大学における映画製作の担当にもなったネルソンは、その活躍によってさらに様々な映画製作に関わる学生を育て、ブラジル映画の将来に大いに貢献した。

一九六八年一二月一三日、軍政令第五号（AI-5）が公布された。それに伴い、強権政治が合法化され、一一年間に渡る軍部による完全な独裁が始まった。議会は閉鎖され、憲法による権利の全てが廃止された。中央政府が全州と全ての市に干渉することになり、大統領がいつでも戒厳令を公布できるようになった。人身保護令も認められない状態になり、裁判を起こすこともできず、国民の誰もが中央政府に裁かれる状態になった。そして検閲は益々厳しくなった。それを受け、多くの映画監督が亡命する道を選んだ。ネルソンは海外に亡命しなかったが、リオデジャネイロから離れ、リオデジャネイロ州の海岸沿いに位置する植民地時代の雰囲気が残っているパラチに引っ越した。そしてそこで次の作品二本を撮った。

一九七一年の「非常にクレイジーな村（Azyllo muito louco）」（日本未公開）は、マシャード・ジ・アシス（第17章参照）の短編小説の一つを基にした作品である。ネルソンが次に関わった作品のテーマは、ブラジルの植民地時代における先住民とヨーロッパ人の接触によって、先住民の文化が衰退し始め、同時にブラジルの社会・文化・アイデンティティが形成されたこと

＊20 Guilherme de Figueiredo（1915-97）ブラジルの劇作家である。

を扱ったものであった。しかしただの時代劇になることを望まなかったネルソンが選んだのは、ブラジルのモダン主義文学の始まりに存在した「人食い主義」[*21]からヒントを得たアプローチである。

一九七二年の「私が食べたフランス人（Como era gostoso o meu francês）」は、様々な植民地時代の文献を基にして制作されたが、六〇年代から七〇年代の軍事政権が掲げていたブラジル経済の奇跡の中で苦しんでいた先住民に対する風刺でもある。つまり「私が食べたフランス人」は歴史を非難する作品であるだけではなく、先住民とヨーロッパ人が出会ったフィクションでありつつも、ドキュメンタリーのように植民地時代の文献に対する新しい解釈を試みた作品にもなっている。

植民地時代の文献からの描写に加えて、ネルソンが十九世紀後半のブラジル・ロマン主義が描写した「理想の先住民」および二十世紀初期の「人食い主義」の描写も合わせたことから、ブラジルの先住民を様々な視点から解釈できる作品にもなった。

アンダーグラウンド運動の作品と商業映画作品の時代

話は少し遡るが、一九六八年から七三年の間、ブラジルにおける最も優れたアンダーグラウンド映画運動のシネマ・マルジナール（cinema marginal）がシネマ・ノーヴォと同時に活動した。シネマ・マルジナールはシネマ・ノーヴォを厳然と否定・批判しているとはいえ、その映画論から完全に解放されているわけでないということを強調しておく必要がある。シネマ・マルジナールが否定し、反対したのは、シネマ・ノーヴォが通俗的で商業主義的映画に向かおうとしたシネマ・ノーヴォの後期の動きに対してであった。そうした状況もあったからこそ、

＊21「人食い主義（canibalismo）」は、作家のオズワルド・ジ・アンドラーデの考えに基づき、一九二〇年代・三〇年代のブラジル文学で流行した主義主張であり、ブラジル文化が、先住民のように、外来の思想・文化などを飲み込んで生まれたものだとする。

一九七二年、「私が食べたフランス人」撮影中のネルソン・ペレイラ・ドス・サントス
Nélson Pereira dos Santos em "Como era gostoso meu francês" Imagem do Fundo Correio da Manhã, Public domain / Arquivo Nacional Collection

ネルソンも次にリリースした作品はシネマ・ノーヴォの作品としてよりもシネマ・マルジナールの作品として分析されることが多いといえよう。

フランスの映画会社が製作した一九七三年のＳＦ作品「ベタは誰だ？（Quem é Beta?）」（日本未公開）は、ゴダール[*22]の六七年の「ウイークエンド（Week-end）」の編集方法を思い出させる。それにもかかわらず、ゾンビの物語でもあるため、ジョージ・ロメロ[*23]の六八年の「ナイト・オブ・ザ・リビングデッド（Night of the Living Dead）」をも思い出させる。

国営映画会社のエンブラフィルムからの援助金を受けて商業映画を撮ることを決めたネルソンによる、一九七四年の「オグンのお守り」は、北東部の大衆文化を強調し、干ばつから逃がれて仕事を探すためにリオデジャネイロに移動した多くの北東部出身者を代弁する作品であるとも言える。しかし社会的な分析よりアフロブラジル宗教のウンバンダの教えとリオデジャネイロの大きな問題である治安の悪化を素晴らしく組み合わせたこの作品はいわゆるアクションムービーとなった。この作品はネルソン作品の中で最もヒットしたものであり、商業作品としてのブラジル映画としても最も優れた一本であると言える。

一九七五年のカンヌ国際映画祭に出品されたこの作品は、評論家からの評価が高く、南アメリカにおいて最も大きな国際映画祭であるグラマード映画祭において最優秀映画賞を獲得した。その作品が成功したという影響もあって、映画に関わる行政改革にネルソンが関わることになった。軍政を批判し続けたネルソンがなぜその仕事を受けたのか。自分自身のイデオロギーを捨てず、ネルソンはブラジル映画を国内マーケットにおいてハリウッド映画と競争できるようにするためは、政府の仕事に参加するしかなかった、と後に説明している（Salem［1996］319）。

＊22 Jean-Luc Godard（1930–2022）フランスのヌーヴェル・ヴァーグのリーダーの一人である。
＊23 George Romero（1940–2017）米国のゾンビ映画の巨匠である。

映画製作改革をまとめたマニフェスト[*24]の中心的存在であったネルソンが述べた多くのアイディアは、エンブラフィルムとその他の行政改革に反映された。経済危機があったにもかかわらず、ブラジル映画はエンブラフィルムが閉鎖される一九九〇年まで、成功を収め続けた。軍政を批判し続けたネルソンが、多くの映画監督の仲間から批判されながらも政府が提案した映画関係の行政改革に加わったことによって、ブラジル映画産業を守ることが可能になった。このことは、ネルソンがいつも現実的に映画製作をし続けた映画人間であることを表しているに違いない。

ネルソンが次に作った一九七七年の「奇蹟の家」は、ジョルジ・アマードの小説を映画化した作品である。ネルソンが製作した次の作品は、八一年の「人生の道――ミリオナリオとジョゼ・リコ（Estrada da vida）」で、セルタネージョ[*25]のデュオであるミリオナリオとジョゼ・リコを追いかけるロードムービーである。政治的な作品ではないにもかかわらず、ブラジルの農村と都市の格差および労働搾取をリアルに描写していることから、「本当」の意味での政治的な映画作品であるとも考えられる。そのため、この作品はリアリティを歪めることなく楽しませるものである。すなわち、ブラジル映画においては、音楽とエンターテインメント業界のユートピアを「本物」に近く感じさせる数少ない作品の一つである。七三年から八一年の間、これまで述べた長編作品以外にネルソンは、五本の短編作品の監督もした。

大作作品の「監獄の記憶」

一九八四年に作られた一九七分に及ぶ「監獄の記憶」は、ネルソンの最も大胆な作品であることに違いない。七九年から始まった軍事政権による政治開放の政策に伴い、検閲が緩和さ

＊24 *Manifesto por um cinema popular* (1975).

＊25 ブラジルの最も人気ある音楽ジャンルである。米国のカントリーミュージックに似ているとも言われている。

れた。ヴァルガス政権下で迫害を受け、戦い続けた人々を描写したこの作品を製作するには極めて良いタイミングであった。ネルソン自身がこの作品を実現できたことについて、あるインタビューで次のように語った。「もともと一九六四年の独裁体制が始まった時に製作したかった作品であった。作品を通して『独裁政権に気を付けろ』と伝えたかった。しかし二〇年間を待たなければならなかった。今言えるのは、『独裁政権はどれほど恐ろしかったかに気づいた』というメッセージである」(Sadlier [2012] 101)。

グラシリアーノ・ラモス原作の「監獄の記憶」は、ヴァルガス政権下において共産党員であることの疑いを受けて一九三六年に捕まり、一年間ほど刑務所から刑務所へ移動させられ過ごしたグラシリアーノの回想録である。映画作品は原作に忠実であるが、カメラワークを通してグラシリアーノが物語を伝えるというよりも、周りにいる他の囚人からもグラシリアーノが見られるようになっている。そのカメラワークを取ったことにより、刑務所はブラジル社会の比喩になることが可能になった。ネルソン自身はカメラワークの使い方については次のように、とあるインタビューに述べた。「『監獄の記憶』はドキュメンタリーではない。カメラはそれぞれの役に直接的な関係を持っているように置いて、それぞれの役の考えを表している」(O'Grady [1995] 17-22)。

グラシリアーノ・ラモスが回想録を完成する前に亡くなったため、作品を映画化した際にネルソンはあるシーンを加えた。そのシーンこそが作品をさらに荘厳な作品にした　そのシーンには、ブラジル国歌が流れる中で、刑務所から解放された老いたグラシリアーノが、戦争映画にある強制収容所から解放された生存者のように、刑務所の門から困難な歩行をしながら離れていく。その刑務所が島にあるため、グラシリアーノが船に乗り、その船が島から離れると、彼が自由を祝うように自分の帽子を投げる。一九八四年にそのシーンを見た、筆者を含む軍政下で生活していた多くのブラジル人は、いずれ自由を獲得できるようになると感じたに違いない。

「監獄の記憶」は、カンヌ国際映画祭においてFIPRESCI賞[*26]を獲得した。そしてハバナ国際映画祭では作品賞を獲得した。もちろん国内においても評論が高かった。さらに国内だけではなく、当時のブラジル映画産業にとって珍しい結果であったが、海外においても商業的成功を収めた。

*26 FIPRESCIとは、国際映画評論家連盟である。その連盟は、カンヌ国際映画祭およびベネチア国際映画祭の会期中に、同連盟が進取的な映画作りであるとみなした作品に賞を与える。

「監獄の記憶」からドキュメンタリー中心の活躍まで

「監獄の記憶」のリリース後ネルソンが最初に関わった作品は、同年に放送されたトム・ジョビンに関するマンシェーチ・テレビの四回のドキュメンタリーだった。

一九八六年には、フランスのプロデューサーに頼まれ、ネルソンがレーモン・クノー[*27]についての短編ドキュメンタリーに監督として関わった。その影響もあり、ネルソンが次に監督として関わったジョルジ・アマード原作の八七年の「ジュビアバー（Jubiabá）」（日本未公開）は、ネルソン自身とエンブラフィルムおよびフランスのプロデューサーとの合作だった。その作品をリリースしてからネルソンは、カストロ・アルヴェス[*28]についてのドキュメンタリーやシコ・メンデス（第15章参照）についてのドキュメンタリーなどの制作を試みたが、全ては実現できなかった。

*27 Raymond Queneau（1903–76）フランスの詩人・小説家である。

*28 Castro Alves（1847–71）ブラジル代表的な詩人である。

そして一九九〇年、国営企業の民営化に伴い、利益をあげていたにもかかわらず、七三年からブラジル映画産業の柱になっていたエンブラフィルムは閉鎖に追い込まれた。経済危機の上、ブラジル政府からの援助もなくなり、九一年から九四年の間にブラジル映画界は映画製作実現の方向を失い、絶望的状況に陥った。その状況の中にも関わらず、ネルソンは映画製作を諦めるどころか、政府により創設されたばかりの映像作品センターと組んで、八九年から温めてきていたギマランエス・ホーザ[*29]原作の短編小説を編集した「第三の岸辺に（A Terceira Margem do Rio）」の製作を開始した。

一九九四年の「第三の岸辺に」は、ギマランエス・ホーザ原作の五つの短編小説をネルソン自身が繋げたものである。ブラジリアを表す都会での暮らしという大きな夢を探して、ブラジル奥地から移民してくる庶民の現実について痛烈に批判するよりも、「第三の岸辺に」は、ブラジルの様々なコントラストをマジックリアリズム[*30]的に描写した物語になっている。それを通して、現実と異なっている未来を求めるブラジルの社会的・政治的・文化的なシンクレティズムを生む力の描写になっている。「第三の岸辺に」は、ギマランエス・ホーザの世界観を映像化した最も素晴らしい作品の一つである。そして九〇年代だけではなく、ラテンアメリカ映画作品の最も優れた作品の一つであるとも言える。にもかかわらず、ブラジル映画の危機の時代に製作・上映されたことの影響からか、ほとんどのブラジル人が観なかった作品であることも残念な事実である。

映画一〇〇周年を祝うため、一九九四年に英国映画協会（BFI）が世界中からの映画監督二〇名と契約した。ラテンアメリカからはネルソンがそのプロジェクトに選ばれた唯一の監督であった。彼のキャリアがどれほどに海外において認められたかを表す一つの証である。しかしBFIがそれぞれの監督に依頼したことは、それぞれの国の映画の歴史についてドキュメンタリーを製作することであった。ラテンアメリカ映画についてのドキュメンタリー

＊29 Guimarães Rosa（1908-67）ブラジル現代文学を代表する小説家である。

＊30 マジックリアリズムとは、日常にあるものが日常にないものと融合した作品に対して使われる芸術表現技法で、主に小説や映像作品に見られる。ラテンアメリカにおいては、一九四〇年代からその技法が盛んである。

を頼まれたネルソンは当初戸惑った。何故ならラテンアメリカは広すぎて、それぞれの国の映画の歴史についてのドキュメンタリーを一本にすることは不可能であったからである。

そのためネルソンは、ドキュメンタリーではなくドキュメンタリーとフィクションを合わせた作品を撮ることにした。ネルソンが製作した脚本はその二つの部分を上手く組み合わせているだけではなく、ラテンアメリカの映画の歴史を上手く描写することも可能にしている。一九九五年の「涙が溢れている映画作品（Cinema de lágrimas）」（日本未公開）は、現代に活躍しているブラジルの劇作家であるゲイの主人公が、母が自殺する前に観た映画作品を探すため、映画に関する博士論文を執筆している学生を雇い、その学生と共にメキシコ国立自治大学（Unam）のシネマテックに行き、メキシコ映画作品を観ながらその作品を探す物語である。

ドキュメンタリーを通してブラジルのアイデンティティを考察する監督

二〇〇〇年から最後の作品のメガホンを取った一三年まで、ネルソンは一本の作品を除いてドキュメンタリーしか製作しなかった。それらのドキュメンタリーを通して思想家および音楽家のキャリアおよび作品について触れながらブラジルのアイデンティティを上手く考察したと言える。

二〇〇〇年のジルベルト・フレイレ（第2章参照）についての四回のテレビミニシリーズの「大邸宅と奴隷小屋（Casa-grande e senzala）」（日本未公開）である。そのドキュメンタリーはフレイレのキャリアとパーソナリティを上手く描写しているだけではなく、ブラジルの社会問題や人種問題についてネルソン自身のキャリアに影響を与え、作品の中でベースになっている北東部の文化についても鋭く考察している。フレイレの作品を読んだ読者も読まなかった読者もネルソンのドキュメンタリーを通してフレイレの文化相対主義に関するユニークなアプローチについて学ぶことができよう。さらに、フレイレの人間味の描写も溢れている作品であるので、このテレビミニシリーズによってフレイレの思想についての理解が深まるに違いない。

ネルソンが次に関わったドキュメンタリーは、一九五七年の「リオ北区物語」の主人公のモデルにもなったサンバ作曲家のゼー・ケーチ（Zé Ketti）についての二〇〇三年の短編ドキュメンタリーである。

さらにネルソンは同年、セルジオ・ブアルケ・デ・オランダ（第1章参照）に関する二部構成のドキュメンタリー「ブラジルの起源（Raízes do Brasil）」（日本未公開）を制作した。そのドキュメンタリーは、フレイレについてのドキュメンタリーと同様にオランダの思想について教訓的に触れられている。オランダの家族（妻、子供たち、孫たちなど）のインタビューをベースにしており、オランダの思想だけではなく、人間性についても多く学べるドキュメンタリーになっている。フレイレについてのドキュメンタリーとオランダについてのドキュメンタリーを両方鑑賞することによって、ブラジル人であることがどれほど複雑でユニークであるかについて、ネルソンが挑発的に考察していることがなおのこと理解できる。それらのドキュメンタリーが両方の思想家の著書並びにブラジルを理解するための不可欠な資料であることをもう一度強調したい。

二〇〇六年にネルソンはブラジル文学アカデミーに選ばれた初の映画製作者になった。それを祝うように、〇七年にネルソンは、アカデミーの他のメンバーとのインタビュー中心の「ブラジルのポルトガル語（Português: A língua do Brasil）」（日本未公開）というドキュメンタリーを作った。次にネルソンが製作した作品は、この時代の唯一のフィクション作品「ブラジリア湿度18パーセント（Brasília 18%）」（日本未公開）である。ネルソンの最後のフィクション作品になったこの作品は、ネルソンがブラジル社会を分析する鋭い映画製作者および素晴らしいストリーテラーであることを徹底的に証明している。

ネルソンが次に関わったドキュメンタリーはトム・ジョビンの孫娘であるドラ・ジョビンと共に監督した二〇一一年の「アントニオ・カルロス・ジョビン（A música segundo Tom Jobim）」である。このドキュメンタリーの大きなメリットは、ジョビンのキャリアを解説やインタビューなどによる説明なしに、音楽によって全てを語ることにした点である。ジョビン自身やブラジル音楽の有名な歌手およびエラ・フィッツジェラルドとフランク・シナトラなどの海外の歌手がジョビンの曲を歌い演奏するシーンの編集になっている。その撮影方法を選んだことによって、ジョビンの音楽がどれほど優れた音楽であることが見た人に伝わってくる。その音楽を通して、ブラジル人であることに音楽は欠かせないコンテンツの一つであることを間接的に描写している。

ネルソンが監督として務めた最後の作品もトム・ジョビンについてのドキュメンタリーであった。二〇一三年の「トム・ジョビンの光（A Luz do Tom）」は、トム・ジョビンの妹エレナが一九九六年に出版したジョビンの伝記を基にしたドキュメンタリーで、ジョビンが愛した三人の女性（妹エレナ、最初の妻テレーザ、最後の妻アナ）がジョビンについて語る。

カストロ・アルヴェスについてのドキュメンタリーを改めて計画し、ペドロ二世についてのドキュメンタリーおよびリーマ・バヘット[*31]の小説の映画化についても考えていたが、ネルソンはそれらのプロジェクトを実現しないまま、二〇一八年四月二一日に人生とキャリアに

＊31 Lima Barreto（1881-1922）ブラジルの小説家およびジャーナリストである。

終止符を打った。

思想家としてのネルソン・ペレイラ・ドス・サントス

ネルソンがインタビューにおいて「シネマ・ノーヴォの場合は、政治的・文化的・社会的な様々なバックグラウンドを持つ著者たちが発展途上国の批判を唯一のテーマにしている運動である」(Sandlier［2012］159) と述べたように、彼の思想の中心はブラジルの社会・政治を批判しながらその文化的なアイデンティティを探ることであった。

さらに別のインタビューにおいては、ネルソンが自分のアイデンティティ(思想ともいえると思うが) について次のように述べた。「六六歳になっているにもかかわらず、私のアイデンティティは発展し続けている」(O'Grady［1995］17-22)。発展し続けている思想であるがゆえに、共産党員であったネルソンは、フルシチョフが行った「スターリン批判」以降に共産党から離れた。そして共産党員でありながらもイタリアのネオレアリズモの影響も受け、その様相を自分の作品に入れ込んだ。そして米国の西部劇、フランスのヌーヴェル・ヴァーグ[32]および黒澤明監督の影響も受け、時代の中で製作した作品にそれらの思想を上手く組み合わせ、自分自身の思想にした。

しかし海外からどのような影響を受けても、ネルソンの思想の基本はブラジルのアイデンティティについて語った思想家たちであるに違いない。そして様々なブラジル文学作家たちからもアイディアを得て、ブラジルのアイデンティティを描写し続けた。ネルソンから得られる教訓は他でもなく、どんな状況であっても自分がそれに適応し、活躍し続けることである。そして最後まで映画人間であることだ。ネルソンの言葉を借りると、「映画を撮る状態の

*32 ヌーヴェル・ヴァーグとは、一九五〇年代末に始まったフランスにおけるロケ撮影中心や同時録音および即興演出などの手法的な共通性を持った映画運動である。

なかで新年を迎えられることより嬉しいことはない」(Salem [1996] 409)。

【読書案内】

Dieguesu, Carlos [1988] *Cinema brasileiro: Idéias e imagens*, Porto Alegre: UFRGS.

Fabris, Mariarosaria [1994] *Nelson Pereira dos Santos: Um olhar neo-realista?*, São Paulo: Edusp.

MANIFESTO POR UM CINEMA POPULAR [1975] Rio de Janeiro: Federação dos Cineclubes do Rio de Janeiro/Cineclube Glauber Rocha/Cineclube Macunaíma.

Gomes, João Carlos Teixeira [1997] *Glauber Rocha: Esse vulcão*, Rio de Janeiro: Nova Fronteira.

Miranda, Luiz Felipe [1990] *Dicionário de cineastas brasileiros*, São Paulo: Art.

Moreno, Antônio [1994] *Cinema brasileiro: História e relações com o Estado*, Niteró/Goiânia: EDUFF/UFG.

Nagib, Lúcia [2002] *O cinema da retomada: Depoimentos de 90 cineastas dos anos 90*, São Paulo: Ed. 34.(ナジブ、ルシア[二〇〇六]『ニュー・ブラジリアン・シネマ――知られざるブラジル映画の全貌』鈴木茂監訳、プチグラパブリッシング)

Neves, Mauro [2000] "O Cinema Novo: Afirmação do cinema brasileiro (1955–1973)," *Iberoamericana*, 22-1, Primer Semestre, pp.13-37.

——— [2004] "Os Anos Embrafilme (1974–1990)," *Iberoamericana*, 26-2, Segundo Semestre, pp.41-62.

——— [2007] "Quase um fim, mas um recomeço," *Iberoamericana*, 29-1, Primer Semestre, pp.69-79.

O'Grady, Gerald (org.) [1995] *Nelson Pereira dos Santos: Cinema Novo's "spright of light"*, New York/Cambridge: Film Society of Lincoln Center/Harvard Film Archive.

Ramos, Fernão (org.) [1987] *História do cinema brasileiro*, São Paulo: Art.
Rocha, Glauber [1963] *Revisão crítica do cinema brasileiro*, Rio de Janeiro: Civilização Brasileira.
Sadlier, Darlene J. [2012] *Nelson Pereira dos Santos*, Campinas: Papirus.
Salem, Helena [1996] *Nelson Pereira dos Santos: O sonho impossível do cinema brasileiro*, Rio de Janeiro: Record, 2.ed. rev. e atual.

執筆者はブラジル出身であるため、ここに並べた全ての文献はポルトガル語である。その中からとくにブラジル映画およびネルソン・ペレイラ・ドス・サントスの思想について理解するため、Diegues, Fabris, Rocha, Sandlier と Salem の文献は不可欠である。さらにブラジルに活躍した映画人間とブラジル政府との関わりについて理解を深めたい読者に Moreno と Ramos の文献を薦めたい。もっと簡単にシネマ・ノーヴォについて解釈したい読者に執筆者が書いた論文の三点を恥ずかしながら薦めたい。そしてこのリスト中から日本語に翻訳されている文献は Nagib の文献であることを強調する。しかし映画監督のネルソン・ペレイラ・ドス・サントスの思想について本当に理解を深めたい読者には、彼が撮った作品の鑑賞しかないと思う。作品の何本かはすでにインターネットでの鑑賞が可能であるため、読者が鑑賞することは執筆者として幸いである。

（マウロ・ネーヴェス）

コラム フェルナンダ・モンテネグロ
——表現の自由を象徴する大女優

日本において、一九九八年の「セントラル・ステーション(Central do Brasil)」の主人公を演じ、米アカデミー賞主演女優にノミネートされ、ベルリン国際映画祭で女優賞を獲得したことにより有名なフェルナンダ・モンテネグロ(Fernanda Montenegro 以下フェルナンダ)は、ブラジル文化にとって重要な存在で史上最高の女優と多くの評論家に認められている存在でもある。

一九二九年、リオデジャネイロに生まれたフェルナンダは、イタリアおよびポルトガル移民のルーツを持ち、移民労働者の孫娘として育てられた。決して裕福な生活ではなくヴァルガス政権下にイタリアのルーツを持っている家族であったため、苦労も多かった。しかし祖父母たちと幸せいっぱいの暮らしでもあった。下位中産階級出身のため、フェルナンダは子供の時からブラジル社会における変化の影響を受けた。

ベルリッツ秘書学校に学びながら一五歳の時からフェルナンダはブラジル文部省放送局のアナウンサーとして働き始めた。時につれ、コピーライターおよびコメンテーター、さらにラジオドラマの女優としても勤め始めた。それは、フェルナンダの華々しい女優キャリアの始まりだと当時は誰も想像できなかっただろう。

家族の反対を受けながらも、一九五〇年にフェルナンダは舞台女優としてデビューを果たした。その舞台作品の時に自分の人生のパートナーになるフェルナンド・トーレス(Fernando Torres)と運命的な出会いも果たした。残念ながらその作品は成功を収めなかった。しかし俳優を求めていた誕生したばかりのテレビ局ディレクターの目にフェルナンダの演技が残った。そしてそのテレビ局からフェルナンダに専属女優になるオファーがあった。そのオファーを受けたフェルナンダはブラジルテレビ業界初の契約女優として歴史に名を残した。

ブラジルの一九五〇年代および六四年の軍部によるクーデターが起こるまでは、映画界および演劇界にとって表現の自由が溢れた時代の上に、スポンサーを見つけやすい時代だった。俳優として生活することを決めたフェルナンダとフェルナンドは、ラジオとテレビの仕事を続けながら、自分たちが最も好ん

2012年、「死を考えずに生きる」芝居最中のフェルナンダ・モンテネグロ
Circuito Cultural: Fernanda Montenegro em Viver sem tempos mortos. Photo by André Luiz D. Takahashi, licensed under CC BY 2.0

だ舞台の仕事に力を注ぐことにした。他の俳優二名および監督一名と組み、七名の劇団（実際は五名になったが）という意味を持つ自分たちの劇団（Teatro dos Sete）を五七年に設立した。五〇年代において、フェルナンダは舞台女優として様々な賞を獲得し、徐々にブラジルの舞台大女優としての評判を獲得し始めた。

しかし一九六四年の軍部によるクーデターから発足した軍事政権の圧力が徐々に強くなり、舞台作品に対しての検閲も厳しくなった。フェルナンダとフェルナンドは、軍事政権に随わず、政権の検閲と闘うことになった。検閲から逃れるため、シネマ・ノーヴォの監督たちのように、演出および劇の筋書きに比喩的な表現を増やした。にもかかわらず、フェルナンダの劇団がプロデュースした舞台および参加した舞台のいくつかが検閲に引っかかり、フェルナンダの劇団の運営は中止せざるを得なくなった。それに直面してもフェルナンダは自分の意見をしっかり持ち続け、政権の検閲と口論してまでも活躍し続けた。

同時代に、シネマ・ノーヴォの監督のレオン・ヒズマン（Leon Hirszman）の一九六五年の「故人（A Falecida）」（日本未公開）ではフェルナンダは主人公を演じた。その演技の素晴らしさを認められ、国内の様々な映画祭において、フェルナンダは主演女優賞を獲得した。この時点からフェルナンダは舞台とテレビについで徐々にブラジル映画の大女優にもなり始めた。

一九八五年、軍事政権が終焉を迎え、ブラジルは再び民主化され、サルネイ政権が発足した。サルネイ大統領が再び文化省を設立することに決め、フェルナンダに大臣にならないかと誘ったが、「自分の場所は舞台である」ということを手紙に書いてその誘いを受けなかった。しかし女優である自分に声をかけてくれたことに感謝した上に、俳優を大臣の候補として考えたことはサルネイ政権が民主化にコミットしている証であることについてもその手紙に綴った。こうして女優としての活躍を選んだフェルナンダはブラジルの演劇界の自由のシンボルになったと言っても過言ではない。

そして二〇一九年に発足したボルソナロ政権以来、再び苦労する時代を迎えたブラジルの映画界および演劇界の表現の自由を守るため、フェルナンダは再び政権と闘い始めた。そのなかで一九年九月に検閲を批判したフェルナンダは、ボルソナロ政権の国立芸術財団（Funarte）の財団長から卑劣な方法で嘘つきと言われ、侮辱された。しかし演劇界および映画界のほとんどのメンバーがフェルナンダを守るために活動した。自分の意見をしっかり述べ続けたフェルナンダは、二一年一一月にブラジル文学アカデミーのメンバーに全会一致で選出された。

十九世紀末に設立され、ブラジル文学を代表する作家たちを集まるブラジル文学アカデミーに初めて女優（もちろんフェルナンダは様々な著書も執筆しているが）がメンバーに加わったことは、ブラジルの演技文化だけではなく、文化全般を理解したい時に、表現の自由を象徴する存在であるフェルナンダの活躍は欠かせないことであることを示している。

【参考文献】

Montenegro, Fernanda [2019] *Prólogo, ato, epílogo: Memórias*, São Paulo: Companhia das Letras.

Silva, Clarice Rosa e [2019] "Diretor da Funarte ofende Fernanda Montenegro e revolta artistas," *Metrópoles*, Brasília, 23 de setembro.

（マウロ・ネーヴェス）

第19章　笑顔と真顔のはざまで――シコ・ブアルキ

シコ・ブアルキ（Chico Buarque 1944-）は、世界では、ボサノヴァの歌手と見られることも少なくないだろう。仮にボサノヴァの時代を、ジョアン・ジルベルト（João Gilberto）のレコード「シェガ・ヂ・サウダーヂ（Chega de saudade 想いあふれて）」がリリースされた一九五八年七月一〇日に始まり、軍部によるクーデターが起こった六四年四月一日に終わるものとすれば、シコが作曲家・歌手としての名声を高めたのは、ボサノヴァ時代のあと、軍政時代の初め頃である。また、音楽スタイルの観点から言うと、シコの作る楽曲は、サンバの伝統を引き継ぐものであると同時に、ボサノヴァがもたらした新しい和音や、新しいメロディの感覚を含むものである。さらに、六〇年代末頃にはボサノヴァの作曲家トム・ジョビン（Tom Jobim）やヴィニシウス・ヂ・モライス（Vinicius de Moraes）との共作も行っている。これらを踏まえれば、シコをボサノヴァの歌手と見る理由は十分にあると言える。

しかしシコがブラジル社会に対してもっとも大きな影響力を持ったのは、「鉛の時代」と称された軍政時代に出した、プロテストの含意を持つ歌の数々によってだった。「愛、微笑み、花の音楽」とも呼ばれるボサノヴァは、一九六〇年代初めに急速に人気を高めたが、クーデター以後の時代の激動のなかで求心力を失う。他方で、同じ頃にイギリスや米国から人気に火がついたロックミュージックの影響も受けた、MPB（Música Popular Brasileira ブラジルポピュ

シコ・ブアルキ（一九七〇年）
Chico Buarque de Holanda_1 (1970) Imagem do Fundo Correio da Manhã, Public domain / Arquivo Nacional Collection

ラー音楽）というジャンル名で括られる新世代の歌手たちが、人びとの心をつかんでゆく。

本稿では、音楽においても政治においても、一言で安易に位置づけすることがむずかしいシコ・ブアルキの人と音楽に焦点を当て、軍政時代についてのひとつの視座を提示することを試みる。

歴史家の息子のモレッキ

ボサノヴァの強い影響を受けて出発し、軍政時代にもっとも活躍した歌手のひとりであるシコ・ブアルキの名前は、世界でもブラジルでも、父セルジオ・ブアルケ・デ・オランダ（第1章参照）の名前よりもよく知られているが、思想史におけるセルジオの功績はどれだけ強調してもしすぎることはない。とりわけ一九三六年の『ブラジルのルーツ』は、海洋に乗り出したポルトガル人に、勤勉さよりも勇敢さを重んじる「冒険者」の精神を見て、そこにブラジル人の心性の由来を尋ねたのみならず、黒人がブラジル文化の形成に欠かせない寄与をしたことを説いて、ジルベルト・フレイレ（第2章参照）の『大邸宅と奴隷小屋』（一九三三年）とともに、三〇年代の新たな国家観が醸成されるきっかけを作った。

この二人がともに、エルマーノ・ヴィアーナ（Hermano Vianna）が『サンバの謎』で伝えるように、二十世紀の初め頃には依然として上層階級から黒人の音楽として軽蔑されることの多かったサンバの魅力にいち早く気づいた知識人だったことは、偶然ではないだろう。セルジオのそのような民主主義というか、人種平等の価値観を、意識してか否かはともかくシコも強く持っていることは、彼の歌に見て取ることができる。

シコ（フランシスコ）・ブアルキ・デ・オランダは、一九四四年、リオデジャネイロで生まれた。父セルジオがサンパウロのイピランガ博物館長の職を得たことに伴い、二歳から青年期を迎えるまでサンパウロで過ごしたが、頻繁にリオを訪れていたこともあって、友人たちには「カリオカ（リオっ子）」と呼ばれていたという。

子どもの多いブアルケ・デ・オランダ家は、シコが小さい頃、慎ましい暮らしを送っていたようだ。食卓はつねに人でいっぱいで、シコら子どもたち――姉にはやはり歌手として有名になったミウーシャ（Miúcha）がいる――は、肘を隣の人にぶつけないように体にぴったりと付けて食べる習慣を身につけた。一家で車を運転したのは、運転が得意ではない母マリア・アメーリア（Maria Amélia）だった。危ない危ないと叫びながら運転する母の傍で、父セルジオは新聞を広げて読んで母の視野を妨げていた、というコミカルなエピソードを、レジーナ・ザッパ（Regina Zappa）はシコの伝記で書き残している（Zappa [2006]）。

子どもの頃からサッカー好きで――のちには自分のアマチュアクラブチームを創設するにまで至る――、路上で友人たちとボールを蹴って遊ぶ、一家のなかでもいちばんの「モレッキ（わんぱく、いたずら小僧）」だった。そのような路上の感覚も、シコの作風に現れているように思われる。

サンバとボサノヴァのはざまで

シコ・ブアルキの名前がブラジル中に知られるようになったのは、彼が作曲し、ナラ・レオン（Nara Leão）が歌った「ア・バンダ（A Banda）」が、一九六六年にヘコールTV（Record TV）が主催した第二回ブラジルポピュラー音楽フェスティバルで、ジェラルド・ヴァンドレー（Geraldo Vandré）が作曲し、ジャイール・ホドリゲス（Jair Rodrigues）が歌った「ヂスパラーダ

(Disparada)」と並んで、優勝を勝ち取ったことによってだった。

この歌について詳しく見る前に、時代の音楽について振り返っておこう。ブラジル音楽が世界から注目されるようになるきっかけは、映画の力によって作り出された。一九五九年公開の『黒いオルフェ』である。詩人ヴィニシウス・ヂ・モライス――セルジオ・ブアルケの友人でもあった――が、ギリシア神話のオルフェウスとエウリュディケーの物語を、黒人たちの住むリオデジャネイロの丘を舞台にして翻案した戯曲『オルフェウ・ダ・コンセイサォン』(一九四六年)を「原案」として、フランス人のマルセル・カミュ(Marcel Camus)が監督したものだった。異国趣味たっぷりにリオデジャネイロを描いたこの映画は、世界で多くの観客を魅了した一方、ブラジル国内からは批判の声も少なくなかったものの、以後のブラジルで色付きの自画像として働いたことは否定できない。

戯曲の上演時と同じく、映画にもトム・ジョビンが作曲者として加わり、重要な役割を担っているが、二作のサウンドトラックの曲想には大きな違いがあり、映画『黒いオルフェ』の音楽は「ボサノヴァ」になっている。ボサノヴァを特徴づける、ギターの低音弦と高音弦とを打楽器のように弾くバチーダと呼ばれる奏法、シンコペーションを入れた、話し言葉のようにポルトガル語を発音する歌唱法の新しさは、ジョアン・ジルベルトが一九五八年七月一〇日にリリースした「シェガ・ヂ・サウダーヂ」の六八回転盤によって、ブラジルで広く知られるようになった(この日付をボサノヴァの誕生日と呼んでよいだろう)。これもトム・ジョビンとヴィニシウス・ヂ・モライスが共作した曲だった。

ジョアンの歌い方の特徴は、彼がギター伴奏で参加した、エリゼッチ・カルドーゾ(Elizete Cardoso)が「シェガ・ヂ・サウダーヂ」を含むトムとヴィニシウスの曲集であるアルバム『カンサォン・ド・アモール・ヂマイス（*Canção do amor demais*）』での、この女性歌手の歌い方と比べるとよくわかる。ジョアンの「シェガ・ヂ・サウダーヂ」のわずか三か月前にリリースされているこのアルバムで、エリゼッチが、朗々と、ヴィブラートもたっぷりと効かせて歌い上げているのに対して、みずからの弾き語りの録音でジョアンは、近くにいる人にだけ聞こえる声で話すように、控えめなヴィブラートをかけながら歌っている。ジョアンはレコーディングの際にヴォーカルとギターそれぞれのためにマイクを二本求めたが、当時それは類例のないことだったと、ルイ・カストロ（Ruy Castro）は『ボサノヴァの歴史』で記している。

純粋にサウンド面での新しさに加えて、ジョアン・ジルベルトがブラジルの音楽界に持ち込んだのは、日常と親密さの空気であると言える。歌手としてのシコ・ブアルキも、ジョアンが切り開いたそのような地平に登場した。ポピュラー音楽研究者のサントゥーザ・カンブライア・ナーヴェス（Santuza Cambraia Naves）は、ボサノヴァがシコ・ブアルキに与えた影響について次のように記している。

同時に、議論の題材を作曲プロセスの外にまで広げれば、シコ・ブアルキに影響を与えたボサノヴァの他の面を見出すこともできる——たとえば、ジョアン・ジルベルトのスタイルで、ただ椅子とギターとだけを持ってステージに上がる、親密さを重視する方法である。シコは、その美学が自分の価値観に合っていると認めている。というのも彼は自分を「仮装したり、化粧したり、衣装を着たり、ステージを盛り上げる」「ステージ向きのアーティスト」と看做したことはなく、単に「ステージ上にいる作曲者」と見ているからだ。ふだん着ている服で登場し、家にいるかのように歌うことで、シコは「ペルソナ」を創り出すことを拒む（Cambraia Naves［2001］43）。

シコ・ブアルキのこのようないわば「普段着のままの」歌手像について、レジーナ・ザッパは、一九四〇年代から活躍したカウビー・ペイショット（Cauby Peixoto）が、歌手やアーティストとしてのみずからのイメージを創造したことと比較している。

カウビー・ペイショットはあるとき、カウビーという、女性たちが熱狂するアーティスト、アイドルを発明したと語っている。アーティスト／人物像としてのカウビーはより刺激的で、彼はしだいにその発明された人物になっていき、それほどおもしろくはないもうひとりの人間を後ろに置き去りにした、という。シコはどんな人物も創り出さなかった。というか、非人物像を創り出した。その非人物像は、ありふれた、普通の、素朴な人間である。スターとしての驕りなどはいっさい持たない（Zappa［2006］18）。

一九五〇年代、六〇年代には依然として、男性ならタイやスーツ、女性ならボディラインを強調するドレスなど、高級感があったり煌びやかだったりする衣装をまとうスターは、アメリカやイギリスでもブラジルでも少なくなかった。二十世紀半ばの米国のジャズミュージシャンの多くはスーツスタイルだった。またビートルズはリヴァプールでのアマチュア時代には、レザージャケットやレザーパンツ、デニムジーンズを身につけてステージに上がっていたが、六二年のメジャーデビューから数年間は、マネージャーのブライアン・エプスタイン（Brian Epstein）の策略によって、揃いのスーツを着て表舞台に立っていた。

いっぽうで、ニューヨークのフォーク界から登場したボブ・ディラン（Bob Dylan）は、ジーンズとシャツといういカジュアルなスタイルでステージに上がった最初期のミュージシャンたちのひとりだろう。音楽批評家タリク・ヂ・ソウザ（Tarik de Souza）は、音楽面の特徴に関してシコ・ブアルキを「わたしたちのボブ・ディラン」と呼んでいるが、普段着のままで歌うこと、音楽が普段着のものであることにおいても、シコ・ブアルキは同じ一九六〇年代にボブ・ディランと同じ側にいたと言える。シコが、ピシンギーニャ（Pixinguinha）、ノエル・ホーザ（Noel Rosa）らのブラジル伝統音楽と現代のＭＰＢ（ムジカ・ポプラール・ブラジレイラ）とを結ぶ「失われたリンク」だとして、タリク・ヂ・ソウザは次のように言う。

シコはその〔ブラジルの伝統〕音楽に新しい顔を与えた。彼はわたしたちのボブ・ディランだ――ブラジルの素朴な音楽を取り上げて、新しい仕上げを施した。彼の音楽には誰もが自分を見出す。ボサノヴァは断絶を作った。別タイプのジャンルをもたらし、ジャズや即興を取り入れた。シコは時代遅れの音楽を復活させ、新しさを加えた。彼はボサノヴァ以後の存在でありながら、過去のものをつかみ取った（Zappa［2006］75）。

一九六六年のＴＶへコール主催のフェスティバルでの優勝をきっかけに、ボサノヴァらしいと同時に古風でもあるシコの「ア・バンダ（楽隊）」（フェスティバルで歌ったのはナラ・レオン）がヒットした理由のひとつは、まさにここにあった。ルイ・カストロ（Ruy Castro）もこの曲について書く際に、同じこれらふたつの特徴に言及している。

いわば馬に乗った「カルカラー（Carcará）」である「ヂスパラーダ（Disparada）」の攻勢に対抗し

て、同じフェスティバルで、あの田舎風でノスタルジーを感じさせるシコ・ブアルキ・ヂ・オランダの「ア・バンダ」が登場した。（中略）そしてブラジルはこの作曲家に夢中になった。シコ・ブアルキは多くの若者の心をつかんだだけでなく、より年上の人びとをも魅了した。彼らはすぐにシコを「新しいノエル」と呼んだ。多くの人の耳にボサノヴァの残響があったなか、彼のやっていたのは、若者による古いサンバへの回帰のように見えた（Castro [2011] 402）。

「ア・バンダ」は、Dシックスナインスというコードを弾くギターから始まっている（より正確に言えば、ベースがラを弾くDシックスナインス・オンA）。コードの一度（レ）や三度（ファ）は、伝統音楽の伴奏でも使われる音で、当然サンバでも使われてきたものであるいっぽうで、シックスナインスにある六度（シ）や九度（ミ）の音は、とりわけトム・ジョビンの曲にというか、ジョアン・ジルベルトによるギター伴奏を特徴づける、より耳新しいモダンな音であると言える。たとえば映画『黒いオルフェ』の最初のシーンに流れる「フェリシダーヂ（A Felicidade 幸せ）」――ギターを弾いているのはジョアン・ジルベルトの奏法を習得したロベルト・メネスカル（Roberto Menescal）――、Cシックスナインスで始まっている。また、米国で一九六二年に大ヒットしたジョアン・ジルベルト、アストラッド・ジルベルト（Astrud Gilberto）、スタン・ゲッツ（Stan Getz）による「イパネマの娘（Garota de Ipanema）」は、D♭シックスナインス・オンA♭で始まっている。そのため、「ア・バンダ」の始まりも、Dメジャーあるいは Dメジャーセブンスであればより素朴に、古風に響いただろうが、モダンなDシックスナインスが用いられることで、ボサノヴァの響きを感じさせるものになっている。

とはいえ、先述したジョビンの「フェリシダーヂ」や「イパネマの娘」では、六度や九度の音が歌の主旋律の目立つところに入っており、伴奏のシックスナインスは、それに呼応しているいっぽうで、シコ・ブアルキの「ア・バンダ」では、六度や九度が主旋律の重要な部分になっているわけではなく、Dシックスナインスというコードには必然性はないとも言える（代わりにDメジャーあるいはDメジャーセブンスを使っても十分に成り立つ）。このコードは、純粋に、ギター伴奏の響きそのもののために導入されていると捉えることができる。

また、このようなハーモニーの新しさとは裏腹に、ギターが刻んでいるリズムは古くからカーニバルで演奏されてきたマルシャ（ブラジル風のマーチ、行進曲）のそれである。このリズムも、聴く者に田舎風、ノスタルジーを強く感じさせる一因になっている。

カーニバルの詩学

「ア・バンダ」の歌詞には、リオやサンパウロといったシコがよく知っていた大都市の大きなパレードよりもむしろ、地元の小さなパレードといった感のある「楽隊（バンダ）」と、その演奏を聞きに駆けつける庶民の姿が描かれている。そこでは、群衆とも呼ぶべき、階層も性別も価値観も異なる多様な人びとが、日常の何気ない身振りから引き離されて、一様にカーニバルの音楽に惹きつけられている。

無駄な時間を過ごしていたとき
恋人に呼ばれた
楽隊を見に行こうと
愛のことを歌っているから

苦しんでいる人びとは
痛みに別れを告げた
楽隊を見に行って
愛のことを歌っているのを聞いて

お金を数えていた真面目な男は　手を止めた
ほらを吹いていた男は黙った
星を数えていた　恋する女の子も我に返った
見るため　聴くため　道を空けるために

しかし、楽隊の音楽と愛の歌とともにふいに訪れる幸福の時はすぐに過ぎ去り、人びとは元の日常に引き戻され、ふたたび自分の苦しみに直面する。

でもぼくはがっかりする
楽しい時間は終わって
すべてが元に戻る
楽隊が通りすぎたあとには

そして誰もが自分の場所に戻る

どの場所にも苦しみがある
楽隊が愛のことを歌いながら
通りすぎたあとには

カーニバルがもたらす儚(はかな)い幸福と、そのあとにも消え去ることなく続く苦しみ――この主題を、シコ・ブアルキは「ア・バンダ」の前年に、第一回ブラジルポピュラー音楽フェスティバルに出した「カーニバルの夢(Sonho de um carnaval)」でも扱っていた(予選を通過しなかったこの曲は、翌年に優勝した「ア・バンダ」ともに一九六六年にリリースされたシコの最初のアルバムに収録されている)。「ア・バンダ」に比べてより大きな街のカーニバルを想起させる情景に、語り手が仮装して踊り楽しむさま、つかのまの恋の幻想に浸るさまが描かれるものの、最終日である「灰の水曜日」には、すべてが仮構に過ぎなかったように幕が下りて、夢は消える。

カーニバル　幻滅
家に苦しみを置いて　待たせておいて
ぼくは王様の仮装で　楽しんで　叫んだ
水曜日は　いつも幕を下ろす

カーニバル　幻滅
あの小麦色の女の子に　ぼくは夢を見た
手を取り合って踊ったのに　彼女はもう覚えてない

水曜日は　いつも幕を下ろす

カーニバルがもたらす幸福そのものよりも、それが逆に際立たせる悲しみを歌う点において、この「カーニバルの夢」は、映画『黒いオルフェ』の主題歌で、最初の場面で流れるトム・ジョビン作曲、ヴィニシウス・ヂ・モライス作詞の「フェリシダーヂ」にも通じている。この二曲はキーがそれぞれAマイナー（イ短調）、Eマイナー（ホ短調）と短調であり、ともにガットギターが奏でるCシックスナインス（コードの機能は、前者ではトニック、後者ではサブドミナントという違いはあるものの）という明るめのコードで始まっている点も似ていると言える。「悲しみに終わりはない／幸せにはある」と繰りかえすヴィニシウス・ヂ・モライスの「フェリシダーヂ」には、『黒いオルフェ』の物語の行く末を仄めかす、貧しい人びとの幸福をカーニバルのつかのまの幻影に喩える一節がある。

貧しい人びとの幸福は
カーニバルの大きな幻のよう
みんな　一年中働く
一瞬の夢のために
王様の　海賊の　花売り娘の
衣装を作るために
そして水曜日には　すべてが終わる

カーニバルの幻と幻滅、王様の仮装、すべてを終わらせる水曜日。いずれの主題も、シコの「カーニバルの夢」とヴィニシウスの「フェリシダーヂ」に共通して現れる。いっぽうで、トムとヴィニシウスの歌が「悲しみに終わりはない」という言葉を繰りかえし、その余韻のなかに消えてゆくのに対して、シコの歌は、夢のあとにも続く微かな希望を歌って終わっている。シコの録音ではこのリフレインが女声コーラスで歌われ、多くの人びとがその願いを分かち合っていることが示唆されている。

カーニバルで　希望を抱く
遠い人たちが　記憶のなかに生き続けるようにと
悲しい人たちが　踊りに入れるようにと
大人たちが　子どもに返れるようにと

父セルジオの友人であり、シコ自身の友人でもあり、のちには共作者にもなるヴィニシウスから、カーニバルの幸福と悲しみという、ある意味できわめてブラジルらしい主題を受け継ぎつつ、そこに足した希望の淡い色は、シコ・ブアルキ独自のものである。翌年の「ア・バンダ」も、この主題を歌いながら、キーはDメジャー（ニ長調）で、Dシックスナインスの響きの明るさのうちに始まり、終わる点で、同じ色合いを保っていると言える。

また、彼が書いた「カーニバルの夢」の主旋律は、伝統音楽に根差すペンタトニック（ここではAマイナー）の音階を基調とした、素朴な印象を与えるもので、庶民に密着した詞の世界観とともに、聴く者に懐かしさを感じさせる要因になっている。ボサノヴァらしさも持つシコのこの曲を、それでもレシ・ブランダォン（Leci Brandão）やパウリーニョ・ダ・ヴィオラ（Paulinho da Viola）といったサンバの歌手が録音しているのは、その結果だろう。

軍事政権と検閲のもとで

一九五八年に生まれたボサノヴァは、「愛、微笑み、花」――トム・ジョビンとネウトン・メンドンサの曲「メディテーション（Meditação）」の一節で、ジョアン・ジルベルトのセカンドアルバムの題にもなっている言葉――の音楽と評されることもあり、ある意味では、平和で豊かな、憂いのない時代にふさわしいものだったのだろう。六四年四月一日に軍部によるクーデターが起こり、軍事政権が発足したあとのブラジルで、ボサノヴァがしだいに居場所をなくし、社会と関わる姿勢をよりはっきりと示したＭＰＢに取って代わられたのは、必然の成り行きだったのかもしれない。ボサノヴァに与したアーティストたちには、クーデター後、社会意識に目覚めて貧しい人たちに寄り添うようになった者もいれば、時代の動きに依然として無関心でいつづける者もいた。

ボサノヴァの後継者のひとりだったシコは、そのような時代のなか、「ア・バンダ」で一躍有名になった。一九六六年のフェスティバルでこの曲を歌ったナラ・レオンの名前も出しながら、その頃すでにプロテストソングには辟易（へきえき）していたとして、シコは次のように回想している。

ナラと知り合ったのは六五年か六六年だった。ぼくたちはああいうものにうんざりし始めていた。プロテストソングの流行に不快感を覚えていた。政府に反抗するのはきれいごとだった。金持ちが遊びで日和見主義に走っているみたいだった。それで「ア・バンダ」

（一九六六年）を作ってナラに録音してもらった。「もううんざり」という気分を半分はわざと表現するものだった。それよりも前にいくつかプロテストソングを作ってたけど、いい出来ではなくて録音はしなかった。「石工のペドロ（Pedro pedreiro）」はその頃に作った、社会へのメッセージを持った最後の曲だった（Zappa［2006］95）。

「アペザール・ヂ・ヴォセ（Apesar de você　あなたにかかわりなく）」（一九七〇年）や「カリスィ（Cálice　杯）」（七三年）といった社会意識が現れた歌の作り手、歌い手として名高いシコ・ブアルキの、いわばプロテストソングの旗手という公のイメージと比べると、ここで語られている懐疑や批判の念は、意外なものにも見える。また彼が紛う方ないプロテストソングを作ったことは否定しえない事実である。しかし、一九六四年から八五年まで二〇年余り続いた軍政時代を通じて、シコがengagement（政治参加）とdetachment（距離を置くこと）のはざまで揺れ続けていたことも、同様にまちがいのない事実である。

一九六八年三月二八日、軍事政権の圧力が高まっていくなか、リオデジャネイロで学生食堂の値上げに反対するデモに参加したふたりの大学生が警官に打たれて命を落とした事件に端を発して、反政府デモがブラジル中に広がる。六月二六日にはリオの中心部シネランヂア（Cinelândia）で、軍政下最大と言われるデモ「一〇万人の行進」が行われた。シコを始め、ミルトン・ナシメント（Milton Nascimento）、ナラ・レオン、カエターノ・ヴェローゾ（Caetano Veloso　コラム19参照）、ジルベルト・ジル（Gilberto Gil）、エドゥ・ロボ（Edu Lobo）といったミュージシャンも参加した。

およそ三か月後の九月二八日、リオのマラカナン・スタジアムの隣にあるひと回り小さなスタジアム、マラカナンジーニョで、国際歌謡祭が開かれていた。その日、トム・ジョビンが作曲しシコ・ブアルキが作詞した「サビアー（Sabiá）」と、ジェラルド・ヴァンドレーが作詞作曲した「花々を語らなかったと言わないために（Pra não dizer que não falei das flores）」とが選考で競った（シコはその場にはいなかったが）。ヴァンドレーの歌は、「兵士たちは武器を手に途方に暮れ、祖国のために死ね、理性など持たずに生きろという、古い教えを受けている」と、軍事政権を直截に痛烈に批判するもので、聴衆の強い支持を受けていた。しかし、選考の結果が三〇日に発表されて、ヴァンドレーの歌が二位になり、トムとシコの「サビアー」が一位になると、聴衆は不満を爆発させ、強烈なブーイングをトム・ジョビンに浴びせた（Homem［2009］70）。

順位が決まったあと、怒号の直中でステージに立ったジェラルド・ヴァンドレーはマイクを前に演説する。「トムとシコはリスペクトに値する」「歌手の役目は歌うこと。審査するのはあそこにいる審査員の役目だ」。聴衆はそれを聞いて、「八百長だ！　八百長だ！」と声を合わせてコールする。ヴァンドレーはそれを鎮めると、「フェスティバルだけが人生じゃない」と言ってギターを鳴らし、歌い始める。軍政への抗議のアンセムとして路上で歌われたこの歌を、このとき聴衆もともに歌った。

同じ一九六八年の一二月一三日、コスタ・イ・シルヴァ（Costa e Silva）大統領のもと、ブラジル憲政史上最悪とも形容される軍政令第五号が発令され、人権の保障は一時停止された。不満分子に対する弾圧は強まり、検閲も強化された。一二月一八日、シコ・ブアルキは自宅にいるところを捕捉され、軍の駐屯地へと連れていかれる。三か月前の歌謡祭では、ジェラルド・ヴァンドレーに比べれば「穏健派」のような立ち位置にあったのとは裏腹に。この日の尋問のあと、シコは、市（リオデジャネイロ）から出る際には必ず軍当局に通知しなければならない旨、指示された（Zappa［2006］75）。

一九六九年、シコは、妻マリエッタ（Marieta）とともにローマに自主亡命する。その後まもなく、シコとともに世代を代表する歌手であるカエターノ・ヴェローゾとジルベルト・ジルもロンドンへの亡命を余儀なくされる。外交官だったヴィニシウス・ヂ・モライスは軍部によって辞職を強いられた。同年に開催されたサッカーW杯メキシコ大会での優勝に酔い痴れ、愛国心が膨れ上がっていたのを見て、シコは、本人が唯一のプロテストソングと見做している「アペザール・ヂ・ヴォセ」を書く（Zappa［2006］82-83）。

この頃、レコードを出すには、事前に当局の検閲を通る必要があった。とはいえ、その検閲は明確な基準や一貫性があるものではなく、恣意で振り回される権力という性質が色濃いものだった。シコ自身がのちに次のように回想している。

ひとつの権力が物事を決めているという感覚はなかった。ある人は捕まり、ある人は解放される……。権力はあらゆるところからやってくるみたいだった。（中略）軍政令第五号以降、事前検閲が始まった。（中略）曲を録音するには、歌詞を事前に国の検閲に、連邦警察の検閲局に出さなければならなかった。「この詞を変えたら曲を出せる」と言われたら、ぼくは変えた。もちろん、曲を出して聞いてほしかったから。それに彼らがそう言う多くの場合（中略）ただ権力を行使したいだけだった（Pinheiro［2010］61）。

シコの「アペザール・ヂ・ヴォセ」がいちど世に出たのは、検閲のそのような粗雑さに依るところが大きかったようだ。この歌詞が検閲をパスしたとき、シコやプロデューサーら関係者たち自身が驚いたという。この歌の「隠された意味」に気づいた当局が、レコードを回収して破壊する措置を取ることを決めたときには、すでに一〇万枚が売れていて、反軍政歌として広まっていた（Homem［2009］86）。

いまの支配者はあなた
それはわかっている
議論の余地はない
ぼくたちはいま
こそこそと話してる
視線を落としてね
こんな状況を作り出したのはあなた
大きな闇を作り出すことを
考えついた
あなたは　罪を作り出した
赦しを作り出すことは
忘れてしまった

あなたにかかわりなく
新しい明日は
やってくる

ぼくはあなたに問う
巨大な歓喜のなか
どこに隠れるつもりなのか
雄鶏が必死に
歌おうとしているのに
それを禁止することなんてできない
新しい水が湧き出している
そしてぼくたちは愛し合うことを
やめない

男声（MPB4）と女声（クアルテート・エン・シー）のコーラス合唱が繰りかえす「新しい明日はやってくる」というフレーズと、タンボリンのビートとが、遠くから近づいてくるようにフェードインして始まるこの曲は、コーラス部分ではコール&レスポンスもあって、サンバの伝統を色濃く反映し、民衆の思いが込められているという印象を強く与えるものになっている。この歌の「あなた」は時の大統領メヂシ（Médici）を指しているとリオのある新聞で報じられたとき、シコ本人は、「あなた」は偉そうな女のことなのだと語ったが、その話が信じられることはなかった。警察は店頭のレコードを回収し、工場に残っていた在庫を破壊し、ラジオでの放送を禁止し、この歌を通した検閲官を罰した（Homem［2009］86）。

この歌でシコ・ブアルキは一躍、反体制派の代表格のような位置に立った。当局に目をつけられ、歌詞を書いても次々と禁止されたため、ジュリーニョ・ダ・アデライヂ（Julinho da

Adelaide）という偽名で作曲して検閲をくぐり抜けることもあった。一九七三年にジルベルト・ジルと共作した「カリスィ」は、「杯」という意味の語 cálice に、発音が同じで、「黙れ」という意味の表現 cale-se を潜ませていると言われるが、そのように微妙な、晦渋な言葉遣いをしても検閲を通すことはできず、リリースされたのは五年後の七八年だった。

政治参加（エンゲージメント）と無関心（ディタッチメント）のはざまで

シコ本人はしかし、時代のスポークスマンに祭り上げられたことに居心地の悪さも感じていた。圧政下で、自分たちの思いを代弁する声を求める人びとは、同時代の歌手たちの歌に、過剰なまでに「隠された意味」を探していたと言えるかもしれない。さまざまな歌に意図しないメッセージを「読解」されるようになったことをめぐって、シコは次のように語っている。

> 確かにたくさんのことをしたけれど、居心地の悪さを感じるようにもなった。政治に対して情熱を持ってはいないんだ。望む以上に関わってしまった。そうなってしまったことは理解できる。政治参加の音楽をやらなければならないという義務は感じていなかった。でも、あの状況では音楽は意図せずとも政治の色合いをまとうことになった。検閲は、実際には存在しない隠れたメッセージを読み取っていた。「ああ、きみが言おうとしたのは……」。いや、そんなつもりはない。ただのラヴソングなんだよ（Zappa［2006］113）。

実際にはいちどならず左翼の諸政党に力を貸したシコは、一九七七年、カエターノ・ヴェローゾが政治活動に参加しないことを批判する人びとについて、「アーティストの芸術作品に政治参加を求める執着（マニーア）は愚か」だと述べた（カエターノもシコと同様に、政治参加したり距離を置いたりと、ふたつの極のあいだで揺れ続けた歌手だった）。シコがブラジル民主運動（Movimento Democrático Brasileiro）の活動に名前を貸していたのに対し、カエターノはそうしてなかった。シコは次のように言っている。「ぼくはブラジル民主運動を支援している。名前を使っていいと言っている。カエターノはそうではない……。でもぼくの名前を政治に濫用してカエターノ・ヴェローゾを攻撃することは許せない」（Zappa［2006］117-118）。このときシコは奇しくも、六八年九月二八日にトムと自分の政治との乖離（ディタッチメント）を擁護したジェラルド・ヴァンドレーと同じような立ち位置にいたと言える。

政治闘争の熱狂のなかでは――あるいはそうでなくても――人びとは、社会の注目を集める存在の立場を単純化して捉えようとする欲求に駆られるようだ。おそらく誰もがそうであるように、アーティストたちもつねに複雑な感情を抱え、時代や状況によって考えを変えうるということは忘れられがちである。シコ・ブアルキも、広く知られているファーストアルバムのジャケットで見せている笑顔と真顔を持ち、そのあいだにある無数の段階を、さらに無数の他の表情を持っている。そこに同じ面影を認識することと等しく、微妙な濃淡を感知することも必要なのだろう。

一九六九年、亡命中のローマでシコが作った「サンバと愛（Samba e amor）」には、時代と距離を置きたいという彼の思い、失望から来たような冷淡な無関心が現れている。

ぼくは夜遅くまで　サンバを歌い　愛し合う
朝方にはすごく眠い

熱い　次の日の訪れを急かす
街の喧騒に　耳を傾ける

夜明け頃　ぼくたちはまだ愛し合ってる
工場の警笛が鳴る
ぼくたちのベッドを避けてゆく渋滞は
いつまでもだらけているぼくたちに　文句を言う

最後の連では、「ぼくが怠け者なのか卑怯者なのか、わからない」とも歌われる。しかし同じ歌手が、この曲を作る少し前には「一〇万人の行進」に参加し、少しあとには多くの人びとに愛唱されるプロテストソング「アペザール・ヂ・ヴォセ」を作ったという事実を知っていれば、この歌詞を文字どおりに受け止めることはできないとしても、これもまたシコの真の心情だったはずだ。カエターノ・ヴェローゾも一九七五年にこの曲を録音している。

シコ・ブアルキの社会に対する立ち位置は、つねに揺らぎを孕むものだった。遠望してみれば、軍政時代におけるリベラルな知識人の代表格と見えるし、その理解は概ねまちがっていない。しかし、どのようなものであれ、レッテルを貼られること自体をシコ自身が不快に感じることはあったようで、ときに逆張りと思える表現を行なっていた事実も見て取れる。その人と作品を精査することで見えてくるのは、思想というものが社会の状勢、聴衆の反応、個人の感情といった多くの変数を持つ絶え間ない揺らぎのなかにありうる、という一例かもしれない。

【読書案内】

Cambraia Naves, Santuza［2001］*Da Bossa Nova à Tropicália*, Rio de Janeiro: Jorge Zahar Editor.
Homem, Wagner［2009］*Histórias de canções: Chico Buarque*, São Paulo: Leya.
Pinheiro, Manu［2010］*Cale-se: a MPB e a ditadura militar*, Rio de Janeiro: Livros Ilimitados.
Zappa, Regina［2006（1999）］*Chico Buarque para todos*, Rio de Janeiro: Ímã editorial.
ヴェローゾ、カエターノ［二〇一〇］『熱帯の真実』国安真奈訳、アルテスパブリッシング（Veloso, Caetano［1997］*A Verdade Tropical*, São Paulo: Companhia das Letras）。
カストロ、ルイ［二〇〇一］『ボサノヴァの歴史』国安真奈訳、音楽之友社（Castro, Ruy［1990/2011］*Chega de saudade: a história e as histórias da Bossa Nova*, São Paulo: Companhia das Letras）。
カラード、カルロス［二〇〇六］『トロピカリア』前田和子訳、プチグラパブリッシング（Calado, Carlos［1997］*Tropicália: A História de uma Revolução Musical*, São Paulo: Editora 34）。
ブアルキ、シコ［二〇〇六］『ブダペスト』武田千香訳、白水社（Buarque,Chico［2003］*Budapeste*, São Paulo: Companhia das Letras）。
福嶋伸洋［二〇一一］『魔法使いの国の掟――リオデジャネイロの詩と時』慶應義塾大学出版会。
――――［二〇一六］『リオデジャネイロに降る雪――祝祭と郷愁をめぐる断想』岩波書店。
モライス、ヴィニシウス・ヂ［二〇一六］『オルフェウ・ダ・コンセイサォン』福嶋伸洋訳、松籟社（Moraes, Vinicius de［1956］*Orfeu da Conceição*）。

参考音源

Chico Buarque［1966］*Chico Buarque de Hollanda* (vol.1), RGE.
――――［1967］*Chico Buarque de Hollanda* (vol.2), RGE.
――――［1968］*Chico Buarque de Hollanda* (vol.3), RGE.

―― [1970] *Apesar de Você*, Philips.
―― [1970] *Chico Buarque de Hollanda* (vol.4), Philips.
―― [1971] *Construção*, Philips.
―― [1974] *Sinal Fechado*, Philips.
―― [1978] *Chico Buarque*, Philips.

シコ・ブアルキの音楽の真価は、サンバの伝統とボサノヴァの新しさとの配合の加減にあると言える。一九六〇年代にリリースした三枚のアルバムには、現在でもボサノヴァの文脈で捉えられる魅力が表れている。ボサノヴァ時代を彩った群像は、ルイ・カストロ著『ボサノヴァの歴史』に活写されている。このジャンルを世界に広めるきっかけとなった映画『黒いオルフェ』の原案となった戯曲ヴィニシウス・ヂ・モライス著『オルフェウ・ダ・コンセイサォン』は福嶋訳で日本語になっている。

シコが一九七〇年にリリースした「あなたにかかわりなく（Apesar de Você）」は、サンバの陽気なサウンドに社会への疑義が潜ませてある楽曲で、以後のアルバムにはさまざまな形での軍政批判が見られる。

音楽の方向性に違いはあったが同時代に「トロピカーリア」を標榜して活躍したカエターノ・ヴェローゾやジルベルト・ジルについては、カルロス・カラード著『トロピカリア』やカエターノ自身の回想録『熱帯の真実』に詳しい。福嶋著『リオデジャネイロに降る雪』でもボサノヴァや軍政時代の音楽家たちについて触れている。

一九六〇年代からシコは積極的に戯曲を書いていたが、検閲によって表現が制限された経験もきっかけとなって、九〇年代以降には小説も書くようになる。現時点では、二〇〇三年の作品『ブダペスト』のみ日本語で読める。

［本研究はＪＳＰＳ科研費２１Ｈ００５２０基盤研究Ｂの助成を受けたものである。］

（福嶋伸洋）

コラム　カエターノ・ヴェローゾ――食人主義とトロピカーリア

テレビ局が主催するフェスティバルがブラジル音楽の輝かしい舞台となった一九六〇年代後半にシコ・ブアルキと並んで活躍した（そして共に二〇二〇年代に入ってもなお第一線での活躍を続けている）スター歌手に、カエターノ・ヴェローゾ（Caetano Veloso 1942-）がいる。バイア州サントアマーロで生まれ、一九六七年の第三回ブラジルポピュラー音楽フェスティバルに「アレグリア、アレグリア（Alegria, Alegria）」で参加して四位に入賞し、有名になる。

アルバム『*Tropicália*』のジャケット

シコ・ブアルキが一貫して木製のガットギターだけを使っているいっぽうで、一九六七年の『トロピカーリア（*Tropicália*）』、六八年の『カエターノ・ヴェローゾ（*Caetano Veloso*）』といったアルバムで初期のカエターノの楽曲を特徴づけていたのは、エレクトリックギターのサウンドだった。シコの温かみのあるサウンドが、ジョアン・ジルベルト（João Gilberto 1931-2019）以降のボサノヴァを継承するだけでなく、より古く長いサンバの伝統にも連なるのに対して、カエターノのサウンドは、バイアの伝統音楽、サンバやボサノヴァに加えて、六〇年代以降、世界中の若者に強烈なインパクトを与えていた、ビートルズを初めとするロックミュージックのテイストを取り入れたものだった。

カエターノが、同郷の歌手ジルベルト・ジル（Gilberto Gil 1942-）らと起こした運動「トロピカーリア」は、一九二〇年代の詩人オズワルド・ヂ・アンドラーヂの、ブラジル土着のものに加えて、外来のものを取り込んで自家薬籠中のものにすることにこそブラジルらしさがある、という「食人主義」を焼き直したものだった。その結果として、同時代らしいキッチュでポップな音楽世界が生まれたと言える。「アレグリア、アレグリア」では、アメリカの豊かさを象徴するコカ・コーラ、フランス映画を代表する女優ブリジット・バルドーが歌われている。また、彼が書き、ガル・コスタが歌った「ベイビー（Baby）」は、「きみもプールを知らなきゃ」「きみもアイスクリームを食べなきゃ」と歌われ、西洋諸国でティーネイジャーが表舞台に立った六〇年代の空気を(この頃カエターノらが好んだヒッピー風でサイケデリックな衣裳とともに)反映している。

少し前の一九六五年、ボブ・ディランがニューポート・フォークフェスティバルでレザージャケットを着てエレキギターを弾き、フォーク界から強烈な批判を浴びたが、ブラジルにおいてもエレキギターは左翼側の聴衆から資本主義、消費主義の象徴として憎まれていた。カエターノの真価はしかし、音楽の多様性にある。最初期の『ドミンゴ(*Domingo*)』(一九六七年)はボサノヴァに近い優しく温かなサウンドが魅力のアルバムだし、七〇年代以降もガットギターと歌だけでサウンドを完結させた、ジョアン・ジルベルトの正統な後継者とも呼びたくなる美しいアルバムをリリースしている。このような変幻自在の多様性、幅の広さこそが、カエターノらしさであり、また、彼がオズワルド・ヂ・アンドラーヂから引き継いだ「ブラジルらしさ」のひとつの形であると言えるのかもしれない。

(福嶋伸洋)

第20章　交差する移民文化——俳人増田恆河

日本とブラジルの関係といえば、まず思い浮かぶのが日本人移民のことではないだろうか。二十世紀初頭、世界は恐慌の波にのまれていたが、日本も例外ではなかった。とくに明治政府が西洋にならった近代化を急ぐなかで、農地への課税が強化され、税を納められない農村の人々は土地を手放して都市へと移動した。結果的に、その大きな流入を受け入れる体制がなかった都市部では人があふれることになる。そこで、解決策の一選択肢として海外移住が推進されたのだ。一方、コーヒー農園の労働力不足に悩むブラジルは、移民で補う計画に着手する。両国の利害関係が一致し、初めての日本人が新天地に到着するのは一九〇八年のことである。その後四一年に太平洋戦争勃発によって一時停止するも、六〇年間でおよそ二五万人の日本人が移住した。その間、移民の考えにも変化が見られる。当初ある程度貯えができたら帰国するつもりだった人々は、定住や帰化も視野に入れるようになる。このように、ブラジルはほかに類を見ない日本人移民大国となる。ブラジルにはイタリアやドイツからの移民も多く、人種のるつぼと称される所以でもある。

あまり知られていないが、ブラジルは俳諧王国とも称されるほど、俳句が盛んな国だ。わずか一七文字のなかに小さな宇宙を描き出す短い定型詩ともいえる俳句は、日本が世界に誇れる文化の一つだ。大勢の文学者のみならず、一般の人々が魅了され、日本語以外の言葉でも作

増田恆河（二〇〇八年撮影）
H. Masuda Goga. Photo by Paulo Franchetti, licensed under GNU Free Documentation License, ver. 1.2

れないかと研究を重ねるのもうなずける。なかでも、増田恆河[*1]は、ブラジルにおける俳諧[*2]の歴史に重要な礎を築いた人物として特筆すべき存在である。

俳句導入の二つの流れ

ブラジルにおける俳句の導入には二つの流れがある。一つはアフラニオ・ペイショット[*3]がフランス文壇に発表された三行詩と出会い、一九一九年ブラジル文壇で紹介したことである（Masuda［1988］22）。ただしこの時点では、季語についても俳句の定義についても、まだ理解される段階にはなく、単に外国語で書く三行に分けた短い詩という程度でしかなかった。

泥の水たまりを
崇高な空の如く
過る月

Na poça de lama
como no divino céu,
também passa a lua.[*4]

もう一つの流れは、日本人移住である。日本文化をかの地へ紹介すると同時に、やがて独自の展開を遂げていく。初めて触れる異文化にブラジル人は魅了され、生活のなかへと取り入れていった。移住するということは、その移住先に自国の文化をもって何らかの貢献をもたらすこと、また新天地に在るものを享受し己の生きる糧とすること、この二つのプロセスにこそ真の交流が生まれるのだ。その姿勢がお互いにとってより豊かな知識と生活が得られることになることは、言わずもがなである。

日本人移民がブラジルにもたらした貢献は、食文化（大根、柿、葉野菜など）に始まり、武道

＊1　ますだ・ごうが（1911–2008）、本名秀一（ひでかず）。

＊2　本稿で使われている「俳諧」とは、ブラジルにおいて展開されたハイカイ、haicaiのことを意味する。

＊3　Afrânio Peixoto（1876–1947）バイア州生まれの作家、詩人、医者。

＊4　Masuda［1988］51　本稿で記載するポルトガル語で書かれた作品には筆者による日本語訳を付す。

（剣道、柔道、野球）、文芸（俳句、短歌）にまで広範囲にわたる。移民の出身国と移住先の文化背景などは、その国同士の地理的、文化的距離が遠ければ遠いほど、順応する難しさが生じるのは当然である。しかし、同じ度合いで魅力を感じることも然りである。

日本の多くの農村地帯の人々が移住を余儀なくされたように、佐藤念腹[*5]もまた一九二七年に移住する。佐藤は当時俳句の重鎮、高浜虚子[*6]に師事していた。餞別の句「畑打って俳諧国を拓くべし」を虚子から贈られ、その言葉通り、ブラジルにおける俳句普及に生涯を捧げた人物である。開拓俳句や牛飼俳句の作成はもちろん、ブラジルの広大な自然のなかで、季語を見い出し収集も行った。念腹の末弟で俳人の佐藤牛童子[*7]によると、コーヒー農園の過酷な労働の合間に浮かんだ句を書き留めるため、いつも手元には鉛筆と手帳を持っていたそうである。

一句目は、広大なコーヒー農園の情景が見事に浮かび上がる代表的な作品である。次の句は、移住という苦渋に満ちた日々を肯定する代表的な句である。

珈琲の花明かりより出し月（細川［二〇一三］六六四頁）

蛍火やブラジル移住我には是（稲畑［二〇〇四］二八一頁）

ポルトガル語で書く三行詩「ハイク」と広大なブラジルの自然を日本語で書く俳句が個別に展開したなら、それぞれの枠を超えることも新しい発見を見ることもなかっただろう。しかし、その後ブラジル文壇には詩人ギリェルメ・デ・アウメイダ[*8]が、そしてポルトガル語で書く俳句ハイカイ（haicai）[*9]を確立する増田恆河が登場する。

＊5　さとう・ねんぷく（1898–1979）、本名謙二郎。新潟県出身。すでに虚子から高く評価されていた。

＊6　たかはま・きょし（1874–1959）俳人、小説家。一八九七年創刊の俳誌『ホトトギス』を主催。

＊7　さとう・ぎゅうどうし（1918–2011）、本名は篤以（とくい）。新潟県出身。『ブラジル歳時記』を編集。

＊8　Guilherme de Almeida（1890–1969）サンパウロ州出身。ブラジルにおける俳句普及に貢献。

＊9　ポルトガル語で作る俳句をあえてハイカイと片仮名書きにしている。ポルトガル語では haicai と表記。

アウメイダはポルトガル語で書く俳句の形をポルトガル語の韻文法則にのっとり、五、七、五シラブルと固定、アクセント部分を加えてアウメイダ流俳句を生み出し[*10]、一九四七年に発表した。アウメイダはブラジルの日系インテリ層と交流があり、季語以外では俳句についてより深く理解していたと思われる。

HISTÓRIA DE ALGUMAS VIDAS[*11]
Noite. Um silvo no ar.
Ninguém na estação. E o trem
passa sem parar.
(Almeida [1996])

ある来し方
夜。空に汽笛一声
無人の駅。列車は
通り過ぎていく

増田恆河はアウメイダ流俳句の形と季語をとりいれた、ポルトガル語で書く haicai の展開に力を注いだ。それまでの外国語で書く俳句に見られない季語の重要性を指摘した。恆河の偉大な功績は、まさにここから始まるのである。

遠いブラジルで俳句をつくる

増田恆河は一九一一年香川県善通寺市に生まれ、二九年一二月「博多丸」にてブラジルに移住、サンパウロ州奥地の耕地で就労後、自営業を経て、四八年日系紙の一つであるパウリスタ新聞社に入社する。五三年から毎日新聞サンパウロ通信員、コチア産業組合[*12]事務局長に従事する。ポルトガル語雑誌のハイカイ欄選者、俳壇選者などを経て、本格的な俳句関係図書執筆

*10 Noi / te. Um / sil / vo / no ar. Nin / guém / na es / ta / ção. / E o / trem/ pas / sa / sem / pa / rar.
一行目の no ar と三行目の rar が強勢、韻を踏んでいる。二番目のシラブル te. Um と七番目の guém が強勢、韻を踏んでいる。このように強勢部分で韻を踏むことを法則とする。

*11 アウメイダは句にタイトルを付したが、まだ新しい形式の「詩」を読者にわかりやすく伝えることが目的だったと思われる。当時はまだフォルムを重視する高踏主義の影響が強かったことと、季語を理解していないことがうかがえる。

*12 一九二七年設立の日系人最初の農業生産者協同組合であるコチア・バタタ生産者産業組合を前身とし、南米最大の農業協同組合にまでになったが、九四年に解散した。

へと乗り出す。多くの子弟に惜しまれながら二〇〇八年サンパウロ市にて逝去、奇しくも日系社会が日本人移住一〇〇周年式典を開催する一か月前のことである。

恆河はまだ幼い頃からすでに移住の夢をもっていたと、俳句会のサイトでのインタビューで次のように述べている。

一二歳の時すでに渡伯の夢をもっていて、ブラジルについて調べたりしていた。一八歳の時にそれが実現するのだが、だからこそブラジルは未知の国ではなかった。俳句は一九二九年渡伯の船上でいくつか日記帳に記してある。三五年に佐藤念腹師に出会い、それから本格的な創作に入った。[*13]

佐藤との出会いは、恆河の後の展開を決定するものとなる。念腹の句作理念である花鳥諷詠および客観写生（佐藤［一九七八］五三頁）を軸に、俳句の創作も極めた。ブラジルの明瞭でない四季の中に季語を見出し、秀作を多く残している。ともに春になると葉に先んじて花を咲かす、ブラジルの国花で鮮やかな黄色のイペーや、紫色の花をもつ街路樹のジャカランダ、ピラニアやオウム、日本人が栽培を始めブラジル人も食べるようになった柿や葉野菜、南十字星など、季語とは「それぞれの季節を代表する自然現象を指すのである」とわかりやすく解説をしながら俳句指導を展開した。恆河の句ではブラジル原産の動物や果物、花、樹木などはそのままポルトガル語で用いることが多い。あえてブラジルで慣れ親しんだ言葉をそのまま使うのである。例えば、ベンチのことをあえてポルトガル語のバンコ（banco）を用いるなど、より人々の日常に近づける工夫がうかがえる。また日本の食文化に触れた生活描写も然りである。

*13　Carvalho［2002］訳は筆者。

以下、恆河の句のなかから季節ごとにいくつか紹介したい。

夜桜の如くイペーの花明かり（春）
星影の無き空ほのとイペーの黄（春）
天水を命の島の旱かな（夏）
新緑や決然として稿起こす（夏）
柿甘しポ語のハイカイやや熟し（秋）
海風に山揺れる如ジャカチロン[*14]（秋）
なかんずく冴え極まれる十字星（冬）
臼も杵も糀も手製みそを搗く（冬）

自然賛歌

一九九五年に出版された『自然諷詠――ブラジルの俳句・季語集』[*15]のあとがきで、恆河は次のように書いている。彼の揺るぎない理念と俳句に真摯に向き合う姿勢がうかがえる箇所である。その想いは、また次のステップ、すなわちポルトガル語の季語の編集へと推し進めるのだ。

われわれは、甚だしい環境汚染のため、人類自体の滅亡につながる懸念があるために、地球的見地から環境保護が宣伝される悲しい時代を迎えているのである。そういう状況下にあって、俳句愛好者は自然を尊び、自然に親しみ、自然を句材として、人生をより豊かに生

＊14 Jacatirão ブラジルの山を彩るノボタンのこと。他にクァレズマともいう。

＊15 増田恆河は油絵の作品を多数残しているが、いずれもとても繊細なタッチである。本の表紙をめくると、本人の描いた蟹の絵が「雲の峰波頭立つ珊瑚礁」の句とともに現れる。「一番好きな絵ですよ」と再会した時に言ったこと、氏の写生旅行に同道し海へ行った初対面のことが思い出される。

きようとしている。季語という「宝石」をちりばめた輝かしい短詩は、いま、世界的なブームを巻き起こすかに見えるが、ブラジルのハイカイ発展のためにもその基礎となる季語の研究は非常に大切である。このささやかな選集は、多くの日本人とその子孫がただ働くだけでなく、ブラジルの天地を愛し、自然を讃え、世界の最短詩である俳句を作り、精神生活をより豊かにと志していることを伝え、ブラジル文化の向上のためにもいささかの力添えともなればという編者の夢がこめられているのである（増田［一九九五］三五五頁）。

また前述のインタビューに恆河の俳諧にのぞむ決意がうかがえる箇所がある。

自然の中の出来事は同じ場所、同じ時間にとどまることはない。常に変化している。この変化こそが俳諧の精神である。私は日本のこの精神をブラジルに伝えたいと思っている。*16

ひたむきな想い、これこそが彼を突き動かし、現在のハイカイの土壌を作り、根付かせたのだ。日本文化の象徴である桜をブラジルの地に植樹したように。

『自然諷詠』の表紙に「アグロ俳句撰集」とあるが、これは農業雑誌『アグロナッセンテ』の文芸欄に掲載する選句を一九四八年より担当したことによる。恆河はあとがきに編集方針は既存の季語集の改良を求めた梶本北民*17の遺志にしたがい、植物学者の橋本梧郎*18監修の季題集や他の歳時記類を再検討した結果の季語集と述懐している。このような状況において、橋本と出会っていたことは、必然だったと感じざるを得ない。

*16 注13に同じ。

*17 かじもと・ほくみん（1909-84）、本名は明（あきら）。米国出身（本籍広島県）。一九二六年移住。

*18 はしもと・ごろう（1913-2008）、俳号は垂南（すいなん）。詳細はコラム20参照。

俳句をブラジルに根付かせる

恆河は、移住して間もない一九三六年頃からポルトガル語で書く俳句について研究を始めていたが、実際ポルトガル語で作るhaicaiとして定着するまでには、さらに数十年の年月を要することになる。八六年サンパウロ市で開催された第一回ブラジル俳句大会を経て、八七年にGrêmio Haicai Ipê（イペーハイカイ同好会）を二名の俳人とともに立ち上げ、八九年ポルトガル語で書く俳句を中心に展開を始動する。

一九九五年には*Haicai: A poesia do kigô*（『俳諧――季語主体の詩』）を、テルコ・オダ[*19]およびエウニセ・アルーダ[*20]と出版した。ハイカイはフォルム五、七、五シラブルの三行詩と定義され、これが初めてのポルトガル語および有季語で編まれた句集となった。日系一世である恆河、二世のオダ、そして非日系のアルーダと、それぞれ異なったバックグラウンドをもつ三名のハイカイを季語にそって紹介した作品である。それは当初より恆河が師事した佐藤念腹の唱える花鳥諷詠・客観写生を軸にし、bem-te-vi（ブラジル原産の鳥）、arara（ルリインコ）、ipê（イペー）、caqui（柿）などの動植物、trovão（雷）、mar de inverno（冬の海）などの自然現象、Natal（クリスマス）などの催事、その他ブラジルらしさを重視、厳選したものである。

恆河は翌年に季語を集成した本を出版するが、本書はそれに先駆けるものである。以下、同書に収録された代表的な春の季語イペーが三者それぞれにどのように描写されたのかを紹介したい。各ハイカイには説明が付されているのだが、これは季語がどう句作に作用するのか、どんな情景なのか、について詩的に表現しているのだ。結果として、その重要性が広く認識され、ハイカイはブラジルで確固たる地位を築き始める。

*19 Teruko Oda（1945-） 増田恆河の姪で若い頃よりhaicaiを展開。現イペーハイカイ同好会の会長。

*20 Eunice Arruda（1939-2017） サンパウロ州出身。詩人。イペーハイカイ同好会に入会後、ハイカイの研究に携わる。

増田恆河

As nuvens douradas
flutuam no Pantanal
florada de ipê.

こんじき金色の雲
パンタナールに浮かびおり
満開のイペー

一九七五年九月初旬、私はパンタナールを旅行した。花盛りのイペーに出会う幸運に見舞われた。何キロにもおよぶ満開のイペーだった。[*21]

テルコ・オダ

Velho casarão
Nesta manhã, a parede
Tem a cor do ipê.

古い邸宅
今朝　壁は
イペーの色

古い邸宅の壁には時の刻印がある。イペーが咲くと、それは風景に溶け込む。命を包含する壁は、花の黄金色を映し出す。

エウニセ・アルーダ

Daquela varanda
meu avô olha o ipê florido.
Fotografia antiga.

あのベランダから
祖父は花咲くイペーを見る
古き写真よ

祖父はイペーを植える前にその種を愛でたという。威厳のある大木。夕方になるといつもベランダにすわり、イペーを見ていた。静かに。写真のように。

＊21　イペーの黄色は黄金色に近く、金色の雲と満開のイペーが重なって見える。パンタナールはボリビアとの国境に近い大湿原である。

季語研究の集大成

一九九六年には *Natureza: Berço do Haicai*（『自然——ハイカイの原点』）がテルコ・オダと共著で出版された。移住開始以降、移民俳句で扱われてきた季語を研究し続けた恆河の集大成である。Kigologia（季語学）という造語とともに、季語をそのまま kigo として用い、俳句や連歌の歴史、ハイカイの定義、季語の重要性についての小論文、そしてポルトガル語の季語および作品が収集されている。恆河のハイカイに対するゆるぎない理念と静かな情熱が垣間見える。

特記すべきは、ハイカイをつくるための一〇か条についてである。一七シラブルを五、七、五の三行に分けることに加えて、もっとも注意すべき点として有季語であること、永遠の、または移り行く時の一瞬を、句作する人の感性のままにとらえることの大切さなどについて明確に述べている。加えて大衆に浸透したものであるため、日常の言葉を用い、やさしい作品であることにも留意している（Masuda e Oda [1996] 260）。

そこに収録された作品を季節ごとにいくつか紹介したい。

春

（Atmosfera nublada 曇り気味、Jacarandá ジャカランダ）

Noitinha nublada　　曇り気味の夜
Confunde presente e passado　　現在と過去の境界が消える
como um sonho curto.　　短き夢のごと

増田恆河渾身の集大成
（Masuda e Oda [1996]）

Jacarandá em flor:
Saudade de minha mãe
que gostava de roxo.

満開のジャカランダ——
紫色の好きだった
母懐かしき

ジャカランダは紫色で釣鐘型の花をつける街路樹である。

夏

（Ano fenece　年の暮れ、Broto de bambu　竹の子）

O ano fenecendo...
Preocupação nenhuma:
só penso em haiku!

一年が終わる
心配など皆無
考えるのは俳句のみ！

ブラジルでは季節が日本とは逆になる。

Broto de bambu
saboroso qual palmito-
ninguém quer provar.

竹の子や
パルミットのごとく美味
誰も味見せず

パルミットは椰子の新芽で、ブラジルではよく食される。竹の子をハイカイに見立てているのか？.

秋

（Caqui seco　干し柿）

A velha imigrante,
canção infantil nos lábios,
os caquis secando…

年老いた移民
童謡をくちずさみ
柿を干す

Os caquis bem rubros
Cintilam como lanternas
Mesmo após o ocaso.

真っ赤な柿
灯りのように輝いている
陽が落ちても

冬

（Frio　寒さ、suinã　スイナン）

De repente veio
Frio esquecido e tardio
Que recorda Antárctica.

突然訪れる寒さ
忘れさられた頃、遅刻して――
南極のごと

Caiu uma flor
Dum galho de suinã:
Foi-se voando um pássaro.

花落ちる
スイナンの枝から――
鳥が飛び去る

Frio（寒さ）やブラジル原産の赤い花のスイナンは良く見られる季語である。

二〇〇八年六月一八日（日本移民の日）にサンカエタノ社会サービス（SESC São Caetano）[＊22]にて

＊22　SESCは教育、文化、保健支援を行う公民館のような組織であり、サンカエタノドスルはサンパウロ市に隣接する町。

俳句の展示会「Dois caminhos: um olhar（二本の道――一つの視点）」が開催された。サンパウロ、リオデジャネイロとパラナ州にあるハイカイ同好会がそろって参加し、作品を発表した。残念ながら、ハイカイの種を植え育てた恆河がその展示を見ることはなかったが、各同好会から一〇句ずつ選別された。恆河が選んだ自身のハイカイは次の作品である

夜……　独り……
もの思いに沈ませる
虫の音よ

À noite... sozinho...
Me deixa mais pensativo
O canto dos insetos.
（SESCSP［2008］）

異なる文化を結節し新たな文化をつくる

江戸時代に松尾芭蕉に始まり、近代俳句の祖正岡子規、高浜虚子へと受け継がれ、佐藤念腹が師・虚子からの使命（俳諧国を拓く）を遂行すべく邁進し、この連鎖の結果としてブラジルは俳諧王国と称されるまでになった。二十世紀初頭、俳句はすでに世界の文壇に紹介され、その稀有な存在で異国の人々を魅了していく。世界一短い、たった一七文字の「詩」のなかに広大な宇宙を具現化する独特な表現は、日本語の世界だけにとどまらず、外国語でも試作されるようになる。

しかしブラジルでは、その動向に加えて日本人移民の貢献が大きく影響している。佐藤念腹は俳句の普及に努め「俳諧王国」とまで言わしめるのだが、弟子である増田恆河の存在は俳句界にとって新たな道を見出すことになる。恆河は日本語で書く俳句を通して、自然を繊細

に描写する日本の俳句に対して、広大なブラジルの自然を描写する季語の理解を深め、ついにはポルトガル語で書く俳句（haicai）および季語の展開を試みるのだ。

ブラジルという国はよく「人種のるつぼ」と表現されるが、実際純粋のブラジル人は先住民（インディオ）のみであろう。十六世紀宗主国となるポルトガルの人々の移住、同時期アフリカからの黒人奴隷の導入、十九世紀からヨーロッパ移民を導入、そして二十世紀初頭には初めてアジアから日本人移民が導入される。ブラジル人のステレオタイプを定義することが難しいのは、五世紀以上にわたり民族の混交が繰り返され、その結果どのような表現が適しているのか明確にできないからではないだろうか。一人一人がその祖先のもつ性質を少しずつ受け継ぎ、新しい異文化を取り入れていく過程は、より深い洞察力を育んでいくと思われる。

このような様々な文化が交差する地点に、日本独特の短詩形である俳句がポルトガル語およびブラジルの文化と出逢い、ポルトガル語の haicai が誕生し、独自の展開を遂げていくことは、恆河が目指した最大の貢献であろう。異文化の混交は既成概念をたやすく取り払ってしまう作用もあり、様々な視点の違いを生じさせることが新たなものへの挑戦となり得るのである。

過酷な労働を強いられる日々のなか、紙切れと鉛筆をもってコーヒー畑へと向かう人がいた。照り付ける太陽のもと、それでも俳句を作り続ける人たちがいた。広大なブラジルの大地のなかに季語を見出す人がいた。桜の花をその大地に移植した人、そしてその桜をブラジルの国花イペーに接ぎ木して、新たにポルトガル語で書くhaicaiへと展開した人がいた。日本の文化をしっかりと異国に根付かせた偉業は、それにかかわった人々の大きな尽力と強い意志と真摯な想い、そして移住先に何らかの形で貢献するという姿勢によるものである。

恆河の功績は多々あるが、やはり特記すべきは伝統的な日本の俳句とポルトガル語の融合を試み、ハイカイを極めたことであろう。ハイカイ同好会を立ち上げたのも季語集を出版したのも常に研究を重ねてきた彼の成果である。二〇〇四年に正岡子規国際俳句賞を受賞したことも、恆河の貢献が世界的に認められた出来事である。年の瀬に頭を過るのは俳句のみ、と言及するように、俳諧に全力を注いだ、その真摯な想いは多くの人々に受け継がれ、浸透し続けている。イペーハイカイ同好会は現在もテルコ・オダを筆頭に句会、ハイカイ大会や児童俳句大会などを開催している。また恆河の志を受け継ぎ、ハイカイ集や論文集などを出版している弟子もいる。

人生を紡ぐ幸運な、または不運な出会いの中で、人は何を残していけるのだろうか。増田恆河の来し方をたどりながら、先人の想いを振り返る。我々が生きている「今」は、先人の残したものの上に成り立っていることを実感する。今咲き誇る桜やイペーは、去年の、そのまた以前の年月の積み重ねの結果だ。人も同じで、今は亡き人々の想いは確かにそこに在り、残された者と繋がっていく。そのことをしっかりと受け止め、今を生きる意義を見出しながら新たな道を模索する。その先には恆河が見たような景色が見えるのかもしれないのだ。

異文化が交差するということは、お互いの文化背景を認め合いながら、より良い「何か」を探求することではないだろうか。

【読書案内】

1から4は佐藤念腹がブラジルでどのように俳句普及運動を展開したか、またその俳句などが紹介されている。5は増田恆河の貢献やハイカイに関する筆者の簡潔な小論である。6と7はブラジル移民文学についての詳細な文献である。8は移民の功績を軸に一〇〇〇人の主要人物を収録した事典で、簡潔ではあるが人名検索にはかなり参考になる。9から12は増田恆河による著作で、俳句やハイカイに関する定義やブラジルの広大な自然のなかで集成する季語および俳句が紹介されている。

1 稲畑汀子［二〇〇四］『ホトトギス――虚子と100人の名句集』三省堂。
2 小塩卓哉［二〇〇一］『海越えてなお』本阿弥書店。
3 佐藤念腹［一九七八］『移民七十年俳句集』サンパウロ、木蔭発行所。
4 佐藤念腹（編）［一九四八］『ブラジル俳句集』サンパウロ、グラフィカ・ブラジレイラ。
5 トイダ、エレナ［二〇〇八］「夢の航跡――ある移民俳人の記録」*Encontros Lusófonos*, 10, pp. 25-35.
6 細川周平［二〇一二］『日系ブラジル移民文学Ⅰ』みすず書房。
7 細川周平［二〇一三］『日系ブラジル移民文学Ⅱ』みすず書房。
8 パウリスタ新聞社（編）［一九九六］『日本・ブラジル交流人名事典』サンパウロ、五月書房。
9 増田恆河［一九九五］『自然諷詠』サンパウロ、日伯毎日新聞社。
10 増田秀一（恆河）［一九八六］「ブラジルのハイカイ」『俳句文学館紀要』四、俳人協会。
11 ――［一九九四］「ブラジルにおけるハイカイの近況」『俳句文学館紀要』八、俳人協会。
12 ――［一九九六］「ブラジルにおけるハイカイの季語」『俳句文学館紀要』九、俳人協会。

ハイカイについてはポルトガル語で多くが出版されている。13はアウメイダが俳句と出会い、どのように自己流の haicai を考えたか、その作品とともに紹介されている。14は増田恆河のインタビューを収録したドキュメンタリーDVDで、俳句に関する真摯な熱意が感じられる。15から18はより精度の高いハイカイに関する小論、句作の注意点および作品が掲載されている。19は写真家のノダ・イザベルの作品と恆河のハイカイによるフォト・アンソロジーで、日本の風景とハイカイとの融合が興味深い。20は日本人移住一〇〇周年記念のイベントで六つの俳句同好会の作品を展示したときの冊子である。

13 Almeida, Guilherme [1996] *Haicais Completos*, São Paulo: Aliança Cultural Brasil-Japão.

14 Carvalho, Guto [2002] *Masuda Goga, discípulo de Bashô*, São Paulo (Documentário focando a personalidade de H. Masuda Goga e seu trabalho à frente do haicai brasileiro).

15 Grêmio Haicai Ipê [1999] *Lua na janela*, São Paulo: Edições Caqui.

16 Masuda, H. Goga [1988] *O haicai no Brasil*, trad. José Yamashiro, São Paulo: Oriento.

17 Masuda, H. Goga et al. [1995] *Haicai: A poesia do kigô*, São Paulo: Aliança Cultural Brasil-Japão.

18 Masuda, H. Goga e Teruko Oda [1996] *Natureza — Berço do haicai: Kigologia e antologia*, São Paulo: Diário Nippak.

19 Masuda, H.Goga e Isabel Kioko Noda [2002] *Ecos do silêncio*, São Paulo: Escrituras Editora.

20 SESCSP (Serviço Social do Comércio São Paulo) [2008] *Dois caminhos: um olhar*, São Paulo.

ＮＨＫで放映された番組として以下がある。

ＮＨＫ「ＥＴＶ特集　知られざる俳句王国ブラジル」一九九七年一月二八日放映。

（エレナ・トイダ）

―コラム― 植物の夢を追いかけて――孤高のボタニスト橋本梧郎

一九八四年、私は高校一年生の姪とその同級生たちを連れて、サンパウロ市郊外の倉庫のような場所にいた。

「本当にここなの?」と、姪の心配そうな声。

「住所は間違いないけど」と答える私も、不安が頭をよぎる。そんな私たちを迎えてくれたのは、植物学者だと知人に紹介された一見不愛想で小柄、でも眼光の鋭い初老の男性だった。橋本梧郎その人である。

発端は姪たちの通う高校の課題である植物標本作成だった。花や草木を採集して標本を作り、それぞれの名前や学名を調べるという内容で、インターネット検索で簡単に調べられる時代ではない。困り果てた結果、運よく知人を通して紹介してもらった人が、偉大な植物学者だとは知る由もない。

姪たちの見せる花や植物を一目見るなり、すらすらとその名前を告げる。メモするのに皆必死である。途中思い出せない植物があると、すぐに立って標本を調べに行こうとするのだが、二、三歩あるくと思い出したと言っては戻ってくる。難なくすべての花や植物の名前が明確にそろい、私たちはただ茫然とするばかりだった。偉大な学者が高校生の標本作成のため、時間を割いて一つ一つ丁寧に教えてくれたのである。この印象的な出来事は姪も私も今でも鮮明に覚えている。

次に橋本と再会するのは一九八六年、ミナスジェライス州カパラオ国立公園にあるブラジルで三番目に高い山のバンディラ峰に登ったときだった。本来の目的はもちろん植物採集で、橋本の博物研究会メンバーも同道するということで私もそのグループに加わった。ブラジルで初めてのいわゆる本格的な登山が、大変なことになるとは夢にも思わなかった。よくある山の天気の急変そのままに、傾斜が一番きついところで土砂降りに見舞われる。多くのメンバーは峰に進むのをあきらめたが、本人と幹部の二、三人は頂上へと向かった。峰に近いところはほとんど這うような感じである。そして採集するべきものは採集して下山したのだ。橋本の植物に関しては決して諦めない姿勢がうかがわれた出来事である。

橋本梧郎(1913-2008)は、一九三四年単身ブラジルに移住、サンパウロ郊外にある農業学校を卒業。五〇年、サンパウロ博物研究会を設立、そこのメンバー(植物に興味のある仲間)とともに植物の採集と標本作りに従事する。七〇年以上の間に採集した植物は数えきれず、標本約一万種、一五万個体と本人は述べている（二〇〇四年新年号の『ニッケイ新聞』掲載インタビュー）が、個人所蔵の標本では世界最大である。その標本すべてを収納する場所を長い間探し、九六年サンパウロ市郊外の地区に橋本記念標本館を開設した。偉業は多々あるが、なかでもイタイプ水力発電所建設のために八二年に水没したセッチ・ケーダス（七つ滝）付近で採集した植物標本は計り知れない貢献であろう。橋本の植物への止まない探求心は、ついに二〇〇五年九二歳の時ギアナ高地に到達する。その想いにはただ驚かされるばかりだ。純粋に植物への夢を追い求め、ひたすら採集の旅を続け、後世に残る標本館を開設するにいたるまでの経緯は易しいものではなかったはずだ。しかし初めて会った時の淡々とした口調は、インタビューなどでも変わっていないように感じた。

橋本の俳号「垂南」にもなったスイナンの花（2014年、筆者撮影）

橋本について調べているうちに意外なことも分かった。橋本は一九四九年増田恆河と出会っていたのである。しかも季題集の編集にも携わり、俳号「垂南」（スイナンはブラジル原産の樹木で嘴の形の真っ赤な花を咲かせる）で俳句も作っていた。

スイナンや奴隷広場のある港
（suinãはブラジルのインディオの言葉）
終点は大学の門鳳凰樹
（鳳凰樹はよく見かける街路樹）

植物学の専門家としての知識が俳句を作る際におおいに役立ったことは言わずもがなであり、それゆえの季題編集もできたのだ。

私が本人と会ったのは上述した印象的な二回のみである。まさか三八年後にこのような文を書くことになろうとは、と感慨深い。橋本梧郎という偉大な先人が残した遺産は計り知れないが、本人はきっと淡々とこう言うのだろう。

「私はただブラジルの植物に恋していただけだよ。」

橋本が遺した著書は数多いが、代表作として『ブラジル植物記――身近な有用植物の知識』(帝国書院、一九六二年)、『ブラジルの果実』(農林統計協会、一九七八年)、『ブラジルの野菜』(農林統計協会、一九八三年)、『ブラジル産薬用植物事典』(アボック社、一九九六年)がある。最後の著書は第三三回吉川英治文化賞を受賞している。

(エレナ・トイダ)

ま行

や行

ら行

わ行

英数字

た行

な行

は行

さ行

マ行

ラ行

事項

あ行

か行

索引

項目名の後ろに（ ）で原語や略語を記した。複合語は［ ］で示した。人物は原則として略称を使用し、各章、コラムで取り上げた人物については当該章、コラムの最初と最後のページを太字で示した（例えば**205-223**）。

人物

ア行

カ行

サ行

タ行

ナ行

ハ行

年	本書に登場する思想家の活動の軌跡	本書で取り上げた思想にかかわる出来事
2005	ルセフ、大統領府文官長就任（～10）	G4が国連安保理改革案を提出／全国フロレスタン・フェルナンデス学校（ENFF）創立
2006	［CW］ライト・ライブリフッド賞を受賞	IBSA（インド、ブラジル、南ア）対話フォーラム発足
2007	［L］第二次政権発足	
2008		ブラジル日本移民100周年「日本ブラジル交流年」／リーマンショック発生
2009		第1回BRICS首脳会議の開催
2010		フィッシャ・リンパ法制定
2011	ルセフ大統領就任	世界経済減速に伴う輸出減少でブラジル経済が大きく後退
2012		労働者協同組合法成立／新森林法制定、開発可能地域が拡大／「国連持続可能な開発会議」（「リオ+20」）開催
2013	［NPS］「トム・ジョビンの光」上映	公共交通料金引き上げを契機に全国で抗議デモ激化
2014		汚職事件ラバジャット発覚／サッカーW杯ブラジル大会開催
2015	ルセフ第二次政権発足	経済、過去四半世紀で最大の落ち込み
2016	［CW］東京にて「反核世界社会フォーラム」開催／弾劾裁判でルセフ大統領解任、テメル副大統領が大統領に昇格	リオ五輪・パラリンピック開催
2017		テメル政権、財政均衡、労働法改正など新自由主義政策に転換
2018		燃料費値上げに対抗したトラック・デモ長期化
2019		ボルソナロ大統領就任。新自由主義路線を継続し、行政への市民参加制度を大幅に縮減／年金制度改革、支給年齢の引き上げなど／第一回先住民族女性マーチを開催
2020	［RM］森の民アライアンスの締結。ピアラス宣言発布	COVID-19感染拡大
2021	フェルナンダ・モンテネグロ、ブラジル文学アカデミーのメンバーに選出される	連邦議会上院、政府のCOVID-19対策が不十分だとして、ボルソナロ大統領を訴追
2022	［L］大統領当選（三期目へ）	ロシアによるウクライナ侵攻／ブラジル、11回目の国連安保理非常任理事国に選出（～23）／ブラジル独立200周年を迎える／下院議員選挙で二人の女性先住民が当選

年	本書に登場する思想家の活動の軌跡	本書で取り上げた思想にかかわる出来事
1984	[LB] バチカンに召喚される／[NPS]「監獄の記憶」カンヌ国際映画祭FIPRESCI賞受賞	土地なし農民運動（MST）が結成される／大統領の直接選挙を求める「ジレッタス・ジャ」始まる
1985	[CW] 憲法制定に関わるサンパウロ人民会議に参加	民政移管／ネーヴェス死去に伴い副大統領サルネイが大統領に昇格／ゴム採取人全国評議会結成
1986	[FF] 憲法制定議会議員に当選（二期1994年まで務める）／[L] 下院議員に当選	
1987	[CM] 国連環境計画から受賞	
1988	[PS] サンパウロ市企画長官就任／[CM] 暗殺される	1988年憲法発布、先住民族の諸権利を初めて承認
1989	[DR] O.ニーマイヤーとラテンアメリカ記念館をサンパウロに設立／[PF] サンパウロ市の教育長就任（～91）／[RM] アルタミラの大集会を開催／[CW] サンパウロ市議会議員（PT、～96）	29年ぶりの直接選挙／黒人運動のドキュメンタリー「オリ」公開
1990	[DR] リオ選出の上院議員となる／[MS] アクレ州議会議員に選出される	コロル大統領就任
1991		カポトジャリーナ先住民族保護区が認定
1992	[PF]『希望の教育学』出版／[LB] 聖職離脱（破門）	国連環境開発会議、リオで開催／弾劾裁判によりコロル大統領辞任、副大統領フランコが大統領に昇格／「マンゲ・ビート革命」マニフェスト発表
1993	[CA] フランコ政権の外相に就任／ベチンニョ、「飢餓に反対する生命のためのキャンペーン」を開始／[FHC] 蔵相としてレアル・プラン実施、インフレが鎮静化（～94）	
1994	[MS] 連邦上院議員当選／[NPS]「第三の岸辺」上映	新通貨レアル導入
1995	[DR] *O povo brasileiro*出版／[FHC] 大統領就任	メルコスル発足／ブラジルデザインプログラム（PBD）創設
1996	[DR] *Diários índios*出版／橋本梧郎、サンパウロ市郊外に橋本記念標本館開設	新教育基本法（ダルシー・リベイロ法）制定
1997	[DR] 最後の著作*Confissões*を出版	アジア通貨危機／憲法修正により大統領再選可能
1998	[PS]『闘うユートピア―社会主義を再考する』出版	映画「セントラル・ステーション（Central do Brasil）」上映
1999	[FHC] 第二次政権発足	変動相場制に移行
2000	[PS]『社会主義経済』出版／[NPS]「大邸宅と奴隷小屋」テレビミニシリーズ放映	財政責任法成立／ブラジル「発見」から200年
2001	[CW] 第一回世界社会フォーラム開催	連邦政府プログラムとしてボルサ・エスコーラ（就学を条件とする所得移転プログラム）導入
2002	[PS]『連帯経済入門』出版	
2003	[L] 大統領就任。世界社会フォーラム（WSF）、世界経済フォーラム（WEF）に参加／ルセフ、鉱業エネルギー大臣に就任（～05）／[PS] 国家連帯経済局長就任／[CA] 外相に就任（～10）／[MS] 環境大臣就任	飢餓撲滅プログラム発表／ボルサ・ファミリア（条件付き現金給付プログラム）導入／WTO第5回閣僚会議（カンクン）で貿易版G20結成
2004		ブラジル、国連ハイチ安定化ミッションに参加（～17）／ブラジル、ドイツ、インド、日本がG4結成

年	本書に登場する思想家の活動の軌跡	本書で取り上げた思想にかかわる出来事
1964	[FF]『黒人の社会階級への統合』出版／[DR] ウルグアイに亡命。ウルグアイ東方大学で人類学を講義。*Estudos do Antropologia de Civilização*シリーズ全5冊順次執筆／[PF] チリへ亡命／[CF] チリ、フランスに亡命／[NPS]「乾いた人生」カンヌ国際映画祭上映／[FHC] 亡命し、チリや欧米諸国に滞在する（～68）	軍事クーデター発生、軍政令第一号（AI-1）による公民権停止、軍政が始まる（～85）／『ブラジリエンセ』誌が廃刊
1965		二大政党制に再編。国家革新同盟（ARENA）とブラジル民主運動（MDB）を結党
1966	[CPJ]「今年の知識人」（ジュカ・パト）賞を授賞／[CF]『ラテンアメリカの低開発と停滞』出版／[CW] 家族とフランスに亡命	軍政令第三号（AI-3）による州知事間接選挙への移行／アマゾン開発と国家統合を目的とした「アマゾン作戦」策定
1967	[AN]「反抗する黒人」を執筆	FUNAI（国立先住民保護財団）設立／1967年憲法発布
1968	[PS] ブラジル分析企画センター（CEBRAP）設立／[AN] 米国に亡命	CELAM II総会（メデジン会議）開催／軍政令第五号（AI-5）発令／「ブラジルの奇跡」（～1973）
1969	[FHC] ファレートとの共著『ラテンアメリカにおける従属と発展』出版	1969年憲法発布
1970	[PF]『被抑圧者の教育学』（英語訳）出版。ジュネーブ（スイス）の世界教会協議会に勤務	イタマラチ（ブラジル外務省）、ブラジリアに移転
1971	[NPS]「非常にクレイジーな村」上映	教育基本法改定
1972	タヴァレス、『輸入代替から金融資本主義へ』出版／[NPS]「私の愛したフランス人」上映	アマゾン横断道路開通
1973		第一次石油危機
1974	[MS] リオブランコで肝炎の治療と教育を受ける	総選挙で野党MDB躍進
1975	[FF]『ブラジルのブルジョア革命』出版／[L] 30歳で金属加工業労働組合委員長に就任／[NPS]「オグンのお守り」カンヌ国際映画祭上映	西ドイツと原子力発電技術協力協定締結／国家アルコール計画（PROALCOOL）発表
1976		ゴム労働者らが最初のエンパッチ（ゴム採取林伐採への抵抗運動）を行う
1977		「黒人の十五日間」開催／ゴム採取労働者らによってアクレ州初の労働組合が設立される
1978	[FHC] カルドーゾは上院議員選挙に立候補し次点となる／[AN]『ブラジル黒人のジェノサイド』刊行	軍政令廃止、民主化に向けた動き広がる
1979	[DR] 民主労働党（PDT）入党（～97）／[CF] 恩赦により政治的復権／[L] サッカー場に集まった10万人の組合員の前で演説／[RM] 映画「ラオニ」公開	軍政5代目のフィゲイレド大統領就任／恩赦法公布／政党法改正、多党制へ
1980	[SBH] 労働者党創設に署名する／[PF] ブラジルへ帰国／[L] 逮捕される／[AN]「キロンビズモ」発表	労働者党（PT）結党／6月18日を正式に「日本移民の日」と制定
1981	[CW] ブラジルに帰国／ベチンニョ、ブラジル社会経済分析研究所（IBASE）創設	サンパウロで労働者全国階級会議（CONCLAT）開催、労働者統一本部（CUT）結成
1982	[DR] リオ州副知事就任（知事はL.ブリゾーラ）	
1983	[AN] 下院議員に就任	マリオ・ジュルーナが先住民初の国会議員に就任

年	本書に登場する思想家の活動の軌跡	本書で取り上げた思想にかかわる出来事
1944	[FF] サンパウロ社会政治自由学院修士課程進学／[AN] 黒人実験劇場を旗揚げ	
1945	アルミカル・カブラル、ポルトガルへ留学	勝ち組負け組抗争勃発（～55）
1946	[FF] マルクス『経済学批判』ポルトガル語訳出版／[DR] ELSPSPで人類学を修了、先住民保護局（SPI）職員となる	1946年憲法発布
1947	[GF] ジョアキン・ナブコ社会調査研究所設立／[PF] 工業社会サービス（SESI）就職／[CPJ] サンパウロ州議会選挙で当選／[NPS] サンパウロ大学法学部入学	
1948	[AN]『キロンボ』が創刊される	
1949	[FF] ユネスコ人種関係調査に参加／[DR] 民族学者育成プログラム開設／[CF] CEPAL赴任／[CF]「ブラジル経済の一般的性格」執筆	
1950	橋本梧郎、サンパウロ博物研究会設立	ヴァルガス大統領再選
1951	[GF] サラザールの招きでポルトガル旧植民地などを訪問／[FF] USP-FFCLで博士号取得	
1952	[FHC] サンパウロ大学の社会科学学部を卒業する／[L] 家族とともにサンパウロに移住	日本との国交回復／国立経済開発銀行（BNDE）設立／ブラジル全国司教協議会（CNBB）設立
1953	[GF]『冒険と日常』出版／[FF] サンパウロ大学哲学・科学・文学学部社会学Ⅰで教えはじめる／[RM] カヤポ民族が非先住民との接触を初めて受け入れる／[CW] カトリック学生連盟の代表となる	国営石油会社ペトロブラス設立
1954		ヴァルガス大統領自殺
1955	[CPJ] 学術誌『ブラジリエンセ』を創刊／[NPS]「リオ40度」で長編映画の監督デビュー	サンパウロ日本文化協会設立／ブラジル人類学会（ABA）設立／ラテンアメリカ司教協議会（CELAM）設立
1956	[DR] ABAの会長就任（～60）／アルミカル・カブラル、ギニア・カボベルデ独立アフリカ人党（PAIGC）を創設／[CM] この頃、タヴォラ将校に薫陶を受ける（～65）	クビシェッキ大統領就任／メタス計画開始（～61）
1957	[DR] 教育文化省社会研究理事就任（～61）／[CF] ケンブリッジ大学留学（～58）／[CW] SAGMACSに勤務／フェルナンダ・モンテネグロ、劇団Teatro dos Seteを設立	新首都ブラジリア建設開始
1959	[SBH]『楽園観』を博士論文として発表する／[CF]『ブラジル経済の形成』	キューバ革命起きる
1960	[FF]「公立学校擁護運動」に参加／[CF] 北東部開発庁（SUDENE）総裁就任	ブラジリアに遷都
1961	[DR] シングー先住民公園設立計画を作成／[PF] レシフェ大学に就職し文化普及サービスセンター創設／[CF]『開発と低開発』出版／[FHC] 奴隷制の研究でサンパウロ大学の博士号を取得	保護区第一号のシングー先住民族公園が認定される／ケネディ、「進歩のための同盟」を発表／初の教育基本法制定
1962	[DR] ブラジリア大学（UnB）設立に尽力、初代学長に就任。教育大臣、内務大臣に就任（～64）／[CF] 企画相就任（～64）	第二バチカン公会議（～65）
1963	[PF] アンジコスで識字教育プログラムを実施	

年	本書に登場する思想家の活動の軌跡	本書で取り上げた思想にかかわる出来事
1817		「1817年革命」で「臨時国民政府」樹立
1822		摂政皇太子ペドロ「ブラジルの独立」を宣言し皇帝即位
1825		ブラジル最古の日刊紙『ジアリオ・デ・ペルナンブコ』創刊
1836		ブラジルのロマン主義開始（とされる年）
1873		マルクス『資本論』仏語版2冊がポルトガルに届く
1881	［MA］『ブラス・クーバスの死後の回想』出版	ブラジルの写実主義の開始（とされる年）
1888		奴隷制廃止
1889		帝政崩壊、共和制に移行／リオのイタマラチ宮殿がブラジル外務省の庁舎となる
1891	［MA］『キンカス・ボルバ』出版	ブラジル共和国憲法発布
1897		ブラジル文学アカデミー創立
1895		サントス社会主義サークルが創立される／日伯修好通商航海条約締結
1899	［MA］『ドン・カズムッホ』出版	
1908		初めての日本人移民、ブラジルに到着
1914		第一次世界大戦勃発（〜18）
1915		サンパウロ日本帝国総領事館開設
1919		日本人最初の農業協同組合誕生
1920	［GF］米コロンビア大学大学院でボアスに師事	
1921		マリオ・デ・アンドラーデの詩が紹介される
1922		サンパウロで近代芸術週間が開催される／ブラジル共産党（PCB）が創立
1923	［GF］欧州旅行後ブラジルに帰国	
1926	［GF］「地方主義宣言」発表	
1928	［CPJ］民主党（PD）に入党	画家タルシラが「アバポル」を発表する
1929		世界恐慌がコーヒー生産に打撃／パラ州への入植開始
1930		ヴァルガスの「革命」が起こる
1931	［CPJ］ブラジル共産党（PCB）に入党／［AN］ブラジル黒人戦線の創設	
1933	［GF］『大邸宅と奴隷小屋』出版	サンパウロ社会政治自由学院（ELSPSP）設立
1934	［CPJ］ブラジル地理学会の創立に参加	サンパウロ大学（USP）設立／1934年憲法発布
1935	［CPJ］ヴァルガス政権下で逮捕、37年釈放	
1936	［SBH］『ブラジルのルーツ』出版される	
1937		ヴァルガスの独裁的な「新国家体制」樹立
1938		ヴァルガス政権によるアマゾン開発が開始／移民同化政策開始
1939		第二次世界大戦勃発（〜45）
1940	［DR］ブラジル共産党（PCB）に入党（〜64）／［PS］家族でナチスを逃れブラジルへ	
1941	［FF］サンパウロ大学哲学・科学・文学学部入学	太平洋戦争始まる
1943	［PF］レシフェ大学に入学／［CPJ］出版社ブラジリエンセを創立	

関連年表

生没年見取図

＊思想家名の下に付した［イニシャル］は、年表の「本書に登場する思想家の活動の軌跡」列に示すイニシャルと対応する。

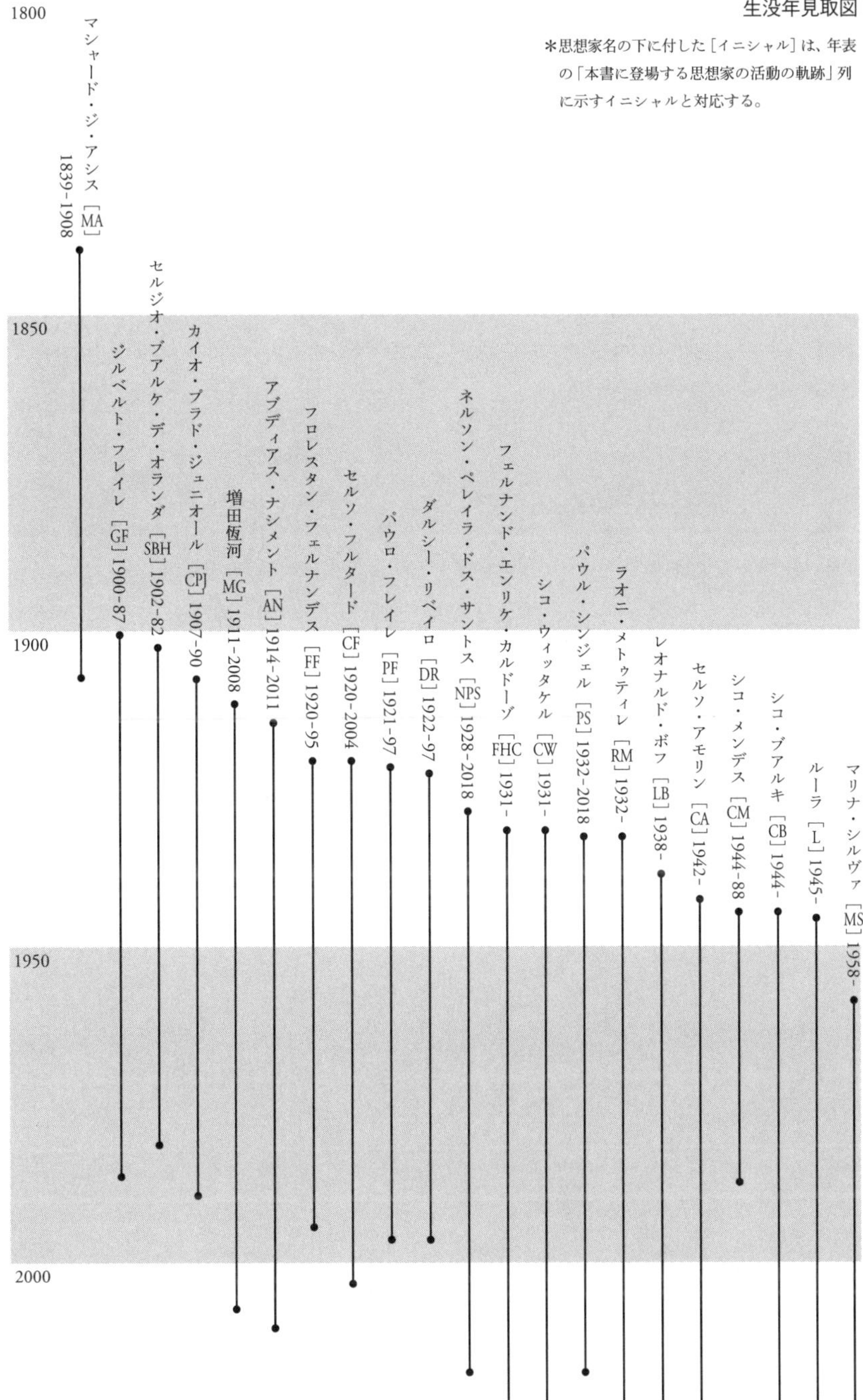

菊池豪人（きくち・たけと）　　コラム17

東京外国語大学大学院総合国際学研究科博士後期課程。世界言語社会専攻。「ブラジル近代主義小説『マクナイーマ』とパロディ」（修士論文）。

マウロ・ネーヴェス　　第18章、コラム18

上智大学外国語学部教授。ポップカルチャー比較研究。修士（日本史）。「『仮想のボーダー』と『現実のボーダー』——ジョアン・ペドロ・ロドリゲスの作品を『読み解く』」『ヨーロッパ映画における「ボーダー」』（上智大学ヨーロッパ研究所、2016年）。"Croatia in the Eurovision Song Contest: From an Anti-War Message to the Recognition of a Culture Tradition," *International Review of the Aesthetics and Sociology of Music*, 48(1), 2017. "O K-POP e a América Latina: performance e transculturação," *Japão em movimento: cultura, espaço e outras territorialidades*, Intermeios, 2019.

福嶋伸洋（ふくしま・のぶひろ）　　第19章、コラム19

共立女子大学文芸学部准教授。ブラジル文学・音楽。博士（学術）。著書に『魔法使いの国の掟』（慶應義塾大学出版会、2011年）。『リオデジャネイロに降る雪』（岩波書店、2016年）。訳書にマリオ・ヂ・アンドラーヂ『マクナイーマ』（松籟社、2013年）。ヴィニシウス・ヂ・モライス『オルフェウ・ダ・コンセイサォン』（松籟社、2016年）。クラリッセ・リスペクトル『星の時』（河出書房新社、2021年）で第8回日本翻訳大賞を受賞。

エレナ・トイダ　　第20章、コラム20

元上智大学外国語学部教授、神田外語大学非常勤講師。ブラジル文学・翻訳研究。修士（教育学）。「夢の航跡——ある移民俳人の記録」（*Encontros Lusófonos*, 10, 2008）。『日系ブラジル人がみる日本移民100周年』（編著、上智大学イベロアメリカ研究所、2009年）。『プログレッシブ ポルトガル語辞典』（共編、小学館、2015年）。

下郷さとみ（しもごう・さとみ）　第13章、コラム13

ジャーナリスト。金沢大学経済学部卒。リオデジャネイロのファヴェーラ（スラム）を主なフィールドにブラジルの民衆運動を長年取材。アマゾン先住民族の支援活動にも携わる。『平和を考えよう』（あかね書房、2013年）。『創造と抵抗の森アマゾン ── 持続的な開発と民衆の運動』（共著、現代企画室、2017年）。『コロナ危機と未来の選択』（共著、コモンズ、2021年）。

矢澤達宏（やざわ・たつひろ）　第14章、コラム14

上智大学外国語学部教授。ブラジル黒人研究・アフリカ地域研究。博士（法学）。『ブラジル黒人運動とアフリカ』（慶應義塾大学出版会、2019年）。『世界の中のアフリカ』（共編、上智大学出版、2013年）。『二〇世紀〈アフリカ〉の個体形成』（共著、平凡社、2011年）。『グローバル・ヒストリーズ』（共著、上智大学出版、2018年）。

石丸香苗（いしまる・かなえ）　第15章

福井県立大学学術教養センター教授。森林科学・地域研究。博士（農学）。『森林生態学』（共著、朝倉書店、2019年）。『ノーライフ・ノーフォレスト』（共著、京都大学学術出版会、2021年）。『抵抗と創造の森アマゾンー持続的な開発と民衆の運動』（共著、現代企画室、2017年）。

鈴木美和子（すずき・みわこ）　コラム15

大阪公立大学都市科学・防災研究センター特別研究員、同志社大学嘱託講師。デザイン政策・都市政策。博士（創造都市）。『文化資本としてのデザイン活動ーラテンアメリカ諸国の新潮流』（水曜社、2013年）。『抵抗と創造の森アマゾン ── 持続的な開発と民衆の運動』（共著、現代企画室、2017年）

印鑰智哉（いんやく・ともや）　コラム16

OKシードプロジェクト事務局長。翻訳書に『ゲノム編集 ── 神話と現実』（Greens/European Free Alliance, *Gene Editing – Myths and Reality: A Guide through the Smokescreen*, Greens/EFA, 2021）。ブラジルのアグロエコロジーや日本など世界の食の運動、また遺伝子組み換え企業や穀物商社などのアグリビジネス、政府、国際機関の動きの分析をブログやSNSで発信している。https://project.inyaku.net/

武田千香（たけだ・ちか）　第17章

東京外国語大学大学院教授。ブラジル文学・文化。博士（学術）。著書に『千鳥足の弁証法 ── マシャード文学から読み解くブラジル世界』（東京外国語大学出版会、2012年）、『ブラジル人の処世術 ── ジェイチーニョの秘密』（平凡社新書、2014年）など。翻訳にマシャード・ジ・アシス『ブラス・クーバスの死後の回想』（光文社古典新訳、2012年）、『ドン・カズムッホ』（光文社古典新訳、2014年）、シコ・ブアルキ『ブダペスト』（白水社、2006年）など。

三田千代子（みた・ちよこ）　第4章、コラム4

元上智大学教授、上智大学イベロアメリカ研究所名誉所員。社会人類学・ブラジル研究。Ph.Dr.（社会人類学・サンパウロ大学）。『ブラジルの人と社会』（共編、上智大学出版、2017年）。『グローバル化の中で生きるとは――日系ブラジル人のトランナショナルな暮らし』（上智大学出版、2011年）。『「出稼ぎ」から「デカセギ」へ――ブラジル移民100年にみる人と文化のダイナミズム』（不二出版、2009年）。*Bastos-uma comunidade étnica japonesa no Brasil* (São Paulo, FFLCH/USP, 1999).

酒井佑輔（さかい・ゆうすけ）　第5章、コラム5

鹿児島大学法文学部法経社会学科准教授。社会教育・地域研究（ブラジル）。博士（学術）。『知る・わかる・伝えるSDGsⅣ――教育・パートナーシップ・ポストコロナ』（共著、学文社、2022年）。「ESDは地域の社会的排除／包摂とどう向き合うか――ガヤトリ・スピヴァクによるunlearnの可能性」（『日本社会教育学会年報』第59集、2015年）。

乗 浩子（よつのや・ひろこ）　第6章、コラム6

元帝京大学教授。ラテンアメリカ地域研究。『宗教と政治変動――ラテンアメリカのカトリック教会を中心に』（有信堂、1998年）。『［全面改訂版］ラテンアメリカ　政治と社会』（共編、新評論、2004年）。『教皇フランシスコ――南の世界から』（平凡社新書、2019年）。

山崎圭一（やまざき・けいいち）　第7章、コラム7

横浜国立大学大学院国際社会科学研究院教授。途上国経済・ブラジル経済・地方自治。修士（商学）。『ブラジルの歴史を知るための50章』（共著、明石書店、2022年）。『混迷するベネズエラ――21世紀ラテンアメリカの政治・社会状況』（共著、明石書店、2021年）。『ゼロからはじめる経済入門――経済学への招待』（共編、有斐閣、2019年）。

受田宏之（うけだ・ひろゆき）　第9章、コラム9

東京大学大学院総合文化研究科教授。国際開発・ラテンアメリカ地域研究。博士（経済学）。『メキシコの21世紀』（共著、アジア経済研究所、2019年）。『開発援助がつくる社会生活――現場からのプロジェクト診断（第二版）』（共編、大学教育出版、2017年）。

子安昭子　序章、第10章、コラム10、第12章、コラム12

編者紹介参照。

渋谷敦志（しぶや・あつし）　コラム11

写真家。『僕らが学校に行く理由』（ポプラ社、2022年）。『今日という日を摘み取れ』（サウダージ・ブックス、2020年）。『まなざしが出会う場所へ――越境する写真家として生きる』（新泉社、2019年）。2021年、第4回笹本恒子写真賞を受賞。

【編者紹介】

小池洋一（こいけ・よういち）

立命館大学経済学部教授を経て同大学BKC社系研究機構客員研究員。開発研究・ラテンアメリカ地域研究。『社会自由主義国家－ブラジルの「第三の道」』（新評論、2014年）。『抵抗と創造の森アマゾン ── 持続的な開発と民衆の運動』（共編、現代企画室、2017年）。『経済学のパラレルワールド ── 異端派総合アプローチ』（共編、新評論、2019年）。

子安昭子（こやす・あきこ）

上智大学外国語学部教授。ブラジル現代政治・外交研究。修士（国際学）。『現代ブラジル論 ── 危機の実相と対応力』（共著、上智大学出版、2019年）。『ラテンアメリカ 地球規模課題の実践』（共著、新評論、2021年）。

田村梨花（たむら・りか）

上智大学外国語学部教授。ブラジル地域研究・社会学。修士（地域研究）。『ブラジルの人と社会』（共編、上智大学出版、2017年）。『抵抗と創造の森アマゾン ── 持続的な開発と民衆の運動』（共編、現代企画室、2017年）。「ブラジルにおける地域連携に基づく多様な教育空間の創造と課題」（『比較教育学研究』58巻、2019年）。『ラテンアメリカ 地球規模課題の実践』（共著、新評論、2021年）。

【執筆者紹介】

住田育法（すみだ・いくのり）　第1章、コラム1

京都外国語大学名誉教授、IELAK客員研究員。ブラジル史・地域研究。修士（文学）。『ブラジル学を学ぶ人のために』（共編、世界思想社、2002年）。『ブラジルの都市問題 ── 貧困と格差を越えて』（監修、春風社、2009年）。『混迷するベネズエラ ── 21世紀ラテンアメリカの政治・社会状況』（共編、明石書店、2021年）。

小池洋一　序章、第2章、第8章、コラム8、第11章

編者紹介参照。

岸和田仁（きしわだ・ひとし）　コラム2

日本ブラジル中央協会常務理事、隔月刊情報誌『ブラジル特報』編集人。『サンフランシスコ河中流域日系人入植小史』（1994年）。『熱帯の多人種主義社会』（つげ書房新社、2005年）。『輝号（ブラジル「勝ち組」広報誌）復刻版』（解説、不二出版、2012年）。カエターノ・ヴェローゾ『熱帯の真実』（解説、アルテスパブリッシング、2020年）。『ブラジルの歴史を知るための50章』（共編、明石書店、2022年）。

田村梨花　序章、第3章、コラム3、第16章

編者紹介参照。

ブラジルの社会思想

人間性と共生の知を求めて

2022年12月31日　初版第一刷発行

定価3300円＋税

編　者　小池洋一、子安昭子、田村梨花

発行者　北川フラム

発行所　現代企画室　http://www.jca.apc.org/gendai/

東京都渋谷区猿楽町29-18ヒルサイドテラスA8

Tel. 03-3461-5082　Fax. 03-3461-5083　e-mail. gendai@jca.apc.org

装　丁　北風総貴

印刷所　中央精版印刷株式会社

ISBN978-4-7738-2212-0 C0036 Y3300E